제3제국사

제3제국사

히틀러의 탄생부터 나치 독일의 패망까지

윌리엄 L. 샤이러 지음 | 이재만 옮김

책과함께

일러두기

• 이 책은 William L. Shirer의 *The Rise and Fall of the Third Reich : A History of Nazi Germany*를 우리말로 옮긴 것이다. 초판(1960년 출간)의 글 일체와 더불어 30주년 기념판(1990년 출간)에 추가된 지은이의 후기도 수록했다.

• 옮긴이가 덧붙인 설명은 〔 〕로 표시했다.

• 책의 성격상 '제1차 세계대전'과 '제2차 세계대전'이 많이 나오는데, 가독성 제고를 위해 '1차대전' '2차대전'으로 축약해 표기했다.

• 인종, 신체 등에 대한 일부 차별적 표현은 원문이 갖는 역사성을 고려하여 그대로 두었다.

차례

제4부

전쟁: 초기 승리와 전환점

제18장

폴란드 함락

1939년 9월 5일 오전 10시, 할더 장군은 독일 육군 총사령관 브라우히치 장군 및 북부집단군 사령관 페도어 폰 보크Fedor von Bock 장군과 대화했다. 독일의 폴란드 공격 5일째 아침에 전황을 평가한 그들은, 할더가 일기에 적었듯이, "적은 사실상 격파되었다"라고 의견 일치를 보았다.

회랑지대 전투는 전날 저녁 클루게 장군의 제4군이 포메른에서 동진하고 퀴흘러Küchler 장군의 제3군이 동프로이센에서 서진하여 합류하는 것으로 끝이 난 터였다. 이 전투에서 하인츠 구데리안 장군과 그 전차부대가 처음으로 이름을 떨쳤다. 회랑지대를 가로질러 동쪽으로 질주하던 전차부대는 한 지점에서 포모르스카 기병여단의 반격을 받았다. 나는 며칠 후에 그 현장에 갔다가 역겨운 도살의 증거를 마주했다. 짧은 폴란드 전투를 상징하는 증거였다.

말 대 전차! 기병의 장창 대 전차포! 폴란드군은 용맹하고 대담하고 앞뒤를 가리지 않긴 했지만, 독일군의 맹공격에 그야말로 압도당했다. 이 전투는 폴란드군이―그리고 세계가―처음으로 경험한 전격전, 즉 느닷없는 기습이었다. 전투기와 폭격기가 머리 위에서 굉음을 내며 정찰과 공격을 하고 화염과 공포를 흩뿌렸다. 슈투카 폭격기는 급강하하며 비명을 질러댔다. 전차의 경우 전 사단이 하루에 50~60킬로미터씩 돌파하고 진격했다. 자주식 속사중포는 구덩이투성이인 폴란드 도로에서도 시속 65킬로미터를 진격했다. 심지어 방대한 150만 육군의 보병마저 차량류에 탑승한 채 복잡하게 얽힌 무전기, 전화, 전신망으로 이루어진 전자통신의 미로를 통해 지휘되고 조정되는 가운데 믿기 어려운 속도로 계속 진격했다. 이것은 일찍이 지구상에서 본 적이 없는 기계화된 가공할 파괴력이었다.

폴란드 공군은 48시간 사이에 괴멸되었다. 제1선의 항공기 500대 대부분은 이륙해보지도 못한 채 독일군의 폭격에 비행장에서 폭파되었다. 시설은 불탔고 지상 근무원 대다수는 전사하거나 부상당했다. 폴란드 제2의 도시 크라쿠프는 9월 6일에 함락되었다. 그날 밤 폴란드 정부는 바르샤바에서 루블린으로 달아났다. 이튿날 할더는 서부전선에서 아직 아무런 움직임도 감지하지 못한 채 병력을 그곳으로 이동시키는 계획을 세우느라 분주했다. 9월 8일 오후에 제4기갑사단이 폴란드 수도의 외곽에 도달했고, 바르샤바 바로 남쪽에서는 슐레지엔과 슬로바키아에서 북진한 라이헤나우의 제10군이 키엘체를 점령했으며, 리스트의 제14군이 비스와 강과 산 강이 합류하는 산도미에시에 당도했다.

폴란드 육군은 1주일 만에 패배했다. 육군의 35개 사단—이 병력밖에 동원할 시간이 없었다—대부분이, 바르샤바를 포위하는 대규모 협격작전에 분쇄되거나 포로가 되었다. 이제 독일군의 과제는 '제2단계'의 실행이었다. 바로 넓이 나가고 흐트러진 폴란드 부대들을 에워싼 올가미를 조여 그들을 말살하고, 동쪽으로 160킬로미터 떨어진 지점에서 더 큰 규모로 두 번째 협격작전을 펼쳐 폴란드군 잔존 부대들을 브레스트-리토프스크와 부크 강 서쪽에 가두는 것이었다.

이 단계의 작전은 9월 7일에 시작해 9월 17일에 끝났다. 보크 휘하 북부집단군의 좌익이 브레스트-리토프스크로 향했고, 그곳에 구데리안의 제19군단이 14일에 도착, 이틀 후에 함락했다. 9월 17일, 제19군단은 브레스트-리토프스크 남쪽 80킬로미터 지점의 브워다바에서 리스트의 제14군의 정찰대와 조우해 그곳에서 두 번째 대규모 협격작전을 완료했다. 훗날 구데리안은 "반격"이 9월 17일에 "명확한 결론"에 이르렀다고 말했다. 소련 국경에 남은 한줌의 병력을 제외하고 폴란드군은 전부 포위되었다. 바르샤바 삼각지대나 더 서쪽의 포젠 인근에 고립된 폴란드 병력은 용맹하게 버텼지만, 결국 파멸할 운명이었다. 폴란드 정부, 또는 그 잔해는 독일 공군의 끊임없는 폭격과 기총소사를 당한 끝에 15일 루마니아 국경의 한 마을에 도착했다. 여전히 믿기 어려울 정도로 꿋꿋하게 버티는 부대들의 죽어가는 장병을 제외하면, 폴란드 정부와 긍지 높은 국민에게는 모든 것이 끝난 상황이었다.

이제 소련군이 전리품에서 제 몫을 차지하기 위해 도탄에 빠진 이 나라를 쳐들어올 시간이었다.

소련군의 폴란드 침공

모스크바 정부는 다른 정부들과 마찬가지로 독일군이 폴란드에서 날쌔게 돌진하는 양상에 깜짝 놀랐다. 9월 5일, 몰로토프는 동쪽에서 폴란드를 공격해달라는 나치의 제안에 공식 서면 회답을 보내면서, "적절한 시기"에 공격할 테지만 "아직은 때가 아니다"라고 말했다. 그는 "지나친 성급함"이 소비에트의 "대의"를 훼손할지 모른다고 생각하면서도, 설령 독일군이 먼저 도달할지라도 나치-소비에트 조약의 비밀조항으로 합의한 폴란드 내 "경계선"은 엄밀히 지켜야 한다고 역설했다.[1] 독일에 대한 소련의 의심은 이미 분명했다. 독일의 폴란드 정복이 꽤 오래 걸릴 것이라는 크렘린의 생각 역시 분명했다.

그러나 독일 기갑사단이 바르샤바 외곽에 도달한 후인 9월 8일 자정 직후, 리벤트로프는 모스크바의 슐렌부르크 대사에게 '긴급' '일급비밀' 메시지를 보내 폴란드 작전이 "기대 이상으로 진척"되고 있고 이런 상황에서 "소비에트 정부의 군사적 의도"가 무엇인지 알고 싶다고 전했다.[2] 이튿날 오후 4시 10분경, 몰로토프는 소련이 "앞으로 수일 내에" 군사적으로 움직일 것이라고 답변했다. 이에 앞서 그날 소비에트 외무인민위원은 "독일 병력의 바르샤바 입성"을 정식으로 축하한다고 밝혔다.[3]

9월 10일, 몰로토프와 슐렌부르크 대사는 민감한 혼란에 빠져들기 시작했다. 몰로토프는 소비에트 정부가 "예상 밖으로 신속한 독일의 군사적 성공에 크게 놀랐"고 그 결과로 "난처한 입장"에 처했다고 말한 다음, 크렘린이 폴란드를 침공하는 데에는 어떤 구실이 필요할까 하는 문제를 거론했다. 슐렌부르크가 베를린에 '최급' '일급비밀'로 타전했듯이, 이 말은 다음과 같은 주장이었다.

폴란드가 허물어지고 있고, 그 결과로 소련은 독일에 "위협을 느끼는" 우크라이나인과 벨라루스인을 지원할 필요가 있다. [몰로토프에 따르면] 소련의 개입을 대중에게 납득시키는 동시에 소련이 침략자로 비치지 않도록 하려면 이런 논법이 필요하다.

여기에 더해 몰로토프는 브라우히치 장군이 "독일의 동부 국경에서 군사행동은 더 이상 필요하지 않다"라고 말했다는 국영통신사 DNB의 보도에 대해서도 불만을 표했다. 만약에 그렇다면, 전쟁이 끝난 것이라면, 소련은 "새로운 전쟁을 시작할 수 없다"라고 몰로토프는 말했다. 그는 전반적인 상황에 대해 불만이 아주 많았다.[4] 설상가상으로 그는 9월 14일 슐렌부르크를 크렘린으로 불러 붉은군대가 자기네 예상보다 일찍 진군할 것이라고 알린 뒤, 바르샤바가 언제쯤 함락될지 알려달라고 요구했다. 소련이 자국의 군사행동을 정당화하기 위해서는 폴란드 수도가 함락되기를 기다려야 했던 것이다.[5]

이렇듯 외무인민위원은 몇 가지 난처한 질문을 꺼냈다. 바르샤바는 언제 함락되는가? 독일은 소비에트의 개입으로 인한 비난을 어느 정도나 감내할 용의가 있는가? 9월 15일 저녁, 리벤트로프는 독일 대사를 통해 몰로토프에게 보낸 '최급' '일급비밀' 메시지에서 그 질문에 답했다. 바르샤바는 이제 "며칠 내에" 점령될 것이고, 독일은 "소비에트의 군사작전을 당장 환영"한다고 했다. 그에 따른 비난을 독일에 떠넘길 만한 소련 측의 구실에 관해서는, 그것은 "고려할 수 없고 … 독일의 진짜 의도와 상반되며 … 모스크바에서 맺은 협정에 위배될 것이고, 결국 … 전 세계 앞에서 두 나라가 서로 적인 것처럼 보이게 될 것이다"라고 답했다. 리벤트로프는 끝으로 소비에트 정부에 폴란드 공격의 "일시"를 정해달라고 요구했다.[6]

그 회답은 이튿날 저녁에 이루어졌는데, 압수된 독일 문서에서 발견된 슐렌부르크의 전보 두 통은 그때의 결정 과정과 크렘린의 속임수를 확실하게 드러낸다.

[9월 16일에 슐렌부르크가 타전함] 본관은 오후 6시에 몰로토프를 만났다.

몰로토프는 소련의 군사개입이 임박했다고 확언했다 — 어쩌면 내일이나 모레일 수도 있다. 현재 스탈린이 군 수뇌부와 상의하고 있다. …

몰로토프는 … 소비에트 정부가 그 절차를 다음과 같이 정당화할 생각이라고 부언했다. 폴란드 국가는 해체되어 더 이상 존재하지 않는다. 그러므로 폴란드와 체결한 모든 협정은 무효이고, 발생한 혼란을 틈타 제3의 세력이 끼어들어 이익을 얻으려 할지도 모른다. 소비에트 정부는 우크라이나인과 벨라루스인 형제들을 보호하고 이 불운한 사람들이 평화 속에서 일할 수 있도록 개입할 의무가 있다고 생각한다.

문제가 될 만한 "제3의 세력"은 독일일 수밖에 없었으므로 슐렌부르크는 이의를 제기했다.

몰로토프는 소비에트 정부가 구실로서 제안한 주장에 독일의 심기를 거스를지도 모를 언급이 담겨 있다는 것을 인정하면서도, 소비에트 정부의 난처한 입장을 고려하여 이 사소한 문제를 걸고넘어지지 말 것을 우리에게 요청했다. 소비에트 정부는 유감스럽게도 다른 어떤 동기의 가능성도 찾지 못했는데, 이제까지 폴란드 내 러시아계 소수집단의 곤경에 신경쓰지 않은 소련은 이번의 개입을 어떻게든 외부 세계에 정당화해야 하기 때문이다.[7]

9월 17일 오후 5시 20분, 슐렌부르크는 또 한 통의 '최급' '일급비밀' 전보를 베를린에 보냈다.

스탈린은 본관을 2시 정각에 접견하고 … 붉은군대가 6시 정각에 소비에트 국경을 넘을 것이라고 확언했다. … 소비에트 항공기들이 금일 르부프(렘베르크)의 동쪽 지구를 폭격하기 시작할 것이다.

슐렌부르크가 소련의 통첩 중에서 거슬리는 세 가지 점에 이의를 제기하자 소비에트 독재자는 "흔쾌히" 문장을 변경했다.[8]

이렇게 해서 소련은, 폴란드가 소멸했고 따라서 폴란드-소비에트 불가침 조약도 소멸했다는 등, 자국의 이익과 더불어 우크라이나인과 벨라루스인 소수집단의 이익까지 보호해야 한다는 등 비열한 핑계를 대면서 기진맥진한 폴란드를 9월 17일 아침부터 짓밟기 시작했다. 더욱이 한 술더 떠서 모스크바 주재 폴란드 대사에게 소련은 폴란드 분쟁에서 엄격히 중립을 지킬 것이라고 알렸다! 다음날인 9월 18일, 소비에트군은 브레스트-리토프스크에서 독일군과 만났다. 정확히 21년 전에 신생 볼셰비키 정부가 서방 연합국과의 약속을 저버린 채 독일 육군을 맞이하고 가혹한 단독 강화 조건을 수락한 그 장소였다.

그런데 소련 측은 이제 유서 깊은 폴란드를 지도에서 지워버리는 일에서 나치 독일의 공범이면서도 새로운 동지를 불신하고 있었다. 슐렌부르크가 응당 베를린에 알렸듯이, 소련이 폴란드를 침공한 날 저녁에 스탈린은 독일 대사와 회견하면서 독일군 최고사령부가 과연 모스크바 협정을 준수하여 기존에 합의한 경계선으로 물러나겠는가 하는 의구심을 표명했다. 대사는 스탈린을 안심시키려 했지만 별반 성공하지 못했던 것으로 보인다. "스탈린의 잘 알려진 불신 태도를 고려하여, 그의 마지막 의구심을 불식시킬 만한 확언을 할 수 있는 권한을 본관에게 주면 좋겠다"라고 슐렌부르크는 베를린에 타전했다.[9] 이튿날인 9월 19일, 리벤트로프는 대사에게 전보를 보내 "스탈린에게 내가 모스크바에서 체결한 협정은 당연히 지켜질 것이고, 그 협정을 우리는 독일과 소련의 새로운 우

호관계의 주춧돌로 여긴다고 말할" 권한을 주었다.[10]

그럼에도 부자연스러운 두 파트너는 계속 마찰을 빚었다. 9월 17일, 소비에트-독일의 폴란드 분쇄를 '정당화'할 공동 성명문을 놓고 양측의 의견이 충돌했다. 스탈린은 독일이 준비한 성명문은 "너무 솔직하게 사실을 말한다"라는 이유로 반대했다. 그리하여 궤변의 걸작인 자신의 성명문을 제시하며 독일더러 받아들이라고 강요했다. 그 성명문은 독일과 소련의 공동 목표가 "폴란드 국가의 해체로 인해 파괴된 폴란드의 평화와 질서를 회복하고, 폴란드 국민이 정치생활의 새로운 여건을 확립하도록 돕는 것"이라고 했다. 비꼬는 표현에 관한 한, 히틀러는 스탈린이라는 호적수를 만난 셈이었다.

처음에 두 독재자는 세계 여론을 달래기 위해 나폴레옹의 바르샤바 대공국과 비슷한 잔존 폴란드 국가의 수립을 고려했던 것으로 보인다. 그러나 9월 19일, 몰로토프는 볼셰비키 정부가 그 방안을 재고하고 있다고 밝혔다. 몰로토프는 독일 장군들이 소련에 넘겨야 할 영토를 차지하려 애쓰는 등 모스크바 협정을 무시하고 있다며 슐렌부르크에게 격하게 항의한 뒤, 요점을 짚었다.

[슐렌부르크가 베를린에 타전함] 몰로토프는 잔존 폴란드의 존재를 허용한다는, 소비에트 정부와 스탈린 개인이 품었던 당초 생각이 폴란드를 피사-나레프-비스와-산 선을 따라 분할한다는 생각으로 바뀌었다고 넌지시 말했다. 소비에트 정부는 이 문제에 관한 교섭을 즉시 개시하기를 원한다.[11]

이처럼 폴란드를 완전히 분할하고 어떤 형태든 폴란드 국민의 독립을 허용하지 않는다는 구상은 소련 측에서 나왔다. 그러나 독일 측에 그 안을 받아들이도록 강하게 촉구할 필요는 없었다. 9월 23일, 리벤트로프는 슐렌부르크에게 전보를 보내 "잘 알려진 네 강을 경계선으로 하는 소비에트의 방안은 독일 정부의 견해와 일치한다"라고 몰로토프에게 통지할 것을 지시했다. 또한 그 방안의 세부뿐 아니라 "폴란드 영역의 확정적 구조"의 세부에 관해 상의하기 위해 자신이 다시 모스크바로 날아가겠다고 제안했다.[12]

이제는 스탈린이 직접 교섭을 맡기로 했다. 그리고 나중에 영국과 미국이 소련의 동맹자로서 깨닫게 되었듯이, 독일 측은 스탈린이 얼마나 골치 아프고 제 잇속만 차리는 기회주의적인 흥정꾼인지를 알게 되었다. 소비에트 독재자는 9월 25일 오후 8시에 슐렌부르크를 크렘린으로 불렀고, 그날 저녁 늦게 대사는 베를린으로 전보를 보내 독일이 자초한 엄중한 현실에 대해 경고했다.

스탈린은 … 잔존 폴란드의 독립을 인정하는 것은 잘못이라 생각한다고 말했다. 그는 경계선 이동以東의 영토 중 부크 강에 이르는 바르샤바 지방 전체를 우리의 몫에 추가할 것을 제안했다. 그 대신 우리는 리투아니아에 관한 권리 주장을 포기해야 한다.
스탈린은 … 우리가 동의한다면 소련은 8월 23일의 [비밀]의정서에 따라 발트 국가들 문제의 해법을 즉시 수용할 것이고, 이 사안에서 독일 정부의 아낌없는 지지를 기대한다고 부언했다. 스탈린은 에스토니아, 라트비아, 리투아니아는 명확하게 언급했지만, 핀란드는 언급하지 않았다.[13]

이는 교활하고 엄중한 흥정이었다. 스탈린은 독일군이 이미 차지한 폴란드의 두 지방과 발트 국가들을 교환하자고 제안하고 있었다. 히틀러에게 베풀었던 큰 도움―그의 폴란드 공격을 가능하게 해준 도움―을 활용하여, 상황이 악화되기 전에 최대한 많은 것을 얻어내려 하고 있었다. 더욱이 스탈린은 독일 측이 폴란드 국민 대다수를 떠맡을 것을 제안하고 있었다. 러시아인의 한 사람으로서 그는 수백 년 역사의 가르침을 잘 알고 있었다. 바로 폴란드인이 독립의 상실을 결코 평화적으로 감수하지 않을 것이라는 가르침이었다. 골칫거리 폴란드인을 소련이 아닌 독일이 떠맡도록 만들자! 그동안 스탈린은 1차대전 이후 러시아로부터 분리된 발트 국가들을 다시 차지할 속셈이었다. 동맹국 독일의 기습을 받을 경우 이들 국가는 소련을 위한 절호의 방벽이 되어줄 수 있는 지리적 위치에 있었다.

리벤트로프는 9월 27일 오후 6시에 항공편으로 모스크바에 다시 도착했다. 크렘린으로 향하기 전에 소련 측의 의중을 알려주는 베를린발 전보 두 통을 읽을 짬이 있었다. 탈린 주재 독일 공사가 보낸 메시지였는데, 그 직전에 에스토니아 정부가 공사에게 통지하기를, 소비에트 정부가 에스토니아 내 군사기지와 항공기지를 내줄 것을 요구하며 불응 시 "즉각 공격하겠다고 강하게 위협했다"는 내용이었다.[14] 리벤트로프는 스탈린 및 몰로토프와 길게 회담한 뒤 당일 심야에 히틀러에게 전보를 쳐 "바로 오늘 밤에" 조약을 체결하게 된다고 알렸다. 붉은군대의 육군 2개 사단과 공군 1개 여단을 "에스토니아 영내에" 배치하되 "당장 에스토니아 정부체제를 폐지하지는 않는다"는 내용이었다. 그러나 이런 일에 경험이 많은 총통은 에스토니아의 상황이 얼마나 절박한지를 잘 알고 있었다. 리벤트로프로부터 보고받고 바로 이튿날, 히틀러는 에스토니아 **그리고** 라트비아에 거주 중인 민족독일인 8만 6000명을 대피시킬 것을 명령했다.[15]

스탈린은 청구서를 내밀고 있었고, 히틀러는 적어도 당분간은 대가를 치러야 했다. 히틀러는 곧장 에스토니아뿐 아니라 라트비아까지 포기했는데, 나치-소비에트 조약에는 이 두 나라 모두 소비에트의 이익권에 속한다고 정해져 있었다. 또 그날이 끝나기 전에 히틀러는 독일 북동 국경과 접하는 리투아니아까지 포기했는데, 모스크바 조약의 비밀조항에 따르면 이 나라는 독일의 영역에 속했다.

9월 27일 오후 10시에 시작해 세 시간 동안 이어진 리벤트로프와의 회담에서 스탈린은 독일 측에 두 가지 선택지를 제시했다. 지난 25일에 슐렌부르크에게 제시했던 바와 마찬가지로 한 선택지는 애초 합의한 대로 피사, 나레프, 비스와, 산 강으로 이어지는 선을 따라 폴란드를 분할하여 리투아니아는 독일이 차지하는 것이었고, 다른 한 선택지는 독일이 리투아니아를 소련에 양보하고 그 대가로 폴란드 영토를 추가로(루블린 지방과 바르샤바 동쪽의 땅) 차지하고 그리하여 폴란드인 거의 전부를 넘겨받는 것이었다. 스탈린은 두 번째 선택지를 강력히 권했고, 리벤트로프는 9월 28일 오전 4시에 히틀러에게 발송한 장문의 전보에서 이 선택지를 추천했다. 히틀러도 동의했다.

동유럽을 분할하려면 꽤나 복잡한 지도를 그려야 했다. 9월 28일 오후에 세 시간 반 동안 교섭하고 크렘린에서 국빈 만찬을 연 뒤, 스탈린과 몰로토프는 모스크바로 불러들인 라트비아 대표단과 협의하기 위해 자리를 비웠다. 리벤트로프는 급히 오페라하우스로 가서 〈백조의 호수〉의 한 막을 관람한 다음 자정에 크렘린으로 돌아가 국경선을 비롯한 그 밖의 현안을 추가로 협의했다. 오전 5시, 몰로토프와 리벤트로프는 공식적으로는 '독일-소비에트 국경 및 우호 조약'이라 불리는 새로운 조약에 서명했으며, 나중에 어느 독일 관료가 보고했듯이, 그 장면을 지켜본 스

탈린은 이번에도 "명백히 만족하여" 희색이 만면했다.* 거기에는 그럴 만한 이유가 있었다.[16]

공표된 그 조약은 "예전 폴란드 국가"에서 취하게 될 두 나라 "각각의 국가권익"이 무엇인지를 명확히 하는 한편, 양국이 저마다 획득한 영토 내에서 "평화와 질서"를 재확립하고 "그 주민들에게 그들의 민족적 특성에 걸맞은 평화로운 삶을 보장"할 것이라고 알렸다.

그러나 그전 나치-소비에트 거래와 마찬가지로, 이번에도 '비밀의정서'가 있었다—총 세 개였고 그중 두 개에 합의의 골자가 담겨 있었다. 첫 번째 비밀의정서는 리투아니아를 소비에트의 '세력권'에, 루블린 지방과 바르샤바 동부를 독일의 '세력권'에 추가했다. 두 번째 의정서는 간단명료했다.

양측은 각자의 영토에서 상대측 영토에 영향을 주는 폴란드인의 소요를 용인하지 않기로 한다. 양측은 각자의 영토에서 그러한 소요의 발단을 모두 진압하고 그 목표를 위한 적절한 조치에 관해 서로 통지하기로 한다.

이렇게 해서 폴란드는 그전의 오스트리아나 체코슬로바키아와 마찬가지로 유럽의 지도에서 사라졌다. 그러나 이번에 아돌프 히틀러는 한 나라를 말살하는 과정에서 소비에트사회주의공화국연방, 그러니까 아주 오랫동안 피억압 민족들의 옹호자인 척했던 국가의 조력과 부추김을 받았다. 독일과 소련이 폴란드를 분할한 것은 이번이 네 번째였다(이전 세

---

* 이 관료는 모스크바 대사관에서 참사관으로 오랫동안 근무했던 안도어 헨케(Andor Hencke)로, 상세하고 재미있는 회담록을 작성했다. 그것은 둘째 날 회담에 관한 독일 측의 유일한 기록이다.[17]

차례의 분할에는 오스트리아도 동참했다).* 그리고 이번 분할 기간이야말로 단연 무자비하고 인정사정없는 시절이 될 터였다. 9월 28일의 비밀의정서에서** 히틀러와 스탈린은 폴란드에 공포정권을 세워 폴란드인의 자유와 문화, 민족적 삶을 가차없이 억압하기로 합의했다.

폴란드에서 전쟁을 치르고 승리한 쪽은 히틀러였지만, 더 큰 승자는 거의 총 한 발 쏘지 않아도 된 스탈린이었다.*** 소련은 폴란드의 거의 절반을 차지하고 발트 국가들의 목을 조였다. 나아가 독일의 두 가지 주요 장기 목표물인 우크라이나의 밀과 루마니아의 석유를 과거 어느 때보다도 확고하게 지켜냈다. 독일로서는 향후 겪게 될 수도 있는 영국의 봉쇄를 견뎌내려면 두 가지 모두 절실히 필요한 물자였다. 심지어 스탈린은 히틀러가 원한 폴란드 유전 지역인 보리스와프-드로호비치까지 얻어내는 데 성공했고, 이 지역의 연간 산출량만큼을 독일 측에 판매하는 데 선뜻 동의했다.

왜 히틀러는 소련 측에 그렇게 값비싼 대가를 지불했을까? 소련을 연합국 진영과 전쟁에서 떼어놓기 위해 이런 대가를 치르기로 8월에 동의했던 것은 사실이다. 그러나 히틀러는 협정을 엄수하는 사람이 결코 아니었고, 독일군이 비할 바 없는 위력으로 폴란드를 정복한 이상, 육군이 요구한 대로 8월 23일의 조약을 어길 수도 있었다. 스탈린이 반대할 경우, 총통은 폴란드 작전에서 막 입증되었듯이 세계 최강의 육군으로 공

---

* 아널드 토인비는 여러 저술에서 다섯 번째 분할이라고 말한다.
** 9월 29일 오전 5시에 서명하긴 했지만, 이 조약의 공식 체결 날짜는 9월 28일이다.
*** 폴란드에서 독일군의 공식 사상자는 사망 1만 572명, 부상 3만 322명, 실종 3400명이었다.

격하겠다고 소련을 협박할 수도 있었을 것이다. 그런데 과연 그럴 수 있었을까? 영국과 프랑스가 무장한 채 서부에서 버티는 동안에는 그럴 수 없었다. 영국과 프랑스를 상대하려면 후방이 안전해야 했다. 히틀러의 이후 발언으로 분명하게 드러날 것처럼, 이것이 스탈린에게 그토록 뼈저린 거래를 허용한 이유였다. 하지만 이제 서부전선으로 주의를 돌리려는 총통은 소비에트 독재자의 가혹한 거래를 결코 잊지 않았다.

제19장

서부의 앉은뱅이 전쟁

서부에서는 별 일이 없었다. 총성이 거의 울리지 않았다. 독일의 보통사람들은 그것을 '앉은뱅이 전쟁Sitzkrieg'이라고 부르기 시작했다. 서방에서는 곧 '가짜 전쟁phony war'이라는 별명이 붙었다. 영국 장군 J. F. C. 풀러Fuller의 말마따나 그곳에서는 "세계 최강의 육군[프랑스군]이 [독일군의] 불과 26개 사단과 대치한 채 돈키호테처럼 용맹한 동맹국 군대가 몰살당하는 동안 강철과 콘크리트 뒤편에 몸을 숨기고 가만히 앉아 있었다".[1]

　독일군은 그것을 뜻밖이라고 여겼을까? 천만에. 일기를 쓰기 시작한 첫날인 8월 14일에 육군 참모총장 할더는 독일이 폴란드를 공격할 경우 서부의 상황이 어떠할지를 상세히 분석했다. 그는 프랑스군이 공세에 나설 "공산은 매우 작다"라고 생각했다. 프랑스가 "벨기에의 의사와 상반되게" 벨기에를 통과하는 경로로 파병할 리 없다고 확신했던 것이다. 할더는 프랑스군이 수세를 유지할 것이라고 결론지었다. 폴란드군이 이미 파멸한 9월 7일, 할더는 벌써부터 독일군 사단들을 서부로 이송할 계획을 짜느라 바빴다.

　그날 저녁 할더는 브라우히치가 오후에 히틀러와 협의한 결과를 일기에 적었다.

서부의 작전은 아직 확실하지 않다. 전쟁을 실제로 벌일 의사가 없다는 조짐이 몇 가지 보인다. … 프랑스 내각에는 영웅적인 인물이 없다. 영국에서도 냉정하게 숙고하기 시작했다는 느낌이 든다.

이틀 후에 히틀러는 전쟁 수행을 위한 지령 제3호를 발령하여 육군과 공군의 부대들을 폴란드에서 서부로 이송할 준비를 하라고 명령했다. 하지만 꼭 싸울 필요는 없었다. 지령에는 이렇게 적혀 있었다. "영국과 … 프랑스가 우유부단하게 교전을 개시한 후일지라도 다음의 각 경우에는 나의 명확한 명령을 받아야만 한다. 아군의 지상군 [또는] … 항공기 한 대라도 서부 국경을 넘을 때마다. [그리고] 영국을 공습할 때마다."²

프랑스와 영국은 폴란드가 공격받을 경우 어떻게 하기로 후자에게 약속했던가? 영국의 보장은 포괄적이었다. 그러나 프랑스의 보장은 구체적이었다. 그 내용은 1939년 5월 19일 프랑스-폴란드 군사협약에 명시되었다. 거기서 프랑스군은 "총동원을 시작하고 3일째 되는 날부터 한정된 목표물에 대한 공세작전을 점진적으로 개시"하기로 했다. 총동원령은 9월 1일에 선포되었다. 그러나 이에 더해 양국은 "독일이 폴란드를 상대로 주된 노력을 전개하는 즉시, 프랑스는 프랑스군 총동원의 첫째 날로부터 15일째 되는 날을 기하여 대부분의 병력으로 독일에 대한 공세행동을 개시한다"라고 합의하기도 했다. 폴란드군 참모본부의 참모차장 야클린치Jaklincz 대령이 이 주요 공세에 프랑스 병력을 얼마나 동원할 수 있겠느냐고 물었을 때, 가믈랭 장군은 대략 35~38개 사단이라고 답변했다.³

그러나 독일의 폴란드 공격이 임박한 8월 23일, 앞에서 언급했듯이 이 소심한 프랑스군 총사령관은 "앞으로 약 2년 … 즉 1941~42년 이전에는" 진지한 공세에 나설 수 없을 것이라고 보고했다—그리고 그 무렵에는 프랑스가 "영국군 병력과 미군 장비의 지원"을 받을 것이라고 내다봤다.

확실히 전쟁의 초기 몇 주 동안 영국은 프랑스에 파견할 병력이 애처로울 정도로 적은 상태였다. 폴란드에서 전투가 끝나고 3주가 지난 10월 11일까지 영국이 프랑스에 보낸 병력은 4개 사단—15만 8000명—이었다. "상징적인 기여"라고 처칠은 말했고, 풀러는 영국군의 첫 사상자—정찰 나갔다가 사살된 상병—가 발생한 것은 12월 9일이었다고 적었다. "몰리넬라 전투와 차고나라 전투 이후로 이 정도의 무혈 전쟁은 없었다" 라고 풀러는 말했다.* 〔용병에 의한 도시국가 간 싸움이 끊이지 않았던 르네상스 시기 이탈리아의 전쟁에서는 사상자가 적었다는 데 특색이 있었다. 몰리넬라나 차고나라의 경우도 그런 예다.〕

훗날 뉘른베르크에서 이때를 회상한 독일 장군들은 서방 연합국이 폴란드 작전 기간에 서부에서 공격에 나서지 않음으로써 절호의 기회를 놓쳤다고 하나같이 말했다.

---

* 10월 9일에 나는 160킬로미터에 걸쳐 프랑스-독일 국경을 이루는 라인 강의 동안(東岸)을 열차 편으로 여행하고서 일기에 이렇게 적었다. "전쟁의 징후는 없었고, 열차 승무원은 내게 전쟁이 시작된 뒤로 국경에서는 단 한 발의 총성도 들리지 않았다고 말했다. … 우리는 프랑스군의 벙커들과, 커다란 막을 쳐두고서 그 뒤에서 방어시설을 구축하는 모습을 볼 수 있었다. 독일 측의 광경도 똑같았다. 두 군대가 서로의 사정거리 안에서 훤히 보이는 가운데 저마다 자기 할 일을 하고 있었다. … 독일군이 철로를 따라 총포나 보급품을 운반하고 있지만, 프랑스군은 방해하지 않았다. 괴상한 전쟁이다." (*Berlin Diary*, p. 234)

[할더 장군이 말함] 폴란드 작전은 우리의 서부 국경을 거의 완전히 걸어 잠가야만 성공할 수 있었습니다. 프랑스군이 상황 논리를 간파하고 폴란드 내 독일군의 교전 상황을 활용했다면 우리에게 저지당하지 않고 라인 강을 건널 수 있었을 테고, 독일의 전쟁 수행에서 가장 결정적 요인이었던 루르 지역을 위협할 수 있었을 것입니다.[4]

[요들 장군이 말함] … 우리가 1939년에 무너지지 않은 것은 오로지 폴란드 작전 기간에 프랑스군과 영국군 약 110개 사단이 독일군 23개 사단을 상대로 조금도 기동하지 않았기 때문입니다.[5]

그리고 OKW 총장 카이텔 장군은 이런 증언을 덧붙였다.

우리 군인들은 폴란드 작전 기간에 줄곧 프랑스의 공격을 예상하고 있었는데, 아무런 일도 일어나지 않자 크게 놀랐습니다. … 프랑스군이 공격해왔다면 독일군은 실제 방어가 아니라 군사적 차폐물로 대응하는 데 그쳤을 것입니다.[6]

그렇다면 어째서 프랑스군은(영국군의 선발 2개 사단은 10월 첫째 주까지 배치되지 않았다) 서부에서 독일 병력에 대해 압도적 우위를 점하면서도, 가믈랭 장군과 프랑스 정부가 문서로 약속해놓은 대로 공격에 나서지 않았던 것일까?

여러 이유가 있었다. 프랑스군 최고사령부, 정부, 국민의 패배주의, 1차대전에서 막대한 피를 흘린 기억과 피할 수만 있다면 그런 살육을 다시는 겪지 않겠다는 결의, 폴란드군이 처참하게 패한 터라 독일군이 곧 우세한 병력을 서부로 투입할 수 있고 따라서 프랑스가 초기에 어떻게 진격하든 무찔러버릴 것이라는 9월 중순의 깨달음, 무장과 공군력에서 독일이 우위에 있다는 두려움 등이 그런 이유였다. 실제로 독일 공업의 심장부인 루르 지역을 전면적으로 폭격했다면 십중팔구 독일군에 재앙이었을 텐데도, 프랑스 정부는 자국 공장들이 보복을 당할 것을 우려하여 영국 공군이 독일 내 표적을 폭격하는 방안에 처음부터 줄기차게 반대했다. 루르 지역 폭격은 9월 시점에 독일 장군들이 몹시 우려한 사태들 중 하나였다. 훗날 그들 다수가 인정했듯이 말이다.

기본적으로는 왜 프랑스가 9월에 독일을 공격하지 않았는가 하는 의문의 답으로는 처칠의 의견이 가장 타당할 것이다. "이 전투는 수년 전에 이미 패했다"라고 처칠은 썼다.[7] 1938년 뮌헨에서. 1936년 독일이 라인란트를 재점령했을 때. 1935년 히틀러가 베르사유 조약을 무시하고 징집을 선포했을 때. 이제 연합국은 그런 유감스러운 무대응의 대가를 치러야 했다. 파리와 런던에서는 아무것도 하지 않으면 대가를 치를 것도 없으리라고 생각했던 모양이지만 말이다.

바다에서는 움직임이 있었다.

독일 해군은 서부의 육군처럼 발이 묶여 있지 않았고, 개전 후 첫째 주에 총 톤수 6만 4595톤에 달하는 영국 선박 11척을 격침했다. 이 톤수는 독일의 잠수함전이 절정에 이르러 영국을 괴멸 직전까지 몰아붙였던 지난 1917년 4월의 주간 격침 톤수의 거의 절반이었다. 그 후 영국의 손실은 점차 줄어들었다. 둘째 주에 5만 3561톤, 셋째 주에 1만 2750톤, 넷째 주에는 4646톤에 불과했다—9월 총계는 13만 5552톤의 26척이 U보트에 의해 격침되고 1만 6488톤의 3척이 기뢰에 의해 격침되었다.*

영국 측은 알지 못했지만, 격침 선박의 수가 급감한 데에는 이유가 있었다. 9월 7일, 레더 제독은 히틀러와 장시간 협의했다. 폴란드에서 승리를 거두는 한편 서부에서 프랑스가 공격해오지 않자 희희낙락한 총통은 해군에 속도를 늦추라고 지시했다. 프랑스는 "정치적·군사적 자제력"을 보이고 있었고, 영국은 "우유부단함"을 입증하고 있었다. 이런 상황을 고려하여 대서양의 독일 잠수함은 모든 여객선을 예외 없이 공격하지 말고 프랑스 선박에 대한 공격도 일체 삼가도록 했고, 북대서양의 포켓전함 도이칠란트 호와 남대서양의 그라프슈페 호는 당분간 저마다의 '대기' 기지로 철수시키기로 결정했다. 레더는 일기에 "전반적인 방침은 서방의 정치적 상황이 더 분명해질 때까지 자제한다는 것으로, 대략 1주일은 걸릴 것이다"라고 적었다.[8]

애서니아 호 격침

9월 7일 회의에서 히틀러와 레더가 결정한 사항이 또 하나 있었다. 제독은 일기에 이렇게 썼다. "잠수함들이 귀항할 때까지 애서니아 호 문제

---

* 당시 해군장관 처칠은 9월 26일 하원에서 이 개략적인 수치를 밝혔다. 회고록에서는 정정된 공식 수치를 제시한다. 또 하원에서는 U보트 6~7척이 격침되었다고 말했지만, 역시 회고록에 적은 대로 나중에 알게 된 실제 수치는 불과 2척이었다.
처칠의 하원 연설에는 재미있는 일화가 담겨 있었다. U보트 함장이 처칠에게 개인적으로 연락해서 자신이 막 격침한 영국 선박의 위치를 알려주며 구조대를 보낼 것을 촉구했다는 이야기였다. "저는 어디로 답변을 보내야 할지 다소 의문스러웠습니다" 하고 처칠은 말했다. "하지만 그 함장은 이제 우리 수중에 있습니다." 그러나 그렇지가 않았다. 나는 이틀 후 베를린에서 미국에 방송하기 위해 그 잠수함 함장 헤르베르트 슐체(Herbert Schultze) 대위를 인터뷰했다. 그는 자신의 항해일지에 기록된, 처칠에게 보낸 메시지를 보여주었다. (Churchill, *The Gathering Storm*, pp. 436-437; *Berlin Diary*, pp. 225-227 참조)

를 해결하려 시도해서는 안 된다."

앞에서 말했듯이, 해전은 영국이 선전포고를 하고 10시간이 지난 9월 3일 오후 9시, 승객 1400여 명으로 붐비는 영국 여객선 애서니아 호가 헤브리디스 제도 서쪽 약 320킬로미터 해상에서 경고 없이 어뢰 공격을 받았을 때 시작되었다. 이 공격으로 미국인 28명을 포함해 112명이 목숨을 잃었다. 독일 선전부는 런던발 제1보를 해군 최고사령부와 함께 확인하고 그 근방에는 U보트가 한 척도 없다는 말을 듣고는 애서니아 호가 독일군에 의해 격침되었다는 것을 즉각 부인했다. 이는 히틀러와 해군 최고사령부로서는 난처하기 짝이 없는 참사였고, 그들은 처음에 영국발 보도를 믿지 않았다. 모든 잠수함 함장에게는 경고 없는 선박 공격을 금하는 헤이그 협약을 준수하라고 엄명을 내려둔 터였다. 모든 U보트가 무선침묵을 유지했으므로 무슨 일이 일어났는지 즉각 확인할 방법은 없었다.* 그럼에도 통제 하의 나치 언론은 채 이틀도 지나기 전에 영국이 미국을 자극해 참전시키려고 자국 선박을 어뢰로 격침했다고 비난했다.

빌헬름슈트라세는 미국 시민 28명의 목숨을 앗아간 이 참사에 미국이 어떤 반응을 보일지 예의주시했다. 참사 다음날 바이츠제커는 미국 대사대리 알렉산더 커크를 불러 독일 잠수함의 소행이 아니라고 주장했다. 그 근방에 독일 함정은 없었다고 강조했다. 훗날 뉘른베르크에서 증언한 바에 따르면, 바이츠제커는 그날 저녁 레더 제독을 찾아가 1차대전 중 독일이 루시타니아Lusitania 호를 격침한 사건이 미국 참전의 한 요인이 되었음을 상기시키고 미국을 도발하지 않도록 "만전을 기할" 것을 촉

---

* 이튿날인 9월 4일, 모든 U보트에 다음과 같은 지령이 내려졌다. "총통의 명령에 따라 무슨 일이 있어도, 설령 여객선이 호위를 받고 있다고 해도, 여객선에 대한 작전의 수행을 금한다."

구했다. 제독은 "독일의 U보트가 관여했을 리 없습니다"라고 확언했다.[9]

리벤트로프의 성화에 레더 제독은 9월 16일 미국 대사관 소속의 해군 무관을 초대해 독일의 모든 잠수함으로부터 보고를 받았다고 말했다. "그 결과, 독일 U보트가 애서니아 호를 격침하지 않았다는 것이 명확히 확인되었습니다." 제독은 무관에게 그 내용을 본국 정부에 통지해줄 것을 요청했고, 무관은 즉각 그렇게 했다.*[10]

대제독이 말한 것은 완전한 진실이라 할 수 없었다. 9월 3일에 바다에 있었던 잠수함들이 전부 귀항한 것은 아니었다. 아직 귀항하지 않은 잠수함들 중에 렘프Lemp 중위가 지휘하던 U-30은 9월 27일까지 독일 수역에 정박하지 않았다. 이 잠수함을 출영한 카를 되니츠Karl Dönitz 제독은 수년 후에 뉘른베르크에서 그때의 일을 이야기했고, 마침내 애서니아 호를 격침한 장본인에 관한 진실을 밝혔다.

저는 함정이 입항할 때 빌헬름스하펜의 부둣가에서 함장 렘프 중위를 만났고, 중위는 제게 둘이서만 이야기를 나눌 수 있도록 허락해달라고 했습니다. 한눈에 보기에도 그는 몹시 불안해했고, 노스 해협 해역에서 애서니아 호가 격침된 일의 책임이 자신에게 있다고 생각한다고 곧장 말했습니다. 그전에 하달한 저의 지시에 따라 그는 영국 제도에 접근하는, 상선으로 위장한 순양함을 엄중히 감시하고 있었고, 초계 중인 위장 순양함인 듯한 선박이 포착되어 어뢰로 공격했습니다. 나중에 무선방송으로 그 선박이 애서니아 호임을 알았습니다. …

---

* 무관은 암호를 사용하지 않았던 것으로 보인다. 무관이 워싱턴에 보낸 전보의 사본이 뉘른베르크 재판 도중 독일 해군 문서 중에서 발견되었다.

저는 즉시 렘프를 항공편으로 베를린의 해군 참모본부(SKL)로 보내 보고하도록 했습니다. 그동안 저는 잠정 조치로 그에게 철저한 비밀 엄수를 명령했습니다. 그날 늦게, 아니면 이튿날 일찍, 저는 해군 대령 프리케로부터 다음과 같은 명령을 받았습니다.

1. **해당 사건은 완진한 비밀에 부친다.**

2. 해군 최고사령부(OKM)는 함장이 선의로 행동했다고 납득했으므로 군사법원이 필요하지 않다고 **생각한다.**

3. **정치적 설명은 OKM에서 처리할 것이다.**

어떠한 U보트도 애서니아 호를 격침하지 않았다고 총통이 주장한 이 정치적 사태에서 저는 아무런 역할도 하지 않았습니다. [강조는 제독][11]

그러나 줄곧 진실을 의심했던 것이 분명한(의심하지 않았다면 부두까지 나가서 귀항하는 U-30을 맞이하지 않았을 것이다) 되니츠는 U-30의 항해일지와 자신의 일기를 변경하여 자칫 드러날 수도 있는 진실의 증거를 지우는 데 관여했다. 뉘른베르크에서 스스로 인정했듯이, 사실 그는 U-30의 항해일지에서 애서니아 호에 관한 모든 언급을 삭제하라고 명령하고 자신의 일기에서도 지웠다. 그리고 이 함정의 승조원들로부터 비밀을 절대 엄수하겠다는 서약도 받아냈다.*

2차대전 기간에 어느 나라 군 최고사령부든 곤란한 비밀은 분명 숨겼

---

* 렘프를 비롯한 장교들과 일부 승조원들은 U-110으로 전속되었다가 1941년 5월 9일에 이 잠수함과 함께 침몰했다. 승조원 한 명은 애너시아 호를 격침하고 며칠 후 기총소사에 의해 부상당했다. 그는 비밀을 엄수하겠다고 서약하고서 아이슬란드의 레이캬비크에서 하함했고, 나중에 캐나다의 전쟁포로 수용소로 끌려갔으며, 전후에 선서진술서를 통해 진실을 밝혔다. 독일 측은 그가 '발설'할까 우려했던 모양이지만, 그는 전쟁이 끝날 때까지 실토하지 않았다.[12]

을 테고, 레더가 뉘른베르크에서 증언했듯이 히틀러가 애서니아 호 사건을 비밀에 부치라고 고집한 것은 비록 칭찬할 만한 일은 아닐지라도 이해할 만한 일이었다. 특히 해군 사령부가 처음에 독일의 소행이 아니라고 믿고서 책임을 부인하는 데 관여했던 터라 나중에 책임을 인정해야 한다면 몹시 당혹스러웠을 것이기 때문이다. 그러나 히틀러는 거기서 멈추지 않았다. 10월 22일 토요일 저녁, 선전장관 괴벨스는 직접 방송에 나가서—나는 그 방송을 잘 기억하고 있다—처칠이 애서니아 호를 격침했다고 비난했다. 이튿날 나치당 기관지 《민족의 파수꾼》은 제1면에 **"처칠, '애서니아 호'를 격침"**이라는 제목의 기사를 실어 영국 해군장관이 이 배의 짐칸에 시한폭탄을 설치했다고 주장했다. 훗날 뉘른베르크에서는 이 방송과 기사를 총통이 직접 지시했다는 사실이 확인되었다—그리고 레더, 되니츠, 바이츠제커가 그런 뻔뻔한 거짓말에 매우 불쾌해하면서도, 감히 무언가를 할 용기는 내지 못했다는 사실도 확인되었다.[13]

두 제독과 외무부의 자칭 반나치 지도자가 보여준 이런 줏대 없는 태도, 악마 같은 나치 통수권자가 잡도리를 할 때마다 장군들이 십분 공유했던 태도는 장차 독일 역사상 가장 어두운 시기 중 하나로 이어질 터였다.

히틀러, 평화를 제안하다

———

"오늘 밤, 신문은 공공연히 평화에 관해 말하고 있다"라고 나는 9월 20일 일기에 썼다. "오늘 내가 대화한 독일 사람들은 모두 앞으로 한 달 안에 평화가 올 것이라고 굳게 믿고 있었다. 그들은 무척 들떠 있었다."

그에 앞서 당일 오후에 나는 단치히의 화려한 길드홀 앞에서, 히틀러가 지난 9월 1일 전쟁을 선포하는 제국의회 연설을 한 이래 처음으로 연설하는 것을 들었다. 원래 바르샤바에서 연설하려다가 아직까지 용맹하게 버티는 수비대 때문에 계획이 틀어져 화가 나 있었고 영국을 언급할 때마다 앙심을 드러내긴 했지만, 히틀러는 약간의 평화적 제스처를 취했다. "영국과 프랑스를 겨냥한 전쟁 목표가 내게는 없습니다" 하고 그는 말했다. "나는 프랑스 병사에게 공감합니다. 그는 무엇을 위해 싸우는지 알지 못합니다." 그러고는 전능한 신에게 호소했다. "우리의 무운을 축복해주신 신이시여, 다른 국민들로 하여금 이번 전쟁이 얼마나 무익한지 이해하게 하옵시고 ⋯ 평화의 은총을 성찰하게 하옵소서."

9월 26일, 바르샤바가 함락되기 전날, 독일 신문과 라디오는 대대적인 평화 공세에 나섰다. 내가 일기에 기록한 대로 그 취지는 "왜 프랑스와 영국은 지금 싸우려 하는가? 싸울 이유가 없다. 독일은 서부에서 아무것도 원하지 않는다"였다.

이틀 후, 폴란드에서 제 몫을 빠르게 집어삼키던 소련이 독일의 평화 공세를 거들었다. 9월 28일, 모스크바에서 몰로토프와 리벤트로프는 동유럽을 분할한다는 비밀조항을 포함하는 '독일-소비에트 국경 및 우호 조약'을 체결하는 한편, 듣기 좋은 평화 선언문을 꾸며내고 거기에 서명했다.

그 선언문에서 독일 정부와 소련 정부는

폴란드 국가의 해체에서 비롯된 문제들을 명확히 해결하고 동유럽에서 영속적인 평화의 확고한 기반을 다진 지금, 독일과 영국-프랑스 간의 전쟁 상태를 종결짓는 것이 모든 국민의 진정한 이익에 기여한다는 확신을 공동으로 표명하는 바이다. 그러므로 양국 정부는 이 목표를 되도록 일찍 달성하기 위해 … 공동으로 노력할 것이다.

그렇지만 양국 정부의 노력이 무위로 그친다면, 영국과 프랑스가 전쟁의 지속에 책임이 있다는 사실이 입증될 것이다. …

히틀러는 평화를 원했던 것일까, 아니면 전쟁을 이어가기를, 그리고 소련의 도움을 받아 전쟁 지속의 책임을 서방 연합국에 떠넘기기를 원했던 것일까? 비록 확신에 찬 태도를 보이긴 했지만, 어쩌면 히틀러마저 자신의 속내를 잘 알지 못했을지도 모른다.

9월 26일, 히틀러는 평화의 추구를 결코 포기하지 않았던 달레루스와 길게 대화했다. 이 불굴의 스웨덴인은 이틀 전 오슬로에서 오랜 친구 오길비-포브스를 만난 터였다. 베를린 영국 대사관의 전 참사관 포브스는 이제 노르웨이 수도의 영국 공사관에서 비슷한 직책을 맡고 있었다. 슈미트 박사의 기밀 메모에 따르면,[14] 달레루스는 영국 정부가 평화를 바란다는 말을 포브스로부터 들었다고 히틀러에게 보고했다. 문제는 하나뿐이었다. 어떻게 영국의 체면을 세워줄 수 있는가?

"영국이 실제로 평화를 원한다면" 하고 히틀러는 대답했다. "2주 안에 그것을 얻을 수 있다─체면을 잃지 않고도."

그러자면 "폴란드는 재기할 수 없다"라는 사실을 영국이 인정해야 할 것이라고 총통은 말했다. 또 영국, 프랑스, 저지대 국가들〔벨기에, 네덜란드, 룩셈부르크〕의 "안전" 보장을 포함해 "그 밖의 유럽"의 현 상태를 보장할 용의가 있다고 히틀러는 확언했다. 그런 다음 평화 회담을 어떻게 시작할지에 관해 논의했다. 히틀러는 그 일을 무솔리니에게 맡기자고 제안했다. 달레루스는 네덜란드 여왕 쪽이 더 "중립적"일 것이라고 생각했다. 동석했던 괴링은 영국과 독일의 대표들이 먼저 네덜란드에서 비밀리에

만난 다음 진척이 있을 경우 네덜란드 여왕이 두 나라를 휴전 회담에 초청하면 어떻겠느냐고 운을 뗐다. "평화를 향한 영국의 의지"에 관해서는 누차 회의적으로 말했던 히틀러는 결국 달레루스가 "바로 다음날 잉글랜드로 가서 바람직한 방향을 타진해보겠다"라고 제안하자 거기에 동의했다.

"영국이 정말로 평화를 원한다면 얻을 수야 있겠지만, 서둘러야 할 것이다"라고 히틀러는 자리를 뜨는 달레루스에게 말했다.

이것이 총통이 생각하는 한 방향이었다. 다른 한 방향은 장군들에게 전달한 것이었다. 하루 전인 9월 25일, 할더는 일기에 "총통의 서부 공격 계획"에 관해 들었다고 적었다. 달레루스에게 영국과 화해할 용의가 있다고 말한 다음날인 9월 27일에 히틀러는 국방군 총사령관들을 총리 관저로 소집해 "프랑스-영국 육군이 아직 준비가 되어 있지 않으므로 가급적 일찍 서부를 공격한다"는 자신의 결정을 알렸다. 브라우히치에 따르면 히틀러는 심지어 공격 날짜를 11월 12일로 정하기까지 했다.[15] 히틀러는 분명 이날 바르샤바가 마침내 항복했다는 소식에 고무되어 있었을 것이다. 그는 적어도 프랑스는 폴란드만큼이나 쉽게 굴복시킬 수 있을 것으로 생각했던 모양이다. 이틀 후에 할더가 "폴란드전의 수법은 서부에서 통하지 않는다. 잘 조직된 육군을 상대로는 효과가 없다"라고 총통에게 "설명"할 참으로 일기에 쓰긴 했지만 말이다.

이 무렵 히틀러의 마음을 가장 잘 꿰뚫어본 사람은 10월 1일 베를린 총리 관저에서 총통과 장시간 회담한 치아노일 것이다. 이제 독일 정부라면 질색하면서도 겉치레를 해야 했던 이탈리아의 젊은 외무장관이 보기에 총통은 자신만만했다. 자기 계획을 개관하는 동안 히틀러의 두 눈은 "자신의 전투 방법과 수단에 관해 이야기할 때마다 불길하게 번뜩였다".

이탈리아 손님은 자신이 받은 인상을 이렇게 요약했다.

… 대승을 거둔 뒤 국민들에게 확고한 평화를 선사하는 것은 지금도 히틀러를 유혹하는 하나의 목표일 것이다. 그러나 그 목표에 도달하기 위해 희생을 치러야 한다면, 그가 생각하는 승리의 정당한 결실을 조금이라도 희생해야 한다면, 그는 오히려 싸우는 편을 천 배는 더 선호할 것이다.[*16]

내가 10월 6일 정오부터 제국의회 의사당에 앉아서 평화를 호소하는 히틀러의 발언을 들었을 때, 그 연설은 마치 낡은 레코드판이 대여섯 번 재생되는 것처럼 들렸다. 최근의 정복 이후에 히틀러가 이곳의 똑같은 연단에서, 똑같이 간절하고 진실한 듯한 어조로, 온당하고 합리적으로 들리는—그가 최근에 희생시킨 대상을 간과할 경우—평화를 제안하는 연설을 그때까지 나는 얼마나 자주 들었던가. 이 상쾌하고 화창한 가을날에 히틀러는 평소처럼 유창하고 위선적인 어법으로 똑같은 연설을 되풀이했다. 그것은 긴 연설이었지만—그때까지 히틀러가 행한 공개 발언 중에서 가장 긴 축에 들었다—한 시간이 넘도록 늘 하던 식으로 역사를 왜곡하고 독일군이 폴란드("이 터무니없는 국가")에서 거둔 위업을 자화자찬한 뒤, 끝에 가서야 평화를 제안하며 그 이유를 늘어놓았다.

내가 주로 노력한 일은 프랑스와 우리의 관계에서 악의의 흔적을 전부 없애고 그것을 양국 모두에게 참을 만한 관계로 바꾸는 것이었습니다. … 독일

---

* 치아노가 보고한 히틀러의 승리에 대한 자신감이 무솔리니에게는 없었다. 무솔리니는 영국과 프랑스가 "단단히 버틸 것이다. … 분명 그러할 것이다"라고 생각했다. 치아노는 10월 3일 일기에 "그[무솔리니]는 갑자기 올라간 히틀러의 명성에 다소 씁쓸해한다"라고 썼다. (*Ciano Diaries*, p. 155)

은 프랑스 측에 더 이상 요구하는 것이 없습니다. ⋯ 나는 알자스-로렌 문제를 언급하는 것조차 거부했습니다. ⋯ 나는 우리의 오랜 원한을 영원히 묻어두고 그토록 영광스러운 과거를 지닌 두 나라를 화해시키고픈 바람을 언제나 프랑스 측에 표명했습니다. ⋯

그렇다면 영국은?

그에 못지않은 노력을 나는 영국-독일의 양해, 아니 더 나아가 영국-독일의 우호를 달성하기 위해 기울였습니다. 어떠한 시기, 어떠한 장소에서도 나는 영국의 이익과 상반되게 행동한 적이 없습니다. ⋯ 나는 지금도 독일과 영국이 양해에 이르러야만 유럽과 전 세계에 진정한 평화가 자리잡을 수 있다고 믿습니다.

그렇다면 평화는?

이 전쟁을 왜 서부에서 치러야 합니까? 폴란드 복원을 위해서? 베르사유 조약 하의 폴란드는 결코 소생하지 못할 것입니다. ⋯ 폴란드 국가를 재건하는 문제는 서부의 전쟁이 아니라 오로지 소비에트와 독일에 의해서만 해결될 문제입니다. ⋯ 애초부터 폴란드계 이외의 사람들로부터 유산될 것이라는 말을 들은 국가를 재건하기 위해 방대한 인명을 살육하고 막대한 재물을 파괴하는 것은 무의미한 일이 될 것입니다.

다른 이유가 있습니까? ⋯

만약 독일에 새로운 체제를 부여하기 위해서만 실제로 이 전쟁을 벌인다면 ⋯ 수백만의 인명이 헛되이 희생될 것입니다. ⋯ 아니, 서부의 이 전쟁으로는 어떠한 문제도 해결할 수 없습니다. …

장차 해결해야 할 문제들이 여럿 있었다. 히틀러는 그 문제들을 전부 거론했다. "폴란드 국가의 건설"(그런 국가는 존재해서는 안 된다고 이미 소련 측과 합의한 터였다), "유대인 문제의 해결과 합의", 독일을 위한 식민지, 국제무역의 부활, "조건 없는 평화 보장", 군비 축소, "공중전, 독가스, 잠수함 등에 대한 규제", 그리고 유럽 내 소수집단 문제의 해소였다.

"이 중대한 목표들을 달성하기" 위해 히틀러는 유럽의 주요 국가들이 "철저히 준비한 후" 회의를 열 것을 제안했다.

[히틀러가 이어서 말함] 대포 소리가 천둥처럼 울리거나 동원된 군대가 압력을 가하는 동안에는 앞으로 수십 년에 걸쳐 이 대륙의 운명을 좌우할 그런 회의를 열어 충분히 논의하기란 불가능합니다.

그렇지만 이 문제들을 조만간 해결해야 한다면, 수백만 명이 부질없이 목숨을 잃고 막대한 재물이 파괴되기 전에 해결책과 씨름하는 편이 더 현명할 것입니다. 서부에서 현 상황이 지속된다는 것은 생각할 수 없는 일입니다. 머지않아 날마다 희생자가 늘어날 것입니다. … 유럽의 국부가 포탄의 형태로 변해 흩어질 것이고 모든 국가가 전장에서 활력을 잃어갈 것입니다. …

한 가지는 확실합니다. 세계의 역사에서 두 명의 승자가 있었던 적은 없지만 패자들만 있었던 적은 아주 많습니다. 나와 똑같은 의견을 가진 많은 국민들과 그 지도자들이 지금 화답하고 있습니다. 전쟁이 더 나은 해결책이라고 생각하는 사람들은 내가 내민 손을 거두어들이도록 놔주십시오.

히틀러는 처칠을 염두에 두고 있었다.

그렇지만 만약 처칠 씨와 그 추종자들의 의견이 우세하다면, 이 성명이 나의 마지막 성명이 될 것입니다. 그런 다음 우리는 서로 싸울 것입니다. … 독일 역사에서 또 한 번의 1918년 11월은 결단코 없을 것입니다.

내가 의사당에서 돌아와 일기에 썼듯이, 영국과 프랑스가 이 모호한 제안을 "5분간"이라도 귀담아들을지 대단히 의문스러웠다. 그러나 독일 측은 낙관적이었다. 그날 저녁 방송하러 가는 길에 나는 갓 인쇄된 어용 신문 《민족의 파수꾼》을 한 부 집어들었다. 요란한 제목들이 눈에 들어 왔다.

평화를 향한 독일의 의지 — 프랑스와 잉글랜드에 대한 전쟁 의도 없다 — 식 민지 제외하고 더 이상의 수정 요구 없다 — 군비 축소 — 유럽 모든 국가와 협력 — 국제회의 제창

이제는 독일 기밀문서로 확인되듯이, 당시 빌헬름슈트라세는 파리 주 재 에스파냐 대사나 이탈리아 대사를 통해 정보를 얻었는데, 두 대사는 이번 전쟁을 이어갈 배짱이 프랑스 측에 없다고 믿도록 부추겼다. 이미 9월 8일에 에스파냐 대사는 독일 측에 정보를 흘렸다. 보네가 "프랑스에 서 전쟁의 인기가 극히 낮은 상황을 고려하여 폴란드 작전이 종결되자마 자 화해에 이르려고 노력하고 있다. 이 목표를 위해 보네가 무솔리니와 접촉하려는 낌새가 있다"라는 정보였다.[17]

10월 2일, 아톨리코는 파리 주재 이탈리아 대사로부터 받은 최근 메 시지를 바이츠제커에게 건넸다. 거기에는 프랑스 내각의 다수가 강화회 의에 찬성하며 현재 주된 문제는 "프랑스와 잉글랜드의 체면을 세워주는

것"이라고 적혀 있었다. 다만 달라디에 총리는 내각의 다수파에 속하지 않는 듯했다.*[18]

이는 믿을 만한 첩보였다. 10월 7일, 달라디에는 히틀러에게 응답하며 "실질적인 평화와 전반적인 안보"가 보장될 때까지 프랑스는 무기를 내려놓지 않을 것이라고 단언했다. 하지만 히틀러는 프랑스 총리보다는 체임벌린의 응답을 듣는 데 더 관심이 있었다. 10월 10일, 스포츠궁에서 동계 구호활동의 시작을 알리며 행한 짧은 연설에서 히틀러는 "강화할 용의"가 있음을 다시 한 번 강조했다. 독일은 "서방 국가들과 전쟁할 이유가 없다"고 했다.

체임벌린의 반응은 10월 12일에 나왔다. 그것은 히틀러에게는 아닐지 몰라도 독일 국민에게는 찬물을 끼얹은 것이나 진배없었다.**[] 하원에서 연설하면서 체임벌린은 히틀러의 제안이 "모호하고 불확실"하다고 말하고 "체코슬로바키아와 폴란드를 상대로 저지른 잘못을 바로잡겠다는 언질이 전혀 보이지 않습니다"라고 지적했다. "지금의 독일 정부"의 약속을 믿을 수 없다고 했다. 독일이 평화를 원한다면 "말뿐 아니라 행동이 뒤따라야 합니다". 체임벌린은 히틀러에게 정말로 평화를 원한다면 "수긍할 수 있는 증거"를 보여달라고 요구했다.

---

* 얼마 후인 11월 16일, 이탈리아 측은 파리로부터 받은 정보라면서 독일 측에 이렇게 알렸다. "페탱 원수가 프랑스에서 강화 정책의 옹호자로 여겨지고 있다. … 프랑스에서 강화 문제가 더 심각해질 경우, 페탱이 모종의 역할을 할 것이다."[19] 이 정보를 시작으로 독일 측은 페탱이 나중에 자기들에게 유용할 수도 있다고 생각했던 것으로 보인다.

** 하루 전인 10월 11일, 베를린에서 평화 소동이 있었다. 아침 일찍 베를린의 라디오와 주파수가 같은 한 방송에서 영국 정부가 실각했고 즉각 휴전이 이루어질 것이라고 전했던 것이다. 이 소문이 퍼져나가면서 베를린은 엄청난 환희에 휩싸였다. 청과물 시장의 나이 든 여자들은 기쁨에 겨운 나머지 양배추를 공중으로 내던지고는 자기네 노점을 망가뜨리고 근처 술집으로 몰려가 독한 술로 평화의 축배를 들었다.

뮌헨의 남자는 더 이상 히틀러의 약속에 속을 리 없었다. 이튿날인 10월 13일, 독일은 공식 성명에서 체임벌린이 히틀러의 강화 제안을 거절함으로써 고의로 전쟁을 택했다고 단언했다. 이제 나치 독재자는 변명 거리를 얻은 셈이었다.

압수된 독일 문서를 통해 알 수 있듯이, 사실 히틀러는 영국 총리의 회답을 기다릴 것도 없이 서부를 즉각 공격할 준비를 하라고 명령했다. 10월 10일, 히틀러는 군 수뇌부를 불러들여 전황과 세계정세에 관한 장문의 의견서를 읽어주고 그들에게 전쟁 수행을 위한 지령 제6호를 불쑥 내밀었다.[20]

이미 9월 말에 총통이 서부에 대한 공격을 가급적 일찍 개시해야 한다고 고집하자 육군 최고사령부는 몹시 당황했다. 브라우히치와 할더는 다른 몇몇 장군들의 조력을 받아, 당장 공세에 돌입하기는 불가능하다는 것을 지도자에게 입증하려 했다. 폴란드에서 사용한 전차들을 수리하는 데에만 몇 개월이 걸린다고 그들은 말했다. 토마스 장군은 독일의 경우 매달 60만 톤의 강철이 부족하다는 수치를 제시했다. 병참감 슈튈프나겔 장군은 탄약 보유고가 "아군 사단들 중 약 3분의 1이 14일간 교전할" 정도에 불과하다고 보고했다—분명히 프랑스군과의 전투에서 승리하기에는 그리 충분하지 않은 양이었다. 그러나 10월 7일 육군 총사령관과 참모총장이 육군의 부족분에 관한 정식 보고서를 제출했을 때, 총통은 그들의 말을 들으려 하지 않았다. OKW에서 카이텔 다음으로 예스맨인 요들 장군은 할더에게 육군이 서부 공세에 반대하는 바람에 "매우 심각한 위기가 발생하고" 있고 총통은 "군인들이 복종하지 않는 데 분개"하고 있다고 경고했다.

이런 배경에서 히틀러가 10월 10일 오전 11시에 장군들을 소집했던 것이다. 히틀러는 그들에게 조언을 구하지 않았다. 그저 10월 9일자 지령 제6호를 통해 그들에게 무엇을 해야 할지 알려주었다.

일급비밀

가까운 미래에 잉글랜드가, 그리고 잉글랜드의 선도 아래 프랑스마저 전쟁을 끝낼 의사가 없다는 것이 분명해질 경우, 나는 별로 지체하지 않고 활기차고 공격적으로 행동하기로 결심했다. …

그에 따라 아래의 명령을 내린다.

a. 룩셈부르크, 벨기에, 네덜란드 지역을 통과하는 … 공격작전을 준비하라. 최대한 이른 시일 내에 … 이 공격을 실행해야 한다.

b. 목표는 프랑스 육군의 작전부대뿐 아니라 그들과 함께 싸우는 연합군 부대까지 최대한 맹렬히 격파하고, 동시에 네덜란드, 벨기에, 프랑스 북부의 최대한 넓은 범위의 지역을 점령하여 잉글랜드를 상대로 공중전과 해전을 유리하게 수행하기 위한 기지로 삼는 데 있다. …

나는 각군 총사령관들에게 이 지령에 기반하는 계획의 상세 보고서를 가급적 일찍 제출하고 내게 지속적으로 통지할 것을 요구한다. …

히틀러가 총사령관들에게 이 지령을 내밀기에 앞서 읽어준, 역시 10월 9일자 기밀 의견서는 전 오스트리아 상병이 작성한 문서 중에서 가장 인상적인 축에 드는 것이다. 그 의견서는 독일의 관점에서 파악한 역사와 주목할 만한 군사 전략 및 전술을 개괄할 뿐 아니라, 얼마 후에 밝혀질 것처럼 서부에서 전쟁이 어떻게 전개되고 어떤 결과를 가져올지를 예언하는 듯한 감각까지 보여주었다. 독일과 서방 열강 간의 싸움, 1648년 뮌스터(베스트팔렌) 조약에 의해 독일 제1제국이 해체된 이래 지속되어온 싸움은 "어떤 식으로든 결판을 내야" 했다. 그렇지만 폴란드에서 대승을 거둔 만큼 그곳에서 획득한 것들이 "위태로워지지" 않는 이상 "당장 전쟁을 종결짓는 데 이의는 없을 것"이었다.

　　이 의견서의 목적은 이런 방향의 가능성들을 모색하는 것이 아니며 고려하는 것조차 아니다. 나는 다른 경우, 즉 싸움을 지속할 필요성만을 논할 것이다. … 독일의 전쟁 목표는 서방을 군사적으로 최종 처치하는 것, 즉 유럽에서 독일 민족이 국가를 공고히 하고 더욱 발전시키는 것을 다시는 막지 못하도록 서방 열강의 힘과 능력을 파괴하는 것이다.
　　외부 세계에 관한 한, 이 영원한 목표에는 여러 가지 선전상의 조정이 필요할 것이다. … 그렇다고 해도 전쟁 목표가 바뀌는 것은 아니다. 전쟁 목표는 우리의 서방 적들을 분쇄하는 것이고 앞으로도 그러하다.

　　세 장군은 서부에서 공세를 서두르는 것에 반대해온 터였다. 그렇지만 히틀러는 시간은 적의 편이라고 말했다. 독일이 폴란드에서 승리할 수 있었던 것은 실제로 단일 전선만을 상대했기 때문임을 히틀러는 상기시켰다. 그런 상황은 지속되고 있었다―하지만 얼마나 더 지속될 것인가?

　　어떠한 조약이나 협정으로도 소비에트 러시아의 영속적인 중립을 확실하게 보장할 수 없다. 현재 소비에트가 중립에서 이탈한다는 것은 어불성설이다. 하지만 8개월, 1년, 또는 수년 후에는 상황이 바뀔지도 모른다. 조약의 취지가 진중하지 않다는 것은 근년에 모든 방면에서 입증되었다. 소비에트의 공격에 대한 최상의 보호 장치는 … 독일의 힘을 즉시 실증해 보이는 것이다.

그리고 이탈리아에 관해서 말하자면, "이탈리아가 독일을 지원할 희망"은 대체로 무솔리니가 살아 있는지 여부, 그리고 독일이 두체를 유혹할 또다른 성공을 거둘지 여부에 달려 있다고 했다. 벨기에 및 네덜란드의 경우와 마찬가지로 이탈리아의 경우에도 시간이 한 가지 중요한 요인이었으며, 영국과 프랑스가 이탈리아 측에 중립 포기를 강요할 수도 있었다—독일로서는 방관할 수 없는 일이었다. 미국에 관해서조차 "시간은 독일에 불리하게 작동하고 있다고 보아야 한다".

히틀러는 장기전이 되면 독일에 매우 위험한 문제들이 있음을 인정하고 그중 몇 가지를 열거했다. 우호적이든 비우호적이든 중립국들(주로 소련, 이탈리아, 미국을 염두에 두었던 듯하다)은 1차대전 때처럼 반대편으로 넘어갈 수 있었다. 또한 독일은 "식량과 원재료가 한정되어 있기" 때문에 "전쟁을 이어갈 방도"를 찾기가 어려웠다. 최대 위험은 루르 지역의 취약성이었다. 이 독일 산업생산의 심장부가 타격당한다면 "독일의 전시경제가 붕괴하고 그리하여 저항 능력을 상실할" 터였다.

평소처럼 도덕성의 결핍을 드러내긴 했지만, 이 의견서에서 전 상병이 군사 전략 및 전술을 파악하는 놀라운 능력을 보여주었다는 점은 인정해야 한다. 거기서 히틀러는 몇 페이지를 들여 폴란드에서 전개된 전차와 항공기에 의한 새로운 전술을 논하고 이 전술을 서부의 정확히 어디에서 어떻게 활용할 수 있을지 상세히 검토했다. 핵심은 1914~18년의 경우와 같은 진지전을 피하는 것이라고 히틀러는 말했다. 결정적인 돌파작전에는 기갑사단들을 투입해야 했다.

기갑사단들은 벨기에의 시가지에서 끝없이 늘어선 건물들의 미로에 빠져서는 안 된다. 기갑사단들은 도시를 공격할 필요가 전혀 없고 오히려 … 진군의 흐름을 유지하는 것이 중요하다. 방비가 허술한 것으로 확인된 진지를 집중적으로 돌파하여 전선이 교착되는 것을 막아야 한다.

이는 서부에서 전쟁이 어떤 양상으로 펼쳐질지를 대단히 정확하게 예상한 의견서였고, 그것을 읽을 때면 어째서 연합국 측에는 그런 통찰을 가진 사람이 아무도 없었을까 하는 의문이 든다.

히틀러의 전략에 관해서도 같은 이야기를 할 수 있다. "공격 가능한 지역"은 룩셈부르크, 벨기에, 네덜란드를 통과하는 지역뿐이라고 히틀러는 말했다. 우선 두 가지 군사 목표를 염두에 두어야 했다. 즉 네덜란드, 벨기에, 프랑스, 영국의 육군을 격파하고, 그로써 영국을 상대로 공군을 "가차없이 운용할" 수 있는 영불 해협과 북해의 진지를 확보하는 것이었다.

다시 전술로 화제를 돌려 히틀러는 무엇보다 임기응변으로 대응하라고 말했다!

이 작전의 특이한 성격 때문에 임기응변이 최대한으로 요구된다. 특정 지점에서는 공격부대 또는 방어부대(이를테면 전차부대나 대전차부대)를 보통의 비율 이상으로, 다른 지점에서는 그 이하로 집중해서 운용할 필요가 있을지도 모른다.

공격 시점과 관련해 히틀러는 주저하는 장군들에게 말했다. "되도록 일찍 개시하는 편이 낫다. 상황이 어떻든 간에 (가능만 하다면) 금년 가을에는 개시해야 한다."

이 장군들과 달리 제독들의 경우에는 히틀러가 공세를 취하라고 다그칠 필요가 없었다. 독일 해군이 영국 해군보다 한 수 아래였음에도 그랬다. 실제로 9월 말부터 10월 초에 걸쳐 레더는 총통에게 해군의 제한을 풀어달라고 청했다. 그리고 점차 그렇게 되었다. 9월 17일, 독일 U보트가 아일랜드 남서쪽 해상에서 영국 항공모함 커레이저스Courageous 호를 어뢰로 공격했다. 9월 27일, 레더는 포켓전함 도이칠란트 호와 그라프슈페 호에 대기 수역을 떠나 영국 선박을 공격하기 시작하라고 명령했다. 10월 중순까지 두 전함은 영국 상선 7척을 격침하고 미국 선박 시티오브플린트City of Flint 호를 나포했다.

10월 14일, 귄터 프린Günther Prien 중위가 지휘하는 독일 U보트 U-47이 영국의 대규모 해군 기지 스캐퍼플로Scapa Flow의 철통같아 보이던 방어를 뚫고 들어가 정박 중인 전함 로열오크Royal Oak 호를 어뢰로 격침하여 장병 786명의 목숨을 앗아갔다. 이는 괴벨스 박사가 선전에 십분 활용한 주목할 만한 전과였으며, 히틀러의 마음속에서 해군의 입지를 강화했다.

그렇지만 육군 장군들은 여전히 문젯거리였다. 히틀러가 숙고 끝에 정리한 장문의 의견서를 읽어주고 서부에서 즉시 공격할 수 있도록 준비하라는 지령 제6호를 발령했음에도, 그들은 꾸물거리기만 했다. 그들이 벨기에와 네덜란드를 침범한다는 데 어떤 도의적 가책을 느꼈기 때문이 아니다. 그저 이 시기에는 성공을 매우 의심스러워했을 뿐이다. 다만 한 명만은 예외였다.

라인 강과 마지노선에서 프랑스군과 대치하고 있던 C집단군 사령관 빌헬름 리터 폰 레프Wilhelm Ritter von Leeb 장군은 서부전 승리에 회의적이었을 뿐 아니라, 입수 가능한 기록에 의하면 적어도 어느 정도는 도의적인 이유로 중립국 벨기에와 네덜란드에 대한 공격에 홀로 반대하기까지 했다. 히틀러가 장군들과 회동한 다음날인 10월 11일, 레프는 장문의 의견서를 직접 작성하여 브라우히치와 그 밖의 장군들에게 보냈다. 전 세계가 독일에 등을 돌릴 것이라고 그는 썼다.

최근 25년 사이에 중립국 벨기에를 두 번이나 공격하는 것입니다! 독일 정부는 불과 몇 주 전에 이 중립을 지키고 존중하겠다고 엄숙하게 보증하고 약속했습니다!

마지막으로 서부 공격에 반대하는 군사적 이유들을 상세히 열거한 뒤, 레프는 평화를 호소했다. "전 국민이 평화를 염원하고 있습니다."[21]

그러나 이 무렵 히틀러는 전쟁을, 전투를 갈망하고 있었고, 장군들의 용납할 수 없는 소심함에 신물이 난 상태였다. 10월 14일, 브라우히치와 할더는 머리를 맞대고 장시간 상의했다. 육군 총사령관은 "세 가지 가능성: 공격. 관망. 근본적 변화"가 있다고 보았다. 할더는 그것을 그날 일기에 적었고, 전후에 "근본적 변화"는 "히틀러 제거"를 의미했다고 설명했다. 그러나 유약한 브라우히치는 그런 극적인 조치가 "본질적으로 유해하고 우리를 취약하게 만들기 쉽다"고 생각했다. 그들은 세 가지 가능성 모두 "결정적인 성공의 전망"을 제시하지 않는다고 결론지었다. 히틀러에게 더욱 공을 들이는 수밖에 없다고 보았던 것이다.

브라우히치는 10월 17일에 다시 총통을 만났지만, 할더에게 말했듯이 그의 주장은 아무런 효과도 없었다. "가망 없는" 상황이었다. 할더가 일기에 썼듯이 히틀러는 브라우히치에게 퉁명스럽게 통보했다. "영국은 패배한 이후에만 대화할 용의가 있을 것이다. 최대한 일찍 공략해야 한다.

날짜는 아무리 늦어도 11월 15일에서 20일 사이이다."

그 후로 나치 통수권자와의 회의가 몇 차례 더 있었으며, 마침내 10월 27일 히틀러는 장군들에게 독단적으로 지시를 내렸다. 장군 14명에게 기사철십자장을 수여하는 의식을 끝낸 뒤 총통은 서부 공격이라는 본론으로 들어갔다. 브라우히치가 육군은 한 달 후인 11월 26일에야 준비를 마칠 것이라고 주장하려 들자, 히틀러는 "너무 늦다"고 대꾸했다. 그리고 11월 12일을 기해 공격을 개시하라고 명령했다. 브라우히치와 할더는 흠씬 두들겨맞고 기가 꺾인 기분으로 회의 자리에서 물러났다. 그날 밤 두 사람은 서로를 위로하려 했다. "브라우히치는 지치고 낙담했다"라고 할더는 일기에 적었다.

히틀러를 타도하려는 초센 '음모'

이제 음모단이 다시 한 번 행동에 나설 때였다. 적어도 그들은 그렇게 생각했다. 불운한 브라우히치와 할더는 10월 14일에 검토한 세 번째 '가능성' ―히틀러 제거― 을 실행에 옮기든지 아니면 독일에 재앙이 될 듯한 서부 공격을 준비해야 하는 엄혹한 선택에 직면했다. 갑자기 활기를 찾은 군부와 민간의 '음모자들'은 공히 전자의 선택을 재촉하고 있었다.

그들은 개전 이후 이미 한 차례 주저한 적이 있었다. 폴란드 공격 전야에 하머슈타인 장군은 오랜 은퇴생활 중에 잠시 불려나와 서부에서 지휘를 맡게 되었다. 교전 첫 주에 하머슈타인은 독일군이 폴란드를 정복하는 동안 자신이 서부전선을 등한시하지 않고 있음을 보여주고 싶다면서 휘하 본부를 방문해줄 것을 히틀러에게 청했다. 사실 히틀러를 철천지원수로 여기던 하머슈타인은 총통을 체포할 계획이었다. 영국이 전쟁을 선포한 9월 3일에 이미 파비안 폰 슐라브렌도르프가 베를린의 아돌론 호텔에서 오길비-포브스를 급히 만나 이 음모에 관해 귀띔해준 바 있었다. 그러나 총통 쪽에서 수상하다고 생각해 전 육군 총사령관 본부 방문을 거절하고 곧바로 그를 파면했다.[22]

음모단은 영국 측과 계속 접촉했다. 히틀러의 폴란드 분쇄를 막기 위한 조치를 전혀 취하지 않았던 그들은 전쟁이 서부로 번지지 않도록 하는 데 전력을 쏟았다. 민간인 음모자들은 제3제국에서 히틀러를 저지할 수단을 보유한 조직은 육군밖에 없다는 것을 전보다 더 확실하게 깨달았다. 총동원을 하고 폴란드에서 전격적으로 승리한 덕에 육군의 힘과 영향력이 엄청나게 커져 있었다. 그러나 할더가 민간인 음모자들에게 설명하려 했듯이, 육군의 확대된 규모는 오히려 핸디캡이기도 했다. 장교 집단을 부풀린 예비역 장교들의 다수가 광신적인 나치였으며, 대다수 부대들이 나치즘을 철저히 주입받은 상태였다. 친구에게나 적에게나 어려움을 애서 강조하던 할더는 총통에 맞서서 행동할 것이라고 믿을 만한 육군 부대를 찾기란 아주 어려울 것이라고 지적했다.

장군들이 지적하고 제복을 벗은 민간인들도 충분히 수긍한 또다른 고려사항이 있었다. 그들이 반히틀러 반란을 일으키고 그 결과로 나라뿐 아니라 육군까지 혼란에 빠진다면, 영국과 프랑스가 그 틈을 타서 서부로 쳐들어와 독일을 점령하고 독일 국민에게 가혹한 강화 조건을 강요하지는 않을까—자신들이 범죄적 지도자를 제거했다 할지라도—하는 것이었다. 그러므로 연합국이 독일의 반나치 쿠데타를 활용하는 일은 없을 것이라는 명확한 합의에 이르기 위해 영국 측과 계속 접촉할 필요가 있었다.

몇 가지 채널이 사용되었다. 그중 하나는 뮌헨의 일류 변호사이자 독실한 가톨릭교도인 요제프 밀러Josef Müller 박사가 바티칸을 통해 뚫은 채널이었다. 밀러는 젊은 시절 '황소 제프Ochsensepp'라는 별명이 붙었을 정도로 몸집이 크고 강인한 사내였다. 10월 초, 방첩국 오스터 대령의 묵인 아래 로마로 향한 밀러는 바티칸에서 교황청 주재 영국 사절과 접촉했다. 독일 정보원들에 따르면, 밀러는 영국 측으로부터 확약을 받아냈을 뿐 아니라, 독일에서 새로 탄생할 반나치 정권과 영국 사이에서 중재자 역할을 맡겠다는 교황의 언질까지 얻어냈다.[23]

또다른 접촉은 스위스 베른에서 이루어졌다. 바이츠제커는 최근까지 런던에서 독일 대사대리로 일했던 테오도어 코르트를 스위스 독일 공사관의 주재관으로 임명했고, 이 수도에서 코르트는 이따금 영국인 필립 콘웰-에번스Philip Conwell-Evans 박사를 만났다. 콘웰-에번스는 쾨니히스베르크 대학의 교수로 재직하며 나치즘 전문가, 어느 정도는 나치즘 동조자가 된 사람이었다. 10월 하순에 콘웰-에번스는 코르트에게, 후자의 말에 따르면, 향후 반나치 독일 정부를 공정하고 이해할 만할 수준으로 대하겠다고 진지하게 약속한 체임벌린의 편지를 가져갔다. 사실 이 영국인이 가져간 것은 체임벌린의 하원 연설의 발췌문에 지나지 않았는데, 거기서 영국 총리는 히틀러의 평화 제안을 거절하면서도 영국은 "다른 국가들과 우호와 신뢰 속에서 살아가는 독일을 그 정당한 위치로부터 배제할" 의향이 없다고 단언했다. 독일 국민에 대한 이런저런 우호적 발언을 포함하는 이 연설이 런던에서 방송되었고 아마 음모단도 그 방송을 들었을 텐데도, 그들은 비공식 영국 대표가 베른으로 가져온 이 '서약'이 더없이 중요한 것이라며 환호했다. 이 약속과 그들이 바티칸을 통해 얻었다고 생각한 영국의 확약을 가지고서 음모단은 희망차게 독일 장군들을 찾아갔다. 희망차긴 했지만 필사적이기도 했다. 10월 17일, 바이츠제커는 하셀에게 "우리를 구원할 유일한 희망은 군사 쿠데타입니다. 하지만 어떻게?"라고 말했다.

시간이 별로 없었다. 벨기에와 네덜란드를 통과하는 독일의 공격은 11월 12일에 개시될 예정이었다. 그전에 음모를 실행해야 했다. 하셀이 다른 사람들에게 경고했듯이, 독일이 벨기에를 침범한 **후에는** "온당한 평화"를 얻기가 불가능할 터였다.

뒤이어 무슨 일이 일어났는지, 또는 어째서 별다른 일이 일어나지 않았는지에 대한 음모 가담자들의 몇 가지 서술이 있으며, 그것들은 서로 상충되고 혼란스럽다. 뮌헨 회담 때와 마찬가지로 이번에도 육군 참모총장 할더 장군이 핵심 인물이었다. 그러나 그는 변덕이 죽 끓듯 했고, 자꾸 주저하며 어찌할 바를 몰랐다. 뉘른베르크 심문 중에 그는 "야전군"이 "완전무장한 적군을 앞에 두고" 있어서 반란을 일으킬 수 없었다고 설명했다. 할더는 적군과 대치하지 않는 "보충군"에 행동할 것을 호소했지만, 기껏해야 그 사령관 프리드리히 (프리츠) 프롬Friedrich (Fritz) Fromm 장군으로부터 "군인으로서" 브라우히치의 명령이라면 무엇이든 실행할 것이라는 양해를 얻어내는 데 그쳤다고 한다.[24]

그러나 브라우히치는 할더보다도 우유부단했다. 베크 장군은 할더에게 "브라우히치가 결단을 내릴 위인이 못 된다면, 당신이 결단을 내리고 그에게 기정사실을 통보해야 합니다"라고 말했다. 하지만 할더는 브라우히치가 육군 총사령관이므로 최종 책임은 그에게 있다고 받아쳤다. 그런 식으로 책임이 계속 전가되었다. 하셀은 10월 말 일기에서 "할더는 도량으로 보나 권한으로 보나 현 상황을 감당할 수 없다"라고 한탄했다. 브라우히치는 베크의 말대로라면 "초등학교 6년생 같은 인물"이었다. 그럼에도 음모단은, 이번에는 육군의 경제 전문가 토마스 장군과 방첩국의 오스터 대령이 앞장서서 할더를 설득했고, 히틀러가 서부를 공격하라는 최종 명령을 내리자마자 반란을 일으킨다는 데 할더가 마침내 동의했다고 생각했다. 할더 본인은 쿠데타 감행 여부가 여전히 브라우히치의 최종 결정에 달려 있었다고 말한다. 어쨌거나 할더와도 오스터와도 친구 사이인 OKW의 헬무트 그로스쿠르트Helmuth Groscurth 대령에 따르면, 11월 3일 할더는 음모단의 두 주요 인물인 베크 장군과 괴르델러에게 전갈을 보내 11월 5일부터 대기하고 있으라고 알렸다. 육군 사령부와 참모본부 모두의 본부인 초센이 음모 활동의 중심이 되었다.

11월 5일은 결정적인 날이었다. 그날 네덜란드, 벨기에, 룩셈부르크에 대한 공격 개시 지점들로 병력 이동이 시작될 예정이었다. 또 브라우히치는 결판을 내기 위해 그날 히틀러와 만나기로 약속했다. 브라우히치와 할더는 11월 2일과 3일에 서부의 육군 수뇌부를 찾아갔다가 야전사령관들의 부정적인 의견을 듣고서 결심을 더욱 굳혔다. "최고사령부의 그 누구도 공격이 … 성공할 것이라고 생각하지 않는다"라고 할더는 일기에 털어놓았다. 이렇듯 육군 총사령관은 본인, 할더, 토마스 장군의 주장뿐 아니라 서부전선 장군들의 주장까지 충분히 고려해 취합한 의견서를 가지고서, 여기에 더해 히틀러의 10월 9일 의견서에 응답하는 (할더의 표현대로라면) '반박 의견서'까지 가지고서, 서부 공세를 재고하도록 총통을 설득하겠다는 각오로 11월 5일 베를린의 총리 관저로 차를 몰았다. 브라우히치는 설득에 성공하지 못할 경우 독재자를 제거하는 음모에 가담할 작정이었다—음모단은 그렇게 알고 있었다. 음모단은 모두 흥분—그리고 낙관론—에 휩싸여 있었다. 기제비우스에 따르면, 괴르델러가 벌써 반나치 임시정부의 각료 명단을 작성하고 있어서 좀 더 냉정한 베크가 말리고 나설 정도였다. 샤흐트 홀로 매우 회의적이었다. "그냥 지켜보세요"라고 그는 경고했다. "히틀러가 낌새를 채고 내일 아무 결정도 내리지 않을 겁니다."

늘 그랬듯이 그들 모두 틀렸다.

아니나 다를까, 브라우히치는 자신의 의견서로도, 최전선 사령관들의 의견을 정리한 보고서로도, 자신의 주장으로도 아무런 성과도 거두지 못했다. 그가 연중 이 무렵이면 서부의 날씨가 나쁘다고 강조하자 히틀러는 그것은 적군에게도 마찬가지인 데다가 봄철의 날씨가 더 나은 것도 아니라고 반박했다. 결국 줏대 없는 총사령관은 절박한 심정으로 총통에게 현재 서부 부대들의 사기가 떨어져서 육군에 패배주의, 불복종, 심지어 항명까지 횡행했던 1917~18년 당시와 비슷하다고 말했다.

이 말을 들은 히틀러는, 할더에 따르면(그의 일기는 이 매우 은밀한 회동의 전말을 알려주는 주요 자료다), 버럭 화를 냈다. "도대체 어느 부대야? 어느 부대의 규율이 그렇게 어지럽다는 건가?"라며 계속 다그쳤다. "무슨 일 있었나? 어디서?" 히틀러는 내일이라도 당장 서부로 날아갈 기세였다. 할더가 적었듯이, 가련한 브라우히치는 "히틀러를 단념시키기 위해" 일부러 과장해서 말한 터였고, 이제 지도자의 억누를 수 없는 진노를 고스란히 느껴야 했다. "육군 사령부는 무슨 조치를 취했나?" 하고 총통은 소리쳤다. "몇 명이나 사형시켰나?" 그러나 진실은, 히틀러가 고함을 지른 대로 "육군은 싸우고 싶어하지 않는다"라는 것이었다.

브라우히치는 뉘른베르크에서 이 불행한 기억을 떠올리며 판사들에게 "더 이상의 대화는 불가능했습니다"라고 말했다. "그래서 물러났습니다." 다른 사람들은 브라우히치가 29킬로미터 떨어진 초센의 본부로 비틀거리며 들어섰을 때 충격이 너무 심해 무슨 일을 겪었는지 조리 있게 설명하지 못할 정도였다고 기억했다.

그것이 '초센 음모'의 결말이었다. 뮌헨 회담 때의 '할더 음모'와 마찬가지로 비굴하게 실패했다. 두 경우 모두 음모단이 행동하는 데 필요한 조건은 갖추어져 있었다. 이번에 히틀러는 11월 12일이라는 공격 날짜를 고수했다. 사실 총리 관저에서 들들 볶인 브라우히치가 떠난 뒤 히틀러는 초센에 전화를 걸어 자기 명령을 재확인하기까지 했다. 할더가 그 명령을 서면으로 보내달라고 하자 히틀러는 즉각 응했다. 그리하여 음모단은 히틀러를 타도하는 데 필요하다고 말해온 증거—독일에 재앙을 가져올 공격명령—를 문서의 형태로 확보했던 것이다. 그러나 그들은 겁에 질려 허둥댔을 뿐 아무것도 하지 않았다. 물증이 될 만한 문서를 불태우고 흔적을 없애느라 몹시 바빴을 뿐이다. 오스터 대령만이 침착하게 임했던 것으로 보인다. 그는 베를린 주재 벨기에, 네덜란드 두 공사관에 경고를 보내 11월 12일 오전에 독일이 공격을 개시할 것이라고 알렸다.[25] 그런 다음 서부전선으로 가서 히틀러 제거에 비츨레벤 장군을 끌어들일 수 있을지 다시 한 번 확인했지만 헛수고였다. 비츨레벤을 비롯한 장군들은 자기들이 패한 것을 알고 있었다. 지난날의 상병은 이번에도 식은 죽 먹기처럼 장군들을 상대로 승리를 거두었다. 며칠 뒤 A집단군 사령관 룬트슈테트는 휘하 군단과 사단의 지휘관들을 소집해 공격의 세부를 논의했다. 여전히 공격의 성공을 의심하면서도 룬트슈테트는 휘하 장군들에게 의심을 감추라고 조언했다. "육군은 임무를 받았고, 그 임무를 완수할 것이다!"

　　브라우히치를 신경쇠약 직전까지 몰아붙이고 하루 뒤, 히틀러는 네덜란드와 벨기에의 국민들에게 독일의 공격이 정당함을 밝히는 성명문을 작성하느라 바빴다. 할더는 그 공격의 구실에 주목했다. "프랑스가 벨기에 영내로 진군한다."

그러나 이튿날인 11월 7일, 장군들에게는 다행스럽게도 히틀러가 공격 날짜를 연기했다.

일급비밀

1939년 11월 7일, 베를린

… 총통 겸 국방군 최고사령관은 기상 및 철도 수송 상황에 관한 보고를 받은 결과, 아래와 같이 명령한다.

A데이를 사흘 연기한다. 다음 결정은 1939년 11월 9일 오후 6시에 내릴 것이다.

카이텔

이것은 1939년 가을과 겨울에 히틀러가 내린 열네 차례의 연기 명령 중 첫 번째였는데, 그 명령들의 사본이 전쟁 막바지에 OKW의 문서고에서 발견되었다.[26] 그 문서들은 총통이 서부 공격 결정을 단 한 순간도 포기하지 않았음을 보여준다. 그저 한 주씩 공격 날짜를 미루었을 뿐이다. 11월 9일에는 공격 날짜를 11월 19일로 연기하고 11월 13일에는 11월 22일로 연기하는 식으로 매번 대엿새씩 예고기간을 두고 연기했다. 대개는 날씨를 연기의 이유로 들었다. 아마도 총통은 어느 정도는 장군들의 의견에 따랐을 것이다. 그리고 육군이 아직 준비되지 않았다는 사실도 감안했을 것이다. 전략과 전술 계획도 그가 끊임없이 손질하는 바람에 분명 완성되지 않은 상태였다.

히틀러가 애초에 공격을 연기한 데에는 다른 이유들도 있었을 것이다. 연기 결정이 내려진 11월 7일에는 벨기에 국왕과 네덜란드 여왕의 공동 성명이 발표되어 독일 측을 적잖이 당황케 했다. 그것은 "서유럽에서 전쟁이 맹렬하게 시작되기 전에" 자신들이 강화를 중재하겠다는 제안이었다. 그런 상황에서 보면, 히틀러가 작성 중인 성명문에서 말하려 했던 것처럼, 프랑스 육군이 곧 벨기에 영내로 진군한다는 것이 알려졌기 때문에 독일 육군이 벨기에, 네덜란드 영내로 진입하는 것이라는 주장은 누구에게도 설득력이 없었을 것이다.

또 히틀러는 작은 중립국 벨기에를 공격한다 해도 자신이 기대하는 기습의 이점을 얻을 수 없음을 알아챘을 것이다. 10월 말에 괴르델러는 바이츠제커의 비밀 메시지를 지참하고서 브뤼셀로 향했다. 그곳 주재 독일 대사 뷜로브-슈반테Bülow-Schwante를 통해 "사태의 엄중함"을 벨기에 국왕에게 은밀히 알리는 것이 목적이었다. 대사는 그렇게 했고, 그 직후 레오폴트 국왕은 급히 헤이그로 가서 네덜란드 여왕과 상의하고 공동 성명문을 작성했다. 그런데 벨기에 측은 더 구체적인 정보를 가지고 있었다. 앞에서 언급했듯이 그중 일부는 오스터로부터 받은 것이었다. 11월 8일, 뷜로브-슈반테가 베를린에 전보를 보내 통지한 대로, 레오폴트 국왕은 네덜란드 여왕에게 독일군이 벨기에 국경에 집결하고 있으며 이는 "2~3일 내에" 벨기에를 통과하는 공세가 개시될 것이라는 증거라고 말했다.[27]

그런 다음 11월 8일 저녁과 이튿날 오후에 두 가지 이상한 사건이 일어났다—폭탄이 터져 히틀러가 죽을 뻔했던 사건과, 친위대가 독일 국경 근처 네덜란드에서 영국인 요원 두 명을 납치한 사건이었다. 두 사건은 처음에는 서부를 공격하려던 나치 통수권자의 계획을 방해했으나 결국에는 독일 국내에서 그의 위신을 더욱 높여주었다. 그러는 동안 사실 둘 중 어느 사건과도 관계가 없었던 초센의 음모단은 겁을 집어먹었다.

나치의 납치와 맥줏집의 폭탄

11월 8일 저녁, 히틀러가 뮌헨의 뷔르거브로이켈러에서 '역전의 용사' 당원들에게 1923년의 맥주홀 폭동을 기념하는 연례 연설을 평소보다 짧게 마치고서 20분이 지났을 때, 연단 바로 뒤편의 기둥에 설치된 폭탄이 터져 7명이 죽고 63명이 다쳤다. 그때쯤에는 히틀러를 필두로 나치 지도부 전원은 그 건물을 떠나고 없었다. 예년 같았으면 오랜 동지들과 함께 느긋하게 맥주를 마시면서 나치당 초기의 폭동을 추억했을 테지만, 이번에는 그렇지 않았다.

이튿날 아침, 히틀러의 신문인 《민족의 파수꾼》만이 총통의 목숨을 앗아가려던 시도를 보도했다. 신문은 그 비열한 행위를 놓고 "영국 정보기관"과 심지어 체임벌린까지 비난했다. 나는 그날 저녁 일기에 이렇게 썼다. "그 '암살' 시도는 틀림없이 히틀러를 지지하는 여론을 강화하고 잉글랜드에 대한 증오심을 불러일으킬 것이다. … 또다른 의사당 방화의 냄새가 난다고 우리 대다수는 생각하고 있다."

괴벨스의 열에 들뜬 마음은 차치하고, 영국 정보기관이 도대체 그 사건과 무슨 관련이 있었을까? 그 관련성을 꾸며내려는 시도가 즉각 이루어졌다. 뮌헨에서 폭탄이 터지고 한두 시간 후, 친위대 및 게슈타포의 수장 하인리히 힘러는 젊은 부하들 중에서 두각을 나타내던 뒤셀도르프의 발터 셸렌베르크에게 전화를 걸어 총통의 지시라면서 이튿날 국경 너머 네덜란드로 들어가 그간 접촉해온 영국 정보기관 요원 두 명을 납치하라고 명령했다.

힘러의 명령은 2차대전의 가장 기이한 사건들 중 하나로 이어졌다. 알프레트 나우요크스와 마찬가지로 대학에서 교육받은 지식인 깡패인 셀렌베르크는 한 달도 더 전부터 네덜란드에서 두 영국 정보장교 S. 페인 베스트Payne Best 대위와 R. H. 스티븐스Stevens 소령을 접촉해오던 터였다. 두 사람 앞에서 셸렌베르크는 OKW의 반나치 장교 '셰멜Schaemmel 소령'인 체했고(실존하는 소령의 이름을 차용했다), 독일 장군들이 히틀러를 타도하기로 결심했다는 그럴듯한 이야기를 들려주었다. 그러면서 그 장군들이 영국 측에 원하는 것은 이제 곧 탄생할 새로운 반나치 정권을 공정하게 대할 것이라는 런던 정부의 확약이라고 했다. 영국 측은 (앞에서 언급했듯이) 다른 정보원들로부터 같은 종류의 확약을 원하는 독일 군부의 음모에 관해 들은 바가 있었으므로, '셰멜 소령'과 좀 더 긴밀히 접촉하는 데 관심을 보였다. 베스트와 스티븐스는 셸렌베르크에게 소형 무선 송수신기를 제공했다. 그 후로 양측은 수많은 무선 교신을 하고 네덜란드의 여러 도시에서 직접 만나기도 했다. 11월 7일, 독일 국경에서 가까운 네덜란드 도시 펜로에서 양측이 만났을 때, 영국 요원들은 반나치 정권과 공정한 평화 관계를 맺기 위한 기반을 일반적인 표현으로 알리는, 독일 저항세력의 지도부에게 보내는 런던 정부의 다소 모호한 메시지를 '셰멜'에게 전했다. 양측은 '셰멜'이 이튿날 이 지도부의 한 명인 독일 장군을 펜로에 데려와서 명확한 교섭을 시작하기로 했다. 이 만남은 11월 9일로 미루어졌다.

이 순간까지 양측의 목표는 분명했다. 영국 측은 독일 군부 내의 반란파와 직접 접촉해 그들을 부추기고 지원할 작정이었다. 힘러는 영국 측을 통해 독일의 음모자들이 누구이고 그들과 적국 정보기관이 어떻게 연계되어 있는지 탐지하려 했다. 힘러와 히틀러가 벌써 방첩국의 오스터나 카나리스 같은 사람들뿐 아니라 일부 장군들까지 의심하고 있었던 것은 분명하다. 그러나 11월 8일 밤부터 히틀러와 힘러는 새로운 목표가 필요하다고 보았다. 바로 베스트와 스티븐스를 납치하여 뷔르거브로이켈러 폭발사건의 책임을 두 영국 비밀요원에게 지우는 것이었다!

여기서 낯익은 인물이 무대에 등장한다. 글리비체에서 독일 라디오 방송국에 대한 '폴란드의 공격'을 꾸몄던 알프레트 나우요크스가 셀렌베르크의 납치 실행을 돕기 위해 친위대 보안국(SD)의 폭력배 10여 명을 이끌고 나타난 것이다. 납치는 수월하게 성공했다. 11월 9일 오후 4시, 셀렌베르크가 펜로의 한 카페 테라스에서 식전주를 홀짝이며 베스트와 스티븐스를 기다리고 있을 때, 두 영국 요원이 뷰익 자동차를 타고 와서 카페 뒤편에 주차했다. 그러자 나우요크스의 깡패들이 가득 들어찬 친위대 차량으로부터 총탄이 빗발치듯 날아들었다. 영국 요원들이 셀렌베르크와 만날 때면 늘 동행했던 네덜란드 정보장교 클로프Klop 중위가 치명상을 입었다. 베스트와 스티븐스는 셀렌베르크의 훗날 회고대로 부상당한 클로프와 함께 친위대 차량에 "마치 건초더미처럼" 던져졌고, 차량은 신속하게 국경을 넘어 독일로 들어갔다.*[28]

그리하여 11월 21일, 힘러는 뷔르거브로이켈러에서 히틀러를 암살하려던 음모사건이 해결되었다고 발표했다. 폭발 다음날 "네덜란드-독일 국경"에서 체포된 영국 정보기관의 두 간부 스티븐스와 베스트가 사주한 사건이라고 했다. 실제 실행자로는 뮌헨에 거주하던 독일인 공산주의자

---

* 전후에 알려진 네덜란드의 공식 기록에 따르면, 스티븐스, 베스트, 클로프가 타고 갔던 영국 차량은 겨우 38미터 떨어진 국경을 넘어 독일 땅으로 견인되었다. 하루 지난 11월 10일부터 네덜란드 정부는 독일 측에 아홉 차례에 걸쳐 짧은 간격으로 클로프와 네덜란드인 운전사를 돌려보내라고 서면으로 요구하는 한편 네덜란드의 중립을 침해한 이 사건을 조사해달라고 요구했다. 그러나 히틀러가 펜로 사건으로 네덜란드 정보기관과 영국 정보기관의 공모가 입증되었다며 그것을 네덜란드 침공을 정당화하는 근거 중 하나로 제시한 이듬해 5월 10일까지, 아무런 답변도 없었다. 총상을 입은 클로프는 며칠 후에 죽었다. 베스트와 스티븐스는 나치 강제수용소에서 5년을 살았다.[29]

로 목수였던 게오르크 엘저Georg Elser를 지목했다.

당일 일기에 썼듯이, 이 사건에 관한 힘러의 상세한 설명은 내게 "수상하게" 들렸다. 그러나 힘러의 시도는 아주 그럴싸했다. "분명히 힘러와 그의 갱단이 노린 것은 쉬이 속는 독일 국민에게 영국 정부가 히틀러와 그의 주요 참모들을 살해함으로써 전쟁에서 이기려 했음을 납득시키는 데 있었다"라고 나는 일기에 적었다.

누가 폭살을 준비했느냐 하는 수수께끼는 끝내 완전히 밝혀지지 않았다. 엘저는 비록 의사당 화재 사건의 마리뉘스 판 데르 뤼버처럼 얼빠진 사람이 아니었지만, 무척 진실하긴 해도 지능이 낮은 사람이었다. 그는 폭탄을 만들고 터뜨린 죄를 인정했을 뿐 아니라 자랑하기까지 했다. 물론 암살 시도 전에 베스트와 스티븐스를 만난 적이 없었지만, 엘저는 작센하우젠 강제수용소에서 오래 지내는 동안 베스트를 알게 되었다. 그곳에서 엘저는 이 영국인에게 길고도 복잡한—꼭 논리적이었다고는 할 수 없는—이야기를 들려주었다.

그 이야기에 따르면, 10월의 어느 날, 공산주의 동조자라는 이유로 한여름부터 다하우 강제수용소에 수감되어 있던 엘저는 수용소 소장실로 불려갔다가 낯선 두 사람을 소개받았다고 한다. 그들은 예년처럼 히틀러가 11월 8일 저녁 뷔르거브로이켈러에서 연설을 하고 홀을 떠난 **직후에** 폭탄을 터뜨려 총통에 '반역적인' 그의 추종자들 중 일부를 제거할 필요가 있다고 말했다. 폭탄은 연단 뒤편의 기둥에 설치할 예정이었다. 그들은 엘저가 능숙한 가구공이자 전기 기술자이자 땜장이이므로 그 일의 적임자라고 말했다. 엘저가 그 일을 실행하면 그들이 그를 스위스로 피신시키고 그곳에서 편안하게 지낼 만한 거액을 주기로 했다. 진지한 제안이라는 증거로 그들은 엘저가 임무를 준비하는 동안 수용소에서 더 나은 음식, 민간인 복장, 넉넉한 담배―그는 골초였다―그리고 목수의 작업대와 공구를 제공하는 등 우대하겠다고 약속했다. 그곳에서 엘저는 8일에 한 번 태엽을 감는 시계장치와 전기 스위치로도 폭발시킬 수 있는 장치를 사용해 조잡하지만 효율적인 폭탄을 만들었다. 엘저는 11월의 연설 히루 전에 그 맥줏집으로 데려가 달라고 요청했고, 그곳의 적당한 기둥에 그 장치를 설치했다고 말했다. 〔엘저가 베스트에게 들려준 이 이야기는 사실과 다르다. 본서가 출간된 이후인 1969년에 안톤 호흐Anton Hoch가 밝힌 바에 따르면, 엘저는 암살 시도 전에 다하우 수용소에 수감된 적이 없고, 따라서 낯선 두 사람과 범행을 공모하지도 않았다. 엘저의 암살 미수는 단독 행동으로 밝혀졌다. 엘저가 나치 정권이나 다른 어떤 집단과 공모했다는 증거는 나오지 않았다.〕

11월 8일 저녁, 폭탄이 터지도록 설정되어 있던 시간에 엘저는 공범들에게 이끌려 스위스 국경까지 갔고, 거액과 함께 (흥미롭게도) 그가 십자 기호로 폭탄의 위치를 표시해둔 기둥이 나오도록 맥주홀 내부를 묘사한 그림엽서를 건네받았다고 한다. 그러나 그는 국경을 넘도록 도움을 받기는커녕―이 우둔한 친구에게는 뜻밖이었던 모양인데―엽서를 비롯한 모든 소지품을 지닌 채로 게슈타포에게 붙잡혔다. 게슈타포는 장차 국사범 재판이 열리면 베스트와 스티븐스가 범죄에 가담했다고 증언하도록 엘저에게 지시하고, 그리하여 그에게로 세간의 이목을 집중시킬 계획이었다.*

---

* 훗날 다하우 수용소에서 엘저는 니묄러 목사에게 비슷한 이야기를 들려주었고, 그 후로 니묄러는 히틀러가 자신의 인기를 높이고 국민의 전쟁열을 불러일으키기 위해 맥주홀 폭발을 승인했다는 개인적 확신을 표명했다. 그저 공정을 기하기 위해 덧붙이자면, 히틀러와 힘러, 셸렌베르크를 철천 지원수로 여기는 기제비우스는―뉘른베르크 재판과 저서에서 증언했듯이―엘저가 실제로 히틀러를 죽이려 시도했고 나치 공범은 없었다고 믿는다. 덜 믿을 만한 셸렌베르크는 처음에 힘러와 하이드리히를 의심했지만, 엘저에게 먼저 약물을 먹인 다음 최면을 걸고서 심문한 기록을 읽은 뒤 정말

그 재판은 끝내 열리지 않았다. 이제 우리는 힘러가 스스로 가장 잘 아는 이유들 때문에 감히 그 재판을 열지 못했다는 것을 알고 있다. 또한 우리는—이제는—엘저가 작센하우젠 수용소와 뒤이어 다하우 수용소에서 지냈고, 그런 환경에서 꽤 인도적인 대우를 받았다는 것을 알고 있다. 이는 폭발 사건으로 얻은 것이 너무나 많았던 히틀러가 그렇게 대우하도록 명확한 지시를 내렸기 때문으로 보인다. 그러나 힘러는 마지막까지 엘저를 주시했다. 이 목수가 전후까지 살아남아 자신의 이야기를 말하도록 놔둘 생각은 없었다. 전쟁이 끝나기 직전인 1945년 4월 16일, 게슈타포는 전날 연합군의 폭격으로 게오르크 엘저가 사망했다고 발표했다. 이제 우리는 게슈타포가 그를 살해했음을 알고 있다.[30]

히틀러, 장군들에게 말하다

암살을 모면한, 혹은 그렇게 보이도록 조처하고 장군들의 반항을 진압한 히틀러는 서부 대공세 계획을 밀어붙였다. 11월 20일, 전쟁 수행을 위한 지령 제8호를 발령해 "유리한 기상 조건을 즉시 활용할" 수 있도록 "비상대기 상태"를 유지하라고 명령하고, 네덜란드와 벨기에를 분쇄하기 위한 계획을 결정했다. 그런 다음 심약한 자들에게 용기를 불어넣고 대규모 전투의 전야에 필요하다고 생각되는 적당한 긴장감을 주기 위해 11월 23일 정오에 사령관들과 참모본부 장교들을 총리 관저로 소집했다.

히틀러가 군 수뇌부에게 행한 비밀 격려 연설 중에서 그의 속내를 가장 잘 드러내는 축에 드는 그때의 발언은, 연합군이 플렌스부르크에서

로 암살을 시도한 사건이라는 결론을 내렸다고 말한다.

발견한 OKW의 일부 서류철 안에 누군가 신원을 알 수 없는 참석자가 적은 메모의 형태로 보존되어 있다.³¹

> [히틀러가 발언을 시작함] 이 회의의 목적은 내가 장래의 사태를 상정하면서 골몰하고 있는 세계에 대한 구상을 여러분에게 밝히고 나의 결정을 알리는 데 있다.

히틀러의 마음속은 과거와 현재, 미래로 가득했으며, 이 한정된 집단을 향해 그는 적나라할 정도로 솔직하고 매우 유창하게 발언하는 가운데 자신의 뒤틀렸으되 창의적인 두뇌에서 떠오른 갖가지 거창한 상념을 털어놓고, 장차 벌어질 사태를 무서우리만치 정확하게 예견했다. 그러나 그 발언을 들은 사람이라면 독일—그리고 세계—의 운명을 쥐고 있는 이 사내가 위험한 과대망상증 환자가 되었다는 것을 더 이상 의심하기 어려웠을 것이다.

> [히틀러가 자신의 초기 투쟁을 회고하며 말함] 나는 역사적 사태의 유망한 경로를 분명하게 인식했고, 가차없이 결정하겠다는 확고한 의지도 지니고 있었다. … 자랑하는 건 아니지만 마지막 요인으로는 나 자신을 꼽을 수밖에 없다. 나는 대체 불가능한 요인이다. 어느 군인도 민간인도 나를 대신할 수 없다. 앞으로 암살 시도가 반복될지 모른다. 나는 나의 지성과 결단의 힘을 확신한다. … 이제껏 나만큼 성취한 사람은 아무도 없다. … 오늘날 세계가 우리를 증오할지라도, 나는 독일 국민을 아주 높은 데까지 끌어올렸다. 제국의 운명은 오직 나에게 달려 있다. 나는 그 운명에 걸맞게 행동할 것이다.

히틀러는 지난날 국제연맹을 탈퇴하고, 징집령을 선포하고, 라인란트를 점령해 요새화하고, 오스트리아를 장악하겠다는 "힘겨운 결정"을 내릴 때 장군들이 의구심을 비쳤다고 꾸짖었다. "나를 신뢰한 이들의 수는 매우 적었다."

이어서 그간의 정복을 되짚는 가운데 체임벌린이 이 말을 듣지 못해 유감이라고 비꼬면서 "그다음 단계는 보헤미아, 모라비아, 폴란드였다"라고 힘주어 말했다.

분명 처음부터 나는 주데텐의 독일 영토로 만족할 생각이 없었다. 그것은 부분적인 해결에 불과했다. 보헤미아로 진군한다는 결정을 내렸다. 이어서 보호령을 확보하고 그로써 폴란드를 정복할 토대를 마련했지만, 그때는 동부부터 공격한 후에 서부를 공격해야 할지 아니면 반대로 해야 할지 확실하게 정하지 못했다. 그러다 사태의 압력에 의해 폴란드와 먼저 싸우게 되었다. 누군가는 내가 싸우고 또 싸우려 든다고 비난할 것이다. 그러나 투쟁 속에서 나는 모든 존재의 운명을 본다. 굴복을 원하는 게 아니라면, 아무도 싸움을 피할 수 없다.

점점 더 많은 [독일] 국민이 더 넓은 생존공간을 추구하게 되었다. 나의 목표는 국민의 수와 그들이 살아가는 공간의 합리적 관계를 만들어내는 것이었다. 여기서 싸움을 시작해야 한다. 어떤 민족도 이 문제의 해결을 피할 수 없다. 싸우지 않으면 양보하고 점차 굴복할 수밖에 없다. … 이 문제에서 약삭빠른 영리함은 아무런 도움도 되지 않는다. 오로지 칼로만 해결할 수 있다. 싸울 힘을 내지 못하는 국민은 물러설 수밖에 없다. …

비스마르크와 몰트케를 포함해 과거 독일 지도자들의 문제는 "비정함이 부족하다는 데 있었다. 유리한 순간을 놓치지 않고 타국을 공격하는 방법으로만 문제를 해결할 수 있었다". 이것을 깨닫지 못한 탓에 독일은 1914년의 전쟁을 "몇 개의 전선에서" 치러야 했다. "그것으로는 문제가 해결되지 않았다."

[히틀러가 이어서 말함] 오늘날 이 드라마의 제2막이 쓰이고 있다. 67년 만에 처음으로 우리는 두 전선에서 전쟁을 치르지 않아도 된다. ⋯ 그러나 전쟁이 얼마나 오래 이어질지는 아무도 알 수 없다. ⋯ 기본적으로 나는 타격하지 않기 위해 군대를 조직한 것이 아니다. 내 안에는 언제나 싸울 결의가 있었다.

총통은 하나의 전선에서 전쟁을 치른다는 현재의 축복에 관해 생각하다가 소련 문제로 넘어갔다.

현재 소비에트는 위험 요인이 아니다. 여러 국내 문제로 약해져 있다. 게다가 우리는 소비에트와 조약을 맺고 있다. 그렇지만 조약은 목표에 이바지하는 동안에만 유지된다. 소비에트는 조약이 자국에 이롭다고 생각하는 한 그것을 지킬 것이다. ⋯ 그럼에도 소비에트는 원대한 목표들을 가지고 있고, 무엇보다 발트 해에서 입지를 강화하는 것을 목표로 한다. **우리는 서부에 얽매이지 않는 경우에만 소비에트에 대항할 수 있다.**

이탈리아의 경우에는 모든 것이 무솔리니에 달려 있었다. "그가 죽으면 모든 것이 바뀔 수 있다. ⋯ 스탈린의 죽음과 마찬가지로 두체의 죽음은 우리에게 위험을 가져올 수 있다. 정치가가 얼마나 쉽게 죽을 수 있는

지를 나 자신이 최근에 경험했다." 히틀러는 아직까지 미국을 위험 요인으로 보지 않았고—"미국의 중립법 때문에"—연합국에 대한 미국의 원조가 많다고 생각하지도 않았다. 그럼에도 시간은 적의 편이었다. "현재 국면은 유리하다. 6개월 후에는 더 이상 그렇지 않을지도 모른다." 그러므로

나의 결정은 바뀌지 않는다. 나는 가장 유리하고 이른 시점에 프랑스와 잉글랜드를 공격할 것이다. 벨기에와 네덜란드의 중립을 위반하는 것은 전혀 중요하지 않다. 우리가 이기고 나면 아무도 그것을 문제삼지 않을 것이다. 우리가 1914년의 경우처럼 어리석게 중립 위반을 정당화하는 일은 없을 것이다.

서부 공격은 "그저 하나의 행동이 아니라 세계대전의 종결"을 의미한다고 히틀러는 장군들에게 말했다. "그것은 그저 하나의 문제가 아니라 민족의 존망이 걸린 문제"라고 역설했다. 그런 다음 결론으로 들어가 긴 연설을 끝맺었다.

우리 모두는 역사상 위대한 인물들의 정신에 의해 용기를 얻는다. 운명은 독일 역사의 위대한 인물들에게 요구했던 것 이상을 우리에게 요구하지 않는다. 나는 살아 있는 한 우리 국민의 승리만을 생각할 것이다. 나는 그 무엇에도 움츠러들지 않을 것이고, 나를 막아서는 모든 자들을 섬멸할 것이다. … 나는 적을 섬멸하고자 한다!

이는 호소력 짙은 연설이었으며, 알려진 바로는 단 한 명의 장군도 당

시 육군의 거의 모든 지휘관들이 공유하던 서부 공세의 성공에 대한 의문을 목소리 높여 제기하지도 않았고, 지난날 독일 정부가 그 중립과 국경을 보장하겠다고 엄숙히 약속했던 벨기에와 네덜란드를 공격하는 처사의 비도덕성을 문제삼지도 않았다. 당시 참석했던 장군들 중 일부에 따르면, 육군과 참모본부 수뇌부의 약해 빠진 자세를 질타하는 히틀러의 발언은 이전의 발언보다 훨씬 더 거칠었다고 한다.

그날 오후 6시, 나치 통수권자는 다시 브라우히치와 할더를 불렀고, 전자에게―후자는 마치 문제아인 양 총통의 집무실 밖에서 기다리게 했다―"초센 정신"에 관해 매섭게 설교했다. 육군 최고사령부(OKH)는 "패배주의"로 가득하고 할더의 참모본부는 "총통의 의견에 찬성하지 않는 뻣뻣한 태도"를 보인다고 질책했다. 혼쭐이 난 브라우히치는 훗날 뉘른베르크 증인석에서 진술한 바에 따르면, 사의를 표명했지만 히틀러는 이를 거부하면서 육군 총사령관이 기억하는 대로 "다른 모든 군인과 마찬가지로 책임과 의무를 다해야 한다"고 신랄하게 지적했다. 그날 저녁 할더는 일기에 속기로 휘갈겨 썼다. "위기의 날!"[32]

여러 면에서 1939년 11월 23일은 하나의 이정표였다. 그날 히틀러는 육군을 상대로 최종적이고 결정적인 승리를 거두었다. 1차대전 기간에 황제 빌헬름 2세를 밀어내고 독일 최고의 군사적 권한뿐 아니라 정치적 권한까지 차지했던 그런 육군을 상대로 말이다. 그날 이래로 오스트리아의 전 상병은 정치적 판단뿐 아니라 군사적 판단에서도 자신이 장군들보다 우월하다고 생각했고, 그런 이유로 그들의 조언을 들으려 하지도 않고 그들의 비판을 허용하지도 않았다―그 결과는 결국 모두에게 재앙이 될 터였다.

브라우히치는 뉘른베르크 법정에서 11월 23일의 사태를 묘사하면서

"균열이 생겼습니다" 하고 말했다. "나중에 봉합되었지만 끝내 완전히 메워지지 않았습니다."

더욱이 히틀러는 그 가을날 장군들에게 장광설을 늘어놓음으로써 할더와 브라우히치가 나치 독재자를 타도하겠다고 미적지근하게나마 품었을 법한 생각을 철저히 꺾어버렸다. 히틀러는 자기를 막아서는 사람이라면 누구든 "섬멸"하겠다고 경고했고, 할더에 따르면 참모본부에서 누가 반대하든 간에 "무자비한 폭력"으로 제압하겠다고 콕 집어 부언하기까지 했다. 할더는, 적어도 그 순간에는, 그토록 섬뜩한 위협에 맞설 만한 위인이 아니었다. 나흘 후인 11월 27일, 샤흐트와 포피츠의 채근에 토마스 장군이 할더를 찾아가 브라우히치가 총통에 맞서 조치를 취하도록 거듭 설득해줄 것을 촉구했을 때(훗날 할더는 토마스가 "히틀러를 제거해야 합니다!"라고 말한 것으로 기억했다), 참모총장은 장군에게 온갖 "어려움"을 상기시켰다. 그러면서 브라우히치가 "쿠데타에서 적극적인 역할을 맡을지" 아직 확신하지 못하겠다고 말했다.[33]

며칠 후 할더는 괴르델러에게 나치 독재자를 제거하려는 계획을 더이상 추진할 수 없다면서 얼토당토않은 이유들을 들었다. 하셀이 그 이유들을 일기에 적었다. "적과 대치하고 있을 때는 반란을 일으키지 않는 법이다"라는 사실은 제쳐두고라도 할더는 다음과 같은 이유들을 덧붙였다. "우리는 히틀러에게 독일 국민을 영국 자본주의라는 노예제에서 구해낼 이 마지막 기회를 주어야 한다. … 동원할 수 있는 위대한 인물이 없다. … 아직 반발이 무르익지 않았다. … 젊은 장교들에 관해 확신할 수 없다." 하셀 자신은 애초 음모단의 일원인 카나리스 제독에게 거사를 추진하자고 호소했으나 소용이 없었다. 이 전직 대사는 11월 30일 일기에 "그는 장군들이 저항할 것이라는 희망을 포기했고 이 노선으로 더 시도해봐야 소용없을 것이라고 생각한다"라고 털어놓았다. 얼마 후 하셀은 "할더와 브라우히치는 히틀러의 심부름꾼에 지나지 않는다"라고 적었다.[34]

폴란드에서 벌어진 나치의 테러: 첫 단계
——

독일이 폴란드를 공격하고 며칠 지나지 않은 때부터 나의 일기는 이 정복지에서 나치가 자행하는 테러에 관한 내용으로 채워지기 시작했다. 훗날 밝혀진 바로는 다른 많은 일기도 같은 내용으로 채워지고 있었다. 10월 19일, 하셀은 "특히 유대인을 겨냥한 친위대의 충격적인 잔혹행위"에 관해 들었다고 기록했다. 얼마 후에 그는 포젠 지방의 한 독일 지주로부터 들은 이야기를 일기에 적었다.

그곳에서 그가 마지막으로 본 장면은 술에 취한 지구당 지도자가 감옥 문을 열라고 다그친 것이었다. 그 지도자는 매춘부 다섯 명에게 총을 쏘고 다른 두 명을 강간하려 했다.[35]

10월 18일, 할더는 그날 폴란드의 미래를 놓고 히틀러와 상의하고 온 병참감 에두아르트 바그너Eduard Wagner와 나눈 대화의 요점을 일기에 적었다. 암담한 미래였다.

우리는 폴란드를 재건할 의사가 없다. … 독일 수준의 모범 국가는 없을 것이다. 폴란드 지식층이 통치계급으로 자리잡는 것은 막아야 한다. 낮은 수준의 생활이 유지되도록 해야 한다. 값싼 노예들 …

전면적으로 해체해야 한다! 독일 제국은 총독에게 이 사악한 계획을 실행할 수단을 줄 것이다.

독일은 이대로 했다.

압수된 독일 문서와 뉘른베르크 재판의 여러 증거를 통해 밝혀진 폴란드 내 나치 테러의 첫 단계를 이제는 간략하게나마 서술할 수 있을 것이다. 그 테러는 독일이 결국 모든 피정복민에게 저지를 악독하고 끔찍한 행위의 전조에 지나지 않았다. 그러나 처음부터 끝까지 독일의 테러는 다른 어느 장소보다도 폴란드에서 더 심했다. 그곳에서 나치의 야만적인 행위는 도무지 믿기 어려울 정도로 극에 달했다.

폴란드 공격을 개시하기 직전인 8월 22일, 히틀러는 오버잘츠베르크에서 열린 회의에서 장군들에게 "독일 장군들의 입맛에 맞지 않는" 사태가 일어날 것이라고 말하고, "그런 문제에 개의치 말고 각자 군인으로서의 의무 수행에 전념"하라고 경고했다. 히틀러는 자신이 무엇에 관해 말하는지 잘 알고 있었다. 베를린에서나 폴란드에서나 나는 곧 나치의 학살에 관한 보도에 압도되었다. 장군들 역시 그랬다. 9월 10일, 폴란드 작전이 한창일 때 할더는 머지않아 베를린에서 널리 알려질 한 사례를 일기에 적었다. 친위대 포병연대에 속한 몇몇 폭력배가 유대인 50명에게 온종일 교량을 수리하는 일을 시킨 다음 유대교 회당에 몰아넣고는 할더의 표현대로 "그들을 학살했다". 나중에 양심의 가책이라곤 거의 모르게 될 제3군 사령관 퀴흘러 장군마저 군사법원에서 이 친위대 살인자들에게 선고한 형량—징역 1년—이 너무 가볍다는 이유로 그 승인을 거부했을 정도였다. 그러나 육군 총사령관 브라우히치는, 힘러가 개입한 이후이긴 하지만, 그들이 '대사면'을 받게 되었다는 이유로 이 판결조차 취소해버렸다.

반듯한 기독교도를 자처하던 독일 장군들은 당혹스러운 상황에 직면했다. 9월 12일, 총통의 특별열차에서 카이텔 장군과 카나리스 제독이 회동했을 때 후자는 폴란드에서의 잔혹행위에 대해 항의했다. 비굴한 OKW 총장은 "총통께서 이미 처리한 사안입니다"라고 퉁명스럽게 대꾸했다. 그러면서 육군이 "이런 일에 엮이고 싶지 않다면, 친위대와 게슈타포를 경쟁자로 받아들여야 할 겁니다"라고 했다 — "절멸을 수행할" 친위대 요원들을 각 부대에 받아들여야 한다는 뜻이었다.

[카나리스가 일기에 씀, 훗날 뉘른베르크 법정에 이 일기를 제출함] 나는 카이텔 장군에게 폴란드에서 대규모 처형이 계획되어 있고 특히 귀족과 성직자가 처형 대상이라는 것을 알고 있다고 지적했다. 결국 전 세계가 국방군에게 이런 행위의 책임을 물을 것이다.[36]

영리한 힘러는 장군들이 그 책임을 면하도록 놔두지 않았다. 9월 19일, 힘러의 오른팔 하이드리히가 육군 최고사령부를 방문해 바그너 장군에게 "[폴란드의] 유대인, 지식층, 성직자, 귀족을 대청소"하려는 친위대의 계획을 알렸다. 그 계획에 대한 할더의 반응은 바그너로부터 보고를 받은 후에 적은 일기에 담겨 있다.

육군이 철수하고 그 나라가 민정으로 넘어갈 때까지 '대청소'를 연기할 것을 육군은 주장한다. 12월 초까지.

육군 참모총장의 이 짧막한 일기는 독일 장군들의 도덕관의 핵심을 드러낸다. 그들은 폴란드의 유대인, 지식층, 성직자, 귀족을 싹 없애버리는 '대청소'에 진지하게 반대할 마음이 없었다. 그저 자신들이 폴란드에서 빠져나가고 책임을 면할 수 있을 때까지 그 조치를 '연기'하자고 요구하려 했을 뿐이다. 그리고 당연히 외국의 여론을 고려해야 했다. 이튿날 할더는 폴란드의 '대청소'를 놓고 브라우히치와 길게 회의한 뒤 일기에 이렇게 썼다.

그런 사건에 근거하여 잔혹행위를 들먹이는 선전 기회를 다른 나라들에 주어서는 결코 안 된다. 가톨릭 성직자라니! 현 시점에는 실행 불가능하다.

이튿날인 9월 21일, 하이드리히는 육군 최고사령부에 초기 "대청소" 계획의 사본을 보냈다. 첫 단계는 유대인을 (한데 모아 제거하기 쉬운) 도시로 몰아넣는 것이었다. 하이드리히는 "최종 해결"을 달성하기까지 얼마간 시간이 걸릴 것이고 그때까지 "엄격히 비밀"에 부쳐야 한다고 역설했지만, 그 기밀문서를 읽은 장군이라면 누구나 "최종 해결"이 곧 절멸을 뜻한다는 것을 의심하지 않았을 것이다.[37] 그로부터 2년이 지나 실행에 옮길 시간이 왔을 때, "최종 해결"은 독일 고위 관료들이 나치의 극악무도한 전쟁범죄를 감추기 위해 주고받는 가장 불길한 암호명 중 하나가 되었다.

소련이 동부에서 자기 몫을 차지하고 독일이 서부에서 예전의 지방들과 약간의 추가 영토를 공식적으로 병합한 이후에 남은 폴란드 땅에는 총통의 10월 12일 법령에 의해 폴란드 총독령이라는 명칭이 붙었고, 한스 프랑크가 총독에, 빈의 부역자 자이스-잉크바르트가 부총독에 임명되었다. 프랑크는 나치 지식인 깡패의 전형이었다. 그는 법대를 졸업한 직후인 1927년에 입당했고, 나치 운동의 법률적 권위자로서 금세 두각을 나타냈다. 두뇌 회전이 빠르고, 정력적이고, 법률뿐 아니라 문학 전반에 걸쳐 박식하고, 예술 특히 음악에 몰두한 그는 나치당이 집권한 뒤 법조 부문에서 권력자가 되어 먼저 바이에른 법무장관, 뒤이어 제국 무임소장관, 독일 법률학회와 법률가협회 회장을 지냈다. 음흉하고 말쑥하고 활기찬 사내, 다섯 아이의 아버지인 프랑크는 지성과 교양으로 자신의 원초적인 광신을 얼마간 상쇄했고, 그 덕에 이 시점까지 히틀러의 주변 인물들 중에서 그나마 덜 혐오스러운 축에 들었다. 하지만 문명인이라는 겉치장 이면에는 냉혹한 살인마가 도사리고 있었다. 뉘른베르크 법정에 제출된, 프랑크가 자신의 생애와 업적을 기록한 마흔두 권의 일기*는 어두운 나치 세계의 가장 섬뜩한 문서 중 하나로, 이 싸늘하고 효율적이고 무자비하고 피에 굶주린 한 인간을 여실히 드러내 보여준다. 그 일기에는 그의 야만적인 발언이 빠짐없이 담긴 것으로 보인다.

"폴란드인은 독일 제국의 노예가 되어야 한다"라고 프랑크는 새로운 직책은 맡은 다음날 선언했다. 언젠가 보헤미아의 '보호자' 노이라트가 체코인 대학생 일곱 명의 처형을 알리는 벽보를 붙였다는 소식을 들었을 때, 프랑크는 한 나치 기자에게 이렇게 말했다. "내가 폴란드인 일곱 명이 총살될 때마다 벽보를 붙이라고 명령한다면, 벽보용 종이를 만드느라 폴란드의 숲이 부족해질 겁니다."[38]

힘러와 하이드리히는 히틀러로부터 유대인을 제거하라는 임무를 받았다. 프랑크는 폴란드에서 식량과 물자를 짜내고 강제노동을 시키는 것

---

* 1945년 5월에 미 제7군의 월터 스타인(Walter Stein) 중위가 바이에른 노이하우스 근처 베르크 호프 호텔에 있는 프랑크의 방에서 발견했다.

외에 지식층을 제거하는 임무도 맡았다. 나치는 이 작전에 듣기 좋은 암호명을 붙였다. 바로 '특별 평정 행동Ausserordentliche Befriedungsaktion'(줄여서 'AB 행동'으로 알려졌다)이었다. 프랑크가 이 작전을 실행하기까지는 약간의 시간이 걸렸다. 이듬해 봄에 독일이 서부에서 대규모 공세를 펼쳐 세계의 이목이 폴란드에서 그쪽으로 쏠린 후에야 프랑크는 성과를 내기 시작했다. 본인의 일기가 보여주듯이, 5월 30일경 프랑크는 그 임무를 거드는 경찰 관계자들에게 격려 연설을 하면서 진척 상황이 좋다고 자랑할 수 있었다—폴란드 지식인 "수천 명"이 목숨을 잃었거나 곧 잃을 터였다.

"여러분, 우리를 돕는 이 임무에서 여러분이 최대한 엄격한 조치를 취하기를 바랍니다"라고 프랑크는 요구했다. 그리고 이것이 "총통의 명령"이라고 털어놓았다. 히틀러가 다음과 같이 말했다고 프랑크는 전했다.

"폴란드에서 지도부가 될 만한 사람들을 제거해야 합니다. 그 추종자들도 … 차례가 되면 제거해야 합니다. 제국에 이 부담을 지울 필요도 … 이런 부류를 제국의 강제수용소로 보낼 필요도 없습니다."

그들을 바로 여기 폴란드에서 처치할 것이라고 프랑크는 말했다.[39]

프랑크가 일기에 적었듯이, 그 회합에서 보안경찰 수장이 진척 상황을 보고했다. 남성 약 2000명과 여성 수백 명이 "특별 평정 행동의 초기에" 체포되었다. 그들 대다수는 이미 "즉결 판결"—제거를 뜻하는 나치의 완곡한 표현—을 받았다. 이제 두 번째 지식인 무리를 "즉결 판결을 위해" 잡아들이고 있었다. 그런 식으로 폴란드 지식층 가운데 가장 위험한 "약 3500명"을 처치할 작정이었다.[40]

프랑크는 직접적인 말살 임무를 게슈타포에게 빼앗겼음에도, 유대인 문제를 간과하지 않았다. 그의 일기는 이 주제와 관련된 생각과 성과로 가득하다. 1940년 10월 7일, 프랑크는 폴란드에서 열린 나치 집회에서 자신이 취임 첫해 동안 쏟은 노력을 요약하는 연설을 했다.

친애하는 동지 여러분! … 나는 비열한 놈들과 유대인들을 단 1년 사이에 모조리 제거하지는 못했습니다.["다들 즐거워했다"라고 이 대목에 부기했다.] 하지만 머지않아, 여러분이 나를 도와준다면, 이 목적을 달성할 것입니다.[41]

이듬해 크리스마스 2주 전, 프랑크는 총독령의 거점인 크라쿠프에서 내각 회의를 마치며 이렇게 말했다.

유대인에 관한 한, 그들을 어떻게든 없애야 한다고 여러분에게 아주 솔직하게 말하고 싶습니다. … 여러분, 나는 여러분께 연민의 감정일랑 전부 버리라고 요청할 수밖에 없습니다. 우리는 유대인을 섬멸해야 합니다.

프랑크는 "총독령의 유대인 350만 명을 사살하거나 독살하는" 것은 어려운 일이라고 인정하면서도 "어떻게 해서든 그들의 전멸로 귀결되는 조치들을 취할 수 있을 것"이라고 보았다. 실로 정확한 예언이었다.[42]

유대인과 폴란드인을 그들이 대대로 살아온 집에서 쫓아내는 일은 폴란드에서 전투가 끝나자마자 시작되었다. 제국의회에서 '평화 연설'을 한 다음날인 10월 7일, 히틀러는 힘러를 새로운 직책인 '독일 민족 공고화를 위한 제국판무관Reichskommissar für die Festigung deutschen Volkstums,

RKFDV'에 임명했다. 이 직책의 임무는 독일이 노골적으로 병합한 폴란드 지역들에서 우선 폴란드인과 유대인을 추방한 다음 그 자리를 독일인과 민족독일인으로 채우는 것이었는데, 외국 국적의 독일인을 뜻하는 민족독일인은 위기에 처한 발트 지역과 폴란드의 여러 외만 지역에서 병합 영토로 흘러들고 있었다. 할더는 2주 전에 이 계획에 대해 듣고는 일기에 "독일인 한 명이 이 영토로 들어올 때마다 두 명이 폴란드로 추방될 것이다"라고 적었다.

최근 직책을 맡은 지 이틀 후인 10월 9일, 힘러는 병합된 폴란드 지역들에 거주하는 유대인 65만 명 중 55만 명에게 '동화'에 적합하지 않은 폴란드인과 함께 비스와 강 동쪽의 총독령으로 이주하라고 명했다. 그로부터 1년 내에 폴란드인 120만 명과 유대인 30만 명이 삶의 터전에서 쫓겨나 비스와 강 동쪽으로 이주했다. 그러나 그들이 떠난 자리에 정착한 민족독일인은 49만 7000명에 불과했다. 이는 할더가 계산한 비율보다 조금 더 높았다. 독일인 한 명이 정착할 때 폴란드인과 유대인 세 명이 쫓겨난 셈이었으니 말이다.

내 기억에 1939년에서 1940년에 걸친 겨울은 폭설이 이어지며 유달리 추웠다. 실제로 나치의 총살대나 교수대에서 죽은 수보다 더 많은 유대인과 폴란드인이 맹추위와 종종 눈보라가 몰아치는 악천후 속에서 '재정착'을 강요당하는 바람에 목숨을 잃었다. 힘러 본인의 말을 이 희생의 근거로 인용할 수 있을 것이다. 이듬해 여름, 프랑스를 함락한 후 친위대 총통경호대 앞에서 연설할 때 힘러는 부하들이 이제 서부에서 실시하려는 강제 이주와 동부에서 이미 완수한 강제 이주를 비교했다.

폴란드에서는 공교롭게도 영하 40도의 날씨에 수천, 수만, 수십만 명을 끌고 가야 했다. 그곳에서 우리는 모진 마음으로 — 이 말을 들어야 하지만 곧장 잊어버려야 한다 — 폴란드인 지도부 수천 명을 사살해야 했다. … 제군, 대부분의 경우 한 중대와 싸우는 일보다 문화 수준이 낮고 거추장스러운 주민들을 탄압하는 일, 사람들을 처형하거나 끌고 가는 일, 울부짖고 히스테리를 부리는 여자들을 쫓아내는 일이 훨씬 더 어렵다.[43]

1940년 2월 21일, 친위대 상급지도자이자 강제수용소 감찰국장인 리하르트 글뤽스Richard Glücks는 크라쿠프 주변을 둘러보다가 아우슈비츠에서 새로운 "격리수용소"를 짓기에 "적당한 장소"를 발견했다고 힘러에게 보고했다. 당시 아우슈비츠는 주민 1만 2000명이 거주하는 다소 황량하고 습한 소도시로, 몇 채의 공장 말고는 옛 오스트리아 기병대 병영이 있을 뿐이었다. 작업은 즉시 시작되었고, 아우슈비츠는 독일 당국이 특히 가혹하게 다루려는 폴란드 정치범들을 수감하는 강제수용소로서 6월 14일에 정식 개소했다. 머지않아 아우슈비츠는 훨씬 더 불길한 장소가 될 터였다. 그사이에 독일의 거대 화학공업 트러스트인 I. G. 파르벤 사의 이사진은 아우슈비츠가 새로운 합성 석탄유와 고무 공장을 세울 "적당한" 장소임을 알아챘다. 이곳에서 새 건물의 건립뿐 아니라 새 공장의 가동에도 값싼 노예노동을 동원할 수 있다고 보았던 것이다.

신설 수용소를 감독하고 I. G. 파르벤에 노예노동을 공급하기 위해, 1940년 봄 친위대에서도 가장 악질적인 폭력배 무리가 아우슈비츠에 도착했다. 그중에는 요제프 크라머Josef Kramer와 루돌프 프란츠 회스Rudolf Franz Höss가 있었는데, 전자는 훗날 영국 대중에게 '벨젠의 야수'로 알려졌고, 일찍이 살인범으로 5년간 복역했던 — 성년기의 대부분을 처음에는 죄수로, 그다음에는 간수로 지냈다 — 후자는 1946년 46세의 나이에 뉘른베르크에서 자랑하기를, 본인은 아우슈비츠에서 그냥 "굶어 죽도록" 방치한 50만 명을 제외하고도 250만 명의 절멸을 감독했다고 말했다.

실제로 아우슈비츠는 곧 가장 악명 높은 **절멸**수용소Vernichtungslager — 소수나마 살아남은 **강제**수용소와 구별해야 한다 — 가 될 운명이었다. I. G. 파르벤처럼 우수하고 국제적으로 알려진 기업, 독일 재계의 주요 사업가이자 신을 경외하는 신자로서 존경받는 이사진을 거느린 기업이 이 죽음의 수용소를 수익성 좋은 사업에 적합한 장소로 일부러 선택했다는 사실은, 가장 점잖은 독일 사람들까지 포함해 히틀러 치하의 독일인을 이해할 때 대수롭지 않게 넘겨버릴 일이 아니다.

전체주의 국가들 간의 마찰

———

로마-베를린 추축은 전쟁의 첫해 가을에 삐걱거렸다.

몇 가지 불화 때문에 여러 면에서 격한 언쟁이 오갔다. 그런 불화로는 독일이 지난 6월에 합의한 바와 달리 이탈리아령 티롤 남부에서 민족독일인을 데려가지 않은 일, 독일이 이탈리아에 매달 100만 톤의 석탄을 공급하지 않은 일, 이탈리아가 영국의 봉쇄를 무시하고 독일에 원재료를 제공하지 않은 일, 이탈리아가 영국과 프랑스에 전쟁물자를 판매하는 등 양국과의 교역으로 높은 수익을 올린 일, 치아노가 갈수록 반독일 감정을 보이는 일 등이 있었다.

무솔리니는 평소처럼 변덕이 죽 끓듯 했으며, 치아노는 일기에 두체의 갈팡질팡하는 모습을 기록했다. 11월 9일, 두체는 히틀러에게 암살을 모면한 일을 축하하는 전보문을 쓰느라 애를 먹었다.

두체는 그 전보가 따뜻하되 너무 따뜻하지는 않기를 원했는데, 그의 판단으로는 히틀러가 죽음을 면했다는 사실에 크게 기뻐하는 이탈리아인은 없었기 때문이다 — 특히 두체는 기뻐하지 않았다.

11월 20일 … 무솔리니로서는 히틀러가 전쟁을 벌인다는 것, 설상가상으로 전쟁에서 이긴다는 것은 생각만 해도 참을 수 없는 일이었다.

크리스마스 다음날, 두체는 "독일이 패했으면 하는 바람"을 드러내면서 치아노에게 벨기에와 네덜란드 측에 그들이 곧 공격당할 것임을 비밀리에 알리라고 지시했다.* 그러나 새해 전야에는 또다시 히틀러의 편에 서서 전쟁에 뛰어드는 방안을 이야기했다.

두 추축국이 마찰을 빚은 주된 이유는 독일의 친소련 정책에 있었다. 1939년 11월 30일, 소비에트의 붉은군대가 핀란드를 침공하여 히틀러에게 극심한 굴욕감을 주었다. 스탈린과 조약을 체결한 대가로 발트 연안 지역에서 물러나고 수백 년간 그곳에서 살아온 독일인 가족들을 급히 이주시켜야 했던 히틀러는 이제 이 작은 나라에 대한 소련의 정당한 이유 없는 공격까지 공식적으로 용납해야 하는 처지가 되었다. 핀란드는 독일과 긴밀한 유대를 맺고 있고 1918년에 대체로 독일 정규군이 개입한 덕에 러시아로부터 독립한 비공산주의 국가였다.** 견디기 힘든 치욕이었지만, 히틀러는 견뎌냈다. 독일의 재외 공관들, 신문과 라디오에

---

* 치아노는 1월 2일 로마 주재 벨기에 대사에게 경고를 전한 사실을 일기에 기록했다. 바이츠제커에 따르면, 독일 측은 이 벨기에 대사가 브뤼셀에 보낸, 이탈리아의 경고가 담긴 암호 전보 두 통을 방수(傍受)하여 해독했다.[44]

** 1918년 10월 9일, 핀란드 의회는 독일이 전쟁에서 이기고 있다는 인상을 받아 75표 대 25표로 헤센의 프리드리히 카를(Friedrich Karl) 공을 핀란드 국왕으로 선출했다 — 잘 알려지지 않은 역사의 우스꽝스러운 한 대목이다. 한 달 후 연합국이 승리하여 이 기막힌 에피소드에 마침표를 찍었다.

소비에트의 침공을 지지하고 핀란드를 절대 두둔하지 말라고 엄명을 내렸다.

이탈리아 전역에서 일어난 반독일 시위에 대처해야 했던 무솔리니는 독일이 소련의 침공을 묵인한다는 이 소식에 더는 참을 수 없었던 모양이다. 어쨌든 1월 3일, 1940년 새해가 밝기 무섭게 무솔리니는 히틀러에게 보낸 긴 서한에서 자신의 심중을 털어놓았다. 두체가 총통에게 그토록 솔직하게 말하거나 그토록 날카롭고 불쾌한 충고를 한 적은 그전에도 없었고 확실히 그 후에도 없었다.

무솔리니는 독일이 설령 이탈리아의 지원을 받는다 해도 영국과 프랑스를 "굴복시키거나 심지어 분열시키는 것"은 끝내 불가능할 것이라고 "확신합니다"라고 썼다. "그런 일이 가능하다고 믿는 것은 스스로를 속이는 처사입니다. 미국은 그 민주국가들의 완전한 패배를 용납하지 않을 것입니다." 히틀러가 동부전선을 확보한 지금 "두 나라를 패배시키기 위해 모든 위험―정권까지 포함해―을 무릅쓰고 독일인이 몇 세대에 걸쳐 이룩한 성과를 희생시킬" 필요가 있을까? 독일이 "오로지 폴란드인으로 이루어진 적당한 규모의 비무장 폴란드"의 존속을 허용하기만 한다면 평화를 얻을 수 있다고 무솔리니는 제안했다. "당신이 전쟁을 끝까지 수행한다는 결의에 사로잡히지만 않는다면, 나는 폴란드 국가의 건설이 … 전쟁을 끝낼 하나의 요인이 되고 평화를 위한 충분한 조건이 되리라고 믿습니다."

그러나 이탈리아 독재자의 주된 관심사는 독일과 소련의 거래였다.

… 소비에트는 타격 한 번 하지 않고도 폴란드와 발트 연안 지역에서 전쟁의 이익을 얻었습니다. 하지만 타고난 혁명가인 내가 말하건대 특정한 정치적

순간의 전술적 긴급성 때문에 당신의 혁명 원칙을 영원히 희생시킬 수는 없는 법입니다. … 나의 의무로서 첨언하건대 당신이 모스크바와의 관계에서 한 걸음 더 나아가면 이탈리아에서 파국적인 반향이 일어날 것입니다. …[45]

무솔리니는 이 서한에서 이탈리아-독일 관계의 악화를 경고했을 뿐 아니라 히틀러의 약점을 찌르기도 했다. 바로 양국의 신경을 건드리기 시작한, 총통과 소비에트 러시아의 밀월 관계였다. 이 관계 덕분에 히틀러는 전쟁을 개시하고 폴란드를 파괴할 수 있었다. 더 나아가 다른 이익을 얻기까지 했다. 압수된 독일 문서에서 드러나듯이, 일례로 전시에 엄격히 지켜진 기밀 중 하나는 소련이 북극해와 흑해, 태평양에서 독일에 항구를 제공한 덕에 독일이 영국의 봉쇄 때문에 다른 방법으로는 구할 수 없었던, 절실히 필요한 원재료를 수입할 수 있었다는 사실이다.

1939년 11월 10일, 몰로토프는 독일이 그런 물자를 소련의 철도로 운송하는 데 드는 비용을 소비에트 정부가 지불한다는 데 동의하기까지 했다.[46] 소련은 무르만스크 동쪽의 북극해 항구 테리베르카에서 잠수함을 포함하는 독일 함선에 연료 보급이나 수리 시설을 제공했다─몰로토프는 무르만스크 항은 "충분히 고립되지 않은" 반면에 테리베르카 항은 "더 외지고 외국 선박이 찾지 않기 때문에 더 적합하다"고 생각했다.[47]

1939년 가을에서 초겨울에 걸쳐 모스크바와 베를린의 두 정부는 양국 간 교역을 늘리기 위해 협상했다. 10월 말에 소련은 상당한 양의 미가공 물자, 특히 곡물이나 석유를 독일에 건넸지만, 독일은 더 많은 양을 원했다. 그렇지만 독일은 소련이 정치뿐 아니라 경제 분야에서도 약삭빠르고 빡빡하게 흥정한다는 것을 알아가고 있었다. 11월 1일, 바이츠제커가 기록했듯이 괴링 원수, 레더 제독, 카이텔 총장은 "저마다 별도로" 소련이 독일에 전쟁물자를 너무 많이 요구한다며 독일 외무부에 항의했다. 한 달 후 카이텔은 바이츠제커에게 독일의 생산품, 특히 탄약 제조에 쓰이는 공작기계에 대한 소련의 요구가 "불합리할 정도로 갈수록 늘어나고" 있다고 또다시 불평했다.[48]

　그러나 독일이 소련의 식량이나 석유를 원한다면, 그 대가로 모스크바가 필요로 하고 원하는 물품을 제공해야 했다. 영국에 봉쇄당한 독일로서는 나중에 이런 소련산 필수품이 얼마나 절박하게 필요했던지, 중대한 순간인 1940년 3월 30일에는 히틀러가 전쟁물자를 소련에 전달하는 일을 독일 국방군에 보급하는 일보다도 우선시하라고 명령했을 정도였다.[*49] 한때 독일은 경상적 지불의 일부로 미완성인 중순양함 뤼초브 Lützow 호를 모스크바에 넘기기까지 했다. 그에 앞서 12월 15일, 레더 제독은 소련이 "아주 높은 값"을 쳐준다고 하면 당시 건조 중이던 세계 최대(4만 5000톤) 전함 비스마르크 호의 설계도를 러시아에 팔자고 제안했다.[50]

　1939년 말에는 스탈린이 모스크바에서 진행되던 독일 무역대표단과의 교섭에 직접 참석했다. 독일 측 경제 전문가들이 마주한 스탈린은 만만찮은 협상가였다. 압수된 빌헬름슈트라세 문서 중에는 두려운 소비에트 독재자가 참석했던 세 차례의 중요한 회의를 기록한 길고 상세한 각서가 들어 있는데, 이때 스탈린은 교섭의 세부까지 파악하여 독일 측을 깜짝 놀라게 했다. 스탈린은 허풍이나 속임수에 넘어가지 않고 오히려 지독하리만치 깐깐하게 굴었고, 나치 교섭단의 일원인 슈누레 박사가 베

＊　프랑스와 저지대 국가들을 정복한 후에 괴링은 OKW의 군수경제국장 토마스 장군에게 "총통은 1941년 봄까지만 물자를 러시아 측에 제때 전달하고자 한다"라고 알렸다. "그 후로는 러시아의 요구를 완전히 충족시키는 데 더 이상 관심을 두지 않을 것이다."[51]

를린에 보고했듯이 때때로 "매우 격앙"되기도 했다. 소련은 "독일에 큰 도움을 주었고 이 지원 때문에 다른 국가들을 적으로 만들었다"라고 스탈린은 독일 측에 상기시켰다. 소련 측은 그 보답으로 베를린으로부터 얼마간의 배려가 있을 것으로 기대하고 있었다. 1939년에서 1940년으로 넘어가는 밤에 크렘린에서 열린 회의에서

스탈린은 항공기 대금의 총액이 말도 안 된다고 단정했다. 실제 가격의 몇 배라고 했다. 독일이 항공기들을 인도하고 싶지 않으면 차라리 솔직하게 말해달라고 했다.

2월 8일, 크렘린에서 열린 심야 회의에서

스탈린은 독일 측이 종래와 같이 너무 높은 가격을 제시하지 말고 적정가를 제시할 것을 요구했다. 그런 사례로 항공기 대금의 총액이 3억 라이히스마르크였고 순양함 뤼초브 호의 견적이 1억 5000만 라이히스마르크였다는 사실을 언급했다. 소련의 선의를 악용해서는 안 된다고 했다.[52]

1940년 2월 11일, 복잡한 무역협정이 모스크바에서 마침내 타결되었다. 향후 18개월간 최소 6억 4000만 라이히스마르크 상당의 물자가 교환될 터였다. 이는 전년 8월에 합의된 연간 약 1억 5000만 라이히스마르크 상당의 교역에 추가된 것이었다. 소련은 순양함 뤼초브 호 및 비스마르크 호의 설계도 외에 해군의 대구경 함포를 비롯한 장비, 매서슈미트 109 및 110 전투기와 Ju-88 급강하폭격기를 포함하는 독일의 최신예 전투기 약 30대를 받게 되었다. 여기에 더해 소련은 석유산업과 전기산

업에 필요한 기계류, 기관차, 터빈, 발전기, 디젤 엔진, 선박, 공작기계, 그리고 독일의 포, 전차, 폭약, 화학전 장비 등의 견본까지 받게 되었다.[53]

첫해에 독일 측이 받은 것들은 OKW의 기록에 따르면 곡물 100만 톤, 밀 50만 톤, 석유 90만 톤, 면직물 10만 톤, 인산염 50만 톤, 상당한 양의 필수 원재료들, 그리고 소련이 만주滿洲에서부터 운송해준 대두 100만 톤이었다.[54]

모스크바에서 독일 측의 무역협상을 주도하고 베를린으로 돌아온 외무부의 경제 전문가 슈누레 박사는 자신이 고국을 위해 얻어낸 것들에 관한 긴 문서를 작성했다. 소련이 독일에 절실히 필요한 원재료를 제공하기로 했을 뿐 아니라, "제3국에서 금속과 원재료를 구매"하는 역할을 대행하는 "관대한 도움"을 주기로 스탈린이 약속했다고 슈누레는 썼다.

> [슈누레가 결론지음] 본 협정은 우리에게 동부로 향하는 문이 활짝 열렸음을 의미한다. … 영국 봉쇄의 효과는 현저히 약해질 것이다.[55]

이것이 히틀러가 자존심을 굽힌 채 독일에서는 영 인기 없는 소련의 핀란드 침공을 지지하고, 소비에트 육군과 공군이 발트 삼국에 기지를 세우는 등의 위협(결국 독일이 아니면 어느 나라를 상대로 그런 기지를 사용하겠는가?)을 감수한 한 가지 이유였다. 스탈린은 히틀러가 영국의 봉쇄를 극복하도록 돕고 있었다. 게다가 스탈린은 히틀러에게 하나의 전선에서 전쟁을 치를 기회, 군사력을 서부에 집중하여 프랑스와 영국에 결정타를 날리고 벨기에와 네덜란드를 짓밟을 기회까지 제공했다—그 후에 무엇을 할 생각인지는 히틀러가 이미 장군들에게 말한 바 있었다.

지난 1939년 10월 17일, 폴란드 작전이 거의 마무리되었을 때 히틀러는 카이텔에게 폴란드 영토의 가치를 상기시켰다.

[폴란드 영토는] 군사적 관점에서 볼 때 우리에게 전진 공격 지점으로서, 그리고 전략적인 병력 집결지로서 중요하다. 이 목적을 위해 철도, 도로, 통신 망을 정비해둬야 한다.[56]

중대한 1939년이 저물어갈 무렵에 히틀러는, 10월 9일 의견서로 장군들에게 말했듯이, 소비에트의 중립을 끝까지 믿을 수는 없음을 깨달았다. 8개월이나 1년 내에 상황이 바뀔 수도 있다고 히틀러는 말했다. 그리고 11월 23일에 장군들 앞에서 장광설을 늘어놓으며 "우리는 서부에 얽매이지 않는 경우에만 소비에트에 대항할 수 있다"고 강조했다. 이 생각은 히틀러의 늘 들썩이는 마음속에서 결코 떠나지 않았다.

이 운명적인 해는 기묘하고 심지어 괴상하기까지 한 분위기 속에서 역사의 일부가 되었다. 세계대전이 일어났건만 지상 어디에도 전투가 없었고, 공중의 대형 폭격기는 선전 팸플릿, 그것도 조잡한 팸플릿을 실어 나르는 데 그쳤다. 바다에서만 실제 교전이 있었다. U보트는 험하고 얼음처럼 차가운 북대서양에서 영국의, 때로는 중립국의 선박에 계속 피해를 입혔다.

남대서양에서는 독일의 포켓전함 세 척 중 하나인 그라프슈페 호가 대기 수역에서 출동하여 석 달 사이에 총 톤수 5만에 달하는 영국 화물선 아홉 척을 격침했다. 그 후 전쟁 첫해의 크리스마스 2주 전인 1939년 12월 14일, 독일 대중은 신문들이 요란한 제목으로 대서특필하고 라디오에서 속보로 전한 소식에 전율했다. 바다에서 대승을 거두었다는 소식이었다. 그라프슈페 호가 전날 몬테비데오 전방 650킬로미터 해상에서 영국 순양함 세 척과 교전하여 전투 불능으로 만들었다고 했다. 그러나 의기양양은 곧 어리둥절로 바뀌었다. 사흘 후 언론은 이 포켓전함이 우루과이 수도 인근 라플라타 강의 어귀에서 자침自沈했다고 보도했다. 그게 무슨 승리란 말인가? 12월 21일, 해군 최고사령부는 그라프슈페 호의 함장 한스 랑스도르프Hans Langsdorff 대령이 "자신의 함정과 운명을 함께했고" 그로써 "총통과 독일 국민, 해군의 기대에 전사이자 영웅처럼 보답했다"고 발표했다.

가련한 독일 국민에게는 다음과 같은 사실이 결코 알려지지 않았다. 화력에서 우세한 그라프슈페 호가 영국 순양함 세 척에 의해 심각하게 손상되었다는 사실,* 수리를 위해 몬테비데오에 입항할 수밖에 없었다는 사실, 우루과이 정부가 국제법에 따라 72시간의 정박만을 허용했다는 사실, 그 정도의 시간은 수리하기에 부족해서 "영웅" 랑스도르프 함장이 손상된 함정으로 영국 측과 교전하는 위험을 무릅쓰지 않고 자침했다는 사실, 그리고 함장은 함정과 운명을 함께하지 않고 이틀 뒤 부에노스아이레스의 쓸쓸한 호텔방에서 권총으로 자살했다는 사실 말이다. 또 요들 장군이 12월 18일 일기에 썼듯이 총통이 "그라프슈페 호가 싸워보지도 않고 자침했다는 데 격노"하고 레더 제독을 불러 호되게 질책했다는 사실도 당연히 알려지지 않았다.[57]

12월 12일, 히틀러는 서부 공격을 연기하는 또다른 일급비밀 지령을 내려, 12월 27일까지는 새로운 결정을 내리지 않을 것이고 가장 이른

---

* 이 전함이 자침하기 전날, 괴벨스는 몬테비데오발 거짓 전보를 독일 언론을 통해 대대적으로 선전했는데, 그라프슈페 호가 "경미한 손상"을 입었을 뿐이며 심각하게 손상되었다는 영국의 보도는 "순전한 거짓말"이라는 내용이었다.

"A데이"는 1940년 1월 1일이 될 것이라고 명시했다. 그리고 이런 이유로 크리스마스 휴가를 줄 수 있다고 통지했다. 내 일기를 보면, 독일인에게 연중 가장 의미 있는 크리스마스도 그해 베를린에서는 쓸쓸하게 지나갔다. 선물 교환도 거의 없었고, 음식도 조촐했고, 남자들은 멀리 있었고, 가로등을 켜지 않아 거리가 캄캄했고, 집집마다 셔터를 내리고 커튼을 꼼꼼하게 쳤고, 모두가 전쟁과 빈약한 식사와 추위로 볼멘소리를 했다.

히틀러와 스탈린은 크리스마스 인사를 주고받았다.

[히틀러가 타전함] 당신의 안녕과 더불어 우방 소련 국민의 번영하는 미래를 기원합니다.

스탈린도 화답했다.

피로 맺어진 독일 국민과 소련 국민의 우정은 영원히 굳건하게 이어질 충분한 이유가 있습니다.

베를린에서 하셀은 휴가를 활용해 음모 동료 포피츠, 괴르델러, 베크 장군과 상의했고, 12월 30일 일기에 최근 계획을 기록했다. 그 계획은 다음과 같았다.

"동부에서 서부로 이동 중"인 다수의 사단을 베를린에서 정지시킨다. 그런 다음 비츨레벤이 베를린에 나타나 친위대를 해산한다. 이 조치를 기반으로 베크가 초센으로 가서 브라우히치로부터 최고사령부를 접수한다. 히틀러가 직무를 더 이상 감당할 수 없다고 어느 의사가 발표하면, 곧바로 히틀러를 구금한다. 그리고 국민에게 다음과 같은 노선으로 호소한다. 향후 친위대의 잔혹행위 금지, 예절과 기독교적 도덕의 회복, 전쟁은 지속하지만 합리적 기반 위에서 강화를 수락할 용의 있음. …

그러나 전부 현실성이 없었다. 말뿐이었다. '음모단'이 얼마나 지리멸렬했는지는 하셀이 일기에서 여러 페이지에 걸쳐 괴링을 끌어들여야 할지 여부를 놓고 고심한 것만 보아도 알 수 있다.

괴링 본인은 히틀러, 힘러, 괴벨스, 라이를 비롯한 당 지도부와 함께 거창한 신년 성명을 발표했다. 라이는 "총통은 언제나 옳다! 총통을 따르라!"라고 말했다. 총통은 자신이 아니라 "유대인과 자본가 전쟁광들"이 전쟁을 개시했다고 단언하고 이렇게 덧붙였다.

국내에서 단결하고, 경제와 군사 면에서 만반의 준비를 마친 채, 우리는 독일 역사에서 가장 결정적인 해로 들어서고 있다. … 1940년에 결판이 날 것이다. 무슨 일이 생기든 우리의 승리로 끝날 것이다.

12월 27일, 히틀러는 또다시 서부 공격을 "최소 2주" 연기했다. 그리고 1월 10일에는 최종적으로 공격 일시를 1월 17일 "일출 15분 전—오전 8시 16분"으로 명확히 정했다. 공군은 사흘 전인 1월 14일에 **단독으로** 공격을 개시할 예정이었고, 그 임무는 벨기에와 네덜란드가 아니라 프랑스 국내의 적군 비행장들을 파괴하는 것이었다. 작은 중립국 두 나라에 대해서는 마지막 순간까지 자기네 운명을 재보도록 놔둘 생각이었다.

그러나 1월 13일, 나치 통수권자는 별안간 "기상 조건 때문"이라며 총

공격을 또다시 연기했다. 압수된 OKW의 서류철을 보면, 서부 공격 개시일에 관해서는 이후 5월 7일까지 아무 말이 없다. 1월 13일에 공격을 중지한 데에는 날씨가 일정한 영향을 주었을 것이다. 그러나 이제 우리는 다른 두 가지 사건이 주된 원인이었음을 알고 있다―하나는 1월 10일에 독일의 아주 특별한 군용기가 불운하게도 벨기에에 불시착한 일이고, 다른 하나는 당시 북쪽에서 새로운 기회가 생긴 일이다.

1월 10일, 히틀러가 17일에 벨기에와 네덜란드를 통과하는 공격을 개시하라고 명령한 당일에 뮌스터에서 쾰른으로 날아가던 한 독일 군용기가 벨기에 상공의 구름 속에서 항로를 잃고서 뫼즈 강변의 메헬렌 근처에 불시착했다. 그 군용기에는 공군의 중요한 참모장교 헬무트 라인베르거Helmut Reinberger 소령이 타고 있었고, 그의 서류가방에는 서부 공격 계획과 관련한 문서가 지도와 함께 전부 들어 있었다. 벨기에 군인들이 다가오자 소령은 근처 덤불로 몸을 피하여 가방 속의 서류에 불을 붙였다. 이 흥미로운 광경을 목격한 벨기에 군인들이 불을 밟아 끄고서 타다 남은 서류를 챙겼다. 근처의 병영으로 끌려간 라인베르거는 벨기에 장교가 탁자 위에 올려둔 타다 남은 서류를 절박한 몸짓으로 움켜쥐고는 불이 붙은 난로에 집어넣었다. 그러자 벨기에 장교가 황급히 끄집어냈다.

라인베르거는 즉시 브뤼셀의 대사관을 통해 베를린의 공군 본부에 급히 연락하여 자신이 서류를 "손바닥 크기의 의미 없는 조각으로" 만들어 태워버렸다고 보고했다. 그러나 베를린의 상부는 대경실색했다. 요들은 즉각 히틀러에게 "적이 알 수 있는 것과 없는 것에 관해" 보고했다. 하지만 실은 본인도 확신이 없었다. 그는 총통을 만난 뒤 1월 12일 일기에 "만약 서류 전체를 적이 입수했다면 상황은 파국적이다"라고 털어놓았다. 그날 저녁 리벤트로프는 브뤼셀 주재 독일 대사관에 '최급' 전보를 쳐 "특사편 행랑의 파괴"에 관해 즉각 보고하라고 지시했다. 1월 13일 아침, 요들이 일기에 썼듯이, 괴링은 브뤼셀에서 공군 무관과 회의한 뒤 다시 베를린으로 돌아와 공군 수뇌부를 만났다. "결론: 특사편 행랑은 소각된 것이 확실하다"라고 요들은 기록했다.

그러나 요들의 일기가 분명하게 알려주듯이, 이는 어림짐작에 불과했다. 오후 1시에 요들은 이렇게 썼다. "할더 장군이 전화로 명령. 모든 이동 중지."

같은 날인 13일, 브뤼셀 주재 독일 대사는 "벨기에군 참모본부가 받은 우려스러운 보고의 결과로서" 벨기에군이 상당한 규모로 이동하고 있다고 베를린에 긴급히 알렸다. 이튿날, 대사는 또다른 '최급' 메시지를 베를린에 보냈다. 벨기에 정부는 동원 전 마지막 단계인 '단계 D'를 발령하고 두 기수 상당의 예비병들을 새로 소집하고 있었다. 대사가 생각하기에 그 이유는 "독일 병력이 벨기에와 네덜란드 국경에서 이동 중이라는 보고뿐 아니라 독일 공군 장교의 수하물 중 불에 타지 않은 일부의 내용에도" 있었다.

1월 15일 저녁 무렵에 베를린의 최고위층은 라인베르거 소령이 정말 본인 주장대로 그 죄가 되는 문서를 소각했는지 의심하기 시작했다. 그 문제로 또 한 차례 회의한 뒤 요들은 "아마도 소각했을" 것이라고 썼다. 그러나 1월 17일 벨기에 외무장관 폴-앙리 스파크Paul-Henri Spaak는 독일 대사를 불러 딱 잘라 말했다. 후자가 즉각 베를린에 보고했듯이

1월 10일 비상 착륙한 항공기에서 벨기에 측은, 공격 의도를 보여주는 명확한 증거가 포함된 극히 이례적인 심각한 성격의 문서를 입수했다. 그것은

한낱 작전계획에 그치는 게 아니라 시간만 기입하면 되는, 상세히 작성된 공격 명령이었다.

독일 측은 스파크가 허풍을 떠는 것인지 아닌지 결코 확신하지 못했다. 연합국 측은—잉국과 프랑스의 참모본부는 독일의 계획서 사본을 전달받은 상태였다—독일의 서류를 '책략'으로 여기는 경향이 있었다. 처칠은 이런 해석에 강하게 반발하면서 이토록 엄중한 경고를 받고도 아무것도 하지 않은 데 대해 개탄했다고 한다. 확실한 사실은 1월 13일, 히틀러가 사건을 보고받은 다음날에 공격을 연기했다는 것, 그리고 봄이 되어 다시 결정을 내려야 할 무렵에는 전략계획 전체가 근본적으로 바뀌어 있었다는 것이다.[58]

그러나 벨기에 불시착—그리고 악천후—만이 공격을 미룬 이유였던 것은 아니다. 그사이에 북쪽으로 더 멀리 있는 작은 다른 두 중립국을 공격한다는 독일의 대담한 계획이 베를린에서 무르익고 우선적인 과제가 되었다. 독일에 관한 한, 봄이 다가오면서 가짜 전쟁이 끝나가고 있었다.

제20장

덴마크와 노르웨이 정복

독일의 최신 침공 계획에 붙은 암호명은 악의라곤 없는 듯한 베저위붕 Weserübung, 즉 '베저 강 훈련'이었다. 이 작전의 발단과 전개는 본서의 많은 페이지를 채워온 정당한 이유 없는 공격의 양상과 사뭇 다른 독특한 것이었다.

이 작전은 다른 모든 작전처럼 히틀러의 구상물이 아니라 한 야심찬 제독과 머릿속이 뒤죽박죽인 한 나치당 일꾼의 구상물이었다. 이것은 독일의 군사적 침공에서 해군이 결정적인 역할을 수행한 유일한 작전이었다. 또한 OKW가 입안하고 삼군을 조율한 유일한 작전이었다. 실제로 OKW는 육군 최고사령부 및 참모본부와 상의조차 하지 않아 그들을 잔뜩 짜증나게 했고, 괴링에게 마지막 순간까지 정보를 주지 않았다―이 모욕에 뚱뚱한 공군 수장은 격분했다.

독일 해군은 오래전부터 북방에 눈독을 들이고 있었다. 독일은 대양으로 곧장 나갈 수 있는 진출로가 없었으며, 1차대전 당시부터 독일 해군 장교들은 이 지리적 사실을 머리에 새겨두었다. 영국은 셰틀랜드 제도에서 노르웨이 해안까지 폭이 좁은 북해 전역에 대량의 기뢰와 초계정으로 촘촘히 그물을 쳐둠으로써 강력한 독일 해군을 봉쇄하고, 북대서양으로 빠져나가려는 U보트의 시도에 중대한 지장을 주고, 독일 상선의 운행을 막았다. 독일 대양함대는 결코 대양으로 나가지 못했다. 1차대전 기간에 독일은 영국의 해상 봉쇄로 숨통이 막혔다. 전간기에 수수한 규모의 독일 해군을 지휘한 소수의 장교들은 이 경험과 지리적 사실에 관해 숙고했고, 향후 영국과 어떤 전쟁을 치르든 간에 노르웨이에서 기지를 획득해야 한다는 결론에 이르렀다. 그래야만 북해를 가로막는 영국의 봉쇄선을 깨고, 독일의 수상함과 잠수함에 대양으로 통하는 길을 열어주고, 판을 뒤엎어 역으로 영국 제도를 효과적으로 봉쇄할 기회를 얻을 수 있었다.

그러므로 1939년 전쟁이 발발하자 독일 해군의 서열 3위 장교로 자기 주장이 강한 롤프 카를스Rolf Carls 제독이 레더 제독에게—후자가 일기에 적고 뉘른베르크에서 증언했듯이—"독일에 의한 노르웨이 해안 점령의 중요성"을 건의하는 편지를 퍼부은 것은 놀랄 일이 아니다.[1] 레더를 부추길 필요는 별로 없었으며, 폴란드 작전이 끝나가던 10월 3일에 레더는 해전 지휘부에 기밀 질문서를 보내 "러시아와 독일이 함께 압력을 가해 노르웨이 내 기지"를 획득할 가능성이 있는지 확인하라고 지시했다. 리벤트로프는 모스크바의 태도에 관한 질문을 받고서 "광범한 지원을 기대할 수 있다"고 답변했다. 레더는 휘하 참모에게 그 "가능성"을 히틀러에게 가급적 일찍 알려야 한다고 말했다.[2]

10월 10일, 레더는 총통에게 해군 작전에 관한 장문의 보고서를 제출하면서 필요하다면 소련의 도움을 받아서라도 노르웨이에 해군 기지를 두는 것이 긴요하다고 제언했다. (기밀 기록에 의하면) 해군이 이 문제를 히틀러에게 직접 제기한 것은 이번이 처음이었다. 레더는 총통이 "노르웨이 문제의 중요성을 단번에 간파했다"라고 말한다. 히틀러는 레더에게 해당 주제에 관한 메모를 두고 가면 자신도 생각해보겠다고 약속했다. 그러나 나치 통수권자는 서부에서 공격을 개시하고 장군들의 망설임을 극복하는 문제에 골몰하느라* 노르웨이를 깜빡 잊은 것처럼 보였다.[3]

하지만 두 달 후에는 노르웨이를 다시 떠올렸다. 여기에는 세 가지 이유가 있었다.

우선 겨울이 왔기 때문이다. 독일의 존속은 스웨덴에서 수입하는 철광석에 달려 있었다. 전쟁 첫해에 독일은 연간 철광석 소비량 1500만 톤 가운데 1100만 톤을 스웨덴에서 가져왔다. 연중 따스한 기간에는 이 철광석을 스웨덴 북부에서 보트니아 만과 발트 해를 거쳐 독일까지 운송했고, 발트 해에서 영국 잠수함과 수상함을 효과적으로 차단했기 때문에 전쟁 중임에도 아무 문제도 생기지 않았다. 그러나 겨울철에는 얼음이 두껍게 얼어 이 항로를 이용할 수 없었다. 그래서 동절기에는 스웨덴산 철광석을 철도로 인근의 노르웨이 항구 나르비크까지 운송한 다음 선박으로 노르웨이 해안을 따라 독일까지 가져와야 했다. 독일의 철광석 운송선들은 노르웨이의 영해 안을 지나는 덕에 영국 군함이나 폭격기로부터의 공격을 면할 수 있었다.

이렇듯 히틀러가 처음에 해군에 지적했듯이 중립국 노르웨이는 독일에 유익한 존재였다. 그 덕에 독일은 자국의 생명선인 철광석을 영국의 간섭 없이 얻을 수 있었다.

당시 해군장관이었던 처칠은 런던에서 이 사실을 곧장 알아채고서

---

* 이미 언급했듯이, 같은 날인 10월 10일, 히틀러는 총사령관들을 불러 즉각적인 서부 공격의 필요성에 관한 장문의 의견서를 읽어주고 지령 제6호를 발령해 벨기에와 네덜란드를 통과하는 공세를 준비하라고 명령했다.

전쟁 초기에 노르웨이 영해에 기뢰를 부설하여 독일의 철광석 운송을 막을 권한을 달라고 내각을 설득하려 애썼다. 그러나 체임벌린과 핼리팩스는 노르웨이의 중립 침해를 극히 꺼렸고, 처칠의 제안은 한동안 보류되었다.[4]

그러던 중 1939년 11월 30일 소련의 핀란드 침공으로 스칸디나비아의 상황이 근본적으로 바뀌어 이곳의 전략적 중요성이 서방 연합국에나 독일에나 엄청나게 커졌다. 대다수의 예측을 깨고 붉은군대의 총공격에 맞서 완강히 버티는 용맹한 핀란드군을 돕기 위해 프랑스와 영국은 스코틀랜드에서 원정군을 편성하기 시작했다. 그러나 그 원정군은 노르웨이와 스웨덴을 통과해야만 핀란드에 도달할 수 있었으며, 만약 연합군이 스칸디나비아 두 나라의 북부를 통과하도록 허가받거나 양해받는다면 수송로 유지를 구실로 스웨덴의 철광석 공급을 완전히 차단하기에 충분한 병력을 그곳에 주둔시키리라는 것을 독일은 즉각 간파했다.* 게다가 서방 연합국이 독일의 북쪽 면을 포위할 수도 있었다. 레더 제독은 때를 놓치지 않고 히틀러에게 이러한 위협을 상기시켰다.

이 무렵 독일 해군의 수장은 노르웨이에서 자신의 구상에 소중한 협력자 비드쿤 아브라함 라우리츠 크비슬링 Vidkun Abraham Lauritz Quisling 소령을 발견한 터였다. 이 이름은 오래지 않아 거의 모든 언어에서 반역자와 동의어가 되었다.

---

* 이는 올바른 추정이었다. 현재 알려진 바로는 1940년 2월 5일 파리에서 열린 연합군 최고군사회의에서는 원정군을 핀란드로 파견하고, 나르비크에 상륙하는 병력으로 그곳에서 멀지 않은 스웨덴의 철광산들을 점령하기로 결정했다. (나의 *The Challenge of Scandinavia*, pp. 115-116의 주 참조) 처칠은 그 회의에서 "부수적으로 옐레바레 철광산을 통제하기로" 결정했다고 말한다. (*The Gathering Storm*, p. 560)

비드쿤 크비슬링의 출현

———

크비슬링의 초년은 충분히 훌륭했다. 1887년에 농가에서 태어나 노르웨이 육군사관학교를 수석으로 졸업한 뒤 아직 20대 시절에 페트로그라드에 육군 무관으로 파견되었다. 영국이 볼셰비키 정부와 외교 관계를 단절한 이후 영국의 권익을 살펴준 공로로 크비슬링은 영국 정부로부터 훈작사를 수여받았다. 이 무렵 그는 친영국파이자 친볼셰비키파였다. 그는 한동안 소비에트 러시아에 남아 노르웨이의 위대한 탐험가이자 인도주의자인 프리드쇼프 난센Fridtjof Nansen의 빈민 구호 활동을 돕는 조수로 일했다.

이 젊은 노르웨이 육군 장교는 러시아 공산주의자들의 성공에 얼마나 감명을 받았던지 오슬로로 돌아간 뒤 당시 코민테른에 가입해 있던 노르웨이 노동당에서 봉사할 뜻을 밝혔다. 그는 '적위군' 창설을 제안했으나 노동당은 그와 그의 계획을 의심하여 거절했다. 그러자 크비슬링은 반대쪽 극단으로 홱 돌아섰다. 1931년부터 1933년까지 국방장관으로 재임한 뒤, 1933년 5월에 국민연합Nasjonal Samling이라는 파시스트 정당을 결성했다. 그 직전에 독일에서 집권한 나치당의 이데올로기와 전술을 차용한 것이었다. 그러나 노르웨이의 비옥한 민주적 토양에서 나치즘은 잘 자라지 못했다. 크비슬링 본인조차 의회 의원으로 선출되지 못했다. 자국민에 의해 선거에서 패한 그는 나치 독일로 눈을 돌렸다.

크비슬링은 나치당 내에서 머릿속이 뒤죽박죽인 공식 철학자이자 대외정책국장인 알프레트 로젠베르크와 접촉했다. 히틀러의 초창기 멘토였던 이 발트 해 연안 태생의 얼간이는 노르웨이 장교에게서 가능성을 보았는데, 그의 공상 중 하나가 북방인의 거대한 제국을 세워 유대인을 비롯한 '불순한' 인종들을 몰아내고 결국 나치 독일의 지도 아래 세계를 정복하는 것이었기 때문이다. 1933년부터 로젠베르크는 크비슬링과 줄 곧 접촉하며 이 남자에게 얼토당토않은 철학과 선전문구를 듬뿍 선사 했다.

1939년 6월 유럽에 전운이 감돌 때, 크비슬링은 뤼베크에서 열린 북 방인협회 행사에 참석한 김에 로젠베르크에게 이데올로기적 지원 이상 의 무언가를 부탁했다. 뉘른베르크 법정에서 공개된 로젠베르크의 기밀 보고서에 따르면, 크비슬링은 로젠베르크에게 전쟁이 나면 영국이 노르 웨이를 통제할 위험이 있다고 경고하고 독일이 노르웨이를 점령하면 얻 게 될 이점을 역설했다. 그러면서 자신의 당과 신문을 위해 모종의 실질 적인 지원을 해달라고 요청했다. 엄청난 의견서 작성자인 로젠베르크는 급히 의견서 세 통을 써서 히틀러, 괴링, 리벤트로프에게 보냈지만, 최 고위 세 사람 모두 의견서를 무시했던 것으로 보인다—독일에서는 아무 도 '공식 철학자'를 그리 진지하게 대하지 않았다. 그래도 로젠베르크는 8월에 독일에서 크비슬링의 건장한 돌격대원 25명을 위해 2주간의 훈련 과정을 준비해줄 수는 있었다.

전쟁 초기 수개월 동안 레더 제독은—적어도 본인의 뉘른베르크 증 언대로라면—거의 모르는 사이인 로젠베르크뿐 아니라 이름조차 들어 본 적 없는 크비슬링과도 전혀 접촉하지 않았다. 그러나 소련이 핀란드 를 공격한 직후부터 레더는 오슬로 주재 해군 무관인 리하르트 슈라이버 Richard Schreiber 대위로부터 연합군의 노르웨이 상륙이 임박했다는 보고 를 받기 시작했다. 레더는 12월 8일에 이 보고를 히틀러에게 전하고 "노 르웨이 정복이 중요합니다"라고 단호하게 조언했다.[5]

그 직후 로젠베르크는 레더 제독에게 "노르웨이발—추밀고문관 크비슬링의 방문에 관하여"라는 의견서(날짜 없음)를 급히 써서 보냈다. 이 노르웨이 음모자는 이미 베를린에 와 있었는데, 로젠베르크의 생각으로는 그가 누구이고 무슨 일로 왔는지를 레더가 들어야 했다. 크비슬링은 노르웨이 육군의 핵심 장교들 중에 동조자가 많다고 말하고 그 증거로 최근에 나르비크 지휘관 콘라드 순들로Konrad Sundlo 대령에게서 받은 편지를 보여주었다. 노르웨이 총리를 "돌대가리"로, 어느 주요 장관을 "늙은 술고래"로 칭하며 자신은 "거국적 봉기를 위해 뼈를 묻을" 각오가 되어 있다고 단언하는 내용이었다. 순들로 대령은 훗날 자국이 침공당했을 때는 방어를 위해 뼈를 묻지 않았다.

사실 로젠베르크는 레더에게 크비슬링이 쿠데타를 모의하고 있다고 알렸다. 이 계획을 베를린의 접촉자들은 분명히 호의적으로 들었을 텐데, 지난날 독일의 오스트리아 병합을 베낀 계획이었기 때문이다. 크비슬링은 자신의 돌격대원 여럿을 "그런 작전에 숙달된 노련하고 강경한 국가사회주의자들이" 서둘러 훈련시켜줄 것을 요청했다. 그 훈련생들이 노르웨이로 돌아가면 당장 오슬로의 거점들을 장악하고

그와 동시에 독일 해군이 독일 육군의 파견대와 함께 새로운 노르웨이 정부의 특별 요청에 호응하여 미리 협의해둔 오슬로 외곽의 만에 나타날 것이다.

그야말로 크비슬링이 자이스-잉크바르크의 역할을 맡는, 오스트리아 병합 전술의 복사판이었다.

[로젠베르크가 이어서 씀] 크비슬링은 그런 쿠데타를 … 현재 자신과 내통하

는 육군의 파벌이 찬동할 것을 의심하지 않는다. … 국왕과 관련해 그는 국왕이 그런 기정사실을 받아들일 것이라고 믿는다.

크비슬링이 이 작전에 필요하다고 추산하는 독일 병력의 규모는 독일 측의 추산과 일치한다.[6]

레더 제독은 12월 11일 크비슬링과 만났다. 노르웨이 사업가이자 업무차 대체로 독일에서 지내며 크비슬링의 주요 내통자 노릇을 하던 빌람 하겔린Viljam Hagelin이라는 사람이 로젠베르크를 통해 이 만남을 주선했다. 하겔린과 크비슬링은 레더에게 장황하게 말했고, 레더는 그들의 발언을 해군 기밀문서에 적절히 기록했다.

크비슬링이 말하기를 … 영국군은 스타방에르 부근에 상륙할 계획이며, 영국군 기지의 후보지로 크리스티안산이 제시되고 있다. 현 노르웨이 정부, 의회와 외교 정책 전반은 호어-벨리샤Hore-Belisha[영국 육군장관]의 절친한 친구인 저명한 유대인 함브로[국회의장 칼 함브로Carl Hambro]가 관장하고 있다. … 영국의 점령으로 생길 독일 측의 위험에 관해 상세한 설명을 들었다. …

영국에 선수를 치기 위해 크비슬링은 "필요한 기지들을 독일군의 수중에" 둘 것을 제안했다. "연안 지역 전체에서 중요한 지위(철도, 우체국, 전화국)에 있는 사람들은 이미 이 목표를 위해 매수해두었다." 크비슬링과 하겔린이 베를린에 온 것은 "미래를 위해 독일과의 관계를 명확히 해두기" 위해서였다. 그리고 "회의를 열어 공동 행동, 오슬로까지의 병력 수송 등을 논의할 필요"가 있었다.[7]

훗날 뉘른베르크에서 증언한 대로, 레더는 감명을 받아 두 손님에게 총통과 상의하고 그 결과를 알려주겠다고 말했다. 이튿날 레더는 카이텔과 요들이 동석한 가운데 총통과 함께 노르웨이 문제를 상의했다. 해군 총사령관(압수된 문서 중에 이 회의에 관한 레더의 보고서가 있다)은 히틀러에에 크비슬링이 "믿을 만한 인상"을 주었다고 말했다. 그런 다음 노르웨이 손님들이 말한 내용의 요점을 설명하면서 크비슬링이 "노르웨이 육군의 장교들과 좋은 관계"를 맺고 있다는 것과 "정치 쿠데타로 정부를 장악하고 독일에 지원을 요청할" 의향이라는 것을 강조했다. 참석자 모두 영국의 노르웨이 점령을 묵과할 수 없다는 데 동의했지만, 갑자기 조심스러워진 레더는 독일이 점령하면 "자연히 영국은 강력한 대항조치를 취할 것이고 … 독일 해군은 아직 거기에 잠시라도 대응할 준비가 되어 있지 않다. 점령 시 그것이 약점이다"라고 지적했다. 한편, 레더는 다음과 같은 권한을 OKW에 줄 것을 제안했다.

크비슬링과 함께 두 가지 방법 중 하나로 점령을 준비하고 실행하도록 허용한다.
a. 우호적인 방법, 즉 독일군이 노르웨이의 요청을 받는다.
b. 무력을 사용한다.

히틀러는 당장 그렇게까지 할 마음은 없었다. 그래서 우선 크비슬링을 직접 만나 "어떤 인상인지 알아보고 싶다"라고 대꾸했다.[8]

12월 14일, 레더가 직접 노르웨이 반역자 두 사람을 총리 관저로 안내하여 회견이 성사되었다. 이 만남에 대한 기록은 발견되지 않았지만, 크비슬링은 해군 총사령관에게 그랬듯이 독일 독재자에게도 깊은 인상을 주었던 모양이다.* 그날 저녁 히틀러가 OKW에 크비슬링과 상의하여 계획의 초안을 잡으라고 명령했기 때문이다. 할더는 그 계획에 덴마크에 대한 조치도 포함될 것이라고 들었다.[9]

히틀러는 그라프슈페 호에 관한 나쁜 소식에 정신이 팔린 상태였지만 12월 16일과 18일에도 크비슬링을 만났다. 그러나 해군이 좌절을 겪자 무엇보다 해군의 역량에 달려 있는 스칸디나비아의 모험에 더욱 신중을 기했던 것으로 보인다. 로젠베르크에 따르면, 총통은 손님에게 "노르웨이를 대하는 가장 좋은 태도는 … 완전한 중립일 것"이라고 강조했다. 그렇지만 영국이 노르웨이로 진입할 준비를 하고 있다면, 독일이 선수를 쳐야 했다. 그사이에 히틀러는 크비슬링이 영국의 선전에 맞서 싸우고 그의 친독일 운동을 강화하도록 그에게 자금을 제공하기로 했다. 당장 이듬해 1월에 20만 금마르크를 내주었고, 3월 15일 이후 석 달 동안은 매달 1만 영국 파운드를 건네기로 약속했다.[10]

크리스마스 직전에 로젠베르크는 특수요원 한스-빌헬름 샤이트 Hans-Wilhelm Scheidt를 노르웨이로 파견해 크비슬링과 협력해 움직이도록 했다. 크리스마스 휴가 동안, 사정을 잘 아는 OKW의 소수 장교들은 당초 '북방 연구'라고 부른 계획의 입안에 착수했다. 해군에서는 의견이 갈렸다. 레더는 영국이 가까운 미래에 노르웨이로 진입할 의도를 가지고 있다고 확신했다. 해전 지휘부 작전과는 동의하지 않았고, 1940년 1월 13일자 기밀 전쟁일지에서 그런 견해차를 드러냈다.[11]

---

* 오슬로 주재 독일 공사 쿠르트 브로이어(Curt Bräuer)에게는 감명을 주지 못했는데, 12월에 공사는 베를린에 두 차례 경고했다. 크비슬링을 "진지하게 대할 필요가 없다. … 그의 영향력과 장래성은 … 보잘것없다"라고 말이다.[12] 공사는 그렇듯 솔직하게 말하고 히틀러의 게임에 어깃장을 놓은 대가를 곧 치르게 되었다.

작전과는 영국의 노르웨이 점령이 임박했을 가능성이 있다고 믿지 **않는다**. … 그렇지만 [작전과는] 설령 영국이 행동에 나설 우려가 없다 해도, 독일이 노르웨이를 점령하는 것은 위험한 기도라고 본다.

이런 이유로 해전 지휘부는 "가장 유리한 해결책은 현 상황을 확실하게 유지하는 것"이라고 결론짓고, 그렇게 하면 계속 노르웨이 영해를 통해 철광석을 "완벽한 안전" 상태에서 운송할 수 있을 것이라고 강조했다.

히틀러는 해군의 머뭇거림도, OKW가 1월 중순에 제출한 북방 연구의 결과도 마음에 들지 않았다. 1월 27일, 히틀러는 카이텔을 통해 향후 '북방'에 관한 작업은 총통이 "친히 직접" 감독할 것이라는 극비 지령을 내리고, 카이텔에게 모든 준비 작업을 관장하라고 지시했다. 삼군에서 각 한 명씩 대표를 내서 OKW 안에 소수의 실무진을 꾸리기로 했고, 그 때부터 이 작전은 베저위붕이라는 암호명으로 불렸다.[13]

이 조치와 함께 총통은 노르웨이 점령을 주저하던 마음을 떨쳐버렸던 것으로 보인다. 설령 마음속에 의구심이 남아 있었다 해도 2월 17일 노르웨이 영해에서 발생한 사건을 계기로 싹 사라졌을 것이다.

2월 14일, 그라프슈페 호의 보조보급함인 알트마르크Altmark 호가 영국의 해상 봉쇄를 가까스로 뚫고 귀환하던 중 노르웨이 영해에서, 독일을 향해 남하하던 영국 정찰기에 발각되었다. 영국 정부는 그라프슈페 호에 의해 격침된 선박들에 타고 있던 영국인 선원 300명이 체포되어 알트마르크 호에 수용되어 있음을 알고 있었다. 그들은 전쟁포로 신분으로 독일로 끌려가고 있었다. 이 함정을 건성으로 조사한 노르웨이 해군 장교들은 선상에서 포로를 발견하지 못한 데다 비무장 상태라고 판단하고서 독일까지의 항해 허가를 내주었다. 그러자 실은 그렇지 않음을 알고 있던 처칠이 영국 구축함대에 노르웨이 해역으로 진입하여 독일 함정에 승선해 포로들을 구출하라고 직접 명령했다.

필립 비언Philip Vian 대령이 지휘하는 영국 구축함 코사크Cossack 호는 2월 16일에서 17일에 걸친 밤, 알트마르크 호가 피난해 있던 외싱피오르에서 임무를 수행했다. 독일군 넷이 죽고 다섯이 부상당한 난투 끝에 영국 승선조는 독일 측이 노르웨이 측에 걸리지 않도록 짐칸과 빈 유조에 가두어둔 선원 299명을 구출했다.

노르웨이 정부는 이 영해 침범에 대해 영국 측에 격렬히 항의했지만, 체임벌린은 하원에서 노르웨이야말로 독일 측이 노르웨이 영해를 통해 영국인 포로들을 독일 감옥으로 데려가도록 허용함으로써 국제법을 위반했다고 응수했다.

히틀러로서는 더 이상 참을 수 없었다. 이 사건으로 히틀러는 노르웨이 측이 그들의 영해에서 영국이 무력을 과시하는 데 진지하게 반대하지 않을 것이라고 확신했다. 또 요들이 일기에 적었듯이, 히틀러는 알트마르크 호에 타고 있던 그라프슈페 호의 승조원들이 완강히 항전하지 않았다는 데에도 분노했다―"저항 없음, 영국 측 손실 없음". 요들의 일기로 알 수 있듯이, 2월 19일 히틀러는 베저위붕 계획을 완성하도록 "정력적으로 압박"했다. "함정을 무장하라. 각 부대를 대기시켜라"라고 히틀러는 요들에게 명령했다. 아직까지 이 작전을 지휘할 장교가 정해지지 않은 터라 요들은 히틀러에게 이제 장군과 참모진을 임명할 때라고 건의했다.

카이텔은, 1차대전 말기에 핀란드에서 골츠 장군의 사단과 함께 싸웠던 장교이며 당시 서부에서 육군 군단을 지휘하고 있던 니콜라우스 폰 팔켄호르스트Nikolaus von Falkenhorst 장군을 추천했고, 북방 모험의 사령관이라는 사소한 문제를 간과하고 있던 히틀러는 곧장 장군을 불러들였다. 장군은 슐레지엔의 유서 깊은 군인 가문인 야스트솀프스키Jastrzębski가 출신이었지만(독일어로 '매의 둥지'를 뜻하는 팔켄호르스트로 성을 바꾸었다), 총통이 아는 인물은 아니었다.

팔켄호르스트는 훗날 뉘른베르크에서 심문받는 중에, 1940년 2월 21일 오전 총리 관저에서 히틀러와 처음 만났을 때를 묘사했다. 재미있는 면이 없지 않은 이 만남 이전까지 팔켄호르스트는 '북방' 작전에 대해 들어본 적이 없었고, 나치 통수권자를 대면하는 것도 이번이 처음이었다. 다른 모든 장군들과 마찬가지로 팔켄호르스트도 히틀러에게 경외감을 느끼지는 않았던 것으로 보인다.

[팔켄호르스트가 뉘른베르크에서 진술함] 저는 지시대로 자리에 앉았습니다. 그런 다음 총통에게 1918년의 핀란드 작전에 관해 말했습니다. … 총통은 "앉은 채로 작전이 어땠는지 말해보게"라고 했고, 저는 그렇게 했습니다. 그런 다음 우리는 일어났고, 총통이 저를 큰 지도가 펼쳐져 있는 탁자로 데려갔습니다. 총통이 말했습니다. "독일 정부는 영국이 노르웨이에 상륙할 의도임을 알고 있네. …"

팔켄호르스트는 히틀러가 "그 계획을 당장 실행하는" 쪽으로 마음먹게 한 것은 알트마르크 호 사건이라는 인상을 받았다. 그리고 바로 그 자리에서 본인이 그 계획을 실행할 총사령관으로 임명된 사실을 알고서 깜짝 놀랐다. 육군 5개 사단을 맡기겠다고 히틀러는 말했다. 임무는 노르웨이의 주요 항구들을 장악하는 것이었다.

정오에 히틀러는 팔켄호르스트에게 이제 돌아갔다가 오후 5시에 다시

와서 노르웨이 점령 계획을 보고하라고 지시했다.

[팔켄호르스트가 뉘른베르크에서 설명함] 저는 밖으로 나간 뒤 도대체 노르웨이가 어떤 곳인지 알기 위해 베데커 여행 안내서를 구입했습니다. 저는 아무 생각도 없었습니다. … 그런 다음 호텔방으로 가서 그 베데커를 들여다봤습니다. … 오후 5시에 총통을 다시 만나러 갔습니다.[14]

구판 베데커를 바탕으로 세운 장군의 계획—그는 OKW가 세운 계획을 보지 못했다—은 예상대로 다소 허술했지만, 어쨌든 히틀러를 만족시켰던 모양이다. 노르웨이의 주요 다섯 항구 오슬로, 스타방에르, 베르겐, 트론헤임, 나르비크에 각각 1개 사단을 할당한다는 계획이었다. "전부 규모가 큰 항구여서 그것 말고는 별다른 수가 없었습니다"라고 훗날 팔켄호르스트는 말했다. 비밀 엄수를 맹세하고 "서두르라"는 재촉을 받은 뒤, 장군은 다시 물러나 당장 임무에 착수했다.

서부전선 공세를 준비하느라 분주하던 브라우히치와 할더는 2월 26일 팔켄호르스트가 육군 참모총장을 찾아가 노르웨이 작전을 수행할 병력, 특히 산악부대를 요구할 때까지 이 모든 진행 상황을 대체로 모르고 있었다. 할더는 그리 협조적으로 나오지 않았다. 실은 분개하여 도대체 무슨 일을 하려는 것인지, 무엇이 필요한지 정보를 더 달라고 요구했다. "이 일에 관해 총통과 브라우히치는 일언반구도 주고받지 않았다"라고 할더는 일기에다 불만을 토로했다. "전쟁사에 기록될 만한 일이다!"

그렇지만 보수파 장군들, 특히 참모총장을 경멸해 마지않던 히틀러는 꾸물거리지 않았다. 2월 29일, 히틀러는 2개 산악사단을 포함하는 팔켄호르스트의 계획에 열광적으로 찬성한 데 더해 "코펜하겐에 강력한 부대"를 두고 싶으니 병력이 더 필요할 것이라고 말했다. 덴마크가 히틀러의 먹잇감 목록에 확실히 추가되었던 것이다. 독일 공군은 영국을 상대로 활용할 수 있는 덴마크의 기지들에 눈독을 들이고 있었다.

이튿날인 3월 1일, 히틀러는 '베저 강 훈련'에 관한 공식 지령을 내렸다.

극비

일급비밀

스칸디나비아 상황의 진전으로 인해 덴마크와 노르웨이를 점령하기 위한 만반의 준비를 갖출 필요가 있다. 이 작전으로 영국의 스칸디나비아와 발트해 연안지역 침범을 저지해야 한다. 더 나아가 스웨덴 내 우리의 철광석 산지를 확보하고, 영국에 대항하는 더 광범한 진발선進發線을 우리의 해군과 공군에 제공해야 한다. …

스칸디나비아 국가들과 우리의 군사력 및 정치력의 격차를 고려하여 '베저 강 훈련'에 투입하는 군사력은 최소한으로 유지한다. 수적 열세는 대담한 행동과 기습 실행으로 상쇄한다.

원론적으로 본 작전이 스칸디나비아 국가들의 중립에 대한 군사적 보호를 목적으로 하는 **평화적** 점령으로 보이도록 최선을 다한다. 이에 상응하는 요구사항을 점령 초기에 각국 정부에 전달한다. 필요한 경우 해군과 공군의 군사력 과시를 통해 적절히 압력을 가한다. 그럼에도 저항에 부딪히면 모든 군사적 수단을 사용해 분쇄한다. … 덴마크 국경 돌파와 노르웨이 상륙은 **동시에** 이루어져야 한다. …

스칸디나비아 국가들뿐 아니라 서방의 적들에게도 **불의의 일격**을 가하는 것이 중요하다. … 부대들은 바다로 나간 후에야 실제 목표를 알게 될 것이다. …[15]

같은 날인 3월 1일 저녁, 육군 최고사령부는 북방 작전에 병력을 내주라는 히틀러의 요구에 "격노"했다고 요들은 전한다. 이튿날 괴링은 카이텔에게 "화를 내고" 히틀러에게 불평하러 갔다. 뚱보 원수는 그토록 오랫동안 기밀에서 배제되고 공군이 팔켄호르스트의 지휘를 받게 되었다는 데 격분했다. 심각한 관할권 분쟁의 조짐이 보이자 히틀러는 3월 5일 삼군 총사령관을 총리 관저로 불러 문제를 원만히 풀어보려 했으나 쉽지가 않았다.

[요들이 일기에 씀] 원수[괴링]는 자신과 사전에 상의하지 않았다는 이유로 화를 냈다. 그는 논의를 주도하며 이전의 모든 준비는 아무런 소용도 없음을 입증하려 했다.

총통은 몇 가지 작은 양보로 괴링을 달래고 계획을 추진했다. 할더의 일기에 따르면 2월 21일까지도 그는 서부 공세를 개시하여 "어느 단계에 도달"하고 나서야 덴마크와 노르웨이 공격을 시작할 것이라는 인상을 받았다. 히틀러 자신도 어느 쪽 작전을 먼저 시작할지 망설이다가 2월 26일 요들과 의논했다. 요들의 조언은 두 작전을 완전히 분리하라는 것이었고 히틀러는 "그게 가능하다면" 그렇게 하기로 했다.

3월 3일, 히틀러는 베저 강 훈련을 '황색 작전'(서부 공격의 암호명)에 앞서 추진하기로 결정하고 요들에게 "노르웨이에 대한 신속하고 강력한 행동의 필요성"을 "극히 명확하게" 언급했다. 이 무렵 용감하긴 해도 수와 화력에서 밀리는 핀란드군은 소련군의 대규모 공세 앞에서 재앙을 맞고 있었으며, 근거가 충분한 보도에 의하면 핀란드군을 구하려는 영국-프랑스 원정군이 노르웨이와 스웨덴을 가로질러 핀란드까지 가기 위해 스코틀랜드의 기지에서 노르웨이를 향해 곧 출발할 참이었다.* 이 위협도 히틀러가 북방 작전을 서두른 주된 이유였다.

그러나 3월 12일, 핀란드가 소련의 가혹한 강화 조건을 받아들여 소련-핀란드 전쟁이 갑자기 끝났다. 베를린에서는 양국의 강화를 대체로 환영했는데, 핀란드에 맞서 소련을 편드는 인기 없는 방침에서 자유로워진 데다 발트 해 연안지역을 장악하려는 소련의 공세도 당분간 중단될 것이기 때문이었다. 그러나 히틀러는 스칸디나비아의 모험에 관한 한 당황했다. 요들이 일기에 털어놓았듯이, 양국의 강화로 인해 노르웨이와 덴마크를 점령할 "동기"를 찾기가 "어려워졌기" 때문이다. 3월 12일, 요들은 핀란드와 소련의 강화 체결로 "잉글랜드뿐 아니라 우리도 노르웨이를 점령할 정치적 근거를 모조리 빼앗겼다"라고 썼다.

실제로 히틀러는 이제 구실을 찾기가 어려워졌다. 3월 13일, 충직한 요들은 총통이 "여전히 모종의 명분을 찾고" 있다고 기록했다. 이튿날에는 "총통은 '베저 강 훈련'을 어떻게 정당화할지 아직 결정하지 못했다"라고 썼다. 설상가상으로 레더 제독이 겁을 내기 시작했다. 레더는

---

* 3월 7일, 영국 참모총장 아이언사이드(Ironside) 장군은 핀란드의 마너하임(Mannerheim) 원수에게 연합국 원정군 5만 7000명이 핀란드군을 지원할 준비를 마쳤고 1만 5000명 규모의 선발 부대가 노르웨이와 스웨덴으로부터 통행 허가를 받을 경우 3월 말까지 핀란드에 도착할 수 있다고 알렸다. 실은 마너하임이 알고 있었듯이 닷새 전인 3월 2일에 노르웨이와 스웨덴 양국은 프랑스-영국의 통행 특권 요청을 또다시 거부한 상태였다. 그럼에도 달라디에 총리는 3월 8일, 핀란드 정부가 연합국의 지원을 **공식적으로** 요청하지 않는다고 꾸짖었고, 노르웨이와 스웨덴의 항의에 개의치 않고 연합군을 파견할 것이라고 암시했다. 그러나 마너하임은 속지 않았고, 핀란드군이 아직 온전하고 패하지 않는 한 계속 화평을 청하라고 정부에 권고하고 3월 8일 모스크바로 강화사절단을 즉시 보내는 방안에 찬성했다. 이 핀란드 총사령관은 자기네 전선이 아니라 핀란드 전선에서 싸우려는 프랑스의 열의를 줄곧 의심했던 것으로 보인다. (*The Memoirs of Marshal Mannerheim* 참조) 프랑스-영국 원정군이 핀란드에 도착해 소련군과 교전했다면 얼마나 극심한 혼란이 발생했을까 하는 것은 그저 추측할 수 있을 뿐이다. 그로부터 1년이 조금 지난 시점에 독일이 소련과의 전쟁에 돌입했으니, 서부의 적들이 동부에서는 우군이 되었을지도 모를 일이다!

"노르웨이에서 예방전쟁(?)을 치르는 것이 여전히 중요한지 의심"하고 있었다.[16]

한동안 히틀러는 주저했다. 그 사이에 두 가지 문제가 생겼다. (1) 서부에서 살육이 시작되기 전에 전쟁을 끝낼 가능성이 있는지 확인하라는 루스벨트 대통령의 지시를 받고 3월 1일 베를린에 도착한 미 국무차관 섬너 웰스를 어떻게 상대할 것인가, (2) 무시당해 심통이 난 동맹국 이탈리아를 어떻게 달랠 것인가? 히틀러는 무솔리니가 반론을 편 1월 3일 편지에 구태여 답장하지 않았고, 베를린과 로마의 관계는 눈에 띄게 냉각되었다. 독일 측은 섬너 웰스가 유럽에 온 것은 이탈리아를 삐걱거리는 추축국에서 떼어내고 어쨌든 분쟁이 지속되더라도 독일 편에서 참전하지 말라고 설득하기 위함이라고 믿었고, 이 믿음에는 어느 정도 근거가 있었다. 부루퉁한 두체를 붙잡아두기 위해 무언가를 해야 할 때라는 여러 경고가 로마에서 베를린으로 날아들었기 때문이다.

히틀러, 섬너 웰스와 무솔리니를 만나다

괴링과 리벤트로프도 마찬가지였지만, 히틀러는 미국이라는 나라에 지독하리만치 무지했다.* 그리고 이 무렵 독일 지도부는 미국을 전쟁에

---

* 미국을 바라보는 히틀러의 기묘한 시각에 관해서는 앞에서 언급했지만, 압수된 외무부 문서 중에는 이 시점에 총통의 정신 상태가 어떠했는지 드러내는 서류가 있다. 3월 12일, 히틀러는 독일의 미국 '전문가'라는 콜린 로스(Colin Ross)와 장시간 대화했는데, 로스는 미국에서 나치의 선전에 힘을 보태는 순회강연을 마치고 막 귀국해 있었다. 로스가 미국에 팽배한 "제국주의적 경향"을 거론하자 히틀러는 (슈미트 박사의 속기 메모에 따르면) "이 제국주의적 경향이 캐나다를 미국에 병합하려는 욕구를 강화하지 않았는지, 그래서 반영국 태도를 낳지 않았는지" 물어보았다.
인정하건대 히틀러에게 미국에 관해 조언한 자들은 이 주제를 조명하는 데 별로 도움이 되지 않았다. 방금 말한 면담 자리에서 로스는 미국의 반독일 태도가 왜 그토록 강하냐는 히틀러의 질문에

서 떼어놓으려는 정책을 추구하면서도, 1914년 당시의 베를린의 선배들과 마찬가지로 양키의 나라를 진지하게 고려하지 않았다. 심지어 잠재적인 군사 강국으로 여기지도 않았다. 지난 1939년 10월 1일, 워싱턴 주재 독일 무관 프리드리히 폰 뵈티허Friedrich von Boetticher 장군은 베를린의 OKW에 미국이 유럽에 원정군을 파견할 가능성을 우려할 필요는 없다고 조언했다. 12월 1일에는 베를린의 군부 상관들에게 미국의 무장이 "공격적인 전쟁 정책"을 추구하기에는 결코 충분하지 않다고 알리고, "국무부의 무익한 증오 정책이나 루스벨트의 충동적인 정책—대개 미국의 군사력에 대한 과신에 근거하는—과 달리 워싱턴의 참모본부는 여전히 독일과 그 전쟁 행위를 이해하고 있다"라고 부언했다. 뵈티허는 첫 전보에서 "린드버그와 유명한 조종사 리켄배커"가 미국의 참전 반대를 옹호한다고 말했다. 그렇지만 12월 1일 전보에서는 미국의 군사력을 과소평가하면서도, "그럼에도 서반구가 위협받는다고 판단할 경우 미국은 참전할 것이다"라고 OKW에 주의를 주었다.[17]

워싱턴 주재 독일 대사대리 한스 톰젠은 베를린의 무지한 외무장관에게 미국에 관한 몇 가지 사실을 알려주고자 최선을 다했다. 폴란드 작전이 끝나갈 무렵인 9월 18일, 톰젠은 빌헬름슈트라세에 "미국 국민의 압

"'독일에 대한 증오의 또 한 가지 요인은 … 유대인의 힘, 정말이지 기막힌 영리함과 조직술로 독일적이고 국가사회주의적인 모든 것과의 투쟁을 지도하는 힘'이라고 답변했다. 그런 다음 콜린 로스는 루스벨트에 관해 말하면서 자기 생각에 루스벨트가 총통의 적인 이유는 순전히 개인적인 질투심과 권력욕 때문이라고 했다. … 루스벨트는 총통과 똑같은 해에 집권했고 총통이 위대한 계획을 실행하는 것을 지켜봐야 했지만, 정작 그 자신은 … 목표에 이르지 못했다. 루스벨트 역시 몇몇 측면에서 국가사회주의 이념과 매우 유사한 독재 이념을 가지고 있었다. 그러나 총통은 목표를 달성한 반면에 자신은 그러지 못했음을 깨달은 까닭에 세계사의 무대에서 총통의 호적수로 행동하고픈 욕구가 그의 병적인 야심에 더해졌던 것이다. …" 콜린 로스가 물러간 뒤, 총통은 로스가 매우 총명한 사람이며 좋은 생각을 많이 가지고 있다고 말했다.[18]

도적 다수는 우리의 적들에게 공감하고, 미국은 전쟁의 책임이 독일에 있다고 확신한다"라고 경고했다. 또 같은 전보에서 톰젠은 미국에서 사보타주를 일으키려던 독일의 모든 시도가 끔찍한 결과를 낳았다고 지적하고, 향후에는 "어떤 방식으로든" 그런 사보타주를 시도하지 말아달라고 요청했다.[19]

이 요청을 베를린에서는 진지하게 받아들이지 않은 것이 분명한데, 1940년 1월 25일 톰젠이 베를린으로 다음과 같은 전보를 보냈기 때문이다.

본관이 알게 된 바로 뉴욕에 거주하는 독일계 미국인 폰 하우스베르거von Hausberger와 독일 국적의 발터Walter가 독일 방첩국의 지시에 따라 미국 군수산업을 겨냥해 사보타주를 계획하고 있다고 한다. 폰 하우스베르거는 거주지에 기폭장치를 숨겨둔 것으로 추정된다.

톰젠은 베를린에 사보타주 시도 중지를 요청하면서 이렇게 힘주어 말했다.

미국을 참전으로 이끄는 가장 확실한 방법은 지난 세계대전에서 미국을 우리 적들의 진영으로 밀어넣었던 행동 방침을 또다시 취하는 것이다. 참고로, 그 방침은 미국의 군수산업에 조금도 지장을 주지 못했다.

더구나 "두 개인은 모든 면에서 방첩국의 요원으로 활동하기에 적합하지 않다"고 톰젠은 덧붙였다.*

나치가 공식적으로 지원한 유대인 포그롬에 항의하여 루스벨트가 베릴린 주재 미국 대사를 본국으로 소환한 1938년 11월 이래, 두 나라 모두 상대국에 대사를 두지 않고 있었다. 주로 미국이 독일 상품을 보이콧한 결과로 미미한 수준까지 줄어들었던 양국의 교역은 이제 영국의 봉쇄로 전면 차단된 상태였다. 1939년 11월 4일, 미국 상원과 하원의 표결로 무기의 수출금지가 해제되어 미국이 서방 연합국에 무기를 공급할 길이 열렸다. 이처럼 양국의 관계가 급속히 악화하는 가운데 1940년 3월 1일 섬너 웰스가 베를린에 도착했다.

전날인 2월 29일 — 1940년은 윤년이었다 — 히틀러는 이례적인 조치로 비밀리에 "섬너 웰스 씨와의 회담에 관한 지령"을 내렸다.[20] 이 지령은 독일 측에 "자제"를 요구하고 "웰스 씨가 발언하도록 최대한 내버려둘 것"을 지시했다. 그런 다음 미국 특별사절을 접견할 최고위 관료들 전원에게 다섯 가지 지침을 제시했다. 독일이 펼칠 주장의 요점은 독일이 영국과 프랑스에 전쟁을 선포한 것이 아니라 그 반대라는 것, 총통이 전년 10월에 강화를 제안했으나 두 나라가 거절했다는 것, 독일은 도전에 응수했을 뿐이라는 것, 영국과 프랑스의 전쟁 목표는 "독일 국가의 파괴"라는 것, 따라서 독일은 전쟁을 지속하는 것 말고는 대안이 없다는 것이었다.

---

* 바이츠제커는 카나리스 본인이 확언하기를 톰젠이 언급한 두 사람 모두 방첩국의 요원이 아니라고 답변했다. 그러나 훌륭한 첩보기관이라면 응당 이런 사안을 인정하지 않는 법이다. 외무부의 다른 문서는 1월 24일에 한 방첩국 요원이 뉴저지 위호켄에서 프리츠 폰 하우스베르거를 만나 "우리의 전문 분야에 관한 지시사항"을 전하기 위해 부에노스아이레스에서 출발했다는 사실을 보여준다. 또한 전년 12월에는 또다른 요원이 뉴욕에서 미국의 항공기 제조공장과 연합국으로의 무기 수송에 관한 정보를 모으기 위해 역시 부에노스아이레스에서 출발하기도 했다. 한편, 톰젠의 보고에 따르면 2월 20일, 에스토니아 국적의 발트 계 독일인 콘스탄틴 폰 마이델(Konstantin von Maydell) 남작이 미국에 도착했는데, 그는 워싱턴의 독일 대사관 측에 자신이 방첩국을 위해 사보타주 임무를 띠고 왔다고 말했다.

[히틀러가 결론지음] 가령 폴란드 국가의 장래와 같은 구체적인 정치 문제에 관한 논의는 최대한 피해야 한다. [웰스가] 이런 종류의 주제를 거론한다면, 그런 문제는 총통 자신이 결정한다고 답해야 한다. 오스트리아나 보헤미아, 모라비아 보호령이라는 주제를 논의하는 것은 명백히 논외의 문제다. … 독일이 현재 어떤 식으로든 평화의 가능성을 논의하는 데 관심이 있다는 의미로 … 해석될 여지가 있는 발언은 일체 삼가야 한다. 오히려 독일이 이 전쟁을 승리로 끝낼 결의라는 것을 의심할 만한 단서를 섬너 웰스 씨에게 조금이라도 주어서는 안 된다. …

리벤트로프와 괴링뿐 아니라 히틀러 본인까지도 이 지령을 문자 그대로 따랐다. 세 사람은 각자 3월 1일, 3일, 2일에 따로따로 웰스를 만났다. 슈미트 박사가 작성한 장문의 회담 기록(압수된 문서 중에 있다)으로 판단하건대, 다소 과묵하고 냉소적인 이 미국 외교관은 틀림없이 정신병원에라도 온 듯한 인상을 받았을 것이다—자기 귀를 의심하지 않았다면 말이다. 나치 삼인방은 저마다 웰스에게 터무니없이 비뚤어진 역사, 사실을 황당하게 왜곡하고 가장 단순한 단어들마저 무의미하게 만드는 역사를 퍼부었다.* 3월 1일에 베저위붕 관련 지령을 내렸던 히틀러는 이튿날 웰스를 접견할 때 연합국의 전쟁 목표는 "섬멸"이고 독일의 전쟁 목표는 "평화"라고 역설했다. 그리고 자신이 영국 및 프랑스와 평화롭게 지내기 위해서 해온 모든 일을 손님에게 늘어놓았다.

---

* 괴링은 웰스에게 소리쳤다. "신과 세계 앞에서 말합니다. 독일은 전쟁을 원하지 않았습니다. 강요당했습니다. … 하지만 다른 나라들이 독일을 파괴하고 싶어하니, 독일은 어떻게 해야 합니까?"

전쟁이 발발하기 직전에 영국 대사는 지금 섬너 웰스가 앉아 있는 바로 그 자리에 앉아 있었고, 총통은 전 생애를 통틀어 최고의 제안을 했다.

히틀러의 모든 제안을 영국은 거절했고, 이제는 독일을 분쇄하려 기를 쓰고 있다. 따라서 히틀러는 "이 분쟁에서 최후까지 싸워야 하고 … 생사를 건 투쟁 이외에 다른 해결책은 없다"라는 생각이었다.

웰스가 독일이 서부에서 군사적 승리를 거두기로 작정한 것이라면 자신의 유럽 방문은 "무의미하고 … 더 이상 할 말이 없다"라고 바이츠제커에게 털어놓고 괴링에게 거듭 말한 것은 놀랄 일이 아니었다.*21

웰스는 독일 측과 회담하면서 자신이 이번 방문에서 유럽 정치인들로부터 들은 이야기는 오직 루스벨트 대통령에게만 보고할 것이라고 강조하면서도, 매우 경솔하게도 이탈리아에서 무솔리니와 "장시간 건설적이고 유익한" 회담을 했고 두체가 "아직 유럽에서 확고하고 영속적인 평화를 가져올 가능성이 있다"고 생각한다는 사실을 히틀러와 괴링 두 사람

---

* 이 무렵 그야말로 비공식적 인사인 미국 측 평화교섭자도 베를린에 와 있었다. 바로 제너럴 모터스 사의 부회장 제임스 D. 무니(James D. Mooney)였다. 내가 기억하기로 무니는 전쟁 발발 직전이나 직후에 베를린에서 또다른 아마추어 외교관 달레루스와 마찬가지로 평화를 지키려 애쓰고 있었다(다만 달레루스와 같은 인맥은 없었다). 웰스가 베를린을 떠나고 이튿날인 1940년 3월 4일, 압수된 독일 기록에 따르면 무니는 히틀러를 만난 자리에서 루스벨트 대통령이 "베를린의 통념보다" 독일 측에 "더 우호적이고 동조적"이며 교전국들의 화합을 위해 "중재자" 역할을 맡을 의향이 있다고 말했다. 히틀러는 이틀 전에 웰스에게 했던 말을 되풀이하는 데 그쳤다.
3월 11일 톰젠은 익명의 미국 정보원이 작성한 기밀 의견서를 베를린에 보냈는데, 무니가 "얼마간 친독파"라고 단언하는 내용이었다. 제너럴 모터스 사의 이 중역은 독일 측에 속아 넘어갔던 것이 분명하다. 톰젠의 의견서에는 무니가 히틀러와의 회담에 근거해 루스벨트에게 총통이 "평화를 바라고 춘계 작전의 유혈 사태를 막고자 한다"라고 알렸다고 적혀 있다. 본국으로 소환되어 베를린에서 시간을 보내고 있던 미국 주재 독일 대사 한스 디코프는 무니가 히틀러와 회담한 직후 이 사업가를 만났고, 외무부에 무니가 "다소 장황"하고 "무니의 계획이 중요하다는 것을 전혀 믿을 수 없다"라고 보고했다.22

에게 알려도 좋을 것이라고 생각했다. 이에 독일 측은 이탈리아 독재자의 생각이 그러하다면, 지금이야말로 그런 생각을 바로잡을 때라고 판단했다. 평화에 찬성하지만, 그것은 독일이 서부에서 혁혁한 승리를 거둔 이후의 일이었다.

히틀러가 무솔리니의 1월 3일 서신에 답장하지 않자 두체는 점점 더 짜증이 났다. 1월 내내 아톨리코 대사는 리벤트로프에게 언제 답장을 받을 수 있을지 문의하고 이탈리아와 프랑스 및 영국의 관계—그에 더해 교역까지—가 개선되고 있다고 암시했다.

이탈리아의 전쟁물자 판매를 포함한 이 교역에 독일 측은 애가 탔고, 지금의 그런 처사는 온당치 못하게 서방 연합국을 돕는 것이라고 로마 정부에 끊임없이 항의했다. 로마의 마켄젠 대사는 친구 바이츠제커에게 자신의 "심각한 우려"를 계속 보고했으며, 바이츠제커도 무솔리니의 서신에 답장하지 않고 계속 "무시"할 경우 두체에게 "행동의 자유"를 주게 될 것이라고 우려했다—무솔리니와 이탈리아를 영원히 잃을 수도 있었다.[23]

그러다가 3월 1일, 히틀러에게 기회가 왔다. 영국이 독일의 석탄을 로테르담을 경유해 이탈리아까지 해상으로 수송하는 것을 차단한다고 발표했던 것이다. 이는 이탈리아 경제에 심각한 타격이었다. 두체는 영국에 분통을 터뜨리며 독일에 대한 감정을 누그러뜨렸고, 독일은 석탄을 철도로 수송할 방도를 찾겠다고 이탈리아 측에 즉각 약속했다. 이런 상황을 틈타 히틀러는 3월 8일 무솔리니에게 장문의 편지를 썼고, 이틀 후 리벤트로프가 로마까지 가서 직접 전달했다.[24]

히틀러는 답장이 늦은 것을 사과하지 않았지만, 다정한 어조로 생각할 수 있는 거의 모든 주제에 대한 자신의 구상과 정책을 상당히 자세하게 알려주었다. 히틀러가 무솔리니에게 보낸 그전의 어떤 서신보다도 장황했다. 여기서 히틀러는 나치가 소련과 동맹을 맺은 것, 핀란드를 포기한 것, 심지어 폴란드를 남겨두지 않은 것까지 변호했다.

내가 총독령에서 독일 병력을 절수시켰다면, 폴란드는 평화를 찾기는커녕 참담한 혼란에 빠졌을 것입니다. 그리고 교회는 신을 찬양하는 기능을 수행하지 못했을 것이고, 성직자들은 목이 잘렸을 것입니다. …

이어 섬너 웰스의 방문에 관해 언급하며 그가 거둔 성과는 아무것도 없었다고 말했다. 히틀러는 여전히 서부를 공격할 작정이었다. 그러면서 "앞으로 치를 전투는 쉽게 이길 싸움이 아니라 독일 역사상 가장 치열한 전투 … 생사를 건 전투가 될 것"임을 깨달았다고 했다.

그런 다음 히틀러는 무솔리니를 참전시키기 위해 열을 올렸다.

두체, 나는 이번 전쟁의 결과가 이탈리아의 미래까지 결정하리라는 것을 믿어 의심치 않습니다. … 언젠가 당신은 오늘 독일과 싸우고 있는 바로 그 적들을 마주할 것입니다. … 또한 나는 우리 두 나라, 우리의 국민, 우리의 혁명, 우리의 정권이 서로 불가분하게 결합되어 있다는 것도 알고 있습니다. …

끝으로 나는 모든 문제에도 불구하고 머지않아 우리가 운명에 따라 어깨를 나란히 하고서 적들과 싸우게 될 것이라고 장담하겠습니다. 다시 말해 오늘날 상황의 개별 국면들이 어떻게 전개되든 간에 당신 역시 무력 충돌을 피하지 않을 것이고, 그때 당신의 위치는 과거 어느 때보다도 내 편에 가까울 것이고 나의 위치 역시 그러할 것입니다.

무솔리니는 이 편지를 받고 우쭐해져서는 당장 리벤트로프에게 자신의 입장은 "최전선의" 히틀러 편이라는 데 동의한다고 힘주어 말했다. 나치 외무장관도 곧바로 아첨을 떨었다. 총통이 "최근 영국이 독일에서 이탈리아로 보내는 석탄 해운을 막은 조치에 매우 분개"했다고 말했다. 이탈리아는 석탄이 얼마나 필요합니까? 한 달에 50만에서 70만 톤이라고 무솔리니가 답변했다. 리벤트로프는 독일이 당장 석탄을 준비해 매달 100만 톤을 공급하고 운반에 필요한 화물차까지 대부분 제공하겠다고 입심 좋게 말했다.

3월 11일과 12일 이틀 동안 무솔리니와 리벤트로프는 치아노가 동석한 가운데 장시간 회담했으며, 슈미트 박사의 속기 회의록은 리벤트로프가 한껏 허풍을 떨었다는 것을 알려준다.[25] 논의할 만한 더 중요한 사안들이 있었음에도, 나치 외무장관은 폴란드에서 압수한, 서방의 수도들에서 보낸 전보를 꺼내며 "미국의 추악한 전쟁범죄"를 입증하려 했다.

외무장관은 이 문서들이 미국 대사들인 불릿[파리], 케네디[런던], 드렉셀 비들[바르샤바]의 음험한 역할을 구체적으로 보여준다고 설명했다. … 그 문서들은 유대인-금권정치 파벌의 권모술수와, 모건과 록펠러를 통해 루스벨트에게까지 미치는 그들의 영향력을 암시하는 것이었다.

오만한 나치 외무장관은 세계정세에 대한 평소의 무지를 드러내며 몇 시간 동안 열변을 토했다. 두 파시스트 국가의 공동 운명을 강조하고, 히틀러가 조만간 서부 공세에 나서 "여름 동안 프랑스군을 물리치고" "가을 전에" 영국군을 유럽 대륙에서 몰아낼 것이라고 역설했다. 무솔리니는 대체로 듣고만 있다가 이따금 의견을 냈는데, 두체의 빈정대는 말참견을 나치 장관은 귀담아듣지 않았던 듯하다. 예를 들어 리벤트로프가 "스탈린은 세계혁명의 이념을 포기했습니다"라고 단언하자 두체는, 슈미트의 메모에 따르면, "정말 그렇게 생각하시오?"라고 대꾸했다. 또 리벤트로프가 "올해 승리를 거둘 것을 믿지 않는 독일 군인은 단 한 명도 없습니다"라고 설명하자 무솔리니는 "참으로 흥미로운 말씀이군요"라고 말했다. 그날 저녁 치아노는 일기에 이렇게 적었다.

회견이 끝나고 우리 둘만 남았을 때 무솔리니는 독일의 공세도, 독일의 완전한 성공도 믿지 않는다고 말했다.

회견 자리에서 이탈리아 독재자는 자기 의견을 이튿날에 전하겠다고 약속했고, 리벤트로프는 그 의견이 무엇일지 다소 걱정하며 히틀러에게 전보로 "두체의 생각에 관해서는 단서"를 얻을 수 없었다고 알렸다.

리벤트로프는 걱정할 필요가 없었다. 이튿날 무솔리니는 전혀 다른 사람이 되어 있었다. 슈미트가 적었듯이, 무솔리니는 별안간 "완전히 주전파로 변해" 있었다. 손님에게 말하기를, 문제는 이탈리아가 독일 편에서서 참전할지 여부가 아니라 참전의 시기라고 했다. 시기 문제는 "지극히 민감한데, 파트너에게 부담을 주지 않으려면 모든 준비가 완료될 때까지 개입해서는 안 되기 때문"이었다.

어쨌든 그는 현재로서는 이탈리아가 재정상 장기전을 감당할 수 없다는 것을 명확히 말해둘 수밖에 없었다. 그는 영국이나 프랑스가 하는 것처럼 하루에 10억 리라를 지출할 여력이 없었다.

이 발언에 잠시 실망했던 듯한 리벤트로프는 두체로부터 이탈리아의 참전 날짜에 대한 확답을 받아내려 했지만, 두체는 확실한 언질을 꺼렸다. "그 시기는 이탈리아가 프랑스-영국과의 관계를 확정할 때, 즉 이들 국가와 단교할 때일 것입니다"라고 말했다. 그리고 그런 단절을 "유발하기" 쉬울 것이라고 덧붙였다. 리벤트로프는 물고 늘어졌으나 명확한 날짜를 얻어낼 수 없었다. 확답을 받으려면 분명히 히틀러 본인이 나서야 했다. 그래서 나치 외무장관은 3월 하순, 19일 이후에 두 지도자가 브렌네르 고개에서 만날 것을 제안했고, 무솔리니는 선뜻 동의했다. 그런데 리벤트로프는 덴마크와 노르웨이를 정복하려는 히틀러의 계획에 대해 한 마디도 하지 않았다. 동맹국을 전쟁에 끌어들이고자 애쓰는 중에도 누설해서는 안 되는 비밀이 있는 법이다.

리벤트로프는 무솔리니로부터 참전 날짜를 받아내진 못했지만, 참전하겠다는 언질은 받아냈다. "추축국을 강화하고자 했다면, 그는 성공했다"라고 치아노는 일기에 한탄하듯 썼다. 섬너 웰스는 베를린, 파리, 런던을 방문한 뒤 로마로 돌아가 3월 16일 무솔리니를 다시 만났을 때, 두체가 다른 사람이 되어 있었음을 알아챘다.

[웰스가 나중에 씀] 그는 큰 짐을 덜어낸 것처럼 보였다. … 내가 로마를 처음 방문하고 2주 사이에 그가 루비콘 강을 건너기로 결심했던 건 아닐까, 그리고 리벤트로프의 방문이 이탈리아의 참전을 결정했던 건 아닐까 하는 생각이 자주 들었다.[26]

웰스는 그렇게 궁금해할 필요가 없었다.

리벤트로프가 특별열차를 타고 로마를 떠나자마자 이탈리아 독재자는 번민에 사로잡혔다. 치아노는 3월 12일 일기에 이렇게 적었다. "두체는 연합국에 맞서 싸우겠다는 언질이 너무 과하지 않았을까 걱정한다. 이제 그는 히틀러를 설득해 지상 공세를 막고자 하고, 브렌네르 고개 회담에서 그 뜻을 이루고 싶어한다." 그러나 치아노는 전부는 아닐지라도 더 많이 알고 있었다. "두체가 히틀러에게 매혹된다는 것은 부인할 수 없다. 그 매혹은 두체의 기질 깊숙이 뿌리박고 있는 무언가와 관련이 있다. 총통은 리벤트로프가 얻어낼 수 있었던 것보다 더 많은 것을 두체로부터 얻어낼 것이다"라고 일기에 덧붙여 썼다. 그리고 그대로 되었다―다만 곧 밝혀질 것처럼 조건부이긴 했다.

리벤트로프는 베를린으로 돌아가기 무섭게―3월 13일―치아노에게 전화를 걸어 브렌네르 회담을 당초 구상보다 앞당겨 3월 18일에 열자고 요청했다. "참지 못하는 독일 놈들"이라며 무솔리니는 폭발했다. "숨 돌릴 시간도, 사안에 대해 생각해볼 시간도 주지 않는다." 그럼에도 무솔리니는 그 날짜에 동의했다.

[치아노가 그날 일기에 기록함] 두체는 초조해한다. 이제까지 그는 실제 전쟁이 일어나지 않을 것이라는 환상 속에서 살아왔다. 자신이 외부자로 머물게 될지도 모르는 충돌이 임박한 것으로 보이자 그는 심란해졌고, 그의 표현을 빌리자면 그는 치욕스러워졌다.[27]

1940년 3월 18일 오전, 눈 덮인 알프스 준봉 아래쪽 브렌네르 고개 국경의 작은 기차역으로 두 독재자가 각각 탄 열차가 들어올 때, 하늘에서는 눈발이 날리고 있었다. 회담은 무솔리니의 비위를 맞추기 위해 두체의 전용열차에서 열렸지만, 발언은 히틀러가 거의 독점했다. 치아노는 그날 저녁 일기에 회담의 요점을 정리해놓았다.

회담은 독백에 더 가까웠다. … 히틀러가 줄곧 말했다. 무솔리니는 관심을 보이며 존중하는 자세로 들었다. 그는 별다른 말은 하지 않았고, 독일과 함께 움직이겠다는 의사를 밝혔다. 적절한 시기 선택만 유보했을 뿐이다.

마침내 한마디 끼어들 기회를 잡았을 때 "전쟁의 막판까지 중립으로 남기란 불가능"하다는 것을 깨달았다고 무솔리니는 말했다. 영국 및 프랑스와 협력하는 것은 "생각도 할 수 없는" 일이었다. "우리는 그들을 증오한다. 따라서 이탈리아의 참전은 불가피하다." 히틀러는 무솔리니에게 이 점을 납득시키고자 한 시간 넘게 애를 썼다—그런 다음 이탈리아가 따돌림을 당하지 않으려면, "2류 국가"로 전락하지 않게 하려면 참전해야 한다고 부언했다.[28] 그러나 두체는 주된 문제에 관해 총통을 만족시킬 답변을 한 뒤, 당장 빠져나갈 구멍을 준비하기 시작했다.

그렇지만 정작 시기가 큰 문제였다. … 그러자면 한 가지 조건이 충족되어야 할 것이다. 이탈리아는 "만반의 준비를" 해두어야 할 것이다. … 이탈리아의 재정 상황은 장기전의 수행을 허용하지 않는다. …
두체는 총통에게 공세를 늦출 경우 독일에 어떤 위험이 있을지 물었다. 두체는 그런 위험이 있으리라고는 생각하지 않는다. … 두체는 3~4개월 후면 군사적 대비를 마칠 것이기 때문에, 동지는 싸우는데 자신은 시위만 해야 하는 난처한 입장에 처하지 않을 것이다. … 두체는 그 이상의 무언가를 하고 싶지만 지금은 그럴 만한 입장이 아니다.

나치 통수권자는 서부 공세를 늦출 의향이 없다고 말했다. 하지만 프랑스 남부 산악지대에서 정면공격에 나서야 하는 무솔리니의 어려움을 해결할 만한 "몇 가지 이론적인 아이디어"를 제시했다. 그곳에서 교전할 경우 "엄청난 유혈 사태"가 예상되었기 때문이다. 그러면서 "프랑스-이탈리아의 알프스 전선을 우회하여 배후에서 공략하기 위해" 이탈리아의 강한 병력이 독일 병력과 함께 스위스 국경을 따라 론 강 유역으로 진군하는 방안을 제시했다. 물론 그에 앞서 독일군의 주력이 북부에서 프랑스군과 영국군을 격퇴해야 했다. 분명히 히틀러는 이탈리아 측을 행동하기 쉽게 해주려고 애쓰고 있었다.

[히틀러가 이어서 말함] 적을 격파하면 이탈리아가 알프스 전선의 가장 힘겨운 지점이 아닌 다른 어딘가에서 적극적으로 개입할 순간이 올 것이다. … 전쟁은 프랑스에서 결판이 날 것이다. 프랑스를 처치하고 나면 이탈리아는 지중해 세계의 여왕이 될 것이고, 영국은 강화를 모색하게 될 것이다.

인정하건대, 무솔리니는 독일 측이 힘겨운 전투를 전부 떠맡은 이후에 그토록 큰 보상을 얻을 수 있는 찬란한 전망 앞에서는 꾸물거리지 않았다.

두체는 독일이 진격해 승리할 경우 즉시 개입하겠다고 답변했다. … 연합국이 독일의 공격에 크게 흔들려 2차 타격만으로 굴복시킬 수 있는 때에는 … 지체하지 않겠다고 했다.

반면에

독일의 진군이 더딜 경우에는 기다리겠다고 두체는 말했다.

두체가 이렇게 노골적으로 비겁하게 흥정하는데도 히틀러는 별로 개의치 않았던 듯하다. 치아노의 말마따나 무솔리니가 "기질 깊숙이 뿌리 박고 있는 무언가" 때문에 히틀러에게 끌렸다면, 히틀러 역시 똑같이 불가해한 이유로 무솔리니에게 끌렸다고 말할 수 있다. 히틀러는 일부 측근에게 신의를 지키지 않았고 룀과 슈트라서를 비롯한 여럿을 살해했지만, 이상하게도 우스꽝스러운 이탈리아 파트너에게는 유별나게 신의를 지켰으며, 이 거들먹거리는 로마 지도자에게 역경에 이어 재앙이 닥쳤을 때 그 신의는 약해지기는커녕 오히려 강해졌다. 이는 현대사의 흥미로운 수수께끼 중 하나다.

어쨌거나 이탈리아의 참전의 가치가 얼마나 되건 간에—히틀러를 제외하고 독일인 중에서, 특히 장군들 중에서 그 가치가 아주 크다고 생각한 이는 거의 없었다—마침내 이탈리아 측은 참전을 엄숙하게 약속했다. 이제 나치 통수권자는 목전에 닥친 새로운 정복 과제들로 다시 시선을 돌릴 수 있었다. 그중 가장 임박한 정복—북방 정복—에 관해 히틀러는 친구이자 동맹자에게 단 한 마디도 하지 않았다.

또다시 좌절한 음모단

반나치 음모단은 북방 공세를 알아채고서 다시 한 번 장군들을 설득해 총통을 처단하려 했다—이번에는 총통이 새로운 공세에 나서기 전에 제거할 작정이었다. 민간인 음모단은 이번에도 반나치 독일 정권과 강화를 맺는다는 영국 정부의 확약을 원했고, 양국이 어떻게 합의하든 간에 히틀러가 획득한 영토의 대부분을 새로운 독일 정부가 계속 보유하도록 허용해야 한다고 역설하며 본색을 드러냈다. 독일의 오스트리아, 주데텐란트 보유를 허용하고 1914년 당시의 폴란드 국경을 유지해야 한다는 말이었다. 이 마지막 영토는 과거에 폴란드 민족을 말살하여 얻은 것이었음에도 이런 주장을 폈다.

1940년 2월 21일, 상당히 용감한 인물인 하셀은 바로 이런 제안을 가지고서 스위스 아로사까지 가서 영국인 정보원과 의견을 나누었다. 하셀이 일기에 "미스터 X"라고 적은 그 정보원의 이름은 J. 론스데일 브라이언스Lonsdale Bryans였다. 두 사람은 2월 22일과 23일 극비리에 네 차례 만나 상의했다. 로마의 외교가에 웬만큼 알려진 브라이언스는 본서에 등장하는 다소 아마추어적인 또 한 명의 자칭 평화 교섭자였다. 브라이언스는 다우닝 가에 인맥이 있었고, 하셀은 일전에 이 사람을 만났을 때 개인적으로 감명을 받은 터였다. 영국 측은 네덜란드에서 스티븐스 소령과 베스트 대위를 통해 독일 음모단과 접촉하려다가 낭패를 본 이후로 이런 식의 계획에 얼마간 회의적이었다. 그래서 브라이언스는 하셀에게 그가 대변하는 사람들에 대한 믿을 만한 정보를 달라고 요구했지만, 하셀은 터놓고 말하지 않으려 했다.

"나는 내 뒤에 있는 사람들의 이름을 댈 만한 입장이 아닙니다"라고 하셀은 대꾸했다. "내가 당신에게 확언할 수 있는 것은 핼리팩스의 성명이 적절한 사람들에게 전달되리라는 것뿐입니다."[29]

그런 다음 하셀은 독일의 "반대파"의 견해를 약술했다. 히틀러가 "주요한 군사작전에 착수하기 전에" 그를 타도해야 하고, 이것은 "전적으로 독일의 일"이며, 베를린의 신생 반나치 정권을 어떻게 대할지에 대한 "영국 측의 권위 있는 성명"이 있어야 하고, "정권을 어떻게 바꾸든 간에 주된 장애물은 1918년의 이야기, 즉 카이저를 희생시킨 이후에 벌어진 것과 같은 사태가 재발하지 않을까 하는 우려"였다. 하셀과 그의 친구들은 히틀러를 제거할 경우 과거에 독일인들이 빌헬름 2세를 제거했을 때와 비교해 독일이 더 관대한 대우를 받을 것이라는 보증을 원했다.

뒤이어 하셀은 직접 영어로 작성한 문서를 브라이언스에게 건넸다. 비록 "기독교 윤리, 정의와 법률, 사회복지, 사상과 양심의 자유 등의 원칙에" 의거해 미래 세계를 걱정하는 숭고한 감정으로 가득하긴 했지만, 그것은 막연한 문서였다. "이 미친 전쟁"을 지속할 경우 가장 큰 위험은 "유럽의 볼셰비키화"라고 하셀은 썼다ㅡ그 위험이 나치즘의 존속보다 더 나쁘다고 보았다. 그리고 새로운 독일이 바라는 평화의 주된 조건은 히틀러가 정복한 영토를 거의 전부 보유하는 것이라면서 그 지역들을 열거했다. 독일이 오스트리아와 주데텐란트를 손에 넣는 것은 그 어떤 강화회담에서도 논의조차 할 수 없는 문제였다. 그리고 1914년 당시의 독일-폴란드 국경을 유지해야 했다. 물론 1914년에 폴란드는 그 존재가 인정되지 않았으므로(하셀이 이렇게 말하진 않았지만) 사실 그 국경은 독일과 러시아 간의 국경이었다.

브라이언스는 독일의 서부 공세가 임박했음을 고려할 때 신속한 조치가 필요하다는 데 동의하고 하셀의 문서를 핼리팩스 경에게 전하겠다고 약속했다. 하셀은 베를린으로 돌아가 동료 음모자들에게 자신의 최근 행보를 알렸다. 그들은 하셀이 접촉한 "미스터 X"를 통해 최선의 결과를 얻기를 바라긴 했지만, 당시 이른바 "X 보고서"에 더 관심을 쏟고 있었다. 앞에서 언급했듯이 그것은 방첩국 소속 음모자인 한스 폰 도흐나니Hans von Dohnanyi가 바티칸에서 이루어진 요제프 뮐러 박사와 영국 측의 접촉 결과에 근거해 작성한 문서였다. 교황이 새로운 반나치 독일 정부와 영국 간의 합리적인 강화 조건을 중재할 의향을 보였다고 단언하는 이 보고서를 통해 이들 히틀러 반대파의 견해를 가늠할 수 있는데, 여기서 그들은 교황이 "동방 문제를 독일에 유리하게 해결"하는 방안을 지지할 것이라고 주장했다. 악마 같은 나치 독재자가 동방 문제를 무력 침공으로 "독일에 유리하게" 해결해놓은 상황에서 선량한 독일 음모단은 교황의 축복까지 받으며 영국으로부터 똑같은 결과를 얻어내려 하고 있었다.

1939년에서 1940년에 걸친 겨울에 "X 보고서"는 음모단에게 매우 크게 다가왔다. 그에 앞서 10월 말에 토마스 장군은 히틀러가 가을에 서부 공세를 개시하지 않도록 설득하려던 육군 총사령관의 기운을 북돋울 요량으로 브라우히치에게 이 보고서를 보여주었다. 그러나 브라우히치는 그런 격려를 고마워하지 않았다. 실은 그 문제를 다시 거론하면 장군을 체포하겠다고 위협했다. 그것은 "명백한 반역죄"라고 호통을 쳤던 것이다.

이제 나치의 새로운 침공이 머지않은 상황에서 토마스는 **할더 장군**이 "X 보고서"를 읽고서 행동하기를 기대하며 그것을 장군에게 가져갔다. 그러나 헛된 희망이었다. 할더가 음모단에서 가장 적극적인 일원인 괴르델러―역시 할더에게 앞장서달라고 간청했는데, 무엇보다 줏대 없는 브라우히치는 나서지 않을 터였기 때문이다―에게 말했듯이, 이 시점에 그는 군인으로서 총통에게 한 선서를 깨는 행위를 정당화할 수가 없었다. 게다가

잉글랜드와 프랑스가 우리에게 전쟁을 선포했고, 우리는 전쟁을 헤쳐나가야 한다. 타협에 의한 평화는 무의미하다. 최악의 비상 상황에만 괴르델러가 바라는 조치를 취할 수 있다.

"역시, 그렇다!"라고 하셀은 1940년 4월 6일 일기에서 괴르델러가 설명해준 할더의 정신 상태를 묘사하며 소리쳤다. 그러고는 "자신의 책임에 관해 이야기하다가 울기 시작한 할더는 용기가 바닥난 나약한 사내라는 인상을 주었다"라고 덧붙였다.

그런 인상이 정확한 것인지는 의문이다. 방대한 규모의 서부 공세를 조정하면서 그 준비 과정을 세세히 기입한 할더의 4월 첫째 주 일기를 살펴보면, 적어도 이 참모총장이 야전사령관들과 상의하고 독일 역사상 규모가 가장 크고도 대담한 군사작전의 최종 계획을 점검할 때에는 사뭇 들뜬 기분이었다는 인상을 받기 때문이다. 할더가 반역적인 생각을 했다거나 양심과 씨름했다는 것을 암시하는 구절은 전혀 없다. 덴마크와 노르웨이 공격을 염려하긴 했지만 순전히 군사적인 이유에서였으며, 독일이 국경을 보장한다고 엄숙히 약속했던 작은 중립 4개국에 대한 나치의 침공에 도덕적 의구심을 드러내는 표현은 찾아볼 수 없다. 할더는 독일이 이 4개국을 공격할 예정임을 알고 있었거니와, 벨기에와 네덜란드를 겨냥한 공격 계획의 수립을 주도하기까지 했다.

이렇게 해서 너무 늦기 전에 히틀러를 권좌에서 몰아내려던 "선량한 독일인들"의 마지막 시도는 끝이 났다. 그들로서는 관대한 평화를 얻을 마지막 기회를 놓친 셈이었다. 브라우히치와 할더가 분명하게 보여주었듯이, 장군들은 교섭을 통한 평화에는 관심이 없었다. 총통과 마찬가지로 장군들은 이제 강요를 통한 평화─독일이 승리한 후에 강요하는 평화─를 생각하고 있었다. 훗날 그 가능성이 희박해지고 나서야 장군들은 정신 나간 독재자를 제거한다는 과거의 반역적인 생각, 뮌헨이나 초센에서 그토록 강력했던 생각을 다시 진지하게 떠올릴 터였다. 이 시점 이후에 전개된 사태와 날조된 신화를 고려할 때, 독일 장군들의 이런 정신 상태와 특성을 우리는 기억해둬야 한다.

덴마크와 노르웨이 장악

___

허틀리의 덴마크와 노르웨이 정복 계획을 가리켜 많은 저술가들이 2차 대전에서 가장 비밀리에 진행된 계획 중 하나라고 말하지만, 내가 보기에 두 스칸디나비아 국가뿐 아니라 영국까지 허를 찔린 것은 향후 벌어질 일에 대한 경고를 받지 않아서가 아니라 그런 경고를 제때에 믿지 않았기 때문이다.

재앙이 닥치기 열흘 전, 방첩국의 오스터 대령은 친한 친구인 베를린 주재 네덜란드 육군 무관 J. G. 사스Sas 대령에게 독일의 베저위붕 계획에 관해 경고했고, 사스는 즉각 덴마크 해군 무관 키엘센Kjölsen 대위에게 통보했다.[30] 그러나 안일한 덴마크 정부는 해군 무관의 보고를 믿으려 하지 않았고, 4월 4일 베를린 주재 덴마크 공사가 키엘센을 급히 코펜하겐으로 보내 첩보에 관해 다시 경고했을 때도 진지하게 받아들이지 않았다. 심지어 파국 전야인 4월 8일, 병력을 가득 태운 독일 수송선이 노르웨이 남쪽 앞바다—덴마크 북쪽 앞바다—에서 어뢰 공격을 받았고 덴마크 주민들이 북쪽의 섬들 사이를 항해하는 독일 해군의 대함대를 직접 목격했다는 소식을 들은 후에도, 덴마크 국왕은 저녁식사 자리에서 나라가 위기에 처했다는 전언을 빙긋 웃으며 무시했다.

"국왕은 정말로 믿지 않았습니다"라고 그 자리에 있었던 근위대 장교는 훗날 말했다. 이 장교의 말대로라면, 사실 국왕은 저녁식사 후에 "자신만만하고 행복한" 기분으로 왕립 극장으로 행차하기까지 했다.[31]

노르웨이 정부는 이미 3월에 자국의 베를린 공사관이나 스웨덴 정부로부터 독일이 북해와 발트 해의 항구들에 병력과 해군 함정을 집결한다는 경고를 받았고, 4월 5일에는 베를린으로부터 독일군의 노르웨이 남해안 상륙이 임박했다는 결정적인 첩보를 받았다. 그러나 오슬로의 안일한 내각은 줄곧 반신반의했다. 심지어 4월 7일에 노르웨이 연안을 북상하는 독일 군함 몇 척이 **목격**되고 스카게라크 해협의 입구에서 영국 항공기들이 독일 함대에 기총소사를 가한다는 보고가 들어왔음에도, 또 4월 8일에 영국 해군부가 런던 주재 노르웨이 공사관 측에 독일의 강력한 해군 전력이 나르비크에 접근하는 것이 목격되었다고 통지하고, 오슬로의 신문들이 그날 노르웨이 릴레산 앞바다에서 폴란드 잠수함에 어뢰 공격을 당한 수송선 리우데자네이루 호에서 구조된 독일 군인들이 자기들은 영국군에 맞서 베르겐을 방어하기 위해 그곳으로 가던 중이라고 주장했다는 기사를 냈음에도, 노르웨이 정부는 명백한 조치를 취할 필요가 있다고 생각하지도 않았다. 이를테면 육군 동원하기, 항구들을 수비하는 요새에 인력 충원하기, 비행장 활주로 가리기, 그리고 무엇보다 중요한 대처로서 수도와 주요 도시들로 통하는 좁은 수로에 쉽게 설치할 수 있는 기뢰 부설하기와 같은 조치를 고려하지도 않았다. 노르웨이 정부가 이런 조치들을 실행했다면, 역사의 경로가 달라졌을지도 모른다.

처칠의 말마따나 4월 첫째 주에 불길한 소식이 런던으로 흘러들기 시작했고, 4월 3일에 영국 전시 내각은 최근의 첩보, 그중에서도 독일이 스칸디나비아에 진입할 목적으로 북부 항구들에 상당한 규모의 병력을 집결하고 있다는 스톡홀름발 첩보에 관해 의논했다. 그러나 이 소식을 영국 내각은 아주 진지하게 고려하지 않았던 것으로 보인다. 이틀 후인 4월 5일 독일 해군의 보급선단 제1진이 이미 해상에 나타났을 때, 체임벌린 총리는 연설을 하면서 영국과 프랑스가 미처 전투태세를 갖추지 못한 시점에 서부를 공격하지 않은 히틀러는 "버스를 놓친" 셈이라고 말했다—체임벌린은 이 표현을 두고 조만간 후회할 터였다.*

처칠에 따르면 당시 영국 정부의 중론은, 나르비크에서 출항하는 광석 수송선을 차단하기 위해 노르웨이 해역에 기뢰를 부설 중인 영국이 그 정도로 그치지 않고 이 항구를, 더 나아가 어쩌면 남쪽의 다른 항구들까지 점령할 경우 독일이 그저 거기에 반격하기 위해 발트 해와 북해의 항구들에 병력을 집결하고 있다는 것이었다.

실제로 영국 정부는 그런 점령을 구상하고 있었다. 해군장관 처칠은 7개월 동안 좌절을 거듭한 끝에 4월 8일, 노르웨이 해역의 수로에 기뢰를 부설하는 작전에 대한 승인을 영국 전시 내각과 연합군 최고군사회의로부터 얻어내는 데 마침내 성공했다—그 작전은 '윌프레드Wilfred'라고 불렸다. 독일 측이 나르비크로부터의 철광석 수송을 차단당하는 치명타에 맹렬히 반격할 공산이 컸으므로, 소규모 영국-프랑스 병력을 나르비크로 파견하여 근처 스웨덴 국경까지 진군시키자는 결정이 내려졌다. 다른 파견대들도 더 남쪽의 트론헤임, 베르겐, 스타방에르에 상륙시키기로 했는데, 처칠의 설명대로 "이 기지들을 적에게 넘겨주지 않기 위해서"였다. 이 작전은 'R-4 계획'으로 알려졌다.[32]

이렇듯 4월 첫째 주에 독일 병력이 노르웨이로 향할 각종 군함에 오르는 동안, 같은 목적지로 향할 영국 병력도, 비록 수에서 한참 밀리긴 했지만, 클라이드 만에서는 수송선에, 포스 만에서는 순양함에 몸을 싣고 있었다.

---

* 4월 3일 오전 2시, 독일의 첫 보급선 3척이 나르비크로 향했다. 독일 최대의 급유선은 소련의 묵인 아래 4월 6일 무르만스크에서 나르비크를 향해 출항했다. 소련 측은 이 배에 기꺼이 유류 화물을 공급해주었다.

4월 2일 오후, 히틀러는 괴링, 레더, 팔켄호르스트와 장시간 상의한 뒤 공식 지령을 내려 4월 9일 오전 5시 15분을 기하여 베저위붕을 개시하라고 명령했다. 동시에는 그는 또 하나의 지령을 내려 "점령 시 덴마크 국왕과 노르웨이 국왕의 국외 탈출을 기필코 막아야 한다"라고 명시했다.[33] 같은 날 OKW는 외무부에 이 기밀을 알렸다. 리벤트로프는 장문의 지령서를 받았는데, 덴마크와 노르웨이가 독일군이 도착하는 즉시 저항 없이 항복하도록 유도하는 외교적 조치를 준비하고, 히틀러의 새로운 침공을 정당화할 만한 구실을 꾸며내라는 주문이었다.[34]

그런데 술책은 외무부에 국한되지 않았다. 해군도 술책을 구사하려 했다. 함정들의 제1진이 출항한 4월 3일, 요들은 노르웨이 측이 인근 해상에 너무나 많이 출현한 군함들을 의심할 경우 어떤 속임수로 그들을 기만할 수 있는가 하는 문제를 일기에서 곰곰이 생각해보았다. 사실 이 작은 문제에 관해 해군은 벌써 생각해둔 수가 있었다. 군함과 수송선에 영국 선박으로 보이게 하라는 지시를 내려두었던 것이다—필요하다면 영국 국기를 내걸지라도! 독일 해군은 기밀 명령서에서 "노르웨이 침공 시 기만과 위장"에 필요한 상세한 지시를 내렸다.[35]

극비

입항 시 행동

모든 함정은 소등한다. … 최대한 오랫동안 영국 선박으로 위장해야 한다. 노르웨이 선박들의 모스 신호에 의한 수하誰何에는 영어로 응답한다. 응답은 아래와 같은 문구를 택한다.

"베르겐에 단시간 기항. 적대적 의도 없음."

··· 수하에는 영국 군함들의 이름으로 응답한다.

쾰른 호 — 카이로 호.

쾨니히스베르크 호 — 캘커타 호 ··· (등등)

영국 군함기軍艦旗에 조명을 비출 수 있도록 준비한다.

베르겐과 관련하여 ··· 통과 중인 함정으로부터의 수하에 응답해야 할 경우
의 지침을 아래와 같이 정한다.

수하: (쾰른 호의 경우) 카이로 호.

정선停船 명령: "(1) 최종 신호를 반복해달라. (2) 귀측의 신호를 이해할 수
없다."

경고사격의 경우: "사격을 중지하라. 영국 함정이다. 우군이다."

목적지와 목적을 물어올 경우: "베르겐으로 가는 중이다. 독일 증기선을 추
적하는 중이다."*

1940년 4월 9일, 일출 한 시간 전인 오전 5시 20분(덴마크 시각으로는
오전 4시 20분), 코펜하겐과 오슬로의 두 독일 사절은 독일군이 도착하기
정확히 20분 전에 주재국 외무장관을 잠자리에서 깨워(리벤트로프가 엄밀
한 시간표에 따라 움직이자고 고집했다) "독일의 보호"를 즉각 저항 없이 받
아들일 것을 요구하는 최후통첩을 전달했다. 이 최후통첩은 외교적 기만
술에 너무도 능숙한 달인인 히틀러와 리벤트로프가 이제껏 작성한 문서
중 가장 파렴치한 문서였을 것이다.[36]

독일은 영국과 프랑스의 점령에 맞서 덴마크와 노르웨이를 보호하기

---

* 뉘른베르크 증인석에서 레더 대제독은 "법적인 관점에서 볼 때 결코 반대할 수 없는" 정당한 "전
시의 계략"이라며 이런 기만술을 정당화했다.[37]

위해 왔다고 선언한 뒤, 최후통첩은 이렇게 이어졌다.

그러므로 독일군은 적으로서 노르웨이 영토에 발을 들여놓는 것이 아니다. 독일군 최고사령부는 부득이한 경우가 아니라면 독일 병력이 점령한 지점들을 영국에 대항하는 작전 기지로 사용할 의향이 없다. … 오히려 독일의 군사작전은 노르웨이의 기지들을 점령하려는 영국-프랑스 병력에 맞서 오로지 북부를 보호하는 것을 목표로 한다. …

… 이제까지 독일과 노르웨이가 유지해온 우호관계의 정신에 따라 독일 정부는 노르웨이 왕국 정부에 천명한다. 독일은 현재에도 미래에도 노르웨이 왕국의 영토 보전과 정치적 독립을 침해하는 조치를 취할 의도가 없다. … 그러므로 독일 정부는 노르웨이 정부와 노르웨이 국민이 … 저항하지 않을 것을 기대한다. 어떠한 저항이든 가능한 모든 수단으로 진압해야만 할 것이고 또 진압될 것이며 … 따라서 아무런 소용도 없는 유혈 사태로 귀결될 것이다. …

독일의 기대는 덴마크에서는 충족되었지만 노르웨이에서는 그렇지 않았다. 빌헬름슈트라세는 양국 주재 사절들이 각각 보내온 첫 긴급 메시지를 통해 이 사실을 알게 되었다. 코펜하겐 주재 독일 공사는 오전 8시 34분에 리벤트로프에게 전보를 보내 덴마크 측이 "항의를 표하면서도 우리의 요구를 모두 받아들였다"라고 알렸다. 오슬로의 쿠르트 브로이어 공사는 전혀 다른 보고를 했다. 독일의 최후통첩을 전달하고 겨우 32분 지난 오전 5시 52분, 공사는 노르웨이 정부의 신속한 응답을 베를린에 타전했다. "우리는 자진해서 굴복하지 않을 것이다. 이미 전투가 시작되었다."[38]

오만한 리벤트로프는 격분했다.* 10시 55분에 리벤트로프는 브로이어에게 "최급" 전보를 쳤다. "귀관은 현지 정부에 노르웨이의 저항이 완전히 무의미하다는 점을 다시 한 번 강조하시오."

그렇지만 이 불운한 독일 공사는 더 이상 할 수 있는 일이 없었다. 이 시점에는 노르웨이 국왕, 정부, 국회의원들이 수도에서 북부의 산악지대로 피난하고 없었기 때문이다. 그들은 아무리 승산이 없을지라도 저항하기로 결의했다. 실은 밤중에 독일 함정들이 도착하자 전국은 아니더라도 일부 장소들에서 이미 저항하기 시작한 터였다.

덴마크 측은 더 절망적인 처지였다. 이 쾌적하고 아담한 섬나라는 방위 불능이었다. 나라가 너무 작고 너무 평평한 데다 그중 최대 지역인 유틀란트가 히틀러의 기갑부대에 지상으로 완전히 열려 있었다. 노르웨이와 달리 국왕과 정부가 피난할 산악지대도 없었고, 영국의 도움을 기대할 수도 없었다. 그런 환경에서 싸우기에는 덴마크인은 지나치게 문명화되었다는 말도 들렸다. 어쨌든 그들은 싸우지 않았다. 육군 총사령관 W. W. 프리오르Pryor 장군만이 저항하자고 호소했지만, 토르발 스타우닝Thorvald Stauning 총리, 에드바르 뭉크Edvard Munch 외무장관, 그리고 국

---

* 나로서는 이날 아침만큼 나치 외무장관을 쳐다보기가 버거웠던 적이 없었다. 리벤트로프는 외무부에서 특별히 소집한 기자 회견 자리로 뽐내듯 걸어 들어왔다. 화려한 암회색 제복 차림이었고, 내가 일기에 적었듯이 "마치 온 세상을 소유한 사람처럼" 보였다. 그는 잘라 말했다. "총통께서 답변했습니다. … 독일은 덴마크와 노르웨이를 연합국으로부터 보호하기 위해 점령했고, 전쟁이 끝날 때까지 양국의 진정한 중립을 지켜줄 것입니다. 이렇게 해서 유럽의 명예로운 부분이 확실한 몰락에서 벗어났습니다."
이날 베를린의 신문들도 가관이었다.《뵈르젠 차이퉁》은 이렇게 썼다. "잉글랜드는 작은 두 나라 국민들의 시신을 냉혹하게 짓밟는다. 독일은 이 약소국들을 잉글랜드 노상강도들로부터 보호한다. 노르웨이 국민의 자유를 보호하기 위한 독일의 행동이 정당하다는 것을 노르웨이는 알아보아야 한다." 히틀러 본인의 신문《민족의 파수꾼》은 "독일, 스칸디나비아를 구하다!"라는 전단(全段) 헤드라인을 걸었다.

왕은 4월 8일에 나쁜 소식이 들려오기 시작하자 총사령관의 동원 주장을 거부했다. 나로서는 아직도 확실히 알 수 없는 이유로, 심지어 코펜하겐에서 조사가 이루어진 후에도 밝혀지지 않은 이유로, 덴마크 해군은 함정에서도 해안의 포대에서도 단 한 발도 쏘지 않았다. 심지어 독일군 수송선들이 대포의 코앞을 지나가고 있어 발사만 하면 산산이 조각낼 수 있는 순간에도 쏘지 않았다. 육군은 유틀란트에서 몇 차례 소규모 전투를 벌였고, 왕실 근위대는 수도의 왕궁 주변에서 몇 차례 사격을 가해 몇 명에게 부상을 입혔다. 덴마크 사람들이 아침을 배불리 먹었을 즈음에는 상황이 다 끝나 있었다. 국왕은 프리오르 장군의 조언은 외면한 채 정부 각료들의 조언에 따라 독일에 항복하고 이제는 가벼운 저항도 멈추라고 명령했다.

덴마크를 기습과 기만으로 탈취하려는 계획은, 압수된 독일 육군 기록이 보여주듯이, 면밀하게 준비되었다. 덴마크 특수임무부대 참모장 쿠르트 히머Kurt Himer 장군은 민간인 복장으로 열차에 올라 4월 7일 코펜하겐에 도착해 이 수도를 정찰했고, 군 수송선 한제슈타트 단치히Hansestadt Danzig 호가 접안하기에 적당한 부두를 찾고 몇 가지 물자와 무선 송신기를 운반할 만한 트럭을 마련하는 등 필요한 조치를 취했다. 이 대대─이 대도시를 점령하는 데 필요한 병력은 1개 대대 정도로 충분하다고 생각되었다─의 지휘관도 이틀 전에 민간인 복장으로 코펜하겐에 들어와 지형을 파악했다.

그러므로 히머 장군과 이 대대장의 계획이 거의 아무런 지장도 없이 실행된 것도 이상한 일은 아니었다. 독일 수송선은 일출 직전에 코펜하겐 앞바다에 도착하여 항만 수비 요새의 대포와 덴마크 초계정의 함포를 무사히 통과해 도시 심장부의 랑엘리니 부두에 매끄럽게 정박했다. 그 부두는 덴마크 육군의 본부인 카스텔레Kastellet에서 엎드리면 코 닿을 거리에 있었고, 국왕의 거처인 아말리엔보르 궁전에서도 가까웠다. 두 장소 모두 단 1개 대대가 별다른 저항도 받지 않고 신속하게 장악했다.

궁전 위층에서는 이따금 총성이 들리는 가운데 국왕이 각료들과 상의했다. 각료들은 모두 저항하지 말자는 쪽이었다. 프리오르 장군만이 항전을 허가해달라고 간청했다. 장군은 국왕만이라도 체포되지 않도록 가장 가까운 회벨테의 병영으로 피신할 것을 요청했다. 그러나 국왕은 각료들과 뜻을 같이했다. 어느 목격자에 따르면 이 군주는 "우리 군인들이 충분히 오랫동안 싸웠는지" 물어봤다고 한다─프리오르는 싸우지 않았다고 대답했다.*[39]

히머 장군은 상황이 지연되자 불안해졌다. 장군은 본부에 전화를 걸어─덴마크 당국은 독일로 이어지는 전화선을 절단할 생각을 하지 않았다─함부르크에서 미리 세워둔 협동작전을 거론하고, 본인 이야기에 따르면[40] "덴마크 측이 수락하도록 강요하기 위해" 폭격기 몇 대를 코펜하겐 상공에 띄워달라고 요청했다. 이 대화는 암호로 이루어졌는데, 독일 공군은 히머가 실제로 폭격을 요청한다고 오해하고는 당장 실행하겠다고 약속했다─이 착오는 결국 제때에 시정되었다. 히머 장군은 폭격기들이 "덴마크 수도의 상공에서 굉음을 내며 확실한 인상을 심어주었다. 덴마크 정부는 독일의 요구를 받아들였다"라고 말했다.

정부의 항복 사실을 덴마크군 전체에 알릴 방도를 찾느라 약간 애를 먹었다. 이른 시각이라 지역 라디오 방송국들이 아직 방송을 시작하기 전이었기 때문이다. 이 문제는 독일군 대대가 가져온 무선 송신기를 히

---

* 덴마크 국내에서 총 사상자는 사망 13명에 부상 23명이었다. 독일 측 사상자는 약 20명이었다.

머 장군이 미리 준비해둔 트럭에 실어 카스텔레까지 운반하고, 그곳에서
이 장치를 통해 덴마크 주파수로 방송하는 방법으로 해결했다.

그날 오후 2시 정각에 히머 장군은 독일 공사 체칠 폰 렌테-핑크Cecil
von Renthe-Fink와 함께 덴마크 국왕을 찾아갔다. 국왕은 더 이상 주권자가
아니었지만 그것을 아직 깨닫지 못하고 있었다. 히머는 육군 기밀문서고
에 이 회견 기록을 남겼다.

나이 일흔의 국왕은 접견하는 동안 겉으로는 완벽한 모습을 유지하고 완전
무결한 위엄을 지켰지만 속으로는 무너진 듯했다. 온몸을 떨고 있었다. 국
왕은 자신과 정부가 국내의 평화와 질서를 지키고 독일군과 자국 사이에
어떠한 마찰이 일어나더라도 그것을 제거하기 위해 만전을 기하겠다고 확언
했다. 국왕은 자기 나라가 더 이상 불운과 비탄을 겪지 않기를 바랐다.

히머 장군은 이런 임무로 국왕을 뵙게 되어 개인적으로 매우 유감이지만 자
신은 군인으로서의 의무를 다하는 것뿐이라고 대답했다. … 우리는 우방으
로서 왔다고 했다. 그런 다음 국왕이 경호원을 유지해도 되느냐고 물었을
때, 히머 장군은 … 총통이 틀림없이 경호원을 두도록 허용할 것이라고 답
변했다. 그 점에는 의문의 여지가 없었다.

이 말을 듣고 국왕은 눈에 띄게 안도했다. 접견하는 동안 … 국왕은 차츰
편안해졌고, 끝에 가서 히머 장군에게 이렇게 말했다. "장군, 내가 옛 군인
으로서 귀하에게 한마디해도 되겠소? 군인 대 군인으로 말이오. 그대들 독
일인은 또다시 믿을 수 없는 일을 해냈소! 위대한 업적임을 인정하지 않을
수 없소!"

전쟁의 기류가 바뀔 때까지 거의 4년 동안 덴마크 국왕과 국민, 온화

하고 교양 있고 태평한 사람들은 독일을 좀체 괴롭히지 않았다. 덴마크는 '모범 보호령'으로 알려졌다. 덴마크 군주, 정부, 왕실, 심지어 의회나 언론까지, 처음에는 정복자들로부터 놀라울 정도의 자유를 허가받았다. 덴마크에 거주하는 유대인 7000명마저 박해를 당하지 않았다—한동안은. 그러나 덴마크 국민은, 대다수 피정복 국민들보다 늦게 알아차리긴 했지만, 전황이 악화될수록 점점 더 잔혹해지는 튜턴족 폭군들에게 "충직한 협력"을 바치는 것이 더 이상 불가능함을 결국 깨달았다—자존심과 명예를 조금이라도 지키고자 한다면 그럴 수 없었다. 그들 역시 독일이 끝내 승리하지 못할 수도 있다는 것, 작은 나라 덴마크가 입에 담기도 싫어한 히틀러의 신질서 안에서 속국으로 지내는 것—처음에 너무나 많이 이들이 우려했던 결과—이 돌이킬 수 없는 운명은 아니라는 것을 깨닫기 시작했다. 그러자 저항이 시작되었다.

노르웨이, 저항하다

노르웨이는 처음부터 저항했다. 하지만 어디서나 저항한 것은 분명 아니었다. 스웨덴에서부터 이어지는 철광석 운반 철도의 종점이자 항구인 나르비크에서, 앞에서 언급했듯이 크비슬링의 광적인 추종자인 지역 수비대 지휘관 콘라드 순들로 대령은 총 한 발 쏘지 않고 독일군에 항복했다. 그러나 해군 사령관은 순들로와는 아주 다른 사람이었다. 독일 구축함 10척이 기나긴 피오르의 입구로 접근하자 항구에 있던 2척의 구식 장갑함 중 하나인 에이츠볼Eidsvold 호가 경고사격을 하고 신호에 의한 수하를 했다. 그러자 독일 구축함대의 지휘관 프리츠 본테Fritz Bonte 소장은 장교 한 명이 탄 보트를 노르웨이 군함 측에 보내 항복을 요구했다.

그런 다음 약간의 기만술을 썼는데, 훗날 독일 해군 장교들은 전쟁에서 필요하면 못할 일이 없다는 주장으로 이 기만술을 변호했다. 보트의 장교가 독일 제독에게 노르웨이 측이 저항할 것이라는 신호를 보내자, 본테는 이 장교가 몸을 피할 때까지만 기다렸다가 어뢰 공격으로 에이츠볼 호를 순식간에 날려버렸다. 그러자 노르웨이의 두 번째 장갑함 노르게 Norge 호가 포격을 시작했으나 금세 격침되고 말았다. 노르웨이 수병 300명—두 군함의 승조원 거의 전원—이 목숨을 잃었다. 오전 8시경 나르비크는 독일군의 수중에 있었다. 강력한 영국 함대를 피해서 들어온 구축함 10척이 기습을 했고, 에두아르트 디틀Eduard Dietl 준장이 지휘하던 겨우 2개 대대의 나치 병력이 도시를 점령했다. 바이에른의 맥주홀 폭동 시절부터 히틀러의 동지였던 디틀은 이튿날부터 나르비크의 상황이 험악해지자 자신이 지략과 용기를 겸비한 지휘관임을 입증해 보였다.

길게 이어지는 노르웨이 서해안의 중간쯤에서 파고 들어간 지점에 있는 트론헤임도 거의 나르비크만큼이나 쉽게 독일군에 의해 장악되었다. 중순양함 히퍼Hipper 호를 필두로 하는 독일 군함들이 긴 피오르를 따라 접근할 때 트론헤임 항구의 포대는 발포를 하지 않았고, 독일 병사들은 도시의 부두까지 방해받지 않고 들어간 중순양함과 구축함 4척에서 편안하게 하선했다. 몇몇 요새는 몇 시간 동안, 인근 바에르네스의 비행장은 이틀 동안 버텼지만, 독일의 잠수함과 대형함이 입항하기에 적합한 양항을 점령하는 데 그 정도의 저항은 아무런 문제도 아니었다. 이곳은 노르웨이 중북부에서 스웨덴까지 이어지는 철도의 종착점이기도 했다. 독일은 예상대로 영국이 해상 운송을 차단할 경우 이 철도를 통해 물자를 공급받을 수 있을 것으로 기대했다.

노르웨이 제2의 항구이자 제2의 도시인 베르겐은 트론헤임에서 해안을 따라 남쪽으로 약 480킬로미터 떨어져 있고 수도 오슬로와 철도로 연결되어 있는데, 이곳에서는 얼마간의 저항이 있었다. 항구를 수비하는 포대들이 순양함 쾨니히스베르크 호와 그 보조함에 심각한 손상을 입혔지만, 다른 군함들의 병력이 안전하게 하선하여 정오 전에 도시를 점령했다. 이곳 베르겐에서 아연실색한 노르웨이를 영국이 처음으로 직접 지원했다. 오후에 영국 해군의 급강하폭격기 15대가 쾨니히스베르크 호를 격침했는데, 이런 규모의 함정이 공습의 결과로 침몰한 것은 이번이 처음이었다. 영국은 베르겐 항구 바깥에 순양함 4척과 구축함 7척으로 이루어진 강력한 함대를 배치했다. 더 작은 규모의 독일 해군 부대를 압도할 수 있는 병력이었다. 하지만 영국 함대는 항구로 진입하기 직전에 해군부로부터 기뢰와 공중 폭격의 위험이 있다는 이유로 공격 중지 명령을 받았다. 이 결정에 동의했던 처칠은 나중에 후회했다. 이는 향후 결정적인 며칠 동안 영국이 신중함과 어중간한 조치 탓에 값비싼 대가를 치르게 되는 사태의 첫 징후였다.

남서부 해안의 스타방에르 항구에서 가까운 솔라 비행장은 노르웨이의 기관총좌가 침묵을 지킨 뒤―실질적인 대공 방어책이 없었다―독일 낙하산부대에 의해 장악되었다. 노르웨이 최대의 비행장인 이곳은 독일 공군에 전략적으로 극히 중요했는데, 노르웨이 해안의 영국 함대뿐 아니라 영국 북부의 주요 해군 기지들까지 이곳에서 출격하는 폭격기의 사정권에 들었기 때문이다. 이로써 독일군은 노르웨이에서 즉각 제공권을 장악하여, 상당한 규모의 병력을 상륙시키려는 영국의 어떠한 시도든 물리칠 수 있게 되었다.

남해안의 크리스티안산은 독일군에 저항하며 상당히 버텼고, 해안의 포대들은 경순양함 카를스루에Karlsruhe 호가 이끄는 독일 함대를 두 차례 격퇴했다. 그러나 독일 공군의 폭격에 요새들이 금세 제압되어 오후 중반에 항구가 점령되었다. 그렇지만 카를스루에 호는 그날 저녁 항구를 떠나다가 영국 잠수함의 어뢰 공격에 큰 손상을 입고 침몰했다.

이렇게 해서 스카게라크 해협에서 북쪽으로 2400킬로미터에 걸친 노르웨이 남해안과 서해안의 주요 항구도시 다섯 곳과 비행장 한 곳이 정오나 그 직후에 독일의 수중에 들어갔다. 영국 해군에 비하면 확연히 열세였던 독일 해군이 호송한 얼마 안 되는 병력에 의해 장악되었다. 대담성, 기만술, 기습으로 히틀러는 아주 적은 비용을 들여 완승을 거두었던 것이다.

그러나 주요 목표인 오슬로에서 히틀러의 군대와 외교는 뜻밖의 복병을 만났다.

4월 8일에서 9일로 넘어가는 쌀쌀한 밤 내내 독일 공사관에서 나온 쾌활한 환영단은 오슬로 항구의 부둣가에 서서 독일 함대와 군 수송선이 도착하기를 기다렸다. 해군 무관 슈라이버 대위가 환영단을 이끌었고, 분주한 공사 브로이어 박사가 이따금 부둣가에 들렀다. 또 하급 해군 무관이 모터보트를 타고 만灣 안을 이리저리 오가며 포켓전함 뤼초브 호(도이칠란트 호에서 바꾼 이름이었는데, 히틀러가 어떤 경우에도 원래 이름의 함정을 잃고 싶지 않았기 때문이다)와 기함인 신형 중순양함 블뤼허Blücher 호가 이끄는 함대의 입항 수로를 안내하기 위해 대기하고 있었다.

그러나 이 기다림은 허사였다. 대형 군함들은 도착하지 않았다. 독일 소함대는 80킬로미터 길이인 오슬로 피오르의 입구에서 노르웨이 기뢰부설함 올라브 트뤼그베르손 호Olav Trygverson의 수하에 걸려 어뢰정 한 척이 격침되고 경순양함 엠덴Emden 호가 손상을 입었다. 그렇지만 함대는 해안 포대를 진압할 소규모 병력을 상륙시킨 뒤 피오르를 따라 계속 올라갔다. 오슬로에서 남쪽으로 약 24킬로미터 떨어진 지점에서는 수로의 폭이 24킬로미터로 좁아지는데 이 수역에서 함대는 다시 애를 먹었다. 그곳에는 오래된 오스카르스보르그 요새가 있었고, 그 수비대는 독일 측의 예상보다 더 기민하게 대응했다. 동트기 직전 이 요새의 280밀리미터 구경 크루프 포가 뤼초브 호와 블뤼허 호를 향해 포문을 열었고, 해안에서도 어뢰를 발사하기 시작했다. 1만 톤급 블뤼허 호는 화염에 휩싸이며 탄약고가 폭발하여 침몰했고, 그 바람에 노르웨이 국왕과 정부 각료들을 체포하고 수도의 행정을 관장하려던 게슈타포 요원과 행정 관료 몇 명(그리고 이들의 모든 서류)을 포함해 1600명이 수장되었다. 뤼초브 호도 손상을 입었으나 아예 항행이 불가능할 정도는 아니었다. 블뤼허 호에 타고 있던 소함대의 지휘관 오스카어 쿠메츠Oskar Kummetz 소장과 제163보병사단의 지휘관 에르빈 엥겔브레히트Erwin Engelbrecht 장군은 해안까지 간신히 헤엄친 뒤 노르웨이 측에 포로로 잡혔다. 그러자 전력을 크게 상실한 독일 함대는 일단 퇴각했다. 함대는 독일의 주요 목표인 노르웨이 수도를 장악하는 임무에 실패했다. 이튿날까지 함대는 수도로 향하지 않았다.

실제로 오슬로는 무방비 상태인 이곳 공항에 마치 유령처럼 공중에서 내려온 독일 병력에 의해 함락되었다. 다른 항구도시들로부터 재앙 같은 소식이 전해지고 오슬로에서 남쪽으로 24킬로미터쯤 되는 지점에서 포성이 쿵쿵 들려오자 노르웨이 왕실과 정부 각료, 국회의원들은 북쪽으로 130킬로미터 떨어진 지점의 하마르로 가는 오전 9시 30분발 특별열차에 허둥지둥 몸을 실었다. 노르웨이 중앙은행의 금괴를 잔뜩 실은 트럭 20대와 외무부 기밀문서를 가득 실은 트럭 3대도 같은 시각에 수도를 빠져나갔다. 이렇듯 오스카르보르그의 수비대가 용맹하게 싸운 덕에 노르웨이 국왕과 정부, 금괴를 손에 넣으려던 히틀러의 계획이 어그러졌다.

그러나 오슬로는 완전한 혼란 상태로 남겨졌다. 수도에 노르웨이 병력이 약간 남아 있긴 했으나 방어 태세를 갖추고 있지는 않았다. 무엇보다 근처 포르네부 공항을 폐쇄하는 조치를 취하지 않았는데, 활주로나 계류장 근처에 주차된 낡은 차량 몇 대만으로도 폐쇄할 수 있었을 것이다. 전날 심야에 오슬로 주재 독일 공군 무관 슈필러Spiller 대위는 이 공항에 직접 나가 공수부대를 환영했는데, 원래는 독일 해군이 수도에 도착한 이후에 투입할 부대였다. 함대가 도착하지 못하자 오슬로의 독일 공사관은 베를린에 황급히 무선 메시지를 보내 뜻밖의 불운한 상황을 알렸다. 당장 응답이 왔다. 곧 육군 낙하산부대와 공수부대가 포르네부로 향했다. 정오까지 5개 중대가 집결했다. 그들은 기껏해야 경무장 상태였으므로 노르웨이 측이 수도의 병력을 동원했다면 쉽게 섬멸할 수 있었을 것이다. 하지만 끝내 밝혀지지 않은 이유로―그만큼 오슬로의 혼란이 심했다―노르웨이 병력은 소집되지 않았고, 당연히 전투 배치도 되지 않았다. 그 덕에 변변찮은 독일 보병부대가 임시변통으로 꾸리긴 했어도 나팔을 울리는 군악대를 앞세우고서 수도로 **행군해** 들어갔다. 이렇게 해서 노르웨이 최후의 도시들이 함락되었다. 그러나 노르웨이가 함락된 것은 아니었다. 아직은.

4월 9일 오후, 노르웨이 국회Storting가 하마르에서 소집되었다. 전체 의원 200명 중에서 5명만 참석하지 못했지만, 독일 병력이 다가온다는 소식에 오후 7시 30분에 휴회하고 스웨덴 방면으로 수 킬로미터 떨어진 엘베룸으로 이동했다. 리벤트로프의 성화에 브로이어 공사는 국왕을 당장 알현하게 해달라고 요구했고, 노르웨이 총리는 독일 병력이 남쪽으로 안전한 거리까지 철수한다는 조건으로 알현을 승낙했다. 이 조건을 독일 공사는 받아들이지 않았다.

사실 이 순간에 나치는 또다른 계략을 꾸미고 있었다. 공군 무관 슈펠러 대위는 반항적인 국왕과 정부 각료들을 체포하기 위해 독일 낙하산병 2개 중대와 함께 포르네부 공항에서 하마르를 향해 출발했다. 그들은 이 임무가 놀이나 마찬가지라고 생각했다. 노르웨이군이 오슬로에 진입하는 독일군에 총 한 발 쏘지 않았으므로 슈펠러는 하마르에서도 저항이 없을 것으로 예상했다. 사실 징발한 버스로 이동하던 2개 중대는 마치 관광에 나선 기분이었다. 그러나 그들은 노르웨이의 한 장교가 다른 수많은 장교들과는 판이하게 행동하리라는 것을 감안하지 않았다. 북쪽으로 국왕을 수행했던 보병 감찰관 루게Ruge 대령은 도피 중인 정부를 보호할 대책을 마련하자고 역설했고, 서둘러 끌어모은 보병 2개 대대로 하마르 근처 길목에 바리케이드를 설치했다. 그들은 독일 부대를 태운 버스들을 저지하고 접전을 벌여 슈펠러에게 치명상을 입혔다. 사상자가 더 늘어난 뒤에야 독일군은 오슬로까지 퇴각했다.

이튿날 브로이어 공사는 오슬로에서 홀로 출발해 전날과 같은 길을 따라 국왕을 만나러 갔다. 구식 직업외교관인 독일 공사는 자기 역할을 즐기지 않았지만, 리벤트로프가 노르웨이 국왕과 정부를 설득해 항복을 받아내라고 끊임없이 독촉했다. 안 그래도 어려운 브로이어의 과제는 전날 오슬로에서 일어난 정치적 사건 때문에 더욱 어려워진 터였다. 전날 저녁, 독일이 수도를 확실히 접수하자 마침내 기운을 끌어올린 크비슬링은 라디오 방송국에 들이닥쳐 자신이 새로운 정부의 수반이라는 성명을 발표하고 노르웨이인 누구든 독일에 대한 저항을 즉시 멈추라고 명령했다. 브로이어는 아직 파악할 수 없었지만—베를린 역시 알지 못했고 심지어 나중에도 이해하지 못했지만—이 반역 행위로 인해 노르웨이의 항복을 유도하려던 독일의 노력은 실패할 운명이었다. 그리고 역설적으로, 비록 노르웨이 국민에게는 조국이 치욕을 당한 순간이긴 했지만, 크비슬링의 반역 행위는 망연자실해 있던 노르웨이 국민을 결집해 저항하도록 했다. 그들은 굳세게 영웅처럼 저항할 터였다.

브로이어 박사는 호쿤 7세를 만났다. 호쿤 7세는 20세기에 국민투표로 선출된 유일한 국왕이자, 500년 만에 처음으로 추대된 독립 노르웨이의 군주였다.* 만남은 4월 10일 오후 3시, 작은 도시 엘베룸의 한 교원 사택에서 이루어졌다. 나는 훗날 이 군주와 만나 대화한 적도 있는데, 노르웨이 측 기록과 브로이어 박사의 기밀 보고서(압수된 외무부 문서 중에 있다)를 모두 정독한 바를 토대로 이날 무슨 일이 있었는지 서술할 수 있다. 국왕은 상당히 주저한 끝에 외무장관 할브단 코트Halvdan Koht 박사가 동석한 가운데 독일 사절을 접견하기로 동의했다. 브로이어가 국왕과 우선 단독으로 회견하겠다고 고집을 부리자 호쿤 7세는 코트의 동의를 얻어 결국 승낙했다.

독일 공사는 지시받은 대로 국왕에게 아첨과 위협을 번갈아가며 안겼다. 독일로서는 노르웨이 왕조의 존속을 원했다. 호쿤에게 바라는 것은 전날 코펜하겐에서 그의 형이 했던 것과 같은 일뿐이었다. 독일 국방군에 저항하는 것은 어리석은 짓이었다. 노르웨이인이 무의미하게 살육당할 뿐이었다. 국왕은 크비슬링 정부를 승인하고 오슬로로 돌아갈 것을 요구받았다. 노련하고 민주적이며 이 절망적인 순간에도 입헌적 절차를

---

* 노르웨이는 400년간 덴마크의 일부, 또 100년간 스웨덴의 일부였다가 1905년에야 스웨덴과의 연합에서 벗어나 완전한 독립을 되찾았고, 국민은 덴마크의 칼 왕자를 노르웨이 국왕으로 선출했다. 칼은 호쿤 7세로서 즉위했다. 호쿤 6세는 1380년에 서거했다. 호쿤 7세는 1940년 4월 9일 아침 독일에 지체 없이 항복한 덴마크 국왕 크리스티안 10세의 동생이었다.

엄격히 고수한 호쿤은 독일 공사에게 노르웨이 국왕은 정치적 결정을 내리지 않는다는 점, 그 일은 온전히 정부의 소관이라는 점을 설명하려 했다. 그러면서 이제 정부와 상의하겠다고 말했다. 그런 다음 코트 외무장관이 대화에 끼어들었고, 브로이어가 오슬로로 돌아가는 도중에 정부의 답변을 전화로 알려주기로 합의했다.

정치직 결정을 내릴 수는 없지만 분명 그 결정에 영향을 줄 수는 있었던 호쿤은 독일 측에 전할 답변이 하나밖에 없다고 생각했다. 국왕은 엘베룸 인근의 마을 뉘베리순드의 수수한 여관으로 피신한 뒤―브로이어가 떠난 후 혹시나 독일군이 다시 들이닥쳐 체포할 것을 우려했다―정부 각료들을 모아 '국가회의'를 열었다.

[국왕이 각료들에게 말함] 나로서는 독일의 요구를 받아들일 수 없다. 그것은 35년쯤 전에 이 나라로 온 이래 생각해온 노르웨이 국왕으로서의 의무와 완전히 상반된다. … 정부의 결정이 이 발언에 영향을 받거나 근거하기를 나는 원하지 않는다. 그러나 … 나는 크비슬링을 총리로 임명할 수 없다. 내가 알기로 우리 국민들도 … 의회의 대표들도 그를 조금도 신뢰하지 않는다.

그러므로 정부가 독일의 요구를 수락하기로 결정한다면―수많은 노르웨이 청년들이 목숨을 바쳐야 하는 전쟁의 위험이 임박했음을 고려할 때, 그렇게 결정하는 이유를 십분 이해할 수 있지만―나로서는 **퇴위**할 수밖에 없을 것이다.[41]

비록 이 순간까지 각료 몇 사람은 흔들렸을 테지만, 노르웨이 정부는 국왕의 용기에 뒤질 수 없었고, 금세 국왕의 결정을 지지했다. 브로이어가 오슬로로 돌아가는 길의 중간쯤인 에이스볼드에 이르렀을 무렵, 코트가 공사에게 전화를 걸어 노르웨이의 답변을 알렸다. 코트는 곧장 오슬로 공사관에 전화했고, 공사관은 부리나케 베를린에 보고했다.

국왕은 크비슬링을 수반으로 하는 정부를 임명하지 않기로 했고, 이 결정은 정부의 만장일치 조언에 따라 내려졌다. 본관의 구체적인 질문에 코트 외무장관은 "최대한 오랫동안 저항할 것이다"라고 답변했다.[42]

그날 저녁, 바깥 세상에 연락할 수 있는 유일한 수단인 근방의 작고 허름한 시골 라디오 방송국에서 노르웨이 정부는 막강한 제3제국에 도전장을 내밀었다. 다시 말해 독일의 요구를 받아들이지 않기로 결정했음을 공표하고 국민들—고작 300만이었다—에게 침략자에 맞서 저항할 것을 호소했다. 국왕도 이 호소를 공식적으로 지지했다.

그러나 나치 정복자들은 노르웨이 측이 정말로 그렇게 말했다는 것을 도저히 믿을 수가 없었다. 그래서 국왕을 설득하고자 두 차례 더 시도했다. 4월 11일 오전, 크비슬링의 특사 이르겐스Irgens 대령이 국왕을 찾아가 수도로 돌아올 것을 촉구했다. 그러면서 크비슬링이 국왕을 충직하게 섬길 것이라고 약속했다. 이 약속을 국왕은 경멸의 침묵으로 일축해버렸다.

그날 오후 브로이어가 긴급 메시지를 보내 "특정한 제안"을 의논하기 위해 국왕을 다시 알현하게 해달라고 요청했다. 심하게 압박당한 독일 공사는 리벤트로프의 지시대로 국왕에게 "노르웨이 국민에게 합리적인 협정을 맺을 마지막 기회를 주고 싶다"고 말했다.* 이번에 코트 외무장관은 국왕과 상의한 뒤 독일 공사에게 "특정한 제안"이 있다면 자신에게 전달해도 된다고 답변했다.

작은 데다 이제 속수무책인 나라에 퇴짜를 맞은 나치는 즉각적이고 도 특징적인 반응을 보였다. 독일은 우선 국왕과 정부 각료들을 체포하는 데 실패했고, 이어서 항복하라고 설득하는 데에도 실패했다. 그렇게 된 이상, 그들을 살해하려 했다. 4월 11일 늦은 시각, 뉘베리순드 마을을 융숭히 대접하기 위해 독일 공군이 출격했다. 나치 항공기들은 마을에 폭탄과 소이탄을 퍼부은 뒤 불타는 가옥에서 달아나려는 이들에게 기총소사를 가했다. 독일 측은 처음에 국왕과 각료들을 몰살하는 데 성공했다고 믿었던 듯하다. 훗날 노르웨이 북부에서 압수된 어느 독일 비행사의 4월 11일 일기는 다음과 같았다. "뉘베리순드 — 오슬로 정부. 완전 소탕."

이 마을은 소탕되었으나 국왕과 정부는 무사했다. 나치 폭격기들이 다가오자 그들은 근처 숲으로 달아났다. 그들은 무릎까지 빠지는 눈밭에 서서 독일 공군이 마을의 수수한 오두막들을 폐허로 만드는 광경을 지켜보았다. 이제 그들은 가까운 중립국 스웨덴의 국경까지 가서 망명하든지 아니면 아직 봄눈이 한창 내리는 자국 북부의 산악지대로 북상하든지 해야 했다. 그들은 하마르와 릴레함메르를 지나 바위투성이 구드브란스 계곡을 오르고 산악지대를 통과해, 트론헤임에서 남서쪽으로 160킬로미터 떨어진 북서 해안의 온달스네스까지 가기로 결정했다. 그곳까지 가는 도

---

* 리벤트로프의 비밀 지시사항에는 또다른 기만술을 암시하는 불길한 표현이 들어 있었다. 브로이어는 만남 장소를 "오슬로와 국왕의 현재 거처 사이의 어느 지점"으로 잡으라는 지시를 받았다. "명백한 이유로 브로이어는 이 시도를 팔켄호르스트 장군과 충분히 의논해야 하고, 또 합의된 약속 장소를 장군에게 알려야 한다." 리벤트로프의 지시사항을 전화로 알려준 가우스는 "브로이어 씨가 지시사항의 의미를 분명히 이해했다"라고 보고했다. 만약 국왕이 이 약속 장소에 갔다면 팔켄호르스트의 병력에 체포되었을 것이라고 생각할 수밖에 없다.[43]

중에 아직 망연자실한 채 흩어져 있는 노르웨이 병력을 저항군으로 편성할 수 있을 터였다. 그리고 영국군이 마침내 원군으로 도착할 것이라는 희망도 없지는 않았다.

노르웨이 쟁탈전

저 멀리 북쪽 나르비크에서 영국 해군은 이미 독일의 기습 점령에 격렬하게 반응한 터였다. 해군장관 처칠이 인정했듯이, 영국은 독일에 "완전히 선수를 빼앗겼다". 이제 영국은 적어도 본토에서 발진하는 독일 폭격기의 사정권 밖에 있는 이 북부에서는 공세로 전환했다. 독일 구축함들이 나르비크를 장악하고 디틀의 부대를 상륙시킨 지 24시간이 지난 4월 10일 오전, 영국 구축함 5척이 나르비크 항구로 진입하여 당시 항구에 있던 독일 구축함 5척 중 2척을 격침하고, 다른 3척을 손상시키고, 독일 화물선은 단 한 척을 제외하고 전부 침몰시켰다. 이 공격으로 독일 해군 지휘관 본테 소장이 전사했다. 그렇지만 영국 군함들은 항구를 빠져나가던 도중 인근 피오르에서 나타난 독일의 잔존 구축함 5척과 조우했다. 화력에서 우세한 독일 군함들은 영국 구축함 1척을 격침하고, 다른 1척을 공격해 영국 지휘관 워버튼-리Warburton-Lee 대령에게 치명상을 입히며 해변까지 밀어붙이고, 또다른 1척을 손상시켰다. 영국 구축함 5척 중 3척은 가까스로 공해로 탈출해 퇴각하던 도중, 탄약을 가득 싣고 나르비크 항으로 가던 독일 대형 화물선을 격침했다.

4월 13일 정오에 영국군은 이번에는 1차대전의 유틀란트 해전에서 살아남은 전함 워스파이트Warspite 호가 이끄는 구축함대로 다시 나르비크를 공격해 독일의 잔존 군함들을 쓸어버렸다. 함대 사령관 W. J. 위트

워스Whitworth 준장은 해군부에 전황을 타전하면서 이제 해안의 독일 병력이 당황하고 흐트러졌으니 — 디틀과 부하들은 실제로 도망쳤다 — "지상군 주력으로" 나르비크를 즉시 점령할 것을 촉구했다. 그러나 연합군 측에는 불운하게도 영국 육군 사령관 P. J. 맥케시Mackesy 소장은 지나치게 신중한 장교여서 그 다음날 선발대인 보병 3개 대대와 함께 도착해서는 니르비크에 상륙하는 위험을 무릅쓰지 않고 북쪽으로 56킬로미터 떨어진, 노르웨이군의 수중에 있는 하르스타드에 휘하 병력을 하선시키기로 결정했다. 이는 값비싼 오판이었다.

노르웨이에 파견할 소규모 원정군을 준비했다는 사실을 고려할 때, 영국 측은 이해하기 힘들 정도로 병력을 천천히 운용했다. 4월 8일 오후에 독일 함대가 노르웨이 해안을 따라 북상한다는 소식을 들은 뒤, 영국 해군은 스타방에르, 베르겐, 트론헤임, 나르비크를 점령할 수 있도록 이미 승선해 있던 병력을 서둘러 **하선**시켰는데, 해군의 작전에 모든 함정이 필요할지도 모른다는 것이 그 이유였다. 영국 지상군이 다시 승선했을 즈음에는 이 모든 항구도시들이 독일의 수중에 있었다. 그리고 노르웨이 중부에 도착했을 무렵 영국 지상군은, 이들을 엄호하려던 영국 해군과 마찬가지로, 독일 공군의 제공권 장악으로 인해 실패할 운명이었다.

4월 20일, 프랑스 산악부대 3개 대대로 증강된 영국군 1개 여단이 트론헤임에서 북동쪽으로 130킬로미터 떨어진 작은 항구 남소스에 상륙했고, 또다른 영국군 1개 여단이 트론헤임에서 남서쪽으로 160킬로미터 떨어진 온달스네스에 상륙했다. 이들은 트론헤임을 북쪽과 남쪽에서 협공할 계획이었다. 그러나 야포와 대공포, 공중 지원이 부족하고, 독일 폭격기가 이들 여단의 기지를 밤낮으로 난타하여 추가 보급과 증원 병력

상륙을 차단하자 어느 여단도 트론헤임을 심각하게 위협하지 못했다. 온달스네스의 여단은 동쪽으로 95킬로미터 떨어진 철도 분기점인 돔바스에서 노르웨이 부대와 합류한 뒤 트론헤임으로 북진한다는 애초 계획을 포기하고 남서쪽의 구드브란스 계곡에 있는 노르웨이 병력을 지원하러 갔다. 정력적인 루게 대령이 지휘하는 이 병력은 오슬로에서 이 계곡을 올라오는 독일군 주력을 저지하고 있었다.

4월 21일, 하마르 북쪽의 릴레함메르에서 영국군이 독일군과 첫 교전을 벌였으나 상대가 되지 않았다. 영국 여단의 포를 싣고 오던 선박이 침몰하는 바람에 영국군은 소총과 기관총만으로 포와 경전차로 무장한 강력한 독일군에 맞서야 했다. 설상가상으로 공중 지원이 없는 영국 보병은 인근 노르웨이 국내 비행장들에서 발진하는 독일 공군 항공기들의 끊임없는 폭격을 피할 수 없었다. 릴레함메르는 24시간의 전투 끝에 함락되었으며, 영국군과 노르웨이군은 계곡의 철도를 따라 온달스네스까지 225킬로미터를 후퇴하기 시작했다. 도중에 여기저기서 퇴각 엄호 전투를 벌였으나 독일군을 끝내 저지하지는 못했다. 4월 30일과 5월 1일 이틀 밤에 이 영국 부대가 온달스네스에서 철수했고, 5월 2일 영국-프랑스 파견대가 남소스에서 철수했다. 두 항구 모두 독일군의 줄기찬 폭격으로 불길에 휩싸인 아수라장이었음을 감안하면, 이 철수 자체는 그래도 상당한 위업이었다. 4월 29일 밤, 노르웨이 국왕과 정부 각료들은 온달스네스에서 롬스달 피오르를 사이에 두고 맞은편에 있는 몰데―이곳 역시 독일 공군의 폭격으로 아수라장이 되어 있었다―에서 영국 순양함 글래스고Glasgow 호에 승선했고, 북극권 한계선에서 한참 올라가는, 나르비크보다도 북쪽에 있는 트롬쇠에 도착해 5월 1일 이곳을 임시 수도로 정했다.

이 무렵이면 노르웨이의 모든 도시와 대도시가 위치하는 남반부를 되찾을 방도는 없어 보였다. 그러나 북반부는 안전해 보였다. 5월 28일, 노르웨이군 2개 여단, 폴란드군 1개 여단, 프랑스 외인부대 2개 대대를 포함하는 2만 5000명의 연합군은 수적으로 크게 우세한 독일군을 나르비크에서 몰아냈다. 히틀러가 철광석 확보와 노르웨이 전역 점령, 노르웨이 정부 항복이라는 목표를 달성하지 못하리라는 것을 의심할 이유는 없는 듯했다. 그러나 이 무렵 독일 국방군이 깜짝 놀랄 만한 힘으로 서부전선을 강타하는 바람에 연합군의 모든 군인이 서부전선의 빈틈을 메우러 가야 했다. 나르비크는 방치되었고, 연합군은 서둘러 재승선했다. 스웨덴 국경 인근의 험준한 산악지대에서 버티던 디틀 장군은 6월 8일 나르비크를 재점령하고 나흘 후에는 강인하고 용감한 루게 대령과 얼떨떨한 상황에서 분개하는 휘하 부대의 항복을 받아냈다. 그들은 영국 측이 자신들을 저버렸다고 생각했다. 호쿤 국왕과 정부는 6월 7일 트롬쇠에서 순양함 데번셔Devonshire 호에 승선해 런던으로 떠나며 5년간의 쓰라린 망명생활에 들어갔다.* 디틀은 베를린으로 돌아와 소장으로 진급하고,

* 노르웨이를 통치하려던 크비슬링의 첫 시도는 오래가지 못했다. 크비슬링이 총리를 자처하고 엿새가 지난 4월 15일, 독일 정부는 그를 쫓아내고 노르웨이의 주요 인사 여섯 명으로 이루어진 행정위원회(Administrasjonsrådet)를 임명했다. 여기에는 노르웨이 루터교회의 수장 에이빈드 베르그라브(Eivind Berggrav) 주교와 대법원장 팔 베르그(Paal Berg)가 포함되었다. 이 위원회는 저명하고 강경한 법학자로서 훗날 노르웨이 저항운동의 비밀 수장이 되는 베르그가 주도하다시피 했다. 4월 24일, 히틀러는 젊고 거친 나치 대관구장 요제프 테르보펜(Josef Terboven)을 노르웨이 제국판무관에 임명했다. 나치의 점령 기간에 실제로 갈수록 잔인하게 노르웨이를 통치한 사람은 테르보펜이었다. 처음부터 크비슬링에 반대했던 브로이어는 4월 17일 본국으로 소환되어 외교관직에서 쫓겨난 뒤 서부전선에 일개 병사로 보내졌다. 독일은 1942년에 크비슬링을 다시 총리 자리에 앉혔지만, 노르웨이 사람들 사이에서 워낙 인기가 없었던 터라 독일 상관들을 최선을 다해 섬겼음에도 영향력이 전혀 없었다.
전쟁 막판에 크비슬링은 반역 혐의로 재판을 받았고, 철저한 심리 끝에 사형 선고를 받고 1945년

기사철십자 훈장을 받고, 히틀러로부터 '나르비크의 승리자'라는 칭송을 들었다.

놀라운 성공에도 불구하고 총통은 노르웨이 작전 기간에 심기가 불편했다. 요들 장군의 일기는 통수권자의 거듭되는 신경과민에 관한 간결한 기록으로 가득하다. 4월 14일, 나르비크의 독일 해군 전력이 몰살당했다는 소식이 전해진 후에는 "끔찍한 흥분"이라고 적었다. 4월 17일, 히틀러는 나르비크 상실에 히스테리를 부리며 디틀 장군의 병력을 항공기로 철수시킬 것을 요구했다―불가능한 일이었다. "나쁜 소식이 들려올 때마다 최악의 사태를 우려한다"라고 요들은 그날 일기에 갈겨썼다. 이틀 후에는 이렇게 썼다. "새로운 위기. 정치 행동이 실패했다. 브로이어 공사가 소환된다. 총통에 따르면 무력을 사용해야 한다."* 그날, 4월 19일에 베를린 총리 관저에서 열린 회의는 아첨꾼 카이텔마저 방에서 빠져나갔을 정도로 삼군 총사령관이 서로의 행동 지연을 비난하면서 분위기가 험악해졌다. "지도부가 또다시 혼돈에 빠질 듯하다"라고 요들은 적었다. 그리고 4월 22일에는 이렇게 덧붙였다. "총통은 영국의 상륙을 갈수

10월 24일에 처형되었다. 테르보펜은 체포되느니 자살하는 편을 택했다. 독일을 찬양하며 공공연히 협력했던 노르웨이의 문호 크누트 함순은 반역 혐의로 기소되었지만, 고령과 노쇠를 이유로 기소가 취하되었다. 그렇지만 "나치 정권으로부터 이익을 얻었다"는 혐의로 재판을 받아 유죄 판결을 받고 벌금 6만 5000달러를 물었다. 함순은 1952년 2월 19일에 93세로 죽었다. 팔켄호르스트 장군은 영국-노르웨이 합동 군사법원에서 전범으로 재판을 받았다. 체포된 연합군 특공대원들을 친위대에 넘겨 처형당하게 했다는 혐의였다. 장군은 1946년 8월 2일 사형 선고를 받았으나 종신형으로 감형되었다.

* 4월 13일, 팔켄호르스트 장군은 노르웨이의 저항에 격분한 히틀러의 독촉을 받아 오슬로의 저명한 시민 20명을 인질로 잡으라는 명령에 서명했다. 베르그라브 주교와 팔 베르그를 포함한 이 인질들은 브로이어 공사의 말대로 "저항이나 사보타주 시도가 지속될 경우 사살될" 터였다.[44]

록 걱정한다."

4월 23일, 오슬로에서 트론헤임과 온달스네스로 향하는 독일군의 이동 속도가 더디다는 소식에 요들이 적었듯이 "흥분이 증가"했지만, 이튿날 더 좋은 소식이 전해졌고, 이날부터 갈수록 전망이 밝아졌다. 26일에 통수권자는 밤새 군사 고문들과 회의하다가 새벽 3시 30분에 5월 1일에서 7일 사이에 '황색'을 개시할 생각이라고 말했을 정도로 기분이 좋았다. '황색'은 네덜란드와 벨기에를 거쳐 서부를 공격하는 작전의 암호명이었다. 4월 29일, 히틀러는 또다시 "트론헤임을 걱정"했지만, 이튿날에는 그전에 오슬로를 출발했던 전투단이 트론헤임에 당도했다는 소식에 "희색이 만면"했다. 마침내 다시 서부로 주의를 돌릴 수 있었다. 5월 1일, 히틀러는 서부 대공세 준비를 5월 5일까지 완료하라고 명령했다.

국방군 사령관들—괴링, 브라우히치, 할더, 카이텔, 요들, 레더 등—은 그들의 악마 같은 지도자가 전투 중 사소한 차질만 생겨도 얼마나 신경을 곤두세우는지를 노르웨이 작전 기간에 처음으로 맛보았다. 그것은 장차 더 놀라운 일련의 군사적 성공을 거둔 뒤 전세가 역전되었을 때 점점 더 심해질 히틀러의 약점이자, 결국에는 제3제국의 붕괴에 크게 이바지할 요인이었다.

그러나 어떤 관점에서 보더라도 덴마크와 노르웨이를 신속히 정복한 것은 히틀러에게는 중요한 승리인 반면에 영국에는 낙담스러운 패배였다. 이 승리로 독일은 겨울철 철광석 수송로를 확보하고 발트 해 입구의 방위를 강화했으며, 그 덕에 대담한 독일 해군은 북대서양으로 출격할 수 있었을 뿐 아니라 영국과의 해전에서 잠수함과 수상함에 필요한 절호의 항만시설을 확보할 수 있었다. 또한 히틀러는 주요 적국에 수백 킬로미터 더 가까운 공군 기지들을 얻었다. 그리고 가장 중요한 점은 제3세국의 군사적 위신이 엄청나게 높아지고 서방 연합국의 군사적 위신이 낮아졌다는 사실일 것이다. 나치 독일은 무적으로 보였다. 오스트리아, 체코슬로바키아, 폴란드에 더해 이제 덴마크와 노르웨이까지 히틀러는 무력행사나 위협으로 손쉽게 굴복시켰고, 노르웨이의 경우 서방 양대 연합국의 지원마저 아무런 소용이 없었다. 어느 저명한 미국 여성이 썼듯이, 미래의 물결은 히틀러와 나치즘의 수중에 있는 듯 보였다.

그 밖의 중립국들 입장에서는 히틀러의 최근 정복이 끔찍한 교훈으로 여겨지기도 했다. 전체주의가 지배하는 세계에서 살아남으려는 작은 민주국가들의 입장에서 중립은 분명 더 이상 보호책이 되지 못했다. 그 교훈을 얼마 전 핀란드가 배웠고, 이번에는 노르웨이와 덴마크가 배웠다. 세 나라는 자기네가 너무 맹목적이었다고, 제때에—실제 침공이 시작되기 전에—세계 우방국들의 도움을 받지 않았다고 자책했다.

[4월 11일, 처칠이 하원에서 말함] 저는 이 사실을 다른 국가들이, 어쩌면 내일, 어쩌면 1주일 후에, 어쩌면 **한 달 후에** 그들을 파괴하고 노예화하려고 똑같이 정교하게 준비한 계획의 희생물이 될 국가들이 숙고할 것이라고 믿습니다.[45]

처칠은 분명 네덜란드와 벨기에의 경우를 염두에 두고 있었지만, 두 나라조차 한 달의 유예 기간이 있었음에도 그런 숙고를 도외시했다.*

---

* 스웨덴은 핀란드와 발트 국가들에 진출한 소련과, 인접국 덴마크와 노르웨이를 손에 넣은 독일 사이에 낀 처지였다. 스웨덴 측은 숙고한 끝에 일단 위태로운 중립을 고수하고 공격받을 경우 끝까지 싸우는 수밖에 없다고 결의했다. 그들은 핀란드로 향하는 연합국 병력의 자국 통과를 거부하여 소련을 달랬고, 이제 엄청난 압력을 받는 가운데 독일을 달랬다. 스웨덴은 핀란드에 상당한 양의

히틀러가 스칸디나비아 두 나라를 전광석화의 속도로 정복한 데에서 배울 만한 군사적 교훈도 있었다. 가장 중요한 것은 폭격기와 전투기를 위한 지상기지가 근거리에 있을 경우 공군력이 해군력보다 우세하다는 교훈이었다. 그에 못지않게 중요한 것은 대담하고 창의적인 쪽이 승리한 다는 오랜 교훈이었다. 독일 해군과 공군은 두 교훈을 모두 보여주었고, 나르비크의 디틀은 연합국에 부족한 독일 육군의 지략을 보여주었다.

스칸디나비아의 모험은 당장은 평가할 수는 없는—미래를 아주 멀리까지 내다보기란 불가능하다는 이유 때문에라도—한 가지 군사적 결과를 가져왔다. 노르웨이에서 인명 손실은 양측 모두 크지 않았다. 독일 측은 사망 1317명, 실종 2375명, 부상 1604명으로 총 사상자 5296명이었고, 노르웨이와 프랑스, 영국 측은 도합 5000명에 조금 못 미쳤다. 영국은 항공모함 1척, 순양함 1척, 구축함 7척을 잃었고, 폴란드와 프랑스는 각각 구축함 1척을 잃었다. 독일 해군의 손실은 상대적으로 더 컸다. 구

비축 무기를 제공하긴 했지만, 공격받는 노르웨이에는 무기도 가솔린도 판매하지 않았다. 4월 내내 독일은 디틀을 구원하기 위해 나르비크로 갈 병력을 통과시켜달라고 스웨덴 측에 요구했지만, 스웨덴은 교전이 끝날 때까지 거부했고 의료 인력과 보급품을 수송하는 것만 허용했다. 6월 19일, 독일의 직접 공격을 우려한 스웨덴은 히틀러의 압력에 굴복해 자국 철도로 나치의 병력과 전쟁물자를 노르웨이까지 수송하는 것을 허용하기로 했다. 다만 노르웨이 내 독일 수비대들이 이 합의로 인해 보강되지 않도록, 왕래하는 양 방향의 군인의 수가 균형을 이루어야 한다는 조건을 달았다.

이 합의는 독일에 엄청난 도움이 되었다. 활기찬 병력과 전쟁물자를 스웨덴을 통과해 지상으로 수송함으로써 히틀러는 바다에서 영국군에 의해 격침당하는 위험을 피할 수 있었다. 합의를 하고 첫 6개월 동안 노르웨이 내 독일 병력 약 14만 명이 교대를 했고, 보급에 힘입어 노르웨이 내 독일군이 대단히 강해졌다. 훗날 독일이 소련을 강습하기 직전에 스웨덴은 나치 최고사령부가 완전무장한 육군 1개 사단 전체를 소련 공격에 투입하기 위해 노르웨이에서 스웨덴을 가로질러 핀란드까지 수송하는 것을 허용했다. 1년 전에 연합국에는 거부했던 것을 나치 독일에는 허용했던 것이다. 독일이 스웨덴에 가한 압력과, 국왕 구스타브 5세와 히틀러의 왕복 서신의 내용을 상세히 알고자 한다면 *Documents on German Foreign Policy*, 제9권 참조. 나는 이 주제를 *The Challenge of Scandinavia*에서 더 철저하게 다루었다.

축함 20척 중 10척, 순양함 8척 중 3척을 잃었고, 순양전함 샤른호르스트 호와 그나이제나우 호, 포켓전함 뤼초브 호는 손상이 심해 몇 달간 기동할 수 없었다. 히틀러는 여름철 작전을 앞두고는 이렇다 할 함대를 보유하지 못했다. 그 후 예상보다 훨씬 일찍 영국을 침공할 순간이 왔을 때, 함대가 없다는 사실은 극복할 수 없는 약점임이 입증되었다.

그렇지만 심각한 손상을 입은 독일 해군이 불러올 법한 결과는 총통의 머릿속에 들어오지 않았다. 이제 기다란 정복 목록에 덴마크와 노르웨이를 추가한 총통은 5월 초부터 열의에 찬 장군들—지난 가을의 의구심은 떨쳐냈던 모양이다—과 함께 가장 위대한 정복이 되리라 자신하는 서부 공세를 위한 막판 준비에 공을 들였다.

제21장

서부전선 승리

1940년 5월 10일 맑은 봄날의 동이 트기 직전, 베를린 주재 벨기에 대사와 네덜란드 공사는 빌헬름슈트라세로 불려가 리벤트로프에게서 영국-프랑스 군대의 임박한 공격으로부터 두 나라의 중립을 보호하기 위해 독일군이 그들의 영토로 진입하고 있다는 통보를 받았다—바로 한 달 전에 덴마크와 노르웨이를 상대로 써먹었던 것과 똑같은 비열한 수법이었다. 독일은 공식 최후통첩을 전하며 저항하지 말라고 두 정부에 요구했다. 만약 저항한다면 모든 수단을 강구해 분쇄할 것이고 유혈 사태의 책임은 "오로지 벨기에 왕실 정부와 네덜란드 왕실 정부로 돌아갈 것"이라고 했다.

얼마 전에 코펜하겐과 오슬로에서 했던 것처럼, 브뤼셀과 헤이그의 독일 사절들은 각국 외무부를 찾아가 비슷한 메시지를 전달했다. 퍽 아이러니하게도 헤이그에서 최후통첩을 전달한 독일 공사 율리우스 폰 체히-부르커스로다Julius von Zech-Burkersroda는 카이저의 재상 베트만-홀베크Bethmann-Hollweg의 사위였는데, 후자로 말하자면 지난 1914년에 호엔촐레른 제국이 막 위반한 벨기에의 중립에 관한 독일의 보장 문서를 "하나의 종잇조각"이라고 대놓고 말한 장본인이었다.

독일 폭격기들이 상공에서 굉음을 내고 인근 비행장에 떨어진 폭탄의 충격에 창문이 덜거덕거리는 브뤼셀의 외무부에서, 독일 대사 뷜로브-슈반테는 외무장관실에 들어가며 주머니에서 서류 한 통을 꺼냈다. 폴-앙리 스파크 장관이 대사를 제지했다.

"실례지만, 대사님. 내가 먼저 말하겠습니다."

[스파크가 분노의 감정을 숨기지 않으며 말함] 독일 육군이 방금 우리나라를 공격했습니다. 이로써 독일이 성실한 중립국인 벨기에를 상대로 범죄적인 침공을 자행한 것은 근래 25년 사이에 두 번째입니다. 이번 사태는 1914년의 침공보다도 혐오스럽다고 할 것입니다. 아무런 최후통첩도, 문서도, 어떠한 종류의 항의문도 벨기에 정부에 제출된 바 없습니다. 벨기에는 독일이 스스로 약속한 합의를 위반했다는 것을 이번 공격을 통해 비로소 알게 되었습니다. … 독일 제국은 역사에 의해 그 책임을 추궁당할 것입니다. 벨기에는 스스로를 방어하기로 결의했습니다.

그런 다음 불운한 독일 외교관이 독일의 공식 최후통첩을 읽기 시작했지만, 스파크가 말을 잘랐다. "문서를 내게 주십시오. 그토록 괴로운 과제를 면해드리고 싶군요."[1]

제3제국은 북해 연안 저지대에 위치한 작은 두 나라의 중립을 거의 무수히 보장한 바 있었다. 벨기에의 독립과 중립은 1839년에 유럽 5개 열강이 '영구히' 보장했으며, 이 협약은 1914년에 독일이 위반할 때까지 75년에 걸쳐 지켜졌다. 바이마르 공화국은 벨기에를 상대로 결코 무기를 들지 않겠다고 약속했고, 히틀러는 집권한 뒤 이 정책을 계속 재확인하고 네덜란드에도 비슷한 확약을 했다. 1937년 1월 30일, 로카르노 조약을 거부한 뒤 나치 총리는 다음과 같이 공개적으로 선언했다.

독일 정부는 벨기에와 네덜란드에 양국 영토의 불가침성과 중립성을 인정하고 보장할 용의가 있음을 다시 한 번 확약한다.

1918년 이후 현명하게도 중립을 포기한 상태였던 벨기에는 제3제국의 재무장과 1936년 봄의 라인란트 재점령에 화들짝 놀라 다시 중립으로 안전을 구하려 했다. 1937년 4월 24일에 영국과 프랑스는 벨기에를 로카르노 조약의 의무에서 풀어주었고, 같은 해 10월 13일에 독일은 다음과 같은 결의를 엄숙하게 확약했다.

어떠한 경우에도 [벨기에의] 불가침성과 보전을 침해하지 않고, 언제나 벨기에의 영토를 존중하고 … 벨기에가 공격받을 경우 지원할 용의가 있다는 결의 …

그날 이후로 히틀러가 저지대 국가들에 공개적으로 엄숙히 확약한 내용과 장군들에게 비공개적으로 훈계한 내용은 익숙한 대비를 이루었다. 1938년 8월 24일, 체코슬로바키아 공격계획인 녹색 작전을 위해 작성한 문서 중 하나와 관련해, 히틀러는 독일이 벨기에와 네덜란드를 점령한다면 "특별한 이점"을 얻을 것이라면서 "이 지역을 점령할 수 있는 조건과 소요 기간에 관해" 육군의 의견을 물었다. 1939년 4월 28일, 히틀러는 루스벨트에게 보낸 회답에서 다른 무엇보다 자신이 네덜란드와 벨기에에 보장했던 "구속력 있는 선언"을 또다시 강조했다. 이로부터 채 한 달도 지나지 않은 5월 23일, 총통은 장군들에게 "네덜란드와 벨기에의 공군 기지를 무력으로 … 전격적으로 점령해야 한다. 중립 선언은 무시해야 한다"라고 말했다.

히틀러는 아직 전쟁을 시작하진 않았으나 계획은 이미 세워둔 터였다. 폴란드 공격으로 전쟁을 개시하기 1주일 전인 8월 22일, 히틀러는 네덜란드와 벨기에의 중립을 침해할 "가능성"에 관해 장군들과 상의했다. "잉글랜드와 프랑스는 이들 나라의 중립을 침해하지 않을 것이다"라고 히틀러는 말했다. 나흘 후인 8월 26일, 히틀러는 브뤼셀과 헤이그의 사절들에게 주재국 정부에 전쟁 발발 시 "독일은 어떠한 상황에도 벨기에와 네덜란드의 불가침성을 해치지 않을 것"이라고 통지할 것을 지시했다. 또한 폴란드 작전이 종결된 후 10월 6일에 이 약속을 공개적으로 되풀이했다. 바로 이튿날인 10월 7일, 브라우히치 장군은 집단군 사령관들에게 히틀러의 주문을 전했다.

정치적 상황에 따라 필요할 경우 네덜란드와 벨기에의 영토를 즉각 침공하기 위한 만반의 준비를 마쳐라.[2]

이틀 후인 10월 9일, 지령 제6호에서 히틀러는 이렇게 명령했다.

룩셈부르크, 벨기에, 네덜란드를 통과하는 … 공격작전을 준비하라. 이 공격은 최대한 신속하고도 강력하게 실행해야 한다. … 이번 공격의 목표는 네덜란드, 벨기에, 북프랑스 지역을 최대한 넓게 확보하는 데에 있다.[3]

물론 벨기에와 네덜란드 측은 히틀러의 비밀 지령을 알 도리가 없었다. 그러나 독일이 양국을 상대로 무슨 일을 꾸민다는 경고를 받기는 했다. 이미 받은 경고만 해도 많았다. 반나치 음모단의 일원인 오스터 대령은 1939년 11월 5일, 네덜란드와 벨기에의 베를린 주재 무관들에게 당시 목표일인 11월 12일에 독일이 공격할 것으로 예상된다고 경고했다. 10월 말에 또다른 음모단원인 괴르델러는 바이츠제커의 채근에 브뤼셀까지 가서 벨기에 측에 공격이 임박했다고 경고했다. 그리고 앞에서 언급한 대로 새해 초입인 1940년 1월 10일, 히틀러의 서부 공세 계획서를 지참하고 있던 독일 장교가 부득이 벨기에 영토에 착륙하는 바람에 그 계획이 벨기에 측 수중에 들어갔다.

그 무렵 네덜란드와 벨기에의 참모본부는 각각의 국경 정보원을 통해 독일 측이 국경 인근에 약 50개 사단을 집결하고 있다는 사실을 알고 있었다. 또 양국은 독일 수도에 특이한 정보원을 두고 있다는 이점이 있었다. 그 '정보원'은 베를린 주재 네덜란드 무관인 G. J. 사스Sas 대령이었다. 사스는 오스터 대령과 개인적으로 친해서, 한적한 교외 첼렌도르프에 있는 오스터의 자택에서 자주 저녁식사를 함께했다—전쟁이 발발한후에는 이렇게 식사하기가 수월해졌는데, 등화관제가 실시된 덕에 당시 베를린에서 여러 전복적인 임무를 수행하던 독일인과 외국인 등 많은 사람들이 발각될 것을 크게 우려하지 않고서 돌아다닐 수 있었기 때문이다. 11월 초에 오스터는 바로 사스에게 11월 12일로 예정된 독일의 강습에 대해 귀띔했고, 1월에 다시 새로운 경고를 전했다. 두 공격 모두 일어나지 않자 실은 히틀러가 침공 날짜를 정했다가 연기했다는 사실을 알길이 없던 헤이그와 브뤼셀에서 사스의 신뢰도는 다소 낮아졌다. 그렇지만 사스가 오스터를 통해 알게 된 노르웨이와 덴마크 침공 소식을 미리경고하고 정확한 날짜를 예측하자 본국에서 그의 위신이 회복되었던 것으로 보인다.

5월 3일, 오스터는 사스에게 독일이 5월 10일을 기하여 네덜란드와 벨기에를 통과하는 서부 공세를 시작할 것이라고 명확하게 말했고, 사스는 즉시 본국 정부에 알렸다. 이튿날 헤이그는 바티칸 주재 사절을 통해 이 정보를 확인했다. 네덜란드는 이것을 즉시 벨기에에 알렸다. 5월 5일은 일요일이었고, 새로운 주가 시작되자 베를린의 우리 모두는 며칠 내에 독일이 서부를 타격할 것이 꽤 확실하다고 판단했다. 수도에서 긴장감이 고조되었다. 5월 8일에 나는 뉴욕 사무실에 전보를 쳐 암스테르담에 있는 우리 통신원들 중 한 명을 어쨌거나 이제 전쟁이 끝난 노르웨이로 보내지 말고 그곳에 계속 머물게 하라고 알렸고, 그날 저녁 군 검열관들은 내가 방송에서 조만간 네덜란드와 벨기에를 포함하는 서부에서 작전이 펼쳐지리라 암시하는 것을 묵인했다.

5월 9일 저녁, 오스터와 사스는 마지막이 될 저녁식사를 함께했다. 오스터는 이튿날 새벽에 서부 공격을 시작하라는 최종 명령이 내려왔다고 확언했다. 혹시 막판에 변동이 없을지 확인하고자 오스터는 식사를 마친 뒤 벤틀러슈트라세의 OKW 본부에 들렀다. 변경사항은 없었다. "돼지가 서부전선으로 갔답니다"라고 오스터는 사스에게 말했다. "돼지"는 히틀러였다. 사스는 이 정보를 벨기에 무관에게 알린 다음 자국 공사관으로 가서 헤이그에 전화를 걸었다. 이 순간을 위해 미리 정해둔 특별 암호가 있었고, 사스는 얼핏 아무것도 아닌 듯한 "내일, 새벽. 꽉 잡으시오!"라는 메시지를 전했다.[4]

퍽 이상하게도 서방의 두 강국 영국과 프랑스는 방심하고 있었다. 양국 참모본부는 브뤼셀과 헤이그에서 오는 우려스러운 보고를 무시했다. 런던은 사흘 동안 내각의 위기, 즉 5월 10일 저녁에 총리가 체임벌린에서 처칠로 교체되고서야 겨우 해소된 위기에 정신이 팔려 있었다. 프랑스군과 영국군의 본부는 독일 폭격기의 으르렁대는 소리와 슈투카 급강하폭격기의 새된 소리가 동트기 전 봄날의 평온을 깼을 때, 독일의 강습을 처음 알았다. 그 직후 날이 밝자 지난 여덟 달 동안 공동 방어에 협력하지 않고 연합국을 쌀쌀맞게 대했던 네덜란드 정부와 벨기에 정부로부터 다급한 구원 요청이 쇄도했다.

그럼에도 벨기에에서 독일군 주력의 공격에 대응한다는 연합국의 계획은 처음 며칠간은 거의 순조롭게 진행되었다. 브뤼셀 동쪽의 딜 강과 뫼즈 강을 따라 이어진 벨기에의 주요 방어선에 배치될 대규모 영국-프랑스군이 프랑스-벨기에 국경에서 북동쪽으로 서둘러 진군했다. 공교롭게도 이 움직임은 바로 독일군 최고사령부가 원하던 바였다. 대규모 연합군의 선회旋回 움직임은 독일군의 계략에 제대로 놀아나는 꼴이었다. 비록 알고서 들어간 것은 아니지만 영국-프랑스군은 속도를 높여 독일군의 함정으로 곧장 들어갔고, 이윽고 덫에 걸려 그야말로 재앙적인 타격을 입었다.

경합하는 작전계획들

독일의 원래 서부 공격 계획안은 1940년 1월에 벨기에의 수중에 넘어가고 프랑스와 영국에도 넘어갔으리라는 의심 속에 극적으로 바뀌었다. 그 황색 작전Fall Gelb은 1939년 가을에 육군 최고사령부가 11월 중순을 기하여 서부 공세를 개시하라는 히틀러의 명령에 압박을 받아 서둘러 마련한 것이었다. 군사사가들 사이에서는, 실은 독일 장군들 사이에서도 이 당초 계획이 예전 슐리펜 계획을 수정한 버전인지를 놓고 의견이 크게 갈린다. 할더와 구데리안은 수정 버전이라고 주장했다. 이 계획에 따르면 독일군의 주력인 우익이 영불 해협의 항구들을 점령한다는 목표로 벨기에와 북프랑스를 통과해야 했다. 이 계획은 1914년에 성공할 뻔했다가 실패한 슐리펜 계획에 못 미쳤는데, 후자는 독일군 우익이 벨기에와 북프랑스를 통과하여 영불 해협의 항구들을 점령할 방책뿐 아니라 이어서 대규모 선회 이동으로 센 강을 건넌 뒤 파리 남부에서 동쪽으로 방향을 틀어 잔존 프랑스 병력을 포위해 섬멸할 방책까지 제공했기 때문이다. 1914년 당시 슐리펜 계획의 목표는 프랑스군의 저항을 신속히 물리침으로써 독일의 군사력을 대부분 유지한 채 러시아 쪽으로 방향을 돌리는 것이었다.

그러나 1939~40년에 히틀러는 소련 전선을 걱정할 필요가 없었다. 그럼에도 그의 목표는 더 한정적이었다. 어쨌거나 작전의 첫 단계에서 그의 구상은 프랑스 육군을 때려눕히는 것이 아니라 후퇴시켜서 영불 해협 연안을 점령하고, 그로써 영국과 프랑스를 갈라놓는 동시에 영국 제도를 괴롭히고 봉쇄할 수 있는 공군 기지와 해군 기지를 확보하는 것이었다. 이 무렵 히틀러가 장군들에게 쏟아낸 여러 장광설을 감안하면, 영국과 프랑스가 그렇게 패하고 나면 강화를 요청해올 것이고 그러면 다시 한 번 자유롭게 동부로 주의를 돌릴 수 있을 것으로 생각했던 게 분명하다.

황색 작전의 당초 계획서가 수중에 들어오기도 전에 연합군 최고사령부는 그것을 예측하고 있었다. 11월 17일, 파리에서 열린 연합군 최고 군사회의에서 'D계획'이 채택되었는데, 독일이 벨기에를 통과해 공격할 경우 프랑스 제1군, 제9군 및 영국 원정군이 안트베르펜에서 루뱅, 나무르, 지베를 거쳐 메지에르에 이르는 딜 강, 뫼즈 강 유역의 벨기에에 주요 방어선을 향해 급히 진군한다는 구상이었다. 이 회의 며칠 전에 프랑스와 영국의 참모본부는 벨기에군 최고사령부와 비밀회의를 거듭 열어, 이 방어선을 강화하여 주된 저항 진지로 삼을 것이라는 벨기에 측의 확약을 받아냈다. 그러나 벨기에 측은 여전히 중립을 지킴으로써 전쟁에 관여하지 않을 수 있을지도 모른다는 환상에 매달리며 그 이상은 하지 않으려 했다. 영국군 수뇌부는 독일군이 일단 공격을 개시하고 나면 연합군을 그곳까지 전개할 시간이 없을 것이라고 주장하면서도, 가믈랭 장군의 재촉에 결국 D계획에 동의했다.

11월 말에 연합국은 네덜란드도 공격을 받을 경우 안트베르펜 북부의 네덜란드 병력을 지원하기 위해 앙리 지로Henri Giraud 장군의 제7군을 영불 해협 연안으로 급파하는 계획을 추가했다. 그리하여 벨기에를(어쩌면 네덜란드까지) 휩쓸고 지나가 마지노선의 측면을 공격하려는 독일의 시도에 아주 일찍부터 영국 원정군 전체, 프랑스 육군의 주력, 벨기에군 22개 사단, 네덜란드군 10개 사단―앞으로 밝혀질 것처럼 독일군과 수적으로 대등한 병력이었다―으로 대응하려 했다.

서부전선의 룬트슈테트 휘하 A집단군의 참모장 에리히 폰 만슈타인(출생 시 성은 레빈스키Lewinski) 장군은 이런 정면충돌을 피하는 동시에 영국군과 프랑스군이 아주 멀리까지 신속히 전진하도록 유도하기 위해 황색 작전을 근본적으로 변경할 것을 제안했다. 만슈타인은 재능 있고 상상력 풍부한 참모장교로서 상대적으로 계급이 낮았지만, 1939년에서 1940년에 걸친 겨울에 브라우히치와 할더를 비롯한 많은 장군들의 초기 반대를 무릅쓰고 자신의 대담한 발상을 히틀러에게 들이미는 데 성공했다. 만슈타인의 제안은 독일의 강습의 중점을 전선의 중앙에 두고 대규모 기갑전력으로 아르덴을 통과한 뒤 스당 바로 북쪽에서 뫼즈 강을 건너 탁 트인 지대로 빠져나가 영불 해협 부근의 아브빌까지 질주하는 것이었다.

설령 무모할지라도 대담한 해법에 언제나 끌린 히틀러는 이 제안에 관심을 보였다. 룬트슈테트는 이 발상을 줄기차게 밀어붙였는데, 그것이 통하리라 믿었을 뿐 아니라 서부 공세에서 자신의 A집단군이 결정적인 역할을 맡을 수 있게 되기 때문이었다. 할더가 개인적으로 만슈타인을 싫어한 데다 계급이 더 높은 일부 장군들이 직업상의 질투심을 보인 탓에 만슈타인은 1월 말에 참모본부에서 보병군단 지휘관으로 전출되었다. 그러나 만슈타인은 2월 17일, 다수의 신임 군단 지휘관들을 위한 만찬 자리에서 자신의 파격적인 견해를 총통에게 직접 설명할 기회를 잡았다. 만슈타인은 아르덴을 돌파하는 기갑부대의 강습에 연합군은 그야말로 허를 찔릴 것이라고 주장했는데, 대다수 독일 장군들과 마찬가지로 연합군 장군들도 아르덴처럼 언덕이 많고 나무가 우거진 지대는 전차를 운용하기에 부적합하다고 생각할 터였기 때문이다. 독일군 우익이 양동작전을 펴면 영국군과 프랑스군은 황급히 벨기에로 쇄도할 것이다. 그때 스당에서 프랑스군을 돌파하여 솜 강의 북안을 따라 영불 해협을 향해 서진하면 벨기에군뿐 아니라 영국-프랑스군의 주력까지 함정에 빠뜨릴 수 있을 것이다. 이것이 만슈타인의 견해였다.

이는 대담한 계획이었지만 요들을 비롯한 몇몇 장군들이 강조했듯이 위험 요인이 없는 것도 아니었다. 그러나 군사 천재를 자부하던 히틀러는 이제 이 계획이 사실상 본인의 구상이라고 믿으며 갈수록 열의를 보였다. 처음에 터무니없는 발상이라며 묵살했던 할더도 이 계획을 받아들였을 뿐 아니라 참모본부 장교들의 도움을 받아 상당히 개선하기까지 했다. 1940년 2월 24일, OKW는 새로운 지령을 내리며 이 계획을 정식으로 채택하고 장군들에게 3월 7일까지 휘하 부대를 재배치하라고 지시했다. 게다가 1939년 10월 29일의 황색 작전 수정판에서 제외되었던 네덜란드 정복 계획이 독일 공군의 주장으로 11월 14일 다시 포함되었다. 공군은 영국 공격에 사용할 네덜란드 국내의 비행장들을 원했고, 그리 중요하지 않지만 다소 까다로운 이 정복 작전에 대규모 공수부대를 투입하겠다고 제안했다. 소국의 운명은 때로는 이런 고려사항에 의해 결정되는 법이다.[5]

그리하여 노르웨이 작전이 승리로 종결되고 5월 초의 온화한 날들이 다가올 무렵, 그때까지 세계 역사상 가장 강대한 육군을 거느린 독일군은 서부를 타격할 태세로 대기 중이었다. 숫자만 보면 양측은 비등비등했다—독일군 136개 사단 대 프랑스·영국·벨기에·네덜란드 군 135개 사단으로. 방어 측은 넓게 펼쳐진 방어 요새들을 보유했다는 이점이 있었다. 남부에 난공불락의 마지노선이, 중부에 벨기에의 광범한 요새 방어선이, 북부 네덜란드에 요새화된 수로 방어선waterline〔수로와 요새를 결합한 일련의 방어시설〕이 있었다. 전차의 수에서도 연합군은 독일군과 호각이었다. 그러나 독일군과 달리 연합군은 전차를 한곳에 집결하지 않았다. 그리고 네덜란드와 벨기에가 중립을 위해 참모본부 간 협의에서 이탈한 탓에 방어 측은 자신들의 계획이나 자원을 최대한 유효하게 활용할 수가 없었다. 독일 측은 통합 사령부가 공격의 주도권을 보유했고, 침공을 저해하는 도덕적 가책을 느끼지 않았으며, 그들 자신과 대담한 계획을 갈수록 신뢰했다. 그들은 폴란드에서 전투를 치른 경험이 있었다. 그곳에서 새로운 전술을 시험하고 신형 무기를 써보았다. 그들은 급강하폭격기와 전차의 대규모 운용의 가치를 알고 있었다. 그리고 그들은, 히틀러가 누누이 지적했듯이, 프랑스군이 자국 영토는 방어하려 하면서도 향후 벌어질 사태에는 별로 열중하지 않는다는 것을 알고 있었다.

기밀 기록으로 분명하게 알 수 있듯이, 독일군 최고사령부는 자신감과 결의에도 불구하고 결전의 시간이 다가옴에 따라 몇 차례 패닉에 빠졌다—적어도 최고사령관 히틀러는 그랬다. 요들 장군은 일기에 그런 순간을 기록했다. 히틀러는 5월 1일에 5월 5일로 정해둔 공격 개시일을 막판에 몇 차례 연기하라고 명령했다. 5월 3일에는 날씨를 이유로 공격 개시일을 5월 6일로 늦추었지만, 외무부 측에서 벨기에와 네덜란드의 중립에 대한 침해를 정당화하는 총통의 주장이 충분히 타당하지 않다고 생각한 것도 한 가지 이유였을 것이다. 5월 4일에 히틀러는 결행일을 5월 7일로 정했고, 5월 5일에 다시 5월 8일 수요일로 미루었다. "총통이 황색 작전의 정당화를 끝마쳤다"라고 요들은 일기에 적었다. 벨기에와 네덜란드가 극히 비중립적으로 행동해왔다고 비난하는 정당화 논변이었다.

[요들이 일기에 이어서 씀] 5월 7일 — 총통의 열차가 16시 38분에 핀켄쿠르크에서 출발할 예정이었다. 하지만 날씨가 아직 불확실해 [공격] 명령을 철회했다. … 총통은 반역의 위험이 있다는 이유로 또다시 연기한 것에 몹시 동요했다. 바티칸 주재 벨기에 사절이 브뤼셀 측과 대화한 바로는, 4월 29일에 베를린을 떠나 로마로 향한 어느 독일 인사가 반역을 저지른 것으로 추정할 수 있다. …

5월 8일 — 네덜란드에서 걱정스러운 소식. 휴가 취소, 소개疏開, 도로 봉쇄, 그 밖의 동원 조치. … 총통은 더 이상 기다릴 생각이 없다. 괴링은 적어도 5월 10일까지 연기하기를 원했다. … 총통은 몹시 흔들렸다. 그런 다음 5월 10일까지 연기하는 데 동의하면서도 자신의 직관과는 어긋난다고 말했다.

그러나 단 하루도 더 미룰 수는 없다. …

5월 9일 — 총통은 공격일을 5월 10일로 확정했다. 17시 정각에 핀켄크루크에서 총통의 열차가 출발했다. 10일의 기상 상황은 양호할 것이라는 보고를 받은 뒤 21시 정각에 암호명을 '단치히'로 하라고 하달했다.

5월 10일 동틀 무렵, 히틀러는 카이텔과 요들을 비롯한 OKW 참모들을 대동한 채 바트뮌스터아이펠 인근의, 자신이 '바위 둥지Felsennest'라고 명명한 본부에 도착했다. 거기에서 서쪽으로 40킬로미터 떨어진 지점에서는 독일군이 벨기에 전선을 넘어 돌진하고 있었다. 북해에서 마지노선까지 280킬로미터에 이르는 전선에서 나치 병력은 독일이 거듭 확약해온 보장을 파기한 채 작은 세 중립국 네덜란드, 벨기에, 룩셈부르크의 국경을 침범했다.

6주간의 전쟁: 1940년 5월 10일부터 6월 25일까지

———

네덜란드 입장에서 보면 그것은 5일간의 전쟁이었다. 이 짧은 기간에 벨기에군, 프랑스군, 영국 원정군의 운명이 정해지고 말았다. 독일군이 보기에는 전략적으로든 전술적으로든 모든 것이 계획대로, 아니 계획보다 더 순조롭게 풀려나갔다. 독일군의 승리는 히틀러의 맹목적인 소망까지도 넘어섰다. 독일 장군들은 승리의 전격적인 속도와 규모에 어리둥절했다. 연합군 지휘부는 꿈에도 예상하지 못했고—뒤이은 극심한 혼란 속에서—이해할 수도 없었던 전황에 금세 마비되었다.

전투 첫날에 영국 총리직을 넘겨받은 윈스턴 처칠은 아연실색했다. 5월 15일 아침 7시 30분, 프랑스 총리 폴 레노Paul Reynaud는 처칠에게 전화를 걸어 잠에서 깨우고는 흥분한 목소리로 "우리는 패배했습니다! 우리는 졌습니다!"라고 말했다. 처칠은 믿으려 하지 않았다. 대人프랑스의 육군이 1주일 만에 패했다고? 그런 일은 있을 수 없다. "지난 전쟁 이후로 밀집한 고속 기갑부대의 급습이 불러온 혁명의 위력을 나는 이해하지 못했다"라고 처칠은 훗날 썼다.[6]

그 혁명을 일으킨 것은 전차부대—서부 방어선에서 가장 약한 위치를 일거에 돌파하기 위해 한 지점에 집결한 전차 7개 사단—였다. 또한 슈투카 급강하폭격기, 그리고 연합군 방어선의 한참 뒤쪽이나 난공불락으로 보이는 요새의 꼭대기에 강하하여 큰 혼란을 일으킨 낙하산부대와 공수부대도 있었다.

그럼에도 베를린에 있던 우리는 독일의 이런 전술에 연합군 지휘부가 왜 그토록 대경실색했는지 의아했다. 히틀러의 군대가 이미 폴란드 작전에서 그런 전술의 효과를 입증하지 않았던가? 당시 1주일 사이에 폴란드군을 포위해 섬멸한 대규모 돌파작전은 슈투카로 적의 저항을 약화시킨 뒤 밀집한 기갑부대를 운용해 이루어낸 것이었다. 폴란드에서 낙하산부대와 공수부대는 아주 제한된 규모의 작전에 투입되었을 때에도 잘 해내지 못했고, 중요한 교량들을 온전하게 장악하는 데에도 실패했다. 그러나 서부전선을 강습하기 한 달 전 노르웨이에서는 오슬로와 모든 비행장을 공략하고, 바다를 통해 스타방에르, 베르겐, 트론헤임, 나르비크에 상륙했다가 고립되어 있던 작은 부대들을 보강하여 버틸 수 있게 해주는 등 눈부신 활약을 펼쳤다. 연합군 사령관들은 이런 작전들을 연구하여 교훈을 얻으려 하지 않았던 것인가?

네덜란드 정복

———

독일군이 네덜란드 정복에 할당한 기갑부대는 1개 사단뿐이었다. 정복은 닷새 만에 끝났고, 그 주역은 베를린의 많은 이들이 독일군을 몇 주 동안 묶어둘 것이라고 예상한 네덜란드의 장대한 수로 방어선의 배후로 강하한 낙하산부대와 공수부대였다. 당혹스럽게도 네덜란드 측은 전쟁 역사상 최초로 대규모 공수부대의 공격을 당했다. 일찍이 그런 시련을 겪은 적이 없고 또 그야말로 불시에 기습을 당한 것이었음을 고려하면, 네덜란드 측은 당시 그들의 예상 이상으로 잘 대처했다.

독일군의 제1목표는 겨우 한 달 전에 노르웨이에서 시도했던 것처럼 강력한 병력을 헤이그 인근 비행장들에 착륙시켜 곧바로 수도를 점령하고 여왕과 정부 각료들을 체포하는 것이었다. 그러나 비록 상황이 달랐지만 오슬로에서처럼 헤이그에서도 이 계획은 실패했다. 초반의 놀람과 혼란에서 벗어난 네덜란드 보병은 포병의 지원을 받아 5월 10일 저녁에 헤이그 주변의 3개 비행장에서 독일군—총 2개 연대—을 몰아낼 수 있었다. 이로써 수도와 정부가 일시적으로 구조되었지만, 다른 곳에 절실히 필요한 네덜란드 예비군이 수도에 매이게 되었다.

독일 계획의 핵심은 로테르담 바로 남쪽 니우어마스 강의 교량들과 더 멀리 남동쪽의 도르드레흐트와 무르데이크에서 마스(뫼즈) 강 하구의 교량들을 공수부대로 장악하는 것이었다. 독일 국경에서 약 160킬로미터를 달려온 게오르크 폰 퀴흘러 장군의 제18군은 바로 이 교량들을 건너 '홀란드 요새'로 진입할 수 있기를 바랐다. 이 방법 말고는 이 요새화된 지역, 즉 막강한 수로 방벽 배후에 있는 헤이그, 암스테르담, 위트레흐트, 로테르담, 레이덴 등지를 쉽고 빠르게 공략할 수 없었다.

5월 10일 오전, 독일 공수부대들—낡아 빠진 수상비행기로 로테르담까지 와서 강으로 강하한 1개 중대를 포함—은 허를 찔린 네덜란드 수비대가 폭파하기 전에 이 교량들을 장악했다. 임시로 편성된 네덜란드 부대들은 독일군을 격퇴하고자 사력을 다했고 거의 성공할 듯했다. 그러나 독일군은 5월 12일 오전까지 아슬아슬하게 버텼고, 그때 퀴흘러에게 할당된 1개 기갑사단이 도착했다. 네덜란드 측은 동쪽의 많은 수로 방벽으로 요새화된 방어선인 그레베-페일 선Grebbe-Peel에서 이 기갑사단을 며칠간 막아낼 수 있기를 바랐으나 뚫리고 말았다.

영불 해협에서 달려와 5월 11일 오후 틸뷔르흐에 도착한 지로 장군의 프랑스 제7군이 무르데이크의 교량들 바로 앞에서 독일군을 저지할 희망이 얼마간 있었다. 그러나 힘이 부친 네덜란드군과 마찬가지로 항공지원도 없고 기갑부대, 대전차포, 대공포도 없던 프랑스군은 브레다까지 쉬이 밀려났다. 그러자 독일 제9기갑사단은 무르데이크와 도르드레흐트의 교량들을 건너 5월 12일 오후 독일 공수부대가 아직 교량들을 사수하고 있는 로테르담 맞은편, 니우어마스 강의 좌안에 도착했다.

그러나 독일 전차부대는 로테르담으로 통하는 교량들을 건널 수 없었다. 그전에 네덜란드 측이 이 교량들의 북단을 봉쇄했기 때문이다. 그래서 5월 14일 오전까지 네덜란드의 전황은 절망적이되 아예 희망이 없는 것은 아니었다. 홀란드 요새는 돌파당하지 않았기 때문이다. 헤이그 주변의 강력한 독일 공수부대는 생포되거나 인근 마을들로 흩어졌다. 로테르담은 아직 버티고 있었다. 홀란드에서 기갑사단과 지원 병력을 빼내 그 직전에 남쪽 프랑스에서 생긴 새로운 기회를 살리고 싶어 애를 태우던 독일군 최고사령부는 심기가 편치 않았다. 실제로 14일 오전에 히틀러는 지령 제11호를 발령하며 이렇게 말했다. "네덜란드 육군의 저항이 예상보다 완강한 것으로 판명되었다. 군사적인 면은 물론이고 정치적인 면에서도 이 저항을 **신속히** 분쇄할 필요가 있다." 어떻게? 히틀러는 벨기에 내 제6군의 전선에서 공군 분견대를 차출해 "홀란드 요새의 조속한 정복을 지원하라"고 명령했다.[7]

히틀러와 괴링은 특히 로테르담을 맹폭하라고 명령했다. 네덜란드에 나치의 공포―지난 가을 포위된 바르샤바에 선사했던 공포―를 약간 선사하여 항복을 유도할 생각이었다.

5월 14일 오전, 독일 제39군단의 한 참모장교가 백기를 들고 로테르담으로 통하는 교량을 건너 도시의 항복을 요구했다. 항복하지 않으면 도시를 폭격할 것이라고 경고했다. 항복 협상이 진행되는 동안―네덜란드의 한 장교가 교량 근처 독일군 사령부로 와서 협상의 세부를 논의한 뒤 독일 측의 조건을 가지고 돌아가던 도중―폭격기들이 상공에 나타나 이 대도시의 중심부를 완파했다. 거의 전부 민간인인 800여 명이 죽고, 수천 명이 다치고, 7만 8000명이 집을 잃었다.* 이 기만 행위, 계산된 무자비한 행위를 네덜란드 사람들은 오랫동안 기억할 터였다. 하지만 뉘른베르크에서 독일 공군의 괴링과 알베르트 케셀링Albert Kesselring은 로테르담이 비무장 도시가 아니라 네덜란드 측이 결연히 방어한 도시라는 이유로 이 행위를 변호했다. 그리고 둘 다 항복 협상이 진행 중인 때에 폭격기를 출동시킨 사실을 몰랐다고 주장했다. 그러나 독일 육군 문서고에는 그들이 이 사실을 알고 있었다는 유력한 증거가 있다.**[8] 아무튼 당시

---

* 처음에는 2만 5000명에서 3만 명이 살해당했다고 보도되었고, 오랫동안 그런 줄로 믿었다. 내가 제시한 수치는 1953년판 《브리태니커 백과사전》에 실린 것이다. 그렇지만 뉘른베르크 재판에서 네덜란드 정부는 814명이 살해되었다고 밝혔다.[9]

** 뉘른베르크에서 로테르담 폭격으로 유죄 판결을 받은 사람은 없었다.

OKW는 아무런 변명도 하지 않았다. 나는 5월 14일 저녁 베를린 방송으로 OKW의 특별성명을 들었다.

독일 급강하폭격기의 공격과 독일 전차의 임박한 공격에 심대한 인상을 받은 로테르담 시는 항복하여 파괴를 면했다.

로테르담은 항복했고, 이어서 네덜란드군도 항복했다. 빌헬미나 여왕과 정부 각료들은 영국 구축함 2척에 올라 런던으로 피신했다. 네덜란드군 총사령관 H. G. 빙켈만Winkelmann 장군은 5월 14일 황혼녘에 군에 무기를 내려놓으라고 명령하고, 이튿날 오전 11시 공식 항복 문서에 서명했다. 닷새 만에 모든 것이 끝났다. 전투가 끝난 것이다. 독일에 능욕당한 이 작은 문명국에 향후 5년간 야만적인 공포의 어둠이 내려앉을 터였다.

벨기에 함락과 영국-프랑스 군을 노리는 함정

네덜란드가 항복했을 무렵, 벨기에군과 프랑스군, 영국 원정군의 운명이 정해졌다. 공격이 개시되고 고작 5일째였으나 5월 14일은 운명의 날이 되었다. 전날 저녁 독일 기갑전력은 뫼즈 강의 디낭에서 스당에 이르는 나무가 우거지고 가파른 기슭에서 네 곳의 교두보를 확보하고, 1870년 나폴레옹 3세가 몰트케에게 항복하여 프랑스 제2제정에 종언을 고한 무대인 스당을 장악하여, 연합군 방어선의 중심부와, 영국과 프랑스의 정예병력이 벨기에 쪽으로 부리나케 선회했던 지점에 중대한 위협을 가했다.

이튿날인 5월 14일, 눈사태와 같은 대규모 공격이 시작되었다. 앞서

5월 10일, 규모와 포화의 집중도, 기동성, 타격력 면에서 전투 역사상 전례가 없는 기갑전력이 라인 강 서쪽에서 3열 종대로 160킬로미터를 늘어선 채 독일 국경을 출발하여 아르덴 숲을 통과했다. 5월 14일, 이 기갑전력은 프랑스 제9군과 제2군을 격파한 뒤 벨기에 내 연합군을 지나쳐 엥불 해협을 향해 신속히 진격했다. 이는 막강하고 무시무시한 위력이었다. 먼저 슈투카 급강하폭격기들이 파상공격으로 프랑스 방어진지를 약화시켰고, 전투공병들이 달려들어 강과 운하를 건너게 해줄 고무보트를 띄우고 부교를 설치했다. 각 기갑사단은 자체 자주포와 1개 차량화보병여단을 보유했으며, 기갑군단 바로 뒤편에서는 전차가 열어젖힌 적 진지를 접수할 차량화보병사단들이 따라왔다. 이 강철과 화력의 밀집대형을 저지할 만한 수단이 당황한 방어군 측에는 전혀 없었다. 뫼즈 강변 디낭의 양측에서는 헤르만 호트Hermann Hoth 장군의 제15기갑군단이 프랑스군을 격퇴했다. 이 군단의 2개 기갑사단 중 하나의 지휘관은 젊고 대담한 준장 에르빈 로멜Erwin Rommel이었다. 뫼즈 강을 따라 한참 남쪽에 있는 몽테르메에서도 게오르크-한스 라인하르트Georg-Hans Reinhardt 장군의 제41기갑군단 예하 2개 기갑사단이 똑같은 패턴을 보여주었다.

그러나 최대의 타격을 받은 곳은 프랑스군이 비참한 패배를 당한 기억이 있는[1870년 프로이센군에게 당한 패배를 가리킨다] 스당 일대였다. 5월 14일 오전, 하인츠 구데리안 장군의 제19기갑군단 예하 2개 기갑사단*이, 간밤에 뫼즈 강에 서둘러 깔아놓은 부교를 건너 스당으로 돌진해 서쪽을 타격했다. 프랑스 기갑부대와 영국 폭격기가 이 부교를 파괴하고자

---

* 라인하르트와 구데리안의 2개 기갑군단은 에발트 폰 클라이스트 장군의 기갑집단을 이루었다. 이 기갑집단은 5개 기갑사단과 3개 차량화보병사단으로 구성되었다.

필사적으로 애썼으나—단 한 번의 공격에서 영국 원정군의 항공기 71대 중 40대가 대부분 대공포에 의해 격추되었고, 프랑스의 전차 70대가 파손되었다—손상을 입히지 못했다. 저녁까지 독일군은 스당에서 폭 50킬로미터에 길이 25킬로미터인 교두보를 확보하고 연합군 방어선의 중추에 위치한 프랑스군을 분쇄했다. 포위를 면해서 포로가 되지 않은 자들은 무질서하게 퇴각했다. 이로써 북쪽의 벨기에군 22개 사단뿐 아니라 프랑스-영국 군까지 후방을 차단당할 심각한 위기에 처했다.

개전하고 처음 며칠간 연합국의 상황은 순탄했다. 아니, 그렇다고 여겨졌다. 새로 맡은 총리직에 열의를 불태우던 처칠은 "12일 밤까지는 작전이 잘 풀리지 않는다고 생각할 이유가 없었다"라고 훗날 썼다.[10] 연합군 총사령관 가믈랭은 전황에 매우 만족하고 있었다. 전날 저녁, 프랑스군에서 최정예이자 최대 규모인 제7군과 제9군은 고트Gort 경이 이끄는 영국 원정군 9개 사단과 함께 계획대로 강력한 방어선에서 벨기에군과 합류했다. 그 방어선은 딜 강을 따라 안트베르펜에서 루뱅을 거쳐 와브르까지 이어지고, 그곳에서 장블루 협로를 지나 나무르에 이르고 다시 남쪽으로 뫼즈 강을 따라 스당까지 이어졌다. 나무르의 철벽같은 벨기에 요새들과 안트베르펜 사이에서, 그러니까 겨우 95킬로미터 전선에 무려 36개 사단을 거느린 연합군은 그곳으로 다가오는 라이헤나우의 제6군 20개 사단에 수적으로는 우위였다.

벨기에군은 북동부 전선 일대에서 잘 싸우긴 했으나 기대했던 것만큼 오래 버티지 못했고, 확실히 1914년 당시만큼 길게 저항하지 못했다. 북쪽의 네덜란드군과 마찬가지로 벨기에군은 독일 국방군의 새로운 혁명적 전술에 도저히 대적할 수가 없었다. 홀란드에서와 마찬가지로 벨기에에서도 독일군은 특수훈련을 받은 소수의 부대를 새벽에 글라이더로 소리 없이 강하시키는 대담한 전술을 구사해 핵심 교량들을 장악했다. 이 특수부대는 마스트리히트 뒤편 알베르 운하의 교량 3개 중 2개에서 수비대가 스위치를 눌러 교량을 폭파하기 전에 제압해버렸다.

그들은 뫼즈 강과 알베르 운하의 합류점을 내려다보는 에방에말 요새 Fort Eben-Emael를 점령하는 더 큰 전과를 거두기까지 했다. 전략적 요충지에 자리한 이 신식 요새는 연합국과 독일을 불문하고 유럽에서 가장 견고하여, 프랑스가 마지노선에, 독일이 서부 방벽에 지은 그 어떤 건조물보다도 난공불락이라고 평가되었다. 지하 깊숙이 철근 콘크리트로 일련의 회랑을 짓고, 중장갑으로 포탑을 보호하고, 인원 1200명을 배치한 이 에방에말 요새는 가장 파괴력 강한 폭탄과 포탄을 아무리 퍼부어도 무한정 버텨낼 것으로 예상되었다. 그런데 어느 부사관의 지휘에 따라 글라이더 아홉 대로 요새의 지붕에 착륙한 독일 군인 80명에 의해 개전 30시간 만에 함락되고 말았다. 이들의 총 사상자는 사망 6명에 부상 19명으로 그쳤다. 내가 기억하기로 5월 11일 저녁, 베를린에서는 OKW가 "새로운 공격 방법"으로 에방에말 요새를 점령하는 데 성공했다는 특별성명을 발표하여 이 모험적인 작전에 매우 신비한 느낌을 덧입혔다. 이 발표가 나오자 독일군에는 새롭고 치명적인 '비밀 무기'가 있고 그게 어쩌면 수비병들을 일시적으로 마비시킨 신경가스일지 모른다는 소문이 퍼져나갔다―괴벨스는 기뻐하며 이 소문을 더욱 부채질했다.

진실은 훨씬 더 건조했다. 독일군은 미리 꼼꼼하게 준비하는 평소의 장기를 발휘해 1939년에서 1940년에 걸친 겨울 동안 힐데스하임에 에방에말 요새와 알베르 운하 교량들의 모형을 세워놓고서 약 400명의 글라이더부대 대원들에게 그곳들을 탈취하는 법을 훈련시켰다. 세 집단이 교량 세 곳을 점거하고 한 집단이 에방에말을 점령한다는 계획이었다. 80명으로 이루어진 이 마지막 부대는 요새의 지붕으로 강하해 특별히 준비해간 '천공穿孔' 폭약으로 포탑을 작동 불능으로 만들었을 뿐 아니라 그 아래쪽 방들에 화염과 가스를 분사하기까지 했다. 포탑 입구와 관측 구멍을 공격하고자 휴대용 화염방사기도 사용했다. 독일군은 한 시간 내에 상층 회랑에 침투해 요새의 경포와 중포를 무용지물로 만들고 관측소의 시야를 가릴 수 있었다. 요새 배후의 벨기에 보병부대가 이 얼마 안 되는 공격부대를 몰아내려 시도했으나 슈투카 폭격기의 공격과 증원된 낙하산부대에 의해 오히려 밀려났다. 5월 11일 오전에는 북쪽의 멀쩡한 두 교량을 건너 질주해온 선발 기갑부대들이 도착해 요새를 포위했고, 슈투카가 다시 폭격을 하고 지하 터널에서 백병전이 벌어진 뒤 정오에 백기가 올라가고 벨기에 방어군 1200명이 줄줄이 밖으로 나와 항복했다.[11]

이 위업과 더불어 교량 점거, 라이헤나우 장군이 지휘하는 제6군의 맹렬한 공격, 뒤이어 회프너 장군의 제16기갑군단 예하 2개 기갑사단과 1개 기계화보병사단의 공격 등을 목도한 연합군 최고사령부는 이번에도 독일 측 공세의 주력은 1914년과 마찬가지로 적의 우익이 맡고 있고 그것을 저지하기 위해 자신들이 적절한 조치를 취했다고 확신했다. 실제로 5월 15일 저녁까지도 벨기에군, 영국군, 프랑스군은 딜 강을 따라 안트베르펜에서 나무르에 이르는 방어선을 잘 유지하고 있었다.

바로 이것이 독일군 최고사령부가 원하던 바였다. 이제 만슈타인 계획을 느닷없이 전개해 중앙부를 강타할 수 있었다. 육군 참모총장 할더 장군은 5월 13일 저녁에 전황—그리고 자신의 승기—을 아주 명확하게 간파했다.

[할더가 일기에 씀] 나무르 북쪽에서 우리는 영국군과 프랑스군 약 24개 사단과 벨기에군 약 15개 사단이 완전히 집결할 것으로 기대할 수 있다. 이에 맞서 우리의 제6군은 그 전선에 15개 사단과 예비로 6개 사단을 거느린다. … 그곳에서 우리는 적의 어떠한 공격이든 막아낼 만큼 강력하다. 병력을 더 투입할 필요는 전혀 없다. 나무르 남쪽에서 우리는 더 약한 적을 마주하고 있다. 우리 전력의 절반 정도다. 이 우위를 우리가 언제 어디서 활용하느냐에 따라 뫼즈 공격의 결과가 정해질 것이다. 이 전선의 배후에는 따로 언급할 만한 적의 병력이 없다.

이튿날 돌파된 이 전선의 **배후**에는 따로 언급할 만한 병력이 정말 없었을까?

5월 16일, 처칠 총리는 파리로 날아가 실상을 확인했다. 오후에 처칠이 레노 총리와 가믈랭 장군을 만나러 차를 타고 케도르세[프랑스 외무부 소재지]로 향할 때, 독일군의 선봉은 스당 서쪽 95킬로미터 지점에서 무방비 상태의 개활지를 질주하고 있었다. 그곳과 파리 사이에, 아니 그곳과 영불 해협 사이에는 이렇다 할 장애물이 전혀 없었건만, 처칠은 그 사실을 모르고 있었다. "전략예비병력은 어디 있습니까?"라고 처칠은 가믈랭에게 물은 뒤 갑자기 프랑스어로 바꾸어 "Où est la masse de manœuvre?"라고 또 물었다. 연합군 총사령관은 고개를 저으며 처칠을 바라보고는 어깨를 으쓱하며 대답했다. "Aucune—전혀 없습니다."*

"나는 말문이 턱 막혔다"라고 처칠은 훗날 말했다. 대군이 공격받는

---

* 전후에 가믈랭은 자신의 답변이 "전혀 없습니다"가 아니라 "더 이상 없습니다"였다고 말했다. (*L'Aurore*, Paris, November 21, 1949)

상황에서 예비병력을 전혀 남겨두지 않았다는 말은 들어본 적이 없었다. "인정하건대 그것은 내 생애를 통틀어 가장 놀라운 일 중 하나였다"라고 처칠은 토로했다.[12]

독일군 최고사령부도 처칠 못지않게 놀랐다. 할더는 그러지 않았을지 몰라도 적어도 히틀러와 OKW의 장군들은 크게 놀랐다. 총통은 서부 작전을 직접 지휘하는 동안 두 차례 머뭇거렸다. 첫 번째는 5월 17일, 또다시 불안감에 사로잡힌 때였다. 그날 오전 구데리안은 영불 해협으로 향하는 독일군의 제3진인 기갑군단을 이끌던 중 진군을 멈추라는 명령을 받았다. 공군이 입수한 첩보에 의하면 스당에서부터 서쪽으로 가늘게 늘어선 독일 기갑전력의 이음매를 끊어놓고자 프랑스군이 대규모 반격에 나설 참이었다. 히틀러는 황급히 브라우히치 육군 총사령관 및 할더와 상의했고 프랑스군이 남쪽에서 심각한 위협을 가하는 중이라고 확신했다. 뫼즈 강 돌파를 개시한 주력인 A집단군 사령관 룬트슈테트는 그날 늦게 히틀러와 상의하면서 총통의 의견을 지지했다. 이 사령관은 "프랑스의 강한 병력이 베르됭과 샬롱쉬르마른 지역에서 대규모 기습 반격"에 나설 것으로 예측했다. 마른의 망령이 히틀러의 열에 들뜬 마음속에서 다시 고개를 들었다(1차대전 당시 프랑스군이 독일군의 진격을 저지한 마른 전투를 가리킨다). "나는 이 상황을 주시하고 있습니다"라고 히틀러는 이튿날 무솔리니에게 쓴 편지에서 말했다. "1914년의 마른의 기적은 되풀이되지 않을 것입니다!"[13]

[할더가 5월 17일 저녁 일기에 씀] 아주 불쾌한 날이다. 총통은 끔찍하리만치 불안해한다. 총통은 자신의 성공을 걱정하고, 아무런 위험도 무릅쓰지 않으려 하며, 우리를 억제하겠다고 고집을 부린다. 이 모든 것은 자신이 좌익

을 걱정하기 때문이라고 변명한다. … [총통은] 당혹감과 의구심만 불러일으키고 있다.

나치 통수권자는 이튿날 프랑스군의 붕괴에 관한 소식이 쇄도함에도 불구하고 나아진 모습을 보여주지 않았다. 할더는 그 위기를 18일 일기에 기록했다.

총통은 남부 측면을 이해할 수 없을 정도로 걱정한다. 우리가 작전 전체를 망치고 패배의 위험을 자초하고 있다며 분개하고 소리친다. 그는 남서부로의 진격은 고사하고 서부로의 진격을 지속하는 것도 꺼리며, 북서부로 진격한다는 생각을 시종 고수한다. 이것이 총통을 상대로 브라우히치와 내가 한편이 되어 벌이는 가장 불쾌한 논쟁의 주제다.

총통이 거의 항상 옳다고 생각하는 OKW의 요들 장군도 군 수뇌부의 불화에 관해 기록했다.

[요들이 18일 일기에 씀] 긴장의 날이다. 육군 총사령관[브라우히치]은 남부에서 새로운 측방 진지를 최대한 일찍 구축한다는 의도를 실행하지 않았다. … 브라우히치와 할더는 당장 불려가 필요한 조치를 즉시 취하라는 엄명을 받았다.

그러나 할더가 옳았다. 프랑스 측은 남부에서 반격에 나설 병력이 없었다. 그리고 기갑사단들은 '위력 정찰'을 해가며 전진하는 것 이상은 하지 말라는 명령을 받아 조금 짜증이 나긴 했지만, 이렇게만 해도 영불 해협을 향해 나아갈 수 있었다. 5월 19일 오전, 솜 강 북안을 따라 1차대전의 사연 많은 전투 현장들을 지나며 계속 서진해온 막강한 7개 기갑사단은 영불 해협에서 불과 80킬로미터 떨어진 지점에 이르렀다. 5월 20일 저녁, 제2기갑사단이 솜 강 하구의 아브빌에 당도했다는 놀라운 소식이 히틀러의 본부에 전해졌다. 이로써 벨기에군, 영국 원정군, 프랑스 3개 군이 함정에 갇힌 꼴이 되었다.

[요들이 그날 밤 일기에 갈겨씀] 총통은 기뻐서 어쩔 줄 몰랐다. 독일 육군과 그 지휘부의 공로를 최고로 치하했다. 강화조약의 초안을 작성하고 있는데, 그 취지는 지난 400년간 독일 민족으로부터 강탈한 영토와 그 밖의 귀중한 것들을 반환하라는 것이다. …
육군 총사령관에게서 아브빌 함락에 관한 전화 보고를 받았을 때 총통이 감정에 북받쳐서 한 말을 특별문서에 담아 철했다.

연합군이 이 파멸적인 포위망을 벗어날 유일한 방도는, 벨기에 내의 병력을 즉시 서남쪽으로 선회시켜 독일 제6군의 공격을 피하고, 영불 해협까지 프랑스 북부에 길게 늘어선 독일 기갑전력을 돌파하여 솜 강에서부터 북상하는 새로운 프랑스 병력과 합류하는 것이었다. 실제로 가믈랭 장군은 5월 19일 오전에 그렇게 명령했으나 그날 저녁 프랑스군 총사령관이 가믈랭에서 막심 베이강 장군으로 교체되었고, 베이강은 즉시 이 명령을 취소했다. 1차대전에서 엄청난 군사적 명성을 얻었던 베이강은 어떻게 대응할지 결정하기 전에 먼저 벨기에 내 연합군 사령관들과 상의하려 했다. 그 결과 베이강이 전임자의 계획과 완전히 똑같은 것을 세우기까지 사흘이 흘러버렸다. 이 지연의 대가는 컸다. 이때만 해도 북부에는 전투 경험이 있는 프랑스군, 영국군, 벨기에군의 40개 사단이 아직 남아 있었다. 만약에 이 병력이 가믈랭의 명령대로 5월 19일에 남쪽에서 독일 기갑전력의 얇은 방어선을 타격했다면 돌파에 성공했을지도 모른다. 벨기에 내 연합군이 움직일 무렵에는 각국 사령부들 간의 통신이 혼란 상태였고, 몇몇 부대는 궁지에 몰린 나머지 목적과 반대로 행동하기 시작했다. 어쨌거나 베이강 계획은 그의 머릿속에만 있었다. 솜 강에서 북상한 프랑스군 부대는 없었다.

그러는 사이 독일군 최고사령부는 급파 가능한 모든 보병부대를 투입해 기갑부대가 지나간 후방을 강화하고 확대했다. 5월 24일, 아브빌에서 영불 해협 쪽으로 북진하던 구데리안의 기갑부대가 주요한 두 항구 불로뉴를 장악하고 칼레를 포위했다. 그런 다음 그라블린에 도착했는데, 이곳에서 해안을 따라 32킬로미터쯤 더 가면 됭케르크다. 벨기에 내 전선은 연합군이 그곳에서 벗어나려 시도함에 따라 남서쪽으로 이동했다. 그리하여 24일경 북부의 영국군, 프랑스군, 벨기에군은 비교적 작은 삼각형 지대 안으로 몰렸다. 해협을 따라 그라블린에서 테르뇌전까지가 삼각형의 밑변, 내륙으로 약 110킬로미터 들어가는 발랑시엔이 꼭짓점이었다. 이제 올가미를 빠져나갈 희망은 없었다. 유일한 희망, 그것도 실낱같은 희망은 됭케르크에서 바다를 통해 철수하는 것이었다.

5월 24일, 이제 됭케르크를 시야에 둔 채 그라블린과 생토메르 사이 아Aa 운하를 따라 포진해 최후의 일격을 가할 태세였던 독일 기갑부대는 별안간 진격을 멈추라는 이상한—전장의 군인들로서는 납득할 수 없는—명령을 받았다. 이는 2차대전에서 독일군 최고사령부가 저지른 첫 번째 중대한 실책으로, 독일 장군들뿐 아니라 군사사가들 사이에서도 누구의 책임이고 그 이유가 무엇이냐는 물음과 관련해 격렬한 논쟁의 주제가 되었다. 이 문제에 관해서는 이제는 열람 가능해진 많은 자료들을 바탕으로 조만간 다시 다룰 것이다. 이 정지 명령의 이유가 무엇이었든 간에 연합군에는, 특히 영국군에는 기적과도 같은 집행유예였고, 실제로 됭케르크의 기적으로 이어졌다. 그러나 벨기에군은 구조를 받지 못했다.

레오폴트 국왕의 항복

———

5월 28일 이른 아침, 벨기에 국왕 레오폴트 3세는 항복했다. 프랑스 및 영국과의 동맹에서 이탈하여 어리석은 중립을 선언하고, 독일군이 벨기에 국경을 넘는 대규모 강습을 준비하고 있다는 것을 알면서도 몇 달간 이 동맹에 복귀하기를 거부하고, 막판에 히틀러의 공격을 받고서야 프랑스와 영국에 군사 원조를 요청하고 또 넙죽 받았던 이 젊고 고집 센 통치자는 이제 두 나라를 배신하고 결국 독일군 사단들이 절박한 곤경에 처한 영국-프랑스 군의 측면으로 쇄도할 수 있도록 길을 활짝 열어주었다. 더구나 처칠이 6월 4일에 하원에서 말했듯이 이 국왕은 "사전 상의도 없이, 최소한의 통지만 하고, 각료들의 조언도 듣지 않은 채 단독 행동으로" 그렇게 했다.

실제로 국왕은 정부 각료들의 만장일치 조언, 그가 헌법상 따르겠다고 맹세했던 조언과는 **상반되게** 그렇게 했다. 5월 25일 오전 5시, 국왕의 본부에서 이 군주와 총리 및 외무장관을 포함하는 각료 세 명이 결판을 내기 위해 만났다. 각료들은 국왕에게 개인적으로 항복하여 독일 측의 포로가 되지 말아달라고 마지막으로 권고했다. 만약 항복한다면 프라하의 "하하와 같은 역할로 전락할 것"이라고 간언했다. 또한 국왕이 국가의 수반일 뿐 아니라 최고사령관이기도 하다는 사실, 최악의 상황이 닥치더라도 네덜란드 여왕이나 노르웨이 국왕이 결단했던 것처럼 외국으로 망명하여 수반의 권한을 행사하면서 결국 연합군이 승리하기를 기다릴 수 있다는 사실을 상기시켰다.

"나는 머물기로 결정했네"라고 레오폴트는 대답했다. "연합군의 대의는 패배했네."[14]

5월 27일 오후 5시, 레오폴트는 벨기에 참모본부의 참모차장 드루소Derousseaux 장군을 독일 측에 파견해 휴전을 요청하게 했다. 10시 정각에 장군은 독일의 조건을 가지고 돌아왔다. "총통은 무조건 무기를 내려놓을 것을 요구한다." 오후 11시, 국왕은 무조건 항복을 받아들이고 오전 4시를 기하여 전투를 정지할 것을 제안했고, 그 제안대로 되었다.

프랑스 총리 레노는 격렬한 방송 연설에서 성난 어조로 레오폴트의 항복을 비난했고, 역시 파리에서 방송한 벨기에 총리 위베르 피에로Hubert Pierlot는 더 위엄 있는 어조로 벨기에 국민에게 국왕이 정부의 만장일치 조언과는 상반되게 행동했고 국민과의 유대를 끊었으며 더 이상 통치하는 지위에 있지 않다는 점, 벨기에 망명정부는 투쟁을 이어간다는 점을 알렸다. 처칠은 5월 28일 하원에서 연설할 때는 레오폴트의 행동에 관한 논평을 피했으나 6월 4일에는 전반적인 비판에 동참했다.

논쟁은 전쟁이 끝나고도 오랫동안 이어졌다. 레오폴트를 옹호하는 벨기에 국내외의 상당수 사람들은 국왕이 군인 및 국민과 운명을 함께하는 올바르고 명예로운 일을 했다고 믿었다. 그리고 국왕이 국가수반이 아니라 벨기에군 최고사령관으로서 항복한 것이라는 주장을 중시했다.

5월 27일에 벨기에군이 흠씬 두들겨 맞고 절망적인 처지였다는 데에는 논쟁의 여지가 없다. 그에 앞서 벨기에군은 용감하게도 영국군과 프랑스군이 남쪽에서 싸울 수 있도록 자기네 전선을 확장하는 데 동의했다. 그러나 그들이 악착같이 싸웠음에도 그 확장된 전선은 빠르게 무너지고 있었다. 게다가 5월 26일에 고트 경이 됭케르크로 철수하여 영국 원정군을 최대한 구하라는 지령을 런던으로부터 받았지만 레오폴트는 이 정보를 듣지 못했다. 이것이 논쟁의 한 측면이지만 다른 측면도 있다. 벨기에군이 연합군 총괄사령부의 지휘하에 있었건만 레오폴트는 이 사령부와 상의하지 않고 단독으로 강화를 맺었다. 레오폴트를 옹호하는 측에서는 5월 27일 오전 0시 30분에 국왕이 곧 "붕괴를 피하기 위해 항복할 수밖에 없다"는 전보를 고트에게 보냈다고 지적해왔다. 하지만 당시 극도로 바쁘고 끊임없이 이동하던 영국 원정군 사령관은 그 전보를 받지 못했다. 훗날 그는 5월 27일 오후 11시 직후에야 항복 소식을 처음 들었고 "갑자기 이프르와 바다 사이 20마일에 걸친 빈틈, 적군 기갑부대가 해변에 당도할 수도 있는 빈틈에 직면했다"라고 증언했다.[15] 벨기에 국왕의 상급지휘관이었던 베이강 장군은 오후 6시가 조금 지나 벨기에군 본부의 프랑스군 연락장교로부터 항복을 알리는 전보를 받았는데, 훗날 그는 "마른하늘에 날벼락 같았다. 아무런 경고도 없었다. …"라고 말했다.[16]

끝으로, 레오폴트는 최고사령관이라 할지라도 입헌민주주의 군주국에서는 정부의 조언을 받아들일 의무가 있었다. 최고사령관으로서도, 또 확실히 국가수반으로서도 그에게는 단독으로 항복할 권한이 없었다. 결국 벨기에 국민이 이 군주에게 적절한 판결을 내렸다. 전쟁 막바지에 스위스로 피신한 레오폴트는 전후 5년이 지나도록 왕좌로 복귀하지 못했다. 국민투표에서 57퍼센트의 찬성을 얻어 1950년 7월 20일 레오폴트가 귀국하자 대중이 격렬하게 반발하여 내전이라도 일어날 판이었다. 그는 곧 아들에게 왕위를 물려주었다.

레오폴트의 행동에 관해 어떻게 말하든 간에, 벨기에군이 훌륭하게

싸웠다는 점에는 논쟁의 여지가 없어야 한다―그럼에도 논쟁이 있었다.[*]
5월의 며칠 동안 나는 벨기에를 통과하는 라이헤나우의 제6군과 동행하며 벨기에군이 도저히 극복할 수 없는 전력상의 격차에 맞서 강인하게 싸우는 모습을 직접 목격했다. 독일 공군의 무자비한 폭격에도, 독일 기갑부대의 돌파 시도에도 벨기에군은 단 한 번도 무너지지 않았다. 같은 싸움에서 연합군의 몇몇 부대들은 그런 모습을 보였다고 말할 수 없다. 벨기에군은 18일을 버텼고, 영국 원정군 및 프랑스 북부군과 함께 올가미―그들이 초래하지 않은―에 걸리지 않았다면 훨씬 더 오래 버텼을 것이다.

됭케르크의 기적

———

구데리안의 전차들이 돌파에 성공하여 해안에서 가까운 아브빌까지 도달한 5월 20일부터 영국 해군부는 처칠의 직접 명령에 따라 영불 해협의 항구들에서 영국 원정군을 비롯한 연합군을 철수시킬 경우에 대비해 선박들을 그러모았다. 비전투원과 "밥버러지"는 즉각 선편으로 해협 맞은편 잉글랜드까지 실어나르기 시작했다. 앞에서 언급했듯이 5월 24일경 북쪽의 벨기에 전선은 무너지기 직전이었으며, 남쪽에서는 아브빌에서 북진한 독일 기갑부대가 불로뉴를 장악하고 칼레를 포위한 뒤 됭케르크에서 고작 32킬로미터 떨어진 아 운하까지 도달한 터였다. 그 중간 지대에 벨기에군, 영국 원정군 9개 사단, 프랑스 제1군 10개 사단이 갇혀

---

[*] 특히 영국 육군 제2군단을 지휘하고 육군 참모총장을 지낸 뒤 자작이 된 앨런 브룩(Alan Brooke) 경이 논쟁을 제기했다. 앨런 브룩의 일기를 토대로 아서 브라이언트(Arthur Bryant) 경이 쓴 *The Turn of the Tide* 참조.

있었다. 이 고립된 지대의 남단은 운하와 수로, 관수지冠水地가 교차하여 전차에 불리한 지형이었지만, 구데리안과 라인하르트의 기갑군단은 해안의 그라블린에서 생토메르까지 이어지는 주요 장애물인 아 운하에 이미 다섯 곳의 교두보를 확보해둔 채, 북동쪽에서 남진하는 독일 제6군과 제18군에 가로막힌 연합군에 결정타를 날려 섬멸할 태세였다.

5월 24일 저녁, 갑자기 독일군 최고사령부로부터 엄명이 날아들었다. 히틀러가 룬트슈테트와 괴링의 지지를 받아, 브라우히치와 할더의 격렬한 반대를 무릅쓰고 강력히 주장한 그 명령은 전차병력이 운하 선에서 정지하고 그 이상의 진격을 시도하지 말아야 한다는 것이었다. 그 덕분에 고트 경은 예상치 못한 천금 같은 유예 기간을 얻었고, 영국 해군과 공군은 그 기간을 최대한 활용했다. 나중에 룬트슈테트는 이 실책을 인지하고서 "전쟁의 중대한 전환점 중 하나"였다고 말했다.

이 전투에서 독일군이 최대의 승리를 거둘 것이 확실해 보이던 순간에 어째서 이런 불가해한 정지 명령이 내려졌을까? 어떤 이유가 있었을까? 그리고 누구에게 책임이 있었을까? 이 문제는 명령에 관여한 독일 장군들과 역사가들 사이에서 2차대전의 최대 논쟁 중 하나를 불러일으켰다. 룬트슈테트와 할더를 위시한 장군들은 히틀러에게 전적으로 책임을 돌렸다. 처칠은 전쟁 회고록 제2권에서 그 명령을 주도한 사람이 히틀러가 아니라 룬트슈테트라고 주장하고 룬트슈테트 사령부의 전쟁 일지를 증거로 인용하며 논쟁을 더욱 부채질했다. 서로 상충되고 모순되는 증언들의 미로 속에서 사실을 확인하기는 어려운 일이었다. 이 장을 준비하는 동안 나는 할더 장군에게 직접 편지를 써서 추가 해명을 요청했고, 금세 정중하고 상세한 답변을 받았다. 그 편지와 그 밖에 현재 입수 가능한 여러 증거를 토대로 일정한 결론을 도출할 수 있고, 논쟁을 끝내지는 못할지라도 적어도 꽤 설득력 있게 정리할 수는 있다.

이 유명한 명령의 책임에 관해 말하자면, 훗날 본인의 반론에도 불구하고 룬트슈테트가 히틀러와 책임을 나누어 져야 한다. 5월 24일 오전, 총통은 샤를빌에 있는 룬트슈테트 장군의 A집단군 사령부를 방문했다. 룬트슈테트는 보병이 증원될 때까지 됭케르크 인근 운하 선의 기갑사단들을 정지시킬 것을 제안했다.* 솜 강 남쪽의 프랑스군을 상대로 작전을 펴기 위해 기갑전력을 보존해야 한다고 생각한 히틀러는 이 제안에 동의했다. 여기에 더해 히틀러는 연합군을 고립시킨 지대가 너무 작아지면 공군의 활동에 방해가 될 것이라고 말했다. 아마도 룬트슈테트가 총통의 승인을 받아 곧장 정지 명령을 내렸을 것이다. 처칠이 기록한 대로 영국 원정군이 그날 오전 11시 42분에 그 명령을 전하는 독일의 무선 메시지를 방수傍受했기 때문이다.[17] 당시 히틀러와 룬투슈테트는 회의

---

* 룬트슈테트 자신의 사령부 기록으로 확인된 이 사실에도 불구하고, 전후에 그는 히틀러에게 모든 책임을 씌우는 몇 가지 발언을 했다. 우선 캐나다 정보장교 밀턴 슐먼 소령에게 이렇게 말했다. "내 뜻대로 했다면 영국군은 됭케르크를 그렇게 쉽사리 벗어나지 못했을 겁니다. 하지만 내 손은 히틀러의 직접 명령에 의해 묶여 있었습니다. 영국군이 해변에서 선박으로 기어오르는 동안 나는 움직이지도 못하면서 공연히 항구 바깥에 있었습니다. … 도시 바깥에 앉아서 영국군이 탈출하는 모습을 지켜봤습니다. 그동안 나의 전차와 보병은 움직일 수 없었습니다. 이 믿기 어려운 대실책은 전투 지휘에 관한 히틀러 개인의 판단 때문이었습니다." (Shulman, *Defeat in the West*, pp. 42-43)

1946년 6월 20일, 뉘른베르크 국제군사법정의 위원회를 상대로 룬트슈테트는 이렇게 말했다 (p. 1490, 등사물). "그것은 사령관의 대실책이었습니다. … 당시 우리 지휘관들이 얼마나 화가 났는지는 무어라 형언할 수가 없습니다." 룬트슈테트는 리델 하트(Liddell Hart, *The German Generals Talk*, pp. 112-113)에게도, 그리고 뉘른베르크 군사재판의 '미합중국 대 레프' 사건(pp. 3350-3353, 3931-3932, 등사물)에서도 비슷한 주장을 폈다.

텔퍼드 테일러는 *The March of Conquest*에서, L. F. 엘리스(Ellis)는 *The War in France and Flanders, 1930-1940*에서 해당 사건에 대한 독일 육군의 기록을 분석해 다소 다른 결론을 도출했다. 엘리스의 책은 해당 작전에 대한 영국의 공식 서술이며 영국 문서와 독일 문서를 모두 담고 있다. 뉘르베르크 재판에서 미국 측 검사로 4년을 보낸 테일러는 독일 문서에 관한 권위자다.

중이었다.

어쨌든 그날 저녁 히틀러는 OKW에서 공식 명령을 내렸다. 요들과 할더 모두 그 명령을 일기에 기록했다. 육군 참모총장은 불만이 가득했다.

[할더가 일기에 씀] 그래서 기갑부대와 차량화부대로 이루어진 우리의 좌익은 총통의 직접 명령에 따라 이동을 완전히 정지할 것이다! 포위된 적군을 끝장내는 일은 공군의 몫으로 넘어간다!

이 경멸의 느낌표는 괴링이 히틀러의 명령에 끼어들었고 이제 그 사실이 알려졌다는 것을 시사한다. 괴링은 덫에 걸린 적군을 공군이 홀로 해치우겠다고 제안했다! 괴링이 이 야심차고 쓸데없는 제안을 한 이유를 할더는 1957년 7월 19일 나에게 보낸 편지에서 알려주었다.

그다음 며칠 동안[즉 5월 24일 이후] 히틀러의 결정이 주로 괴링의 영향을 받았다는 것이 알려졌습니다. 사관학교를 나오지 않은 까닭에 육군의 위험 요인과 성공 전망을 이해하지 못한 독재자는 육군의 신속한 이동을 거의 불길하게 여길 지경이었습니다. 그는 전세가 역전될지 모른다는 불안감에 끊임없이 시달렸습니다. …
총통을 잘 아는 괴링은 그런 불안감을 활용했습니다. 그는 대규모 포위전의 나머지 부분을 공군 단독으로 맡아서 귀중한 기갑대형을 운용해야 하는 위험을 없애겠다고 제안했습니다. … 이렇게 제안한 이유는 … 염치없을 정도로 야심찬 괴링의 특성에 있습니다. 그는 육군이 그때까지 놀라우리만치 순조롭게 작전을 편 마당에 대전투의 결정적인 최종의 막幕은 **자신의** 공군이 도맡기를, 그리하여 전 세계가 보는 앞에서 성공의 영광을 독차지하기를 원했습니다.

이어서 할더 장군은 브라우히치에게서 들은 이야기를 전한다. 브라우히치가 1946년 1월 뉘른베르크 감옥에서 공군 장군 밀히, 케셀링과 나눈 이야기로, 그때 두 장군은 이렇게 단언했다고 한다.

그때[1940년 5월] 괴링은 히틀러에게 만약 현재 진행 중인 전투의 위대한 승리가 오로지 육군 장군들의 몫으로 돌아간다면 독일 국내에서 총통의 위신이 회복할 수 없을 정도로 손상될 것이라고 강조했습니다. 그것을 막을 수 있는 방법은 육군이 아니라 공군이 결정적인 전투를 수행하는 것뿐이라고 했습니다.

이렇게 보면 괴링과 룬트슈테트가 부추기고 브라우히치와 할더가 맹렬히 반대한 히틀러의 생각이 꽤 분명하게 드러난다. 바로 공군으로, 그리고 이렇다 할 기갑부대 없이 벨기에군과 영국군을 남서쪽의 영불 해협으로 천천히 밀어붙이고 있던 보크 장군의 B집단군으로 됭케르크에 고립된 적군을 소탕한다는 구상이었다. 무려 7개 기갑사단을 거느린 룬트슈테트의 A집단군은 됭케르크 서쪽과 남쪽의 수로 선에 멈춰 서서 그저 상황을 유지하고 적을 가둬둘 예정이었다. 그러나 공군도 보크의 집단군도 목표를 달성할 수 없을 터였다. 5월 26일 오전, 할더는 화가 치밀어 씩씩대며 일기를 썼다. "위에서 내려온 이 명령은 말도 안 된다. … 전차를 마치 마비된 것처럼 세워두고 있다."

결국 5월 26일 저녁 히틀러는 정지 명령을 철회했고, 보크의 더딘 전진과 해안의 병력 수송 움직임을 고려하여 기갑부대가 됭케르크로 다시 진격하는 데 동의했다. 그러나 때늦은 조치였다. 그사이에 궁지에 몰린 적은 방어선을 강화할 시간을 벌었고, 배후에서는 바다를 통한 탈출이 시작되고 있었다.

지금의 우리는 히틀러의 치명적인 명령에 정치적인 이유도 있었음을 알고 있다. 할더는 5월 25일, 그의 말마따나 "포위전에 이어서 취할 조치를 놓고 브라우히치와 총통이 벌인 골치 아픈 언쟁 중 하나"로 시작하는 그날의 일기에 이렇게 적었다.

이제는 **정치적인** 지휘로 인해 플랑드르 땅이 아니라 오히려 북프랑스에서 결전을 치러야 한다는 고정관념이 형성되었다.

이 일기에 나는 의문이 들었고, 전 육군 참모총장에게 편지를 썼을 때 히틀러가 이 전투를 벨기에가 아닌 북프랑스에서 끝내고 싶어했던 **정치적인** 이유를 기억해낼 수 있느냐고 물었다. 할더는 그 이유를 아주 잘 기억했다. "여전히 아주 생생한 내 기억에 의하면, 히틀러는 당시 우리와 대화하면서 자신이 정지 명령을 내린 이유를 두 가지 주된 견해로 뒷받침했습니다. 첫 번째는 군사적인 이유였습니다. 지형의 특성이 전차에 적합하지 않아 큰 손실을 입을 것이고, 그렇게 되면 나머지 프랑스 지역에 대한 임박한 공격이 약해질 것이라는 등등의 이유였습니다." 이어서 할더는 히틀러가 두 번째 이유를 거론했다고 기억했다.

두 번째 이유는 군사적인 것이 아니라 정치적인 것이기 때문에 우리 군인들이 반론을 펼 수 없다고 했습니다.

그 두 번째 이유란 정치적인 사정이 있으므로 부득이 대규모 인명 손실을 야기할 최종 결전을 플랑드르 사람들이 거주하는 영토에서 치르고 싶지 않다는 것이었습니다. 히틀러는 독일계 플랑드르 사람들이 거주하는 영토에서 독립적인 국가사회주의 지역을 만들고, 그리하여 그들을 독일에 단단히 묶어둘 의도라고 말했습니다. 플랑드르 땅에서 그의 지지자들이 오랫동안 이런 방향으로 적극 활동해왔고, 자신이 그들의 땅에 전쟁의 피해를 입히지 않겠다고 약속했다는 말이었습니다. 만약에 자신이 지금 그 약속을 지키지 않으면 자신에 대한 그들의 신뢰가 심각하게 무너질 것이라고 했습니다. 그렇게 되면 독일에 정치적으로 불리할 테니 정치적 책임을 지는 지도자로서 자신은 그것을 피해야 한다고 했습니다.

터무니없는 말로 들리는가? 이것이 히틀러가 또다시 벌인 갑작스러운 기행(할더는 자신과 브라우히치가 "이 추론에 설득되지 않았다"라고 썼다)으로 보인다 해도, 다른 장군들에게 털어놓은 다른 정치적 고려사항은 더 분별 있는—그리고 중요한—것이었다. 전쟁이 끝난 뒤 룬트슈테트의 작전참모장을 지낸 귄터 블루멘트리트 장군은 영국 군사사가 리델 하트에게 1940년 5월 24일의 히틀러와 룬트슈테트의 회의에 관해 묘사하면서 이렇게 말했다.

히틀러는 기분이 아주 좋았고 … 우리에게 전쟁이 6주 안에 끝날 것이라는 의견을 밝혔습니다. 그 후에 그는 프랑스와 합리적인 강화를 맺은 뒤 영국과 협정을 맺을 길이 열리기를 바랐습니다. …
그런 다음 그는 영 제국이 존속할 필요성, 영국이 세계에 가져다준 문명에 대해 감탄하듯 말하여 우리를 놀라게 했습니다. … 자신이 영국에 원하는 것은 대륙에서의 독일의 위치를 인정하는 것뿐이라고 말했습니다. 독일의 식민지들을 돌려받으면 좋겠지만 필수는 아니라고 했습니다. … 자신의 목표는 영국이 명예롭게 받아들일 만한 조건으로 영국과 강화를 맺는 것이라고 결론지었습니다.[18]

이런 생각을 히틀러는 뒤이은 몇 주 동안 휘하 장군들에게, 치아노와 무솔리니에게, 그리고 결국 공개적인 자리에서 자주 표명했다. 한 달 후에 치아노는 당시 성공의 정점에 있던 나치 독재자가 영 제국을 "세계의 한 요인, 균형추"로서 유지하는 것이 중요하다고 거듭 말하는 모습에 깜짝 놀랐으며,[19] 7월 13일 할더는 일기에서 영국이 강화를 수락하지 않아 총통이 골머리를 썩이고 있다고 묘사했다. 그날 히틀러는 장군들에게 영국을 무력으로 굴복시키는 것이 "독일에 이롭지 않고 … 일본이나 미국 등등에게만 이롭다"고 말했다.

이렇게 보면, 약간 의문이 남긴 하지만, 히틀러가 됭케르크 코앞에서 기갑부대를 정지시킨 것은 영국에 쓰라린 굴욕감을 주지 않음으로써 강화협정을 촉진하기 위해서였을지도 모른다. 영국과의 강화는 히틀러의 말마따나 독일이 다시 한 번 동쪽으로, 즉 이제는 소련으로 눈길을 돌리는 것을 가능케 하는 강화여야 했을 것이다. 런던은 제3제국의 유럽 대륙 지배를 인정해야 했다. 그다음 몇 달 동안 히틀러는 조만간 그런 강화를 맺을 수 있을 것이라고 자신했다. 과거 어느 때보다도 이 시점에 히틀러는 영국의 국민성을, 그 지도부와 국민이 끝까지 싸워 지켜내겠다고 결심한 세계가 어떠한 것인지를 이해하지 못하고 있었다.

또한 히틀러와 장군들은 바다에 무지한—이후에도 무지할 터였다—탓에 바다에 이골이 난 영국이 낡아 빠진 작은 항구에서, 독일군 코앞에 있는 노출된 해변에서 30만이 넘는 병력을 철수시킬 수 있을 것이라고는 꿈에도 생각지 못했다.

히틀러가 정지 명령을 취소한 직후인 5월 26일 저녁 7시 3분 전, 영국 해군부는 됭케르크 철수작전을 가리키는 '다이나모 작전Operation Dynamo'을 개시한다는 신호를 보냈다. 그날 밤 독일 기갑부대는 서쪽과 남쪽에서 이 항구에 대한 공격을 재개했으나 이제는 여의치가 않았다. 기갑부대가 공격을 멈춘 사이에 고트 경은 중포의 지원을 받는 보병 3개 사단을 배치했다. 독일 전차는 거의 전진하지 못했다. 그러는 동안 철수가 시작되었다. 순양함과 구축함부터 소형 범선과 네덜란드 스쿠셔 선Skûtsje에 이르기까지 크기, 형태, 추진 방법이 가지각색이며 대부분 잉글랜드 연안 도시들의 민간인 자원자들을 태운 850척의 함대가 됭케르크에 집결했다. 이 선박들은 첫날인 5월 27일에 장병 7669명, 28일에 1만 7804명, 29일에 4만 7310명, 30일에 5만 3823명 등 총 12만 6606명을 처음 나흘 동안 철수시켰다. 이는 해군부의 기대치를 한참 웃도는 성과였다. 작전을 시작할 때 해군부는 이틀 동안 불과 4만 5000명가량을 철수시킬 것으로 기대했다.

다이나모 작전의 넷째 날인 5월 30일이 되어서야 독일군 최고사령부는 무슨 일이 벌어지고 있는지 알아차렸다. 나흘 동안 OKW는 포위된 적군을 섬멸할 것이라는 성명을 되풀이했다. 내가 일기에 적은 5월 29일 성명에서는 이렇게 잘라 말했다. "아르투아에 있는 프랑스군의 운명은 정해져 있다. … 됭케르크 주변 … 지역으로 내몰린 영국군도 우리의 집중공격에 섬멸될 것이다."

그러나 그렇게 되지 않았다. 영국군은 바다로 달아났다. 물론 중화기와 장비까지 가져가진 못했지만, 언젠가 다시 싸울 장병들의 목숨만은 건졌다.

5월 30일 오전까지도 할더는 일기에 "우리가 포위한 적군의 붕괴가 계속되고 있다"라고 자신만만하게 적었다. 영국군 일부는 "이를 악물고 싸우는 중"이지만, 다른 일부는 "해안으로 달아나 물에 뜨는 것이면 무엇이든 붙잡고서 해협을 건너려 시도하고" 있었다. 할더는 프랑스-프로이센 전쟁에서 프랑스군의 붕괴를 묘사한 에밀 졸라의 유명한 소설을 암시하며 영국군이 "패주"한다고 결론지었다.

오후 들어 브라우히치와 회의한 뒤, 할더는 해안으로 새까맣게 모여들어 영국군을 태우고 달아나는 작고 가엾은 선박들의 중요성을 깨달았다.

브라우히치는 화가 났다. … 우리 기갑부대를 저지하지만 않았다면, 포위를 해안까지 밀어붙여 완결했을 것이다. 악천후가 공군의 이륙을 방해했으며, 이제 우리는 수많은 적군이 우리 코앞에서 잉글랜드로 탈출하는 모습을 가만히 지켜봐야만 한다.

실제로 그렇게 되었다. 독일군이 즉시 모든 방면에서 고립지대에 압력을 가했음에도 영국군의 방어선은 뚫리지 않았고 더 많은 병력이 철수했다. 이튿날인 5월 31일에는 최대 규모의 철수가 이루어졌다. 약 6만 8000명이 잉글랜드행 선박에 몸을 실었는데, 3분의 1은 해변에서, 나머지는 됭케르크 항에서 승선했다. 이렇게 해서 애초 기대치의 네 배 이상인 총 19만 4620명이 탈출했다.

그사이에 그 유명한 독일 공군은 무얼 하고 있었을까? 할더가 적었듯이, 며칠 동안은 날씨가 나빠 이륙하지 못했다. 나머지 기간에는 해협 맞은편의 기지들에서 처음으로 도양渡洋작전에 나선 영국 공군의 예기치 못한 반격에 직면했다.* 수적으로는 열세였음에도 영국의 신예 스핏파이어 전투기는 독일 메서슈미트 전투기보다 한 수 위였고 둔중한 독일 폭격기를 무찔렀다. 괴링의 항공기들은 영국 공군이 출격하지 않는 빈틈에 몇 차례 됭케르크 상공에 나타나 광범한 피해를 입혔고, 그 바람에 한동안 항구를 사용하지 못해 영국군은 오직 해변에서만 배에 오를 수 있었다. 또 독일 공군은 선박들에 몇 차례 맹공격을 가해 침몰한 243척—전체 861척 중—대부분을 격침했다. 그러나 괴링이 히틀러에게 약속했던 목표, 즉 영국 원정군 섬멸이라는 목표를 달성하지는 못했다. 6월 1일, 독일 공군이 가장 맹렬한 공격을 퍼부어(희생도 최대여서 양측이 각각 항공기 30대를 잃었다) 영국 구축함 3척과 다수의 소형 수송선을 격침한 이날, 일별 인원으로는 두 번째로 많은 6만 4429명이 철수했다. 이튿날 새벽에는 영국군 4000명만이 됭케르크 부근에 남아 있었고, 이제 방어선에 배치된 프랑스군 10만 명이 이들을 보호하고 있었다.

그사이 독일 중구경포의 사정권에 든 탓에 낮시간에는 철수작전을 포기할 수밖에 없었다. 당시 독일 공군은 어둠이 내리고 나면 활동하지 않아서, 6월 2일과 3일 밤에 영국 원정군의 나머지 병력과 프랑스군 6만 명이 무사히 빠져나가는 데 성공했다. 프랑스군 4만 명은 6월 4일 오전까지 계속 완강하게 버티며 됭케르크를 사수했다. 그날까지 영국군과 프랑스군 33만 8226명이 독일군의 손아귀를 벗어났다. 그들은 더 이상 군

---

* 극심한 폭격에 시달려온 해변의 기진맥진한 영국 장병 대다수는 이 사실을 알지 못했는데, 공중전이 대개 구름 위에서나 먼 거리에서 벌어졌기 때문이다. 그들은 벨기에 동부에서 됭케르크까지 오는 내내 폭격과 기총소사를 당했다는 것만 알았고, 공군에게서 버림받았다고 생각했다. 고국의 항구에 도착하자 그들 중 일부는 공군의 청색 군복을 입은 사내들을 모욕했다. 그러자 매우 괴로웠던 처칠은 6월 4일 하원 연설에서 굳이 본론에서 벗어나 그 오해를 바로잡았다. 됭케르크 구출은 "공군이 이루어낸" 것이라고 말했다.

대가 아니었다. 이해할 만한 일이지만 당시 그들 대다수는 가련한 몰골이었다. 그러나 전투로 단련된 그들은 적절한 무장을 갖추고 공군의 엄호를 충분히 받는다면 독일군에 대항할 수 있음을 알고 있었다. 그들 대다수는 훗날 군비의 균형이 갖추어졌을 때 그것을 입증할 터였다―그들이 구출된 영불 해협의 해안으로부터 그리 멀지 않은 남쪽의 해변에서 말이다.

됭케르크는 분명 영국 측에 일종의 구원이었다. 하지만 처칠은 6월 4일 하원에서 "전쟁은 철수로 이기는 것이 아닙니다"라고 지적했다. 영국의 처지는 실로 암담했다. 거의 천 년 전에 노르만족에 침략당했을 때보다도 더 위태로운 처지였다. 우선 영국 제도諸島를 방어할 육군이 없었다. 공군은 프랑스에서 싸우다가 크게 약해졌다. 오직 해군만이 남았는데, 노르웨이에서 벌어진 전투는 대형 군함도 지상에 기지를 둔 항공기에 얼마나 취약한지를 보여주었다. 이제 독일 공군의 폭격기가 좁은 영불 해협을 불과 5분에서 10분 만에 가로지를 수 있는 거리의 지상 기지에 배치되어 있었다. 프랑스는 분명 아직까지는 솜 강과 엔 강의 남쪽에서 버티고 있었다. 그러나 프랑스 최정예 전력과 무기는 벨기에와 북프랑스에서 사라졌고, 노후화된 소규모 공군은 대체로 파괴되었으며, 이제 흔들리는 정부에서 지배력을 발휘하기 시작한 가장 걸출한 두 장군 페탱 원수와 베이강 장군은 독일군처럼 우세한 적을 상대로 해서는 더 이상 싸울 마음이 없었다.

됭케르크에서 출발한 마지막 수송선들이 영국 땅에 군인들을 내려놓던 1940년 6월 4일, 윈스턴 처칠은 하원에서 이와 같은 음울한 실상을 충분히 염두에 둔 채 자국민뿐 아니라 전 세계―특히 미국―에 "계속 싸우려는 우리의 결의가 진지한 입장에 기반한다는 것"을 보여주고자

일어섰다. 이때 처칠은 자신의 가장 유명한 연설, 오래도록 기억될 것이
고 분명 역사상 가장 위대한 웅변들과 어깨를 나란히 할 만한 명연설
을 했다.

유럽의 넓은 지역들과 유서 깊고 명망 높은 여러 국가들이 게슈타포를 비롯
한 나치의 온갖 추악한 통치기구의 손아귀에 함락되었거나 함락될지 모른
다 할지라도, 우리는 지치거나 약해지지 않을 것입니다. 우리는 끝까지 싸울
것입니다. 우리는 프랑스에서 싸울 것이고, 바다와 대양에서 싸울 것이고,
갈수록 커지는 자신감과 힘으로 공중에서 싸울 것이고, 어떠한 대가를 치르
든 우리의 섬을 방어할 것이고, 해변에서 싸울 것이고, 상륙 지점에서 싸울
것이고, 들판과 거리에서 싸울 것이고, 언덕에서 싸울 것입니다. 우리는 절
대로 항복하지 않을 것이고, 저는 한순간도 믿지 않지만 설령 이 섬 전체나
대부분이 예속되어 굶주리게 된다 해도, 바다 건너편 우리의 제국, 영국 함
대의 수호를 받는 제국이 투쟁을 이어갈 것이며, 때가 되면 신세계가 구세
계를 구원하고 해방하기 위해 온 힘을 다해 나설 것입니다.

프랑스의 붕괴

———

계속 싸우겠다는 영국의 결의는 히틀러의 생각을 어지럽히지 않았던
것으로 보인다. 히틀러는 이제부터 프랑스를 끝장내고 나면 영국이 결국
강화를 받아들일 것이라고 확신했다. 됭케르크를 함락한 다음날인 6월
5일 오전, 독일군은 솜 강에서 대규모 강습을 개시했고, 곧 아브빌에서
라인 강 상류까지 프랑스를 가로질러 뻗은 전장 640킬로미터의 전선을
압도적인 전력으로 공격했다. 프랑스군은 패할 운명이었다. 10개 기갑

사단을 포함하는 독일군 143개 사단에 맞서 프랑스군은 65개 사단밖에 운용하지 못한 데다 그나마도 대부분 2급 전력이었다. 최정예 전력과 대부분의 무기를 벨기에에서 소모했기 때문이다. 가뜩이나 약한 프랑스 공군은 거의 남은 것이 없었다. 영국군이 보탤 수 있는 전력은 자르에 있는 1개 보병사단과, 1개 기갑사단의 일부뿐이었다. 영국 공군은 본토를 무방비로 남겨둘 생각이 아닌 이상 내어줄 수 있는 항공기가 거의 없었다. 결국 페탱과 베이강이 지배하는 프랑스군 최고사령부는 패배주의에 사로잡히고 말았다. 그럼에도 몇몇 프랑스군 부대들은 이곳저곳에서 독일 기갑부대를 일시적으로 저지하기까지 하고 독일 공군의 끊임없는 폭격에 결연히 맞서는 등 매우 용감하고 끈질기게 싸웠다.

그러나 이미 기울어진 싸움이었다. 텔퍼드 테일러가 적절히 표현했듯 이 독일군은 "승리의 혼란" 상태로 마치 해일처럼 프랑스로 쇄도했는데, 그들의 수가 너무 많고 진군 속도가 너무 빠르고 또 서로의 진로를 자주 방해한 탓에 생긴 혼란이었다.[20] 6월 10일 프랑스 정부는 황급히 파리를 떠났고, 6월 14일 프랑스의 영광인 이 대도시는 무방비 상태로 퀴흘러 장군의 제18군에 의해 점령되었다. 곧이어 스와스티카 깃발이 에펠탑에 게양되었다. 6월 16일 보르도로 달아난 정부의 레노 총리가 사임했고, 총리직을 넘겨받은 페탱이 이튿날 에스파냐 대사를 통해 독일 측에 휴전을 요청했다.* 같은 날 히틀러는 먼저 동맹자 무솔리니와 상의해야 한다

---

* 이날 1940년 6월 17일, 망명 중인 독일 카이저는 점령당한 네덜란드의 도른에서 히틀러에게, 자신이 그토록 오랫동안 천박한 벼락출세자로 경멸했던 인물에게 축하 전보를 보냈다. 그 전보는 압수된 나치 문서 중에서 발견되었다. "프랑스의 항복에 깊은 감동을 받은 나는 신께서 허락하신 위대한 승리를 거둔 귀하와 독일 국방군 전체를 1870년 빌헬름 대제의 말을 빌려 축하합니다. '신의 섭리로 맞이한 사태의 전환이로다.' 모든 독일인의 마음속에서는 로이텐의 승리자들, 프리드리히 대왕의 군인들이 부른 로이텐의 찬가가 메아리치고 있습니다. '이제 우리 모두 주님께 감사드리세!'"

고 답변했다. 이 거들먹거리는 전사가 프랑스군이 가망 없이 패했음을 확인한 뒤 6월 10일, 전리품을 차지하고자 마치 자칼처럼 전쟁에 뛰어들었기 때문이다.

두체, 프랑스의 등에 단검을 꽂다

히틀러는 서부 전투의 전개에 몰두하면서도 틈틈이 짬을 내 무솔리니에게 놀랍도록 자주 편지를 써서 독일의 연전연승 소식을 꾸준히 알려주었다.

총통은 5월 7일 첫 서한에서 지금 "중립을 보장하기 위해" 벨기에와 네덜란드를 공격하고 있고 향후 두체가 적절한 시점에 결정을 내릴 수 있도록 진행 상황을 계속 알려주겠다고 말했고, 5월 13일, 18일, 25일 서한에서 갈수록 상세하고 열렬하게 전황을 전했다.[21] 할더의 일기로 확인할 수 있듯이 독일 장군들은 이탈리아가 무엇을 하든ㅡ참전을 하든 말든ㅡ신경쓰지 않았지만, 총통은 모종의 이유로 이탈리아의 개입을 중시했다. 네덜란드와 벨기에가 항복하고 북쪽의 영국-프랑스 군이 완파당한 뒤 살아남은 영국 병력이 됭케르크에서 선박에 오르기 시작하자마자, 무솔리니는 전쟁에 슬그머니 끼어들기로 결정했다. 무솔리니는 5월

〔1757년, 프리드리히 대왕은 슐레지엔의 작은 마을 로이텐에서 오스트리아군에 맞서 대승을 거두었다.〕위대한 승리가 신보다 자신 덕분이라고 생각하던 히틀러는 차분한 답장을 썼지만, 그것을 보냈는지 여부는 문서에서 확인되지 않는다.[22]
얼마 전 총통은 도른을 휩쓴 독일 부대가 망명 중인 독일 황제의 거처에 의장병을 배치했다는 사실을 알고서 격분한 바 있었다. 히틀러는 의장병의 배치를 중단하고 모든 독일 군인의 도른 출입을 금하라고 명령했다. 빌헬름 2세는 1941년 6월 4일 도른에서 사망하고 그곳에 묻혔다. 하셀은 독일에서 카이저의 사망 소식이 "거의 주목받지 못했다"라고 일기에 적었다. 히틀러와 괴벨스가 그렇게 되도록 조치했을 것이다.

30일 히틀러에게 편지로 6월 5일을 기하여 참전할 것이라고 알렸다. 히틀러는 즉각 "더없이 감명받았습니다"라고 화답했다.

[히틀러가 5월 31일에 씀] 이번 전쟁이 승리로 종결될 것이라는 나의 확고부동한 신념을 더욱 강화할 무언가가 아직 남아 있다면, 그것은 당신의 말입니다. … 당신이 참전한다는 사실만으로도 적군의 전선에 엄청난 충격을 줄 것입니다.

그렇지만 총통은 두체에게 참전 날짜를 사흘 미룰 것을 요청했고—그전에 먼저 잔존 프랑스 공군을 때려눕히고 싶다고 말했다—무솔리니는 부득이 6월 10일로 닷새 미루었다. 교전은 그 이튿날부터 시작할 것이라고 두체는 말했다.

이탈리아군의 교전은 대수롭지 않았다. 히틀러가 프랑스와의 휴전을 논의하기 위해 하위 파트너 무솔리니를 뮌헨으로 부른 6월 18일까지, 이탈리아의 약 32개 사단은 1주일간 '전투'를 치르고도 알프스 전선과 한참 더 남쪽의 리비에라 지역에서 프랑스의 빈약한 6개 사단을 조금도 밀어내지 못했다. 심지어 론 강 유역을 휩쓸며 남진하는 독일군이 프랑스군의 배후를 강습할 태세였음에도 이탈리아군은 제자리걸음이었다.* 6월 21일 치아노는 일기에 이렇게 썼다.

---

* 패배주의에 젖은 프랑스군 최고사령부는 이탈리아에 대한 공세를 전면 금했다. 6월 14일, 프랑스 해군 소함대가 제노바 인근의 공장과 유류 탱크, 정유소를 포격했으나 다를랑 제독이 그런 행동을 멈추라고 명령했다. 영국 공군이 마르세유의 비행장에서 폭격기를 발진시켜 밀라노와 토리노를 공격하려 했을 때, 프랑스 측은 비행장에 트럭을 옮겨놓아 항공기의 이륙을 막았다.

무솔리니는 우리 군대가 한 걸음도 전진하지 못하는 까닭에 심한 치욕을 느끼고 있다. 심지어 오늘도 이탈리아군은 전진하지 못하고 얼마간 저항하는 프랑스군의 제1방어선 앞에서 멈추었다.[23]

무솔리니기 자랑한 군사력이 속 빈 강정이라는 사실은 전투를 시작하자마자 드러났고, 그 탓에 자존심이 상한 이탈리아 독재자는 프랑스와의 휴전에 관해 히틀러와 상의하기 위해 6월 17일 저녁에 치아노와 함께 시무룩한 기분으로 열차에 올랐다.

[치아노가 일기에 씀] 무솔리니는 불만이다. 이 갑작스러운 평화에 두체는 불안해한다. 이번 여정에서 우리는 프랑스 측에 허용할 휴전의 조건을 정리하기 위해 길게 이야기했다. 두체는 … 프랑스 전토 점령과 프랑스 함대의 항복까지 요구하고 싶어한다. 그러나 두체는 자신의 의견에는 권고의 의미밖에 없음을 알고 있다. 이탈리아가 이렇다 할 군사적 기여를 못한 가운데 이 전쟁에서 승리한 이는 히틀러이고, 최종 결정을 내릴 사람도 히틀러다. 이 사실이 당연하게도 무솔리니를 심란하고 슬프게 한다.

뮌헨의 퓌러하우스에서 나치 통수권자와 상의할 때, 이탈리아 측은 총통의 온건한 "최종 결정"에 확실히 충격을 받기는 했다. 이곳은 지난날, 아직 2년도 지나지 않은 그때에 체임벌린과 달라디에가 체코슬로바키아와 관련해 두 독재자의 비위를 맞추고자 그토록 애를 썼던 장소였다. 이번 회담에 관한 독일 측 기밀문서에는 히틀러가 무엇보다도 프랑스 함대가 영국의 수중에 넘어가는 것을 용납하지 않기로 결정했다고 명확히 적혀 있다.[24] 또 히틀러는 프랑스 정부가 북아프리카나 런던으로 달아나 전쟁을 이어가지 않도록 신경을 썼다. 이런 이유로 휴전 조건—강화의 최종 조건은 조금 달라질 수 있지만—은 "프랑스 정부가 프랑스 땅에서 기능"하고 "프랑스 함대를 중립화"할 수 있도록 온건하게 정해야 했다. 툴롱(프랑스 함대의 대부분이 집결하는 지중해의 대규모 해군 기지)과 마르세유를 포함하는 론 강 유역을 이탈리아가 점령하고 코르시카, 튀니지, 지부티의 무장을 해제하도록 허용해달라는 무솔리니의 요구를 히틀러는 단칼에 일축했다. 이탈리아가 장악한 에티오피아로 가는 관문인 지부티는 독일 문서에 의하면 치아노가 "낮은 목소리로" 끼워 넣은 곳이었다.

치아노가 보기에 호전적인 리벤트로프마저 "유달리 온건하고 차분"한 자세로 "평화를 지지"했다. 전사 무솔리니는 "몹시 당황했다"고 치아노는 적었다.

> 두체는 자신의 역할이 조역이라고 생각한다. … 사실 두체는 평화의 시간이 점점 다가오고 있다고 우려하고, 인생의 이룰 수 없는 꿈, 전장의 영광이라는 꿈이 다시 한 번 멀어지고 있다고 본다.[25]

무솔리니는 히틀러로부터 프랑스와의 휴전 교섭을 공동으로 진행한다는 동의조차 얻어내지 못했다. 총통은 역사적으로 매우 중요한 장소에서 (그곳이 어디인지 친구에게 말해주지 않았다) 거둘 승리를 이 지각생과 공유할 마음이 없었다. 그렇지만 자신과 프랑스의 휴전은 프랑스 측이 이탈리아 측과도 휴전협정을 체결할 때까지 발효되지 않을 것이라고 약속했다.

무솔리니는 씁쓸하고 좌절한 기분으로 뮌헨을 떠났지만, 치아노는 일기에 분명하게 적었듯이 그때까지 목격하지도 생각해보지도 않았던 히틀러의 면모에 아주 좋은 인상을 받았다.

[치아노가 로마로 돌아가 일기에 씀] 그[히틀러]의 모든 발언으로 판단하건대 그는 모든 상황을 서둘러 결말짓고 싶은 것이 분명하다. 지금 히틀러는 한 몫 크게 챙기고서 더 이상의 위험은 무릅쓰지 않고 판을 떠나려는 도박꾼이다. 오늘 그는 신중하고 통찰력 있게 말했는데, 대승을 거둔 이후임을 고려하면 정말로 놀라운 면모다. 나는 그에게 너무 상냥하게 군다고 비난받을 사람은 아니지만, 오늘은 그에게 진심으로 탄복했다.[26]

콩피에뉴에서의 두 번째 휴전협정

——

그해 6월에 나는 독일 육군을 따라 파리에 도착했다. 이 장중한 수도는 연중 가장 화창한 시기였건만 비탄에 잠겨 있었다. 6월 19일, 이틀 전에 페탱이 요청한 휴전협정과 관련해 히틀러가 그 조건을 어디서 제시하려 하는지에 관한 풍문을 들었다. 지난 1918년 11월 11일에 독일 제국이 프랑스와 그 동맹국들에 항복했던 바로 그 장소, 즉 콩피에뉴 숲의 작은 빈터였다. 나치 통수권자는 같은 장소에서 앙갚음하여 복수의 달콤함을 끌어올릴 작정이었다. 5월 20일, 서부 대공세를 시작한 지 겨우 열흘이 지났고 독일 전차부대가 아브빌에 도달한 날에 히틀러는 그런 생각을 떠올렸다. 요들은 그날 일기에 이렇게 썼다. "총통은 강화조약의 초안을 구상하고 있다. … 첫 교섭은 콩피에뉴 숲에서." 6월 19일 오후 늦게 나는 차를 타고 콩피에뉴 숲으로 가서 독일 육군 공병들이 박물관의 벽을 허무는 모습을 보았다. 1918년 당시 휴전협정이 조인된 포슈 원수의 낡은 침대차를 보존해온 박물관이었다. 내가 떠날 무렵에는 공병들이 공압 착암기로 벽을 다 헐어버린 뒤 침대차를 철로에 올려 과거의 바로 그 빈터의 중앙까지, 그들의 말로는 1918년 11월 11일 오전 5시에 독일 특사들이 포슈의 지시에 따라 휴전협정에 서명한 장소까지 끌어내고 있었다.

그리하여 6월 21일 오후, 나는 콩피에뉴 숲의 가장자리에 서서, 지난 격동의 세월 동안 일하면서 수없이 목격한 히틀러의 승리 가운데 최근에 거둔 최고의 승리를 지켜보았다. 내가 기억하기로 프랑스에서 보낸 가장 화창한 여름날 중 하루였다. 6월의 따사로운 햇살이 의젓한 나무들—느릅나무, 참나무, 사이프러스, 소나무—에 내리쬐어, 작고 둥그런 빈터로 이어지는 길에 상쾌한 그림자를 드리웠다. 정확히 오후 3시 15분에 히틀러가 대형 메르세데스를 타고 도착했다. 총통을 수행한 괴링, 브라우히치, 카이텔, 레더, 리벤트로프, 헤스는 제각기 다양한 제복 차림이었고, 수행단의 유일한 원수인 괴링은 원수장元帥杖을 만지작거렸다. 그들은 빈터에서 180미터쯤 떨어진, 알자스-로렌 조각상 앞에서 하차했다. 1918년에 승전한 연합군의 장검이 호엔촐레른 가의 독일 제국을 상징하는 축 늘어진 독수리를 꿰뚫는 그 조각상은 총통이 보지 못하도록 독일 군기로 덮여 있었다(나는 지난날 평화롭던 시절에 방문했을 때 그 조각상을 본 기억이 있었다). 히틀러는 그쪽을 힐끗 보고서 성큼성큼 걸어갔다.

[내가 일기에 씀] 나는 그의 얼굴을 관찰했다. 근엄하고 진지하면서도 복수심으로 가득했다. 또 경쾌한 걸음걸이처럼 얼굴에도 의기양양한 정복자, 세계의 반항자다운 기운이 서려 있었다. 그 밖에도 무엇인가 … 이 운명의 대역전—그 자신이 일으킨 역전—의 현장에 있다는 일종의 조롱하는 듯한 내면의 희열이 배어 있었다.

중앙에 총통기를 걸어둔 작은 빈터에 도착한 히틀러의 시선을 끈 것은 약 1미터 높이로 널찍하게 자리잡은 화강암 덩어리였다.

[나의 일기를 인용] 히틀러는 일행과 함께 천천히 그 화강암 쪽으로 가서 올라간 뒤 (프랑스어로) 큰 글자로 새겨놓은 명문을 읽었다.

"1918년 11월 11일, 이곳에서 독일 제국의 범죄적 자존심이 굴복했다―노예로 만들려던 자유 민들에게 패배했다."

히틀러가 읽고 괴링이 읽었다. 그들 모두 6월의 햇빛을 받으며 아무 말 없이 읽었다. 나는 히틀러의 표정을 살폈다. 그와는 불과 50미터 거리였고, 쌍안경으로 보니 마치 눈앞에 서 있는 듯했다. 나는 그의 생애의 중요한 순간에 그 얼굴을 수도 없이 보았다. 하지만 오늘! 그 얼굴은 경멸감, 분노, 증오심, 복수심, 승리감으로 불타고 있었다.

히틀러는 그 기념석에서 내려오면서 자신의 몸짓까지도 경멸의 걸작으로 만들 궁리를 했다. 그는 경멸과 분노의 표정으로 그것을 돌아보았다―그 자리의 누구에게든 느껴질 법한 분노였는데, 자신의 프로이센풍 장화로 그 불쾌하고 도발적인 글귀를 단숨에 지워버릴 수 없었기 때문이다.* 그는 빈터 주변을 찬찬히 둘러보았고, 우리와 시선이 마주쳤을 때 그 증오심의 깊이를 헤아릴 수 있었다. 하지만 승리감―복수하려는 승자의 증오심―도 있었다. 갑자기, 마치 얼굴로는 감정을 온전히 표현할 수 없다는 듯이, 그는 몸 전체를 통해 기분을 드러냈다. 양손을 재빨리 엉덩이에 대고 어깨를 구부리고 두 다리를 넓게 벌렸다. 그것은 당당한 거역의 자세, 지금 이 장소가 독일 제국의 치욕을 목격한 이래 지난 22년간 상징해온 모든 것에 대한 불타는 경멸감을 표현하는 자세였다.

---

* 사흘 후, 히틀러의 명령으로 폭파되었다.

그런 다음 히틀러 일행은 휴전협정이 체결될 객차로 들어갔고, 총통은 1918년에 포슈가 앉았던 의자에 앉았다. 5분 후 프랑스 대표단이 도착했다. 스당에서 싸운 제2군 사령관 샤를 욍치제Charles Huntziger 장군을 필두로 제독 1명, 공군 장군 1명, 그리고 전 폴란드 주재 대사이자 이제 독일군에 의해 두 번째 낭패를 당할 처지인 민간인 레옹 노엘로 이루어진 대표단이었다. 그들은 낙담한 모습이었으나 비장한 위엄을 유지했다. 프랑스의 이 자랑스러운 성지로 끌려와서 이런 모욕을 당할 줄은 몰랐던 그들은 히틀러가 노린 대로 큰 충격을 받았다. 그날 저녁 브라우히치로부터 목격담을 들은 할더는 일기에 이렇게 썼다.

프랑스 측은 1918년의 교섭 현장에서 휴전조건을 건네받을 것이라고는 사전에 전혀 들은 바 없었다. 그들은 이런 방식에 동요했고 처음에는 부루퉁한 기색이었다.

할더나 브라우히치 같은 교양 있는 독일인마저 프랑스 대표단의 엄숙한 위엄을 부루퉁함으로 착각한 것도 어쩌면 무리는 아니었을 것이다. 당시 프랑스 측은 분명히 얼떨떨해 보였다. 그러나 당시의 보고와 반대로, 이제는 압수된 나치 기밀문서 중에서 발견된 독일의 공식 회담 기록으로 알 수 있듯이,[27] 그들은 총통이 들이민 조건에서 가혹한 부분은 누그러뜨리고 불명예스럽게 생각되는 부분은 삭제하고자 애썼다. 그러나 허사였다.

히틀러와 수행단은 카이텔 장군이 휴전협정 문서의 전문前文을 프랑스 대표단에게 읽어주자마자 교섭 진행을 OKW 총장에게 맡긴 채 객차를 떠났다. 하지만 카이텔에게는 히틀러가 정한 조건에서 벗어날 재량권이 주어지지 않았다.

윙치제는 그 조건을 읽자마자 1918년 당시 이곳에서 프랑스가 독일에 제시했던 조건보다 훨씬 더 "가혹하고 무자비"하다고 말했다. 더욱이 만약에 "프랑스를 패배시키지 않은 알프스 너머의 다른 나라(윙치제는 이탈리아를 너무 경멸한 나머지 그 이름조차 입에 올리지 않았다)가 프랑스에 비슷한 요구를 해온다면, 프랑스는 무슨 일이 있어도 굴복하지 않을 것이다. 최후까지 싸울 것이다. … 그러므로 그로서는 독일 측이 제시한 휴전협정에 서명할 수 없다"고 했다.

당시 임시로 교섭을 주재하던 OKW의 서열 2위 장교 요들 장군은 속수무책으로 패한 적으로부터 그런 항변을 들으리라고는 미처 예상하지 못했다. 요들은 윙치제가 이탈리아 측에 대해 한 말을 개인적으로 "이해"할 수밖에 없다면서도 총통의 조건을 바꿀 권한이 자신에게는 없다고 응수했다. 그가 할 수 있는 일은 "불분명한 점을 설명하고 명확히 하는 것"뿐이었다. 프랑스 측의 선택지는 휴전협정 문서를 받아들이든지 그냥 두고 떠나든지 둘 중 하나였다.

프랑스 대표단이 보르도에 있는 정부의 명확한 동의를 받지 않고는 휴전협정을 체결할 권한도 없이 왔다는 사실에 독일 측은 짜증이 났다. 공학의 기적과 어쩌면 약간의 행운 덕분에 독일 측은 콩피에뉴의 옛 침대차에서부터 아직 전투가 진행 중인 전선을 거쳐 보르도까지를 전화로 연결하는 데 성공했다. 프랑스 대표단은 독일의 허락을 받아 전화를 통해 휴전협정 조문을 정부에 전달하고 논의했다. 통역관으로 활동하던 슈미트 박사는 몇 미터 떨어진 수풀 뒤편에 자리한 육군 통신차량에서 프랑스 대표단의 대화를 도청하라는 지시를 받았다. 이튿날 나는 독일 측이 녹음한 윙치제와 베이강 장군의 대화 중 일부를 어렵사리 들어

볼 수 있었다.

프랑스의 패배주의와 최종 항복, 그리고 영국과의 결별에 막중한 책임이 있는 베이강 장군의 명예를 위해 꼭 말해둬야 할 사실은, 그가 어쨌든 독일의 요구사항 대부분에 완강히 반대했다는 것이다. 가장 혐오스러운 요구사항 중 하나는 프랑스가 본국과 그 외 영토에서 독일인 반나치 망명자들 전원을 제3제국에 넘겨주어야 한다는 것이었다. 베이강은 프랑스의 비호권(망명권) 전통을 고려할 때 불명예스러운 요구라고 말했지만, 거만한 카이텔은 이튿날 논의할 때 그 조항을 삭제하자는 말을들으려 하지 않았다. "독일인 망명자들은 최악의 전쟁광들"이라고 카이텔은 소리쳤다. 그들은 "자국민을 배반한" 족속이었다. "무슨 수를 써서라도" 넘겨받을 작정이었다. 프랑스 측은 다른 나라와 손잡고 독일에 맞서 싸우다가 붙잡힌 모든 프랑스 국적자를 "비정규군Francs-tireurs"으로 다루겠다는―즉 즉결 사살하겠다는―조항에는 항의도 하지 않았다. 이조항은 이미 영국에서 자유프랑스군을 조직하려 애쓰고 있는 샤를 드골Charles de Gaulle을 표적으로 삼은 것이었으며, 베이강과 카이텔은 이것이 기본적인 전쟁법규를 노골적으로 위반하는 것임을 알고 있었다. 또한프랑스 측은 모든 전쟁포로를 강화조약 체결 때까지 억류상태로 둔다는조항에도 이의를 제기하지 않았다. 베이강은 영국이 3주 내에 정복당할것이고 그 후 프랑스 전쟁포로들도 석방될 것이라고 확신했다. 그리하여그는 프랑스인 150만 명이 5년 동안 전쟁포로 수용소에 갇혀 지내도록만들었다.

휴전조약의 핵심은 프랑스 해군을 어떻게 처리하느냐는 문제였다. 프랑스가 휘청거리자 처칠은 만약 프랑스가 해군 함정을 영국 항구를 향해출항시킨 상황에서는 단독강화를 맺지 않기로 한 기존 서약으로부터 프랑스를 면제하겠다고 제안했다. 히틀러는 프랑스 해군의 영국행을 막기로 결심한 상태였다. 6월 18일 무솔리니에게 말했듯이, 히틀러는 프랑스 해군이 영국으로 가면 영국군이 대폭 강해진다는 것을 충분히 알고 있었다. 전쟁의 향방에 너무도 중요한 이 문제가 남아 있었기 때문에 히틀러는 이미 패한 적에게 양보를, 아니 적어도 약속을 해야 했다. 휴전협정문에는 프랑스 함대의 동원과 무장을 해제하고 본국 항구에 계선한다고 명시되었다. 그 대신에 독일 측에는 다음과 같은 조건이 따랐다.

독일 정부는 독일의 감시하에 항구에 있는 프랑스 함대를 자국의 전쟁 목적을 위해 사용할 의도가 없음을 프랑스 정부에 엄숙하게 선언한다. 더 나아가 독일 정부는 강화 체결 시 프랑스 함대에 대한 어떠한 권리 주장도 제기할 의도가 없음을 엄숙하고 명확하게 선언한다.

히틀러의 거의 모든 약속과 마찬가지로 이 약속도 지켜지지 않을 터였다.

결국 히틀러는 프랑스의 남부와 남동부에 프랑스 정부가 명목상 자유롭게 통치할 수 있는 비점령 지역을 남겨주었다. 이는 영악한 조치였다. 프랑스 자체를 지리적·행정적으로 분열시킬 뿐 아니라, 프랑스 망명정부의 수립을 불가능하진 않더라도 어렵게 만들고, 보르도에 있는 정치인들이 정부 소재지를 프랑스령 북아프리카로 옮기려는 계획—거의 성공할 뻔했다가 결국은 독일 측이 아니라 패배주의자 페탱, 베이강, 라발과 그 지지자들 탓에 무산된 구상—마저 틀어막는 조치였기 때문이다. 게다가 히틀러는 당시 보르도에서 프랑스 정부를 좌지우지하는 사람들은 프랑스 민주주의의 적이며 유럽에서 나치의 신질서를 세우는 데 협조할 수도 있는 부류라는 것을 알고 있었다.

그럼에도 콩피에뉴에서의 휴전 교섭 이틀째에 프랑스 대표단은 계속 언쟁하며 시간을 끌었다. 교섭이 지연된 한 가지 이유는 욍치제가 베이강에게서 서명 권한을 받지 못하고 명령만 받았다고 주장한 데 있었다—프랑스의 어느 누구도 휴전협정에 서명하는 책임을 지고 싶어하지 않았다. 결국 오후 6시 30분에 카이텔이 최후통첩을 날렸다. 프랑스 정부는 독일의 휴전 조건을 한 시간 내에 수락할지 거부할지 결정해야 했다. 그 한 시간 내에 프랑스 정부는 항복했다. 1940년 6월 22일 오후 6시 50분, 욍치제와 카이텔은 휴전조약에 서명했다.*

나는 침대차에 숨겨둔 마이크를 통해 그 마지막 순간에 오간 말에 귀를 기울였다. 프랑스 장군은 서명하기 직전에 떨리는 목소리로 개인 발언을 하고 싶다고 했다. 나는 그 발언을 프랑스어로 받아적었다.

단언하건대 프랑스 정부가 이 휴전 조건에 서명하라고 내게 명령했습니다. … 연합국의 일원으로서 관여한 싸움을 무운이 따르지 않아 정지할 수밖에 없는 프랑스는 몹시 가혹한 조건을 떠안았습니다. 프랑스는 향후 교섭에서 인접한 두 대국이 평화롭게 생활하고 일하도록 허용하는 정신을 독일 측이 보여줄 것으로 기대할 권리를 갖습니다.

욍치제가 기대한 교섭—강화조약을 위한 교섭—은 끝내 열리지 않았지만, 나치의 제3제국이 보여줄 법한 정신은, 그런 게 있었다면, 나치의

---

* 그 조약문에는 프랑스-이탈리아 휴전조약이 체결되는 즉시 효력을 발휘하고 그 시점부터 여섯 시간 후에 교전을 정지한다고 명시되었다.

점령이 갈수록 가혹해지고 비굴한 페탱 정권에 대한 압력이 커지면서 곧 분명하게 드러났다. 페탱, 베이강, 라발이 분명히 믿은—그리고 받아들인—대로, 이제 프랑스는 독일의 속국이 될 운명이었다.

대표단이 휴전 객차에서 나와 차를 타고 멀어질 때 보슬비가 내리기 시작했다. 숲 저편의 도로에서는 무거운 발걸음을 옮기는 피난민의 끊이지 않는 행렬을 볼 수 있었다. 누구는 지친 두 발로 걸었고, 누구는 자전거를 탔고, 누구는 수레를 끌었고, 운 좋은 몇몇은 낡은 트럭을 탔다. 빈터에서는 한 무리의 독일 육군 공병들이 활기차게 외쳐대며 벌써 그 침대차를 움직이고 있었다.

"어디로?" 하고 내가 물었다.

"베를린으로요."*

프랑스-이탈리아 휴전협정은 이틀 후 로마에서 체결되었다. 무솔리니는 이탈리아군이 정복한 지역만 점령할 수 있었는데, 그 지역은 기껏해야 프랑스 영토 내의 수백 미터에 그쳤다. 그리고 프랑스와 튀니지에서는 자국 영토와의 사이에 50킬로미터의 비무장지대를 두도록 강요할 수 있었다. 휴전협정 서명은 6월 24일 오후 7시 35분에 이루어졌다. 여섯 시간이 지나자 프랑스에서 총성이 사라졌다.

1차대전에서는 패배하지 않고 4년을 버텼던 프랑스도 이번에는 6주 만에 전열에서 탈락했다. 독일군은 북극권 한계선 이북의 노르 곶에서 보르도까지, 영불 해협에서 폴란드 동부의 부크 강까지 유럽 대부분에서

---

* 그 침대차는 7월 8일 베를린에 도착했다. 아이러니하게도 전쟁 후반에 연합군의 베를린 폭격 중 파괴되었다.

보초를 섰다. 아돌프 히틀러는 최정점을 찍었다. 독일을 진정한 민족국가로 결속하는 데 처음으로 성공한 이 과거의 오스트리아인 방랑자, 1차 대전의 상병은 이제 독일 역사상 최고의 정복자가 되었다. 유럽에서 독재정으로 독일의 패권을 확립하려는 히틀러를 가로막는 장애물은 불굴의 영국인 윈스턴 처칠과 그가 이끄는 결연한 국민밖에 없었다. 전대미문의 강력한 군사기구에 의해 사실상 비무장 상태의 고립무원으로 포위된 이 섬나라 사람들은 코앞까지 다가온 패배를 인정하지 않고 있었다.

히틀러, 평화를 희롱하다

독일이 서부전선을 강습하고 열흘이 지난 날, 독일 전차부대가 아브빌에 도착한 날의 저녁에 요들 장군은 총통이 "기뻐서 어쩔 줄 몰랐다"라고 묘사한 다음 이렇게 덧붙였다. "총통은 강화조약의 초안을 구상하고 있다. … 영국은 식민지를 반환한 후에는 언제든지 단독강화를 맺을 수 있다." 그날이 5월 20일이었다. 그 후로 몇 주 동안 히틀러는 프랑스를 때려눕히고 나면 영국이 강화를 맺고 싶어 안달할 것이라고 믿어 의심치 않았던 것으로 보인다. 영국군이 노르웨이와 프랑스에서 패한 사실을 고려할 때, 히틀러가 제시한 조건은 독일의 관점에서 가장 관대한 것이었다. 5월 24일, 히틀러는 룬트슈테트 장군에게 그 조건을 자세히 설명하면서 영 제국에 경의를 표하고 그 제국이 존속할 "필요성"을 강조했다. 그가 런던으로부터 얻고자 하는 것은 유럽 대륙에서의 자유 재량권뿐이었다.

프랑스 함락 이후 영국이 이 조건에 동의할 것이라고 너무도 확신한 나머지 히틀러는 영국을 상대로 전쟁을 지속할 계획이 전혀 없었으며,

프로이센식의 철저한 자세로 행여 일어날지 모르는 모든 우발 사태에 대비했을 법한 참모본부도 승리에 취해 영국 관련 계획을 총통에게 구태여 제출하지 않았다. 할더 참모총장은 이 무렵에 쓴 방대한 일기에서 대對영국 전쟁이라는 주제를 전혀 언급하지 않았다. 할더는 영국보다 발칸반도와 발트 해 연안에서의 소련의 위협에 더 신경을 썼다.

영국이 속수무책인 난관에 맞서 홀로 싸울 이유가 무엇이겠는가? 특히 독일에 패한 프랑스나 폴란드를 비롯한 여타 패전국들과 달리 아무 탈 없이 멀쩡하고 자유롭게 강화를 맺을 수 있는데 왜 싸우겠는가? 다우닝 가를 제외한 모든 곳에서 이렇게 질문했다. 반면에 훗날 처칠이 밝혔듯이 다우닝 가에서는 이런 화제를 꺼내지도 않았는데, 당연히 계속 싸운다고 생각했기 때문이다.[28] 그러나 독일 독재자는 이를 알지 못했고, 처칠이 영국은 전쟁을 그만두지 않는다고 공언한 후에도 믿지 않았던 것으로 보인다. 됭케르크 철수를 마친 6월 4일에 영국 총리가 언덕에서 싸우고 해변에서 싸우겠다는 명연설을 한 후에도, 심지어 페탱이 휴전을 요청한 뒤 6월 18일에 처칠이 하원에서 "전쟁을 지속하겠다는 확고부동한 결의"를 거듭 표명하고 다시 한 번 기억에 남을 웅변으로 다음과 같은 연설을 끝마쳤을 때에도 마찬가지였다.

그러므로 힘을 모아 우리의 의무를 다하고, 영 제국과 연방이 앞으로 천 년을 존속할 경우 사람들이 자손에게 "이때가 최고의 순간이었어"라고 말할 수 있도록 행동합시다.

분명 이런 발언은 타고난 웅변가의 호언장담에 불과할지 모른다고, 그 스스로 현란한 웅변가인 히틀러는 생각했을 것이다. 또 히틀러는 당시 중립국 수도들에서 들려온 말이나 전쟁을 끝내달라는 호소에도 고무되었을 것이다. 6월 28일, 교황이 히틀러에게 보낸 비밀 메시지가 도착했다—유사한 메시지가 무솔리니와 처칠에게도 전해졌다. 교황은 "공정하고 명예로운 강화"를 중재하겠다고 제안하고는, 행동으로 옮기기 전에 독일이 어떻게 받아들일지 비밀리에 확인하고 싶다고 말했다.[29] 스웨덴 국왕도 런던과 베를린 양측에 강화를 적극 제안하고 있었다.

미국의 독일 대사관은 한스 톰젠 대사대리의 지시에 따라 수중의 모든 돈을 탈탈 털어 미국을 전쟁에서 빼내려는 고립주의파를 지원하고 그로써 영국의 전쟁 지속 의지를 꺾으려 했다. 압수된 독일 외무부 문서들은 미국 여론을 히틀러에게 우호적인 쪽으로 돌리려는 대사관의 노력에 관한 톰젠의 보고로 가득하다. 그해 여름 미국에서는 당대회들이 열리고 있었고, 톰젠은 미국 정당들, 특히 공화당의 외교 정책 관련 강령에 영향을 주고자 심혈을 기울였다.

예를 들어 6월 12일 톰젠이 베를린에 암호로 "최급, 극비" 전보를 보내 알리기를, 독일 대사관과 "긴밀하게" 협력하는 "공화당의 저명한 하원의원"이 고립주의에 동조하는 50명의 공화당 하원의원을 당대회에 초청하여 "고립주의적 외교 정책을 지지하도록 그들을 설득하는" 대가로 3000달러를 제안했다. 또 톰젠이 보고하기를, 같은 의원이 미국 신문들에 "미국을 전쟁에 끌어들이지 마라!"라는 제목의 전면 광고를 내는 데 보탤 3만 달러를 요구했다.*[30]

이튿날 톰젠은 자신이 어느 미국인 저작권 대리인을 통해 미국의 유명 작가 다섯 명에게 책을 쓰게 하는, "대단한 성과를 고대하는" 새로운

---

* 그런 광고가 1940년 6월 25일자 《뉴욕 타임스》에 실렸다.

기획을 협상하고 있다고 베를린에 타전했다. 이 기획을 위해 2만 달러가 필요했고, 며칠 후 리벤트로프가 이 금액을 승인했다.*[31]

영국과 강화조약을 맺고픈 소망을 피력한 히틀러의 첫 공개 발언 중 하나는, 허스트 사〔미국의 언론 경영자 윌리엄 랜돌프 허스트의 신문 제국을 말한다〕계열 신문의 통신원 카를 폰 비간트Karl von Wiegand를 통해 6월 14일자 《뉴욕 저널 아메리칸New York Journal American》에 실렸다. 그로부터 2주 후에 톰젠이 독일 외무부에 알린 바에 따르면, 그는 그 인터뷰 게재호를 여분으로 10만 부 더 인쇄하게 했다.

그에 더해 본관은 비밀 대리인을 통해 고립주의자 하원의원 토르켈손Thorkelson[몬태나 주 선출, 공화당]을 설득하여 총통 인터뷰를 6월 22일자 《의회 의사록Congressional Record》에 끼워 넣게 했다. 이로써 그 인터뷰 기사가 다시 한 번 널리 배포될 수 있었다.[32]

워싱턴의 나치 대사관은 지푸라기라도 붙잡으려 했다. 한번은 여름에 대사관 소속 공보관이 "독일과 총통"의 예찬자이자 "매우 존경받는 미국 언론인"이라면서 라디오 시사평론가 풀턴 루이스 2세Fulton Lewis Jr.를 거명하며 그 사람의 제안을 베를린에 전달했다.

---

* 1940년 7월 5일, 톰젠은 자신의 지출에 관해 우려한 나머지 베를린에 전보를 쳐 모든 영수증과 회계장부를 파기하도록 허락해달라고 요청했다. "지출액은 믿을 만한 중개인들을 통해 수령인들에게 전달되었지만, 사정상 영수증을 기대할 수는 없다. … 본 대사관이 갑자기 미국 당국에 장악될 경우 그런 영수증이나 서류가 미국 정보기관의 수중에 들어갈 것이고, 온갖 위장에도 불구하고 그것들이 존재한다는 사실 하나만으로도, 어쩌면 우리의 적들에게 알려져 있을지 모르는 우리의 정계 친구들에게 정치적 파멸과 그 밖의 심각한 결과를 안길 수 있을 것이다. … 따라서 본관은 이런 영수증과 명세서를 파기할 권한과 그런 증서를 작성하는 업무, 아울러 그런 지출을 기장하는 업무를 생략할 권한을 본 대사관에 줄 것을 요청한다. 이 전신 보고서는 파기한다."[33]

총통은 루스벨트에게 … 대략 다음과 같은 내용의 전보를 발송해야 한다. "루스벨트 씨, 귀하는 피비린내 나는 전쟁을 피하고픈 소망을 내게 거듭 호소하고 줄곧 표명했습니다. 나는 잉글랜드에 전쟁을 선포하지 않았습니다. 오히려 나는 영 제국을 파괴하고 싶지 않다고 언제나 강조했습니다. 이성을 찾고 명예로운 강화조약을 맺자는 나의 거듭된 요청을 처칠은 완강히 거절했습니다. 내가 영국 제도를 상대로 총력전을 개시하라고 명령할 경우 잉글랜드가 심하게 고통받으리라는 것을 나는 알고 있습니다. 이런 이유로 나는 귀하가 처칠에게 연락해 무의미한 고집을 버리라고 설득해줄 것을 당부합니다." 루이스는 루스벨트가 당연히 무례하고 심술궂게 답변할 것이고 그래도 상관없다고 덧붙였다. 그런 호소는 분명히 북아메리카 사람들에게, 그리고 특히 남아메리카 사람들에게 깊은 감명을 줄 것이다. …[34]

아돌프 히틀러는 루이스 씨가 했다는 조언을 받아들이지 않았지만, 베를린 외무부는 그 라디오 시사평론가가 미국에서 어느 정도나 비중 있는 인물인지 전보로 물었다. 톰젠은 루이스가 "최근에 특히 성공을 거두었으나 … 한편으로 미국의 몇몇 주요 시사평론가들과 달리 L에게는 정치적 중요성이 없다"라고 답변했다.*[35]

---

* 이 시기의 워싱턴 주재 독일 대사관의 활동, 즉 *Documents on German Foreign Policy*에 실려 있는 이 대사관발 전보를 통해 밝혀진 활동은 흥미로운 실상을 드러내는 책의 자료가 될 만하다. 내가 인상 깊게 본 한 가지는 나치 독재자에게 그가 듣고 싶어하는 것만 보고하려는 독일 외교관들의 경향이다—전체주의 국가의 사절들 사이에서 공통적으로 보이는 관행이다. 베를린에서 OKW의 두 장교는 내게 최고사령부, 또는 적어도 참모본부는 워싱턴 대사관발 보고의 객관성을 매우 의심하고, 아예 미국에 그들 자체의 정보기관을 두었다고 말했다.
워싱턴 주재 독일 무관 프리드리히 폰 뵈티허의 보고는, *DGFP*에 실려 있는 그의 전보로 판단할 때, 별로 도움이 되지 않았다. 그는 OKW, 육군 본부, 공군 본부에 보낸 보고에서 유대인과 프리메이슨이 미국을 좌지우지한다고 줄기차게 경고했는데, 이는 히틀러의 생각과 정확히 일치하는 경고였다.

훗날 회고록에서 말했듯이 처칠은 스웨덴, 미국, 바티칸에서 타진하는 강화협상 중재안에 다소 시달리고 있었다. 히틀러가 그런 시도를 최

또한 뵈티허는 미국 정계에서의 고립주의자들의 영향, 특히 그의 전보에서 위대한 영웅으로 등장하는 참스 A. 린드버그(Charles A. Lindbergh) 대령의 영향을 과대평가했다. 뵈티허의 보고서를 한두 건만 봐도 그 취지를 알 수 있다.

"1940년 7월 20일: … 유대인 옹호자로서 특히 프리메이슨을 통해 미국의 수많은 대중을 통제하는 루스벨트는 잉글랜드가 전투를 이어가고 전쟁이 장기화되기를 원한다. … 린드버그 일파는 이런 상황을 알아차렸고 이제 유대인에 의한 치명적인 미국 정책 통제를 저지하려 애쓰고 있다. … 최대의 적으로서 두려움의 대상인 린드버그를 겨냥하는 유대인의 비열하고 악랄한 캠페인에 관해 본관은 거듭 보고했다. …"(DGFP, X, pp. 254-255)

"1940년 8월 6일: … 린드버그의 공식 석상 재등장과 그를 반대하는 캠페인의 배경.

유대인 파벌은 지난 몇 주 동안 육군장관직, 육군차관직, 해군장관직을 비굴한 인사들로 채우고 영향력이 강한 주요 유대인 줄리어스 옥스-애들러(Julius Ochs-Adler) '대령'을 육군장관의 비서로 붙인 뒤, 지금 미국 군부의 중추를 통제하고 있다.

유대인 파벌에 반대하는 세력들과 미합중국의 현 정책에 관해서는 본관이 참모본부의 중요성까지 고려하며 보고서에서 거론해왔다. 재능이 대단하고 인맥도 매우 넓은 린드버그는 그들 중에서 단연 중요한 인물이다. 유대인 파벌과 루스벨트는 이 남자의 정신적 우월성, 특히 도덕적 우월성과 순수성을 두려워한다.

일요일[8월 4일]에 린드버그는 유대인에게 상처를 입힐 일격을 가했다. 그는 … 평화와 서구 문화의 보존을 위해 미국이 독일과 진심으로 협력하려 애써야 한다고 강조했다. 몇 시간 후, 오래전부터 루스벨트의, 그러니까 유대인의 꼭두각시 노릇을 해온 고령의 퍼싱(Pershing) 장군이 배후 조종자들로부터 떠맡은, 잉글랜드가 패배하면 미국도 위태로워질 것이라는 취지의 선언문을 라디오에서 읽었다. …

언론에서 린드버그에게 의구심을 던지는 유대인 파벌의 합창단과, 루스벨트의 지시로 월요일 밤에 라디오에서 린드버그를 … '제5열', 즉 반역자로 일컬은 상원의원 … 루카스(Lucas)의 비난은 그저 이 인물의 정신적인 힘에 대한 두려움을 뚜렷이 보여줄 뿐이다. 본관은 이 사람의 행보를 개전 이래 줄곧 보고해왔는데, 미래의 독일-미국 관계에서 그가 아주 중요한 역할을 할 것으로 믿는다."(DGFP, X, pp. 413-415)

9월 18일, 톰젠은 또다른 보고서에서 린드버그와 미국 참모본부의 장교 몇 명이, 그의 말마따나 비밀 대화를 나누었다고 전했다. 린드버그는 영국이 머지않아 독일 공군의 공습으로 붕괴할 것이라는 의견을 내놓았다. 그렇지만 참모본부 장교들은 독일의 공군력이 결정을 강요할 만큼 강하지는 않다고 보았다.(DGFP, X, pp. 413-415)

1938년 10월 19일, 뮌헨 회담 3주 후에 린드버그는 '독일독수리성장(Deutscher Adlerorden mit Stern)'의 수훈자로 선정되었다—그리고 이 훈장을 받았다. 내가 알기로 이것은 보통 외국인 수훈자에게, 공식 문구로는 "독일 제국의 우대를 받아 마땅한" 사람에게 수여하는 두 번째로 높은 독일 훈장이었다.

대한 활용하려 든다고 확신한 처칠은 단호한 대응에 나섰다. 워싱턴 주재 독일 대사대리 톰젠이 그곳 영국 대사와의 대화를 시도한다고 통지받은 처칠은 전보를 보내 "로디언 경에게 무슨 일이 있어도 독일 대사대리의 메시지에 응답해서는 안 된다고 전하라"고 지시했다.[36]

단호한 영국 총리는 영국더러 강화협상을 받아들이라고 촉구했던 스웨덴 국왕에게 강경한 어조의 회답을 보냈다.

> … 그런 요청이나 제안을 고려라도 하려면 우선 독일이 체코슬로바키아, 폴란드, 노르웨이, 덴마크, 네덜란드, 벨기에, 그리고 무엇보다 프랑스의 자유롭고 독립적인 생활을 복원할 것이라는 실질적인 보장을 말이 아닌 행동으로 해야 할 것입니다. …*[37]

이것이 처칠의 입장의 골자였고, 런던에서는 아무도 강화조약을 맺는

---

* *DGFP* 문서집에는 때로는 직접, 때로는 프랑코 치하 에스파냐인 같은 중립국 인사를 통해 다양한 영국 외교관 및 유력 인사와 접촉했다며 독일 외무부에 보고한 전보가 몇 통 들어 있다. 주데텐 독일인으로 친영파인 막스 폰 호엔로에(Max von Hohenlohe) 공은 스위스 주재 영국 공사 데이비드 켈리(David Kelley) 경, 그리고 아가 칸(Aga Khan)〔이슬람 시아파의 한 분파인 니자리파의 종교 지도자〕과 나눈 대화 내용을 베를린에 보고했다. 호엔로에 공은 아가 칸이 다음과 같은 메시지를 총통에게 전해달라고 부탁했다고 말했다.
"역시 이곳에 머물고 있는 이집트의 부왕도 총통이 윈저 성에 묵게 되면 함께 어울려 샴페인을 마시자는 데에 의견이 일치했다. … 독일이나 이탈리아가 인도 장악을 구상하고 있다면, 아가 칸은 기꺼이 우리를 도울 것이다. … 잉글랜드와의 싸움은 잉글랜드 국민이 아니라 유대인과도 맞서는 투쟁이다. 처칠은 오랫동안 유대인의 하수인이었고, 국왕 역시 약하고 제약을 받는다. … 만약에 아가 칸이 이런 생각을 가지고 잉글랜드로 간다면, 처칠은 그를 감금할 것이다. …" (*DGFP*, X, pp. 294-295)
이런 보고는 독일 측의 것이고 전혀 진실이 아닐 수도 있지만, 히틀러는 바로 이런 일을 하려고 했다는 데에 유의해야 한다. 훗날 밝혀진 대로 윈저 공의 협력을 얻어내려던 나치의 계획, 실은 그를 납치한 뒤 써먹으려던 음모가 외무부 기밀문서에 드러나 있다. 이에 관해서는 뒤에서 언급할 것이다.

타협안을 생각하지 않았던 것으로 보인다. 타협할 경우 영국은 온전할 수 있었지만 히틀러에게 정복당한 나라들은 영원히 노예가 될 처지였다. 그러나 이 입장을 베를린에서는 이해하지 못했다. 내가 기억하기로 그해 여름에 베를린에서는, 특히 빌헬름슈트라세와 벤틀러슈트라세에서는 누구나 전쟁이 이미 끝난 거나 마찬가지라고 확신했다.

6월 하순의 2주와 7월 초 내내 히틀러는 패배를 인정하고 강화를 맺을 용의가 있다는 영국 정부의 메시지가 런던에서 오기를 기다렸다. 7월 1일, 히틀러는 신임 이탈리아 대사 디노 알피에리Dino Alfieri*에게 "잉글랜드에 아직도 승리를 진지하게 믿는 누군가가 있다고는 생각할 수 없습니다"라고 말했다.[38] 최고사령부는 영국과의 전쟁을 지속하기 위한 조치를 전혀 취하지 않았다.

그러나 하루 지난 7월 2일, OKW는 결국 이 사안에 대한 첫 지령을 내렸다. 그것은 주저하는 듯한 지령이었다.

총통 겸 최고사령관은 다음과 같이 결정했다.
제공권을 확보하고 그 밖의 필요조건을 충족한다면, 잉글랜드 상륙이 가능하다. 상륙 개시일은 미정이다. 즉시 모든 준비를 시작하라.

이 작전에 대한 히틀러의 미지근한 태도와 굳이 그렇게까지 할 필요가 있을까 하는 생각은 지령의 마지막 문장에 반영되었다.

---

* 5월에 리벤트로프의 요구로 아톨리코가 알피에리로 교체되었다.

모든 준비는 침공이 아직 하나의 계획일 뿐이며 확정된 것은 아니라는 점에 기초하여 실행해야 한다.[39]

7월 7일, 치아노는 베를린에서 총통을 만났을 때, 일기에 적었듯이, 나치 통수권자가 마음을 정하는 데 애를 먹고 있다는 인상을 받았다.

그는 싸움을 지속하고 영국에 분노와 강철의 폭풍을 안기려는 쪽으로 다소 기울어 있다. 하지만 최종 결정을 내리지 않았고, 그런 이유로 그의 말마따나 모든 단어에 무게를 싣고 싶은 연설을 미루고 있다.[40]

7월 11일, 히틀러는 군 수뇌부가 이 문제를 어떻게 생각하는지 알아보려고 그들을 오버잘츠베르크로 불러모았다. 침공할 경우 영불 해협 건너편으로 육군을 수송해야 하는 해군의 레더 제독은 그날 총통과 오랫동안 이야기를 나눴다. 둘 다 영국 문제와 제대로 씨름하려는 의욕이 없었다―실제로 노르웨이의 트론헤임과 나르비크에 해군 기지를 두는 문제를 상의하는 데 대부분의 시간을 할애했다.

이 회의에 관한 레더의 기밀 보고서로 판단하자면,[41] 최고사령관은 차분한 분위기였다. 총통은 제독에게 자신이 준비 중인 제국의회 연설이 "효과가 있을" 것으로 생각하는지 물었다. 레더는 그럴 것으로 생각한다면서 특히 연설에 앞서 영국에 "집중" 폭격을 가하면 효과가 있을 것이라고 대답했다. 레더는 영국 원정군이 빌헬름스하펜, 함부르크, 킬에 있는 독일의 주요 해군 기지들에 "유해한 공격"을 감행하고 있다는 사실을 상관에게 상기시킨 뒤, 독일 공군이 즉시 영국군을 상대로 본격적으로 움직여야 한다고 의견을 냈다. 그러나 침공 문제에는 확실히 냉정했다. "영

국으로 하여금 강화를 청하도록 하기 위한 마지막 수단으로만" 침공을
시도해야 한다고 절박하게 조언했다.

그[레더]는 그저 잠수함전, 호송선단에 대한 공습, 주요 중심지들에 대한 맹
폭으로 수입을 차단하기만 해도 영국으로 하여금 강화를 청하도록 할 수
있다고 확신한다. …
따라서 해군 총사령관[레더]은 노르웨이를 상대했던 것처럼 영국을 침공하
는 것을 옹호할 수 없다는 입장이다. …

그런 다음 제독은 영국 침공에 따르는 온갖 어려움을 길고도 자세하
게 설명하기 시작했는데, 히틀러에게는 가장 의욕을 꺾는 설명이었을 것이
다. 그렇지만 동시에 설득력 있는 설명이기도 했을 것이다. 레더가 "총
통 역시 침공을 마지막 수단으로 본다"라고 보고했기 때문이다.

이틀 후인 7월 13일, 장군들이 최고사령관과 상의하기 위해 베르히테
스가덴의 베르크호프에 도착했다. 그들이 보기에 총통은 여전히 영국 문
제로 난감해하고 있었다. 할더는 그날 저녁 일기에 "총통은 잉글랜드가
왜 아직까지 평화로 가는 길을 택하지 않느냐는 문제에 사로잡혀 있다"
라고 적었다. 그런데 그 이유들 중 하나가 그때서야 히틀러에게 보이기
시작했다. 할더는 이렇게 썼다.

우리와 마찬가지로 총통도 이 문제의 해법을 잉글랜드가 여전히 러시아에
희망을 걸고 있다는 사실에서 찾는다. 따라서 그 역시 잉글랜드에는 강화를
무력으로 강요해야 할 날이 올 것이라고 예상한다. 하지만 그는 그렇게 하
기를 원하지 않는다. 우리가 잉글랜드를 군사적으로 완파하면 영 제국이 해

체될 것이기 때문이다. 그렇지만 그로써 독일은 아무런 이익도 얻지 못할 것이다. 독일인의 피로 우리가 무언가를 성취하더라도 일본이나 미국, 그 밖의 나라들만 이득을 볼 것이다.

같은 날인 7월 13일, 히틀러는 무솔리니에게 편지를 써서, 영국 침공에 즈음해 이탈리아의 병력과 항공기를 제공하겠다는 두체의 제안을 정중히 거절했다. 이 서신을 보면 총통이 마침내 마음을 정하기 시작했음을 분명하게 알 수 있다. 이상한 영국 측은 이성에 귀기울이지 않을 터였다.

[히틀러가 씀] 나는 영국에 여러 차례 합의를 제안하고, 심지어 공조 제안까지 했으나 워낙 홀대를 당한 터라 이제는 새삼 이성에 호소해봐야 역시 거절당하기만 할 것이라고 확신하고 있습니다. 현재 그 나라를 다스리는 것은 이성이 아니기 때문입니다. …[42]

사흘 후인 7월 16일, 통수권자는 마침내 결정을 내렸다. 그리고 "잉글랜드 상륙작전의 준비에 관한 지령 제16호"를 발령했다.[43]

일급비밀

총통 본부

1940년 7월 16일

잉글랜드가 군사적으로 가망 없는 상황임에도 불구하고 여전히 합의에 이르려는 의향을 보이지 않고 있으므로 나는 잉글랜드 상륙작전을 준비하고 만약에 필요하다면 실행하기로 결정했다.

이 작전의 목표는 대독일 전쟁을 지속하기 위한 기지로서의 영국 본토를 제거하고, 만약에 필요하다면 완전히 점령하는 데에 있다.

이 강습의 암호명은 '바다사자'였다. 작전 준비는 8월 중순까지 마쳐야 했다.

"만약에 필요하다면 실행하기로." 작전이 필요하다는 직감이 강해지고 있었음에도, 이 지령이 보여주듯 총통의 심중은 그리 확실하지 않았다. 7월 19일 저녁, 영국에 마지막으로 강화를 제안하기 위해 제국의회에 나섰을 때도 아돌프 히틀러는 여전히 이 '만약에'를 의식하고 있었다. 그것은 히틀러의 의회 명연설 가운데 마지막이자, 다년간 이 장소에서 수많은 연설을 들어온 내가 마지막으로 들은 연설이었다. 또한 히틀러의 최고의 연설 중 하나이기도 했다. 그날 밤에 나는 그 인상을 적어두었다.

오늘 밤 제국의회에서 본 히틀러는 정복자임을 의식하는 정복자이면서도 너무나 훌륭한 연기자, 독일인의 마음을 너무나 기막히게 조종하는 연기자였다. 그리하여 정복자의 충만한 자신감과, 누가 정점에 있는지 알고 있는 대중과 언제나 아주 잘 어울리는 겸손함을 탁월하게 뒤섞었다. 오늘 밤 그의 목소리는 낮았다. 평소와 달리 거의 소리치지 않았고, 그 연단에서 내가 그토록 자주 들은 히스테리성 비명을 단 한 번도 지르지 않았다.

확실히 그날 히틀러는 긴 연설 중에 역사를 거침없이 왜곡하고 처칠 개인을 마구 모욕했다. 하지만 눈부신 성과를 거둔 상황인데도 말투는 온건했고, 자국민뿐 아니라 중립국 사람들의 지지까지 얻고 영국 대중에게도 무언가 생각할 거리를 주려는 교묘한 의도를 품고 있었다.

[히틀러가 발언함] 지금 영국으로부터 들려오는 소리는 오로지 전쟁을 지속해야 한다는 외침뿐입니다─그것은 국민들의 외침이 아니라 정치인들의 외침입니다. 싸움을 이어가면 어떤 결과가 나올지를 이 정치인들이 벌써 제대로 알고 있는지 어떤지 나는 모릅니다. 그래도 그들이 전쟁을 이어갈 것이고 설령 영국이 소멸한다 해도 캐나다에서 전쟁을 이어가겠다고 단언하는 것은 사실입니다. 이것이 영국 국민들이 캐나다로 옮겨간다는 뜻이라고는 도저히 믿을 수 없습니다. 아마 전쟁을 지속하는 데 관심이 있는 인사들만이 캐나다로 갈 것입니다. 우려스럽게도 국민들은 영국에 남아야 할 것이고 … 분명히 캐나다에 있는 자칭 지도부와는 다른 눈으로 전쟁을 바라보게 될 것입니다.

진실로 말하건대, 신사 여러분, 나는 국민 전체를 파멸로 이끄는 그런 유형의 파렴치한 정치인들에게 깊은 혐오감을 느낍니다. 그런 사람들이 이미 흔들어놓은 구조물에 최후의 일격을 가하는 것이 나의 운명이 아닐까 하는 생각으로 괴로울 지경입니다. … 처칠 씨는 … 틀림없이 벌써 캐나다에 머물고 있을 것이고, 주로 전쟁에 관심을 쏟는 사람들의 돈과 자식들도 벌써 캐나다로 보내졌을 것입니다. 그렇지만 다른 수백만의 국민들은 이제부터 엄청난 고통에 시달릴 것입니다. 처칠 씨는 이번만은 대제국이 파괴될 것이라는 나의 예언을 믿어야 할 것입니다─그 제국을 파괴하는 것도, 심지어 해하는 것도 결코 나의 의도는 아니지만 말입니다. …

완고한 영국 총리를 이런 식으로 비방하고 영국 국민을 총리로부터 떼어놓으려 한 뒤, 히틀러는 긴 연설의 요점을 짚었다.

이쯤에서 나는 다른 여느 나라처럼 영국을 상대로도 그 이성과 양식에 다시 한 번 호소하는 것이 나의 양심에 따른 의무라고 느낍니다. 나는 이렇게 호소할 만한 위치에 있다고 생각합니다. 나는 패자로서 호의를 애원하는 것이 아니라 승자로서 이성의 이름으로 말하고 있기 때문입니다.

나는 이 전쟁을 지속해야 할 이유를 알 수 없습니다.[*]

그 이상의 구체적인 발언은 없었다. 강화 조건을 구체적으로 제시하지도 않았고, 나치의 손아귀에 있는 피정복 국민 1억 명에게 무슨 일이 생길지 말하지도 않았다. 그러나 그날 저녁 제국의회에 모인 무리 가운데 이 단계에서 세부까지 제시할 필요가 있다고 생각하는 사람은 거의 없었다. 그날 회합이 끝났을 때 나는 꽤 많은 관료들 및 장교들과 섞여 이야기를 나누었는데, 총통의 아주 너그럽고 인자하기까지 한 제안(그들은 정말로 그렇게 생각했다)을 영국 측이 수락하리라는 것을 조금이나마 의심하는 이는 아무도 없었다. 그들의 착각은 오래가지 않을 터였다.

나는 미국의 청취자들에게 히틀러의 연설을 알리기 위해 곧장 방송협회로 차를 몰았다. 그곳에 도착하자마자 런던 BBC의 독일어 방송을 들

---

* 히틀러는 이 연설을 도중에 갑자기 끊고서 독일 역사상 전례가 없는 화려한 장면을 연출했다. 총통은 장군 12명에게 원수장을 수여하고, 괴링에게 특대형 원수장과 함께 다른 원수들보다 높은 신설 계급인 대독일제국원수(Reichsmarschall des Großdeutschen Reiches) 계급을 수여했다. 또한 괴링은 2차대전 기간을 통틀어 유일하게 대십자철십자장(Großkreuz des Eisernen Kreuzes)을 받았다. 할더는 이 무더기 원수 진급식에서 제외되었고, 중장에서 대장으로 한 계급 진급하는 데 그쳤다. 원수 계급을 남발한 이 조치는―카이저는 1차대전 중에 장교단을 통틀어 불과 다섯 명만 원수로 임명했고, 심지어 루덴도르프마저 임명하지 않았다―지난날 적어도 세 차례나 총통을 제거하려 했던 장군들 사이의 반히틀러 감정을 잠재우는 데 도움이 되었을 것이다. 이렇듯 히틀러는 많은 장교들을 군 최고 지위로 끌어올려 원수 계급의 가치를 떨어뜨리는 교묘한 방법으로 장성들을 더욱 강하게 장악했다. 원수로 진급한 육군 장군 9명은 브라우히치, 카이텔, 룬트슈테트, 보크, 레프, 리스트, 클루게, 비츨레벤, 라이헤나우였고, 공군 장군 3명은 밀히, 케셀링, 슈페를레였다.

었다. 벌써, 채 한 시간도 지나기 전에 히틀러의 제안에 대한 영국의 답변을 전하고 있었다. 단호한 **거절**이었다!*

실내에서는 최고사령부의 하급장교들이나 여러 부처의 관료들이 방송을 경청하고 있었다. 그들은 고개를 푹 숙였다. 귀를 의심했다. "이걸 납득할 수 있습니까?" 하고 한 사람이 소리쳤다. 충격을 받았는지 멍해 보였다. "저 영국 바보들을 이해할 수 있습니까?" 하고 이어서 고함을 쳤다. "이제 와서 강화를 거절하다니? 미쳤군!"

같은 날 저녁 베를린에서 치아노**는 내가 만나는 사람들보다 높은 지위의 독일인들이 미친 영국의 방송에 어떻게 반응하는지 목격했다. "저녁 늦게 연설에 대한 영국의 냉담한 첫 반응이 들려왔을 때, 감출 수 없는 실망감이 독일인들 사이에 퍼져나갔다"라고 치아노는 일기에 썼다. 그 방송이 무솔리니에게 끼친 영향은, 치아노에 따르면, 정반대였다.

> 그는 … "지나치게 교활한 연설"이라고 평했다. 그는 영국이 교섭을 시작할 구실을 발견할지 모른다고 우려했다. 그렇게 되면 무솔리니에게는 유감일 텐데, 그는 이제 어느 때보다도 전쟁을 원하기 때문이다.[44]

훗날 처칠이 말했듯이, 두체는 "속을 태울 필요가 없었다. 원하는 전

---

* 훗날 처칠은 "히틀러의 연설이 라디오에서 들리자마자 영국 정부가 독촉하지 않았는데도 BBC 측이" 히틀러의 강화 제안에 그렇게 즉각 퉁명스럽게 퇴짜를 놓았다고 단언했다. (Churchill, *Their Finest Hour*, p. 260)

** 그날 이탈리아 외무장관은 제국의회에서 히틀러가 한숨 돌릴 때마다 마치 상자에서 튀어나오는 장난감처럼 벌떡 일어나 파시스트식 경례를 하는 등 어릿광대처럼 굴었다. 나는 2층 발코니의 구석자리에 쭈그리고 앉은, 눈이 작고 푹 들어간 소인배 크비슬링도 보았다. 자신을 다시 한 번 오슬로의 권좌에 올려달라고 총통에게 애원하기 위해 베를린에 와 있었다.

쟁을 실컷 할 수 있을 터였다".[45]

그날 밤 나는 일기에 썼다. "영국에 맞서 싸우는 쪽으로 독일 국민을 몰아가기 위한 책략으로서 히틀러의 연설은 하나의 걸작이었다. 이제 독일 국민은 이렇게 말할 것이기 때문이다. '히틀러는 영국에 평화 제안을 했고 아무런 단서도 붙이지 않았다. 이 전쟁을 지속해야 할 이유를 모르겠다고 말했다. 전쟁이 지속된다면, 그것은 영국의 책임이다.'"

영국 침공을 준비하라는 지령 제16호를 하달하고 사흘 뒤에 영국에 강화를 제안한 주된 이유는 이런 식의 책임 전가에 있지 않았을까? 이런 의도를 히틀러는 (강화 제안 전에) 두 이탈리아인 알피에리와 치아노에게 토로했다. 7월 1일, 히틀러는 알피에리 대사에게 이렇게 말했다.

… 독일 안팎의 여론을 감안하여 향후 사태의 책임을 적에게 덮어씌우는 것은 언제나 좋은 전술이다. 이로써 우리의 사기는 올라가고 적의 사기는 떨어진다. 독일이 지금 계획 중인 것과 같은 작전은 피를 아주 많이 볼 것이다. … 그러므로 이런 참사를 피하기 위해 사전에 모든 조치를 취했다는 점을 여론에 납득시켜야 한다. …

10월 6일 [폴란드전 막판에 서방에 강화 제안을 한] 연설에서도 그는 이후의 사태 진전에 관해서는 모든 책임을 상대편에 전가하려는 생각에 이끌렸다. 그리하여 그는 말하자면 전쟁이 실제로 시작되기도 전에 승리했던 것이다. 이번에도 그는 사기를 북돋기 위해, 말하자면 앞으로 취할 조치를 위해 또다시 심리적인 이유를 활용하고자 한다.[46]

1주일 후인 7월 8일, 히틀러는 치아노에게 이렇게 털어놓았다.

전쟁이 지속될 경우 — 그의 생각에 실제로 문제가 될 만한 유일한 경우 — 영국 국민들 사이에서 심리적 효과를 거둘 만한 또다른 시위를 벌일 것이다. … 어쩌면 영국 국민들에게 교묘히 호소하는 방법으로 영국에서 그들의 정부를 더욱 고립시킬 수 있을 것이다.[47]

그러나 그 일이 가능하지 않다는 것이 곧 드러났다. 7월 19일 연설은 독일 국민들에게는 통했으나 영국 국민들에게는 통하지 않았다. 7월 22일, 핼리팩스 경은 방송에서 히틀러의 강화 제안을 정식으로 거절했다. 진즉에 예상했던 반응임에도 어쨌든 빌헬름슈트라세는 크게 동요했고, 오후에 나는 그곳에서 성난 얼굴을 여럿 보았다. 독일 정부의 공식 대변인은 우리에게 "핼리팩스 경은 총통의 강화 제안을 수락하지 않았습니다. 여러분, 전쟁이 벌어질 겁니다!" 하고 말했다.

말하기는 쉬워도 행하기는 어려운 법이다. 실제로는 히틀러도, 최고 사령부도, 육해공 참모본부도 영국과의 전쟁을 어떻게 치러 승리할 수 있을지 진지하게 생각해본 적이 없었다. 1940년 한여름에 그들은 눈부신 성공을 바탕으로 무엇을 해야 할지 알지 못했다. 군사국가 독일이 거둔 역사상 최대의 군사적 승리를 활용하려는 계획도 의지도 거의 없었다. 이것은 제3제국의 커다란 수수께끼 중 하나다. 히틀러는 군사력의 정점에 선 채 유럽 대륙 대부분을 발밑에 둔 상황에서, 승승장구하며 피레네 산맥에서 북극권 한계선까지, 대서양에서 비스와 강까지 장악한 군대가 추가 지시를 기다리며 휴식을 취하는 상황에서, 장차 전쟁을 어떻게 이어가고 승리로 끝맺을 수 있을지 알지 못했다. 이제 원수장을 휘두를 12인을 비롯한 장군들도 마찬가지였다.

물론 여기에는 이유가 있었다. 당시 우리가 명확하게 알지 못했을 뿐이다. 독일군은 소문난 군사적 재능에도 불구하고 대전략 개념이 없었다. 그들의 시야는 유럽 대륙에서 인접국들과 치르는 **지상전**으로 국한되었다―예로부터 줄곧 그랬다. 히틀러 자신이 **바다**에 질색했고* 휘하의 훌륭한 지휘관들도 바다에 무지했다. 그들은 관심은 바다가 아닌 지상으로 향했다. 그리고 독일 육군은 맞붙어 싸울 기회만 잡으면 영국의 허약한 지상군쯤은 1주일 만에 분쇄할 수 있었지만, 그해의 아름다운 여름이 저물기 시작한 당시에는 두 나라를 갈라놓는 좁은―맞은편 기슭이 보일 정도로 좁다―도버 해협의 물길마저 독일 지휘관들에게는 어떻게 극복해야 할지 모를 장애물로 다가왔다.

물론 독일군에는 다른 선택지가 열려 있었다. 동맹국 이탈리아와 함께 지중해 서단의 지브롤터를 탈취하고 북아프리카의 이탈리아 기지들에서 동쪽으로 이집트와 수에즈 운하를 거쳐 이란까지 진격하여 영 제국의 주요 생명선 중 하나를 끊어놓는 등 지중해 일대에서 타격을 가해 영국을 쓰러뜨릴 수도 있었다. 그러나 그렇게 하려면 본국 기지에서 멀리 떨어진 해외에서의 대규모 작전이 필요했는데, 1940년에 그런 작전은 독일의 상상력을 넘어서는 일이었다.

이런 이유로 눈부신 성공의 정점에서 히틀러와 휘하 수뇌부는 머뭇거렸다. 그들은 다음 단계와 그것을 수행할 방법을 생각해본 적이 없었다. 이 운명적인 태만은 장차 이 전쟁을 판가름할 중대한 분기점이 될 터였고, 더 나아가 제3제국의 짧은 생애와 아돌프 히틀러의 유성과 같은 경력의 주요 원인이 될 터였다. 경탄스러운 성공 가도를 달린 뒤, 제3제국

---

* "나는 지상에서는 영웅이지만 해상에서는 겁쟁이라네"라고 히틀러는 언젠가 룬트슈테트에게 말했다. (Shulman, *Defeat in the West*, p. 50)

은 이제 실패의 길로 접어들고 있었다. 그러나 당시 여름의 끝자락에 독일에 포위된 채 수중의 변변찮은 수단으로 홀로 버티던 영국으로서는 분명 그런 상황을 내다볼 수 없었다.

제22장

바다사자 작전:
영국 침공 좌절

"잉글랜드에 대한 독일의 최종 승리는 이제 시간문제일 뿐이다"라고 OKW 작전참모장 요들 장군은 1940년 6월 30일에 썼다. "적의 대규모 공세작전은 더 이상 가능하지 않다."

히틀러의 총애를 받던 이 전략가는 자신만만하고 느긋한 기분이었다. 프랑스가 1주일 전에 항복하는 바람에 영국은 그야말로 고립무원이었다. 6월 15일, 히틀러는 육군의 일부를 동원 해제하고 싶다고—160개 사단에서 120개 사단으로—장군들에게 알렸다. 그날 할더는 일기에 이렇게 썼다. "이 조치의 이면에는 육군의 과제가 완수되었다는 판단이 깔려 있을 것이다. 공군과 해군은 대對잉글랜드 전쟁을 자력으로 수행하는 임무를 부여받을 것이다."

실제로 육군은 영국과의 전쟁에 별다른 관심을 보이지 않았다. 총통 본인도 크게 신경쓰지 않았다. 6월 17일, 요들의 부관 발터 바를리몬트Walter Warlimont 대령은 해군에 이렇게 알렸다. "영국 상륙과 관련해 총통은 … 지금까지 그런 의도를 표명하지 않았다. … 따라서 현 시점까지도 OKW는 어떠한 종류의 대비 작업도 수행하지 않았다."[1] 나흘 후인

6월 21일, 히틀러가 프랑스 측에 굴욕을 주기 위해 콩피에뉴의 휴전협정 객차에 들어서려는 순간, 해군은 다음과 같은 통지를 받았다. "육군 참모 본부는 잉글랜드 문제에 관여하고 있지 않다. 실행이 불가능하다고 생각 한다. 남쪽 지역에서 그 작전을 어떻게 수행할지 알지 못한다. … 참모본 부는 그 작전에 반대한다."[2]

　독일 삼군의 재능 있는 계획자들 중 어느 누구도 영국을 어떻게 침공 할지 알지 못했다. 당연하게도 해군이 먼저 이 문제를 얼마간 생각해보 았을 뿐이다. 지난 1939년 11월 15일, 히틀러가 장군들에게 서부 공세 개시를 헛되이 독려하던 때에 레더는 해전 지휘부에 "잉글랜드를 침공할 가능성, 장차 전쟁의 진전 속에 일정한 조건이 충족될 경우 생겨날 가능 성"을 검토하라고 지시했다.[3] 독일군 참모가 그런 군사행동을 고려하라 고 지시받은 것조차 역사상 처음 있는 일이었다. 레더가 이 조치를 취한 것은 십중팔구 예측 불가인 총통의 느닷없는 지침 변경에 미리 대책을 세워두고 싶었기 때문일 것이다. 히틀러가 그런 조치를 상의했거나 알았 다는 기록은 전혀 없다. 이 무렵 히틀러는 기껏해야 영국 제도에 대한 봉 쇄를 강화하기 위해 네덜란드, 벨기에, 프랑스에서 비행장과 해군 기지 를 확보할 궁리만 했다.

　1939년 12월에는 육군 최고사령부와 공군 최고사령부도 영국 침공 문제를 얼마간 생각해보았다. 삼군은 다소 막연한 의견을 주고받았을 뿐, 별 성과가 없었다. 1940년 1월, 해군과 공군은 육군의 계획을 비현실 적이라며 거부했다. 그 계획은 해군이 보기에 영국의 해군력을 고려하지 않은 것이었고, 공군이 보기에 영국 공군을 과소평가한 것이었다. 공군 참모부는 OKH에 보낸 통첩에서 "결론적으로 잉글랜드 상륙을 목표로 하는 합동작전은 거부되어야 한다"라고 말했다.[4] 뒤에서 언급하겠지만,

나중에 괴링과 그 부관들은 이와 정반대되는 견해를 취하게 된다.

독일 기록에서 히틀러가 영국 침공 가능성을 의식하기라도 했다는 첫 언급은 5월 21일, 기갑부대가 아브빌의 해안까지 진격한 이튿날에 나온다. 레더는 "사석에서" 총통과 "나중에 잉글랜드에 상륙할 가능성"을 의논했다. 이 정보의 출처는 레더 제독인데,[5] 당시 해군은 육군과 공군이 서부에서 거두는 놀라운 승리의 영광을 공유하지 못하고 있었고, 제독은 당연하게도 해군을 전장에 다시 집어넣을 방도를 찾고 있었다. 그러나 히틀러의 생각은 북부의 포위전과 당시 남부에서 형성되는 솜 강 전선에 쏠려 있었다. 히틀러는 당면한 두 과제 이외의 문제로 장군들을 괴롭히려 하지 않았다.

그렇지만 달리 할 일이 없었던 해군 장교들은 침공 문제를 계속 연구했으며, 5월 27일 해전 지휘부의 작전국장 쿠르트 프리케Kurt Fricke 소장은 '잉글랜드 연구Studie England'라는 신선한 계획을 제안했다. 함정을 모아들이고 독일 해군에 전무한 상륙주정上陸舟艇을 개발하는 과제에도 착수했다. 후자와 관련해 고트프리트 페더 박사―초기 뮌헨 시절에 히틀러의 당 강령 작성을 도왔던 괴짜 경제학자이며 당시 경제부 고문으로서 별 관심을 받지 못하는 황당한 아이디어들을 내기도 했다―가 '전쟁 악어'라는 계획을 내놓았다. 이것은 콘크리트로 만드는 일종의 자력自力 추진식 바지선으로, 구상에 따르면 완전무장한 200명의 1개 중대나 전차 몇 대, 또는 포 몇 문을 운송하고, 어떤 해변이든 올라가고, 엄폐물로서 부대와 차량의 상륙을 지원할 수 있었다. 이 계획을 해군 최고사령부가, 심지어 일기에서 언급한 할더까지 꽤 진지하게 받아들였고, 6월 20일 히틀러와 레더도 길게 논의했다. 그러나 결국 아무런 결과물도 나오지 않았다.

6월이 끝나갈 무렵, 제독들이 보기에 영국 침공과 관련해서는 아무 일도 진행될 것 같지 않았다. 6월 21일 콩피에뉴에 모습을 보인 뒤, 히틀러는 오랜 동지 몇 사람과 함께 잠시 파리를 구경한* 다음 전장을 방문했다. 이번 전쟁의 전장이 아니라 자신이 연락병으로 복무했던 1차대전의 전장이었다. 1차대전 기간에 히틀러가 속한 부대의 거친 선임하사였으며 이제 백만장자 나치 출판업자인 막스 아만이 전장에 동행했다. 전쟁의 향방―특히 영국과의 싸움을 어떻게 이어갈 것인가―은 히틀러의 안중에 없는 듯했다. 아니면 그저 이 사소한 문제가 이미 해결되었다고 생각했는지도 모른다. 이제 영국이 '이성'을 되찾고 강화조약을 맺을 터였기 때문이다.

히틀러는 6월 29일까지 흑림지대 프로이덴슈타트 서쪽에 있는 새로운 본부 타넨베르크로 돌아가지 않았다. 그 이튿날에야 현실로 돌아온 히틀러는 차후 과제에 대한 요들의 문서를 읽고 생각에 잠겼다. "대잉글랜드 전쟁의 지속"이라는 제목의 문서였다.[6] 요들은 총통의 천재성을 믿는 면에서는 OKW에서 카이텔 다음으로 광신적이긴 했지만, 혼자 있을 때면 늘 신중한 전략가였다. 그러나 당시에는 전쟁에서 이겼고 거의 마무리했다는 최고사령부의 전반적인 견해에 동조하고 있었다. 이 사실을 영국이 깨닫지 못한다면, 깨달을 수 있도록 무력을 조금 더 행사해야 했다. 영국 '포위'에 관해 요들의 문서는 세 단계를 제안했다. 첫째, 영국의 선박, 저장고, 공장, 공군을 겨냥한 독일의 공중전과 해전 강화. 둘째, "인구 조밀 중심지들에 대한 테러 공격." 셋째, "잉글랜드 본토 점령을 목

---

* 그리고 앵발리드에서 나폴레옹의 묘를 응시했다. 총통은 충직한 사진사 하인리히 호프만에게 "내 생애 최고의 순간이었네"라고 말했다.

표로 하는 병력의 상륙."

요들은 "영국 공군과의 싸움을 최우선시해야 한다"라고 주장했다. 하지만 전반적으로 보아 영국 강습의 다른 측면들과 마찬가지로 공중전도 별 어려움 없이 수행할 수 있다고 생각했다.

선전을 펴고, 보복이라 둘러댈 주기적인 테러 공격을 가하는 동시에 이렇게 식량 공급의 기반을 점점 약화시킨다면 **국민의 저항 의지가 마비되어 결국 무너질 것이고, 그리하여 정부에 항복을 강요할 수 있을 것이다.** [강조는 요들]

상륙에 관해서는

독일이 제공권을 장악한 이후에만 고려할 수 있다. 그러므로 상륙은 공군과 해군에 맡길 수 있는 임무인 잉글랜드에 대한 군사적 정복을 목표로 해서는 안 된다. 오히려 상륙의 목표는 이미 경제적으로 마비되어 더 이상 공중전을 치를 수 없는 잉글랜드에 치명타[Todesstoß]를 가하는 것이어야 하며, 이것도 필요한 경우에 한해야 한다.*

그렇지만 요들이 보기에 이 모든 조치가 필요하지 않을 수도 있었다.

잉글랜드는 더 이상 승리를 위해 싸울 수 없고 오로지 속령과 세계적 위신

---

* 요들은 또 "전쟁이 주변부로 확장될" 가능성, 즉 이탈리아뿐 아니라 일본, 에스파냐, 소련의 도움 까지 받아 영 제국을 공격할 가능성도 제시했다.

을 지키기 위해서만 싸울 수 있을 것이므로, 모든 예상에 따르면, 아직은 비교적 적은 비용으로 그것들을 얻을 수 있음을 알고 나면 강화하는 쪽으로 기울 것이다.

히틀러도 바로 이렇게 생각해 곧장 제국의회의 평화 연설 준비에 착수했다. 앞에서 언급했듯이 그사이에 히틀러는 상륙을 위한 약간의 예비 계획 수립을 명령했고(7월 2일), 런던으로부터 '이성'의 말이 들려오지 않은 7월 16일에는 바다사자 작전을 위한 지령 제16호를 하달했다. 6주 동안 망설인 끝에 마침내 "만약에 필요하다면" 영국을 침공한다는 결정을 내린 것이다. 히틀러와 장군들이 뒤늦게 깨닫기 시작했듯이, 이것은 주요 군사작전이 될 수밖에 없었다. 위험 부담이 없지 않았고, 독일 공군과 해군이 영국의 훨씬 우세한 해군과 결코 무시할 수 없는 공군에 맞서 상륙 부대를 위한 길을 터줄 수 있을지 여부가 승부의 관건이었다.

바다사자 작전은 진지한 계획이었을까? 그리고 정말로 실행할 참이었을까?

오늘날까지도 많은 이들이 그런 의문을 품어왔으며, 전후에 독일 장군들이 이구동성으로 하는 말을 듣고는 그런 의구심이 더 커졌다. 영국 침공을 지휘한 룬트슈테트는 1945년 연합국 측 수사관들에게 이렇게 말했다.

잉글랜드 침공 제안은 말도 안 되는 소리였습니다. 함정을 충분히 동원할 수 없었기 때문입니다. … 우리는 그 사안 전체를 일종의 게임으로 여겼는데, 우리 해군이 영불 해협 횡단을 엄호하거나 증원 병력을 수송하지 못한다면 침공이 아예 불가능했기 때문입니다. 해군이 실패할 경우 그런 역할을 독일 공군이 떠맡을 수도 없었습니다. … 저는 이 사안 전체에 줄곧 매우 회의적이었습니다. … 제 생각에 총통은 잉글랜드 침공을 진심으로 원했던 것이 결코 아닙니다. … 총통은 확실히 잉글랜드와 강화하기를 바랐습니다. …[7]

룬트슈테트의 작전참모장 블루멘트리트는 전후에 리델 하트에게 비슷한 견해를 표명하며 "우리끼리는 그것[바다사자]이 허세라고 말했습니다"라고 주장했다.[8]

8월 중순에 나는 영불 해협 일대에서 며칠을 보내며 안트베르펜에서 불로뉴에 걸쳐 침공군을 찾아보았다. 8월 15일, 칼레와 그리네 곶에서는 영국을 향해 해협 상공을 떼 지어 날아가는 독일 폭격기와 전투기를 보았다. 나중에 알았지만 그것이 첫 번째 대공습이었다. 그런데 공군이 총력으로 출격하는 반면에 그 뒤편의 항구나 운하, 강에서는 함정이, 특히 상륙용 바지선이 별로 안 보여서 나는 독일군이 **허세를 부린다**는 인상을 받았다. 내가 아는 한 독일군은 해협 건너편까지 병력을 실어나를 수단이 없었다.

그러나 전쟁에 관해 취재기자 한 명이 볼 수 있는 것은 아주 작은 부분이며, 오늘날 우리는 독일군이 9월 1일에야 침공 함대 집결에 나섰다는 사실을 알고 있다. 뉘른베르크에서의 장군들 심문 기록을 읽어보거나 그들에 대한 반대 심문을 들어본 사람이라면 누구나 그들의 전후 발언을 가감해서 받아들여야 한다는 것을 알게 되었다.* 인간의 기억력은 언제

---

* 리델 하트 같은 면밀한 군사평론가마저 장군들의 증언을 항상 걸러내지는 못했고, 그런 부주의 탓에 그의 저서 *The German Generals Talk*도 가치 면에서 손상을 입었다. 장군들은 말을 하기는 했지만 기억이 늘 확실한 것은 아니었고 진실만 말한 것도 아니었다.

나 여간 까다롭지 않은데 독일 장군들도 예외는 아니었다. 또 그들은 불평불만이 많았고, 무엇보다 히틀러의 군사적 지도력을 신뢰하지 않았다. 실제로 그들이 회고록과 심문 기록, 법정 증언에서 따분하리만치 길게 늘어놓은 불평의 주요 테마는, 만약 결정권이 자신들에게 주어졌다면 히틀러가 제3제국을 패배로 이끄는 일은 결단코 없었으리라는 것이다.

그들에게는 불운하게도, 하지만 후세와 진실에는 다행이게도, 산더미처럼 쌓인 독일의 기밀 군사 서류철들을 보면 1940년 초가을에 히틀러가 영국 침공을 아주 진지하게 계획했다는 점, 그리고 한참 주저하긴 했으나 성공을 거둘 전망이 보이면 그 계획을 진지하게 실행할 의사가 있었다는 점에는 의문의 여지가 없다. 최종 운명을 결정한 것은 결단력이나 노력의 부족이 아니라 이제 처음으로 히틀러에게 등을 돌리기 시작한 무운武運이었다.

지령 제16호를 하달한 다음날, 그리고 총통이 제국의회에서 '평화' 연설을 하기 이틀 전인 7월 17일, 육군 최고사령부(OKH)는 바다사자 작전을 위해 부대를 할당하고, 선발된 13개 사단에 침공의 제1진으로서 해협에 면한 공격 개시 위치들로 이동하라고 명령했다. 같은 날 육군 최고사령부는 잉글랜드 남해안의 넓은 전선에 상륙하기 위한 상세한 계획을 완성했다.

프랑스전 때와 마찬가지로 주공은 룬트슈테트 원수(이미 언급했듯이 7월 19일에 원수로 진급할 예정이었다)가 A집단군 사령관으로서 맡기로 했다. 에른스트 부슈Ernst Busch 장군의 제16군 예하 6개 보병사단은 파-드-칼레에서 승선한 뒤 램즈게이트와 벡스힐 사이 해변을 타격할 예정이었다. 아돌프 슈트라우스Adolf Strauss 장군의 제9군 예하 4개 사단은 르아브르

지역에서 해협을 건너 브라이턴과 와이트 섬 사이에 상륙하기로 했다. 더 서쪽에서는 라이헤나우 원수의 제6군(보크 원수의 B집단군 소속) 예하 3개 사단이 셰르부르 반도에서 출발해 웨이머스와 라임레지스 사이 라임 만에 상륙할 예정이었다. 제1진은 총 9만 명이었다. 육군 최고사령부는 셋째 날까지 총 26만 명을 상륙시킬 계획이었다. 공수부대가 라임 만과 그 밖의 지역들에 강하한 뒤 상륙 부대를 지원할 터였다. 그 뒤를 이어 3개 차량화사단으로 보강된 자그마치 6개 기갑사단이 제2진을 형성한다. 이렇게 해서 며칠 만에 총 39개 사단을 상륙시키고 2개 공수사단을 투입한다는 계획이었다.

과제는 다음과 같았다. 교두보를 확보한 뒤, 남동쪽 A집단군의 사단들이 제1목표인 그레이브젠드와 사우샘프턴을 잇는 선을 향해 진격한다. 라이헤나우의 제6군이 브리스틀로 북진하여 데번과 콘월을 차단한다. 제2목표는 동해안의 템스 강 어귀 북쪽의 몰던과 세번 강을 잇는 선을 장악하여 웨일스를 차단하는 것이었다. 독일군이 제1목표에 도달할 무렵에는 "강한 영국군과의 격전"이 벌어질 것으로 예상되었다. 하지만 독일군이 금세 돌파하고 런던을 포위한 뒤 북진을 재개할 터였다.[9] 7월 17일, 브라우히치는 레더에게 전체 작전이 한 달 안에 끝날 것이고 비교적 쉬울 것이라고 말했다.[*10]

---

* 독일 정보기관은 7월과 8월, 9월 내내 영국의 지상군 전력을 8개 사단가량 과대평가했다. 7월 초에 독일 참모본부는 영국군에서 '전투 능력이 있는' 전력을 15~20개 사단으로 추정했다. 실제로 당시 영국에는 29개 사단이 있었으나 '전투 능력'을 갖춘 전력은 5~6개 사단뿐이었는데, 사실상 전차나 포가 없는 사단들이 많았기 때문이다. 그러나 당시 널리 퍼졌고 오늘날까지 남아 있는 믿음과 달리, 9월 중순에 영국 육군은 독일군 제1진에 편제된 사단들과 대등하게 싸웠을 것이다. 그 무렵 영국 육군은 3개 기갑사단을 포함하는 잘 훈련된 16개 사단으로 남해안 공격에 대항할 준비가 되어 있었고, 동해안은 템스 강에서 워시 만에 걸쳐 4개 사단과 1개 기갑여단으로 방어하고 있었다. 이는

그러나 레더와 해군 최고사령부는 회의적이었다. 그렇게 넓은 전선에서—램즈게이트부터 라임 만까지 320킬로미터쯤이나 되었다—실행하는 그렇게 큰 규모의 작전은 수송과 엄호만 해도 독일 해군의 역량을 넘어서는 것이었다. 레더는 이틀 후 OKW에 그렇게 통지했고, 7월 21일 히틀러가 그와 브라우히치, 한스 예쇼네크(공군 참모총장)를 베를린으로 불러 회의를 했을 때도 같은 취지로 다시 말했다. 총통은 여전히 "잉글랜드에서 무슨 일이 벌어지고 있는지" 혼란스러워했다. 총통은 해군의 고충을 이해하면서도 전쟁을 최대한 일찍 끝내는 것이 중요하다고 강조했다. 침공에는 40개 사단이 필요할 것이고 "주요 작전"은 9월 15일까지 종료해야 한다고 말했다. 통수권자는 처칠이 평화 제안을 막 거절했음에도 대체로 낙관적인 기분이었다.

[할더가 히틀러의 발언을 기록함] 잉글랜드는 속수무책인 상황이다. 이 전쟁은 우리가 이겼다. 다른 전망은 생각할 수도 없다.[11]

그러나 훨씬 더 강한 영국 해군과 여전히 꽤나 의욕적인 듯한 영국 공군에 맞서 파도가 일렁이는 영불 해협 건너편까지 대규모 육군을 수송해야 하는 오싹한 과제를 짊어진 독일 해군으로서는 확신이 서지 않았다. 7월 29일, 해전 지휘부는 "올해에는 작전에 착수하지 않을" 것을

6월에 됭케르크에서 패주한 이후 영국 본토에서 사실상 무방비 상태였던 육군이 눈에 띄게 복구되었음을 뜻한다.
독일의 계획에 관한 영국의 첩보는 극히 부실했고, 침공 위협이 시작된 첫 석 달 동안은 그야말로 엉터리였다. 여름 내내 처칠과 그의 군사 고문들은 독일군 주력이 동해안에서 상륙을 시도할 것이라고 확신하고서 9월까지 영국 지상군의 태반을 동해안에 집결시켰다.

권고하고 "1941년 5월이나 그 이후에 고려할" 것을 제안하는 의견서를 작성했다.[12]

그렇지만 히틀러는 1940년 7월 31일, 이번에는 오버잘츠베르크의 산장으로 군 수뇌부를 다시 호출하여 침공작전을 고려하라고 고집했다. 레더 외에 OKW의 카이텔과 요들, 육군 최고사령부의 브라우히치와 할더가 참석했다. 대제독 레더가 거의 혼자서 발언했다. 그는 그리 희망적인 기분이 아니었다.

레더는 바다사자 작전의 가장 이른 개시일은 9월 15일이며 그것도 "날씨 또는 적으로 인한 뜻밖의 상황"이 생기지 않아야만 가능한 날짜라고 말했다. 히틀러가 날씨 문제에 대해 묻자 레더는 그 주제에 관해 강의조로 응수했다. 매우 유창하고 무언가 위압적인 강의였다. 10월 초순의 두 주를 제외하면 영불 해협과 북해의 날씨는 "전반적으로 나쁘다"라고 레더는 설명했다. 10월 중순에는 옅은 안개가, 10월 말에는 짙은 안개가 낀다. 하지만 안개는 날씨 문제의 일부일 뿐이다. "이번 작전은 바다가 **잠잠할** 경우에만 실행할 수 있다"라고 그는 단언했다. 파도가 거칠면 바지선이 침몰하고 대형 함정마저 속수무책이다. 보급물자를 하역할 수 없다. 이렇게 예상하면서 제독은 점점 얼굴이 어두워졌다.

[레더가 이어서 말함] 제1진이 순조로운 기후 조건에서 횡단에 성공한다 해도, 제2진과 제3진이 똑같이 순조로운 날씨를 맞이할 것이라는 보장은 **없다**. … 사실 우리는 특정 항구를 이용할 수 있을 때까지 수일간은 이렇다 할 횡단 수송이 가능하지 않다는 것을 인지해야 한다.

설령 독일 육군이 영국 해변에 상륙했더라도 그렇게 되면 보급물자와 증원군도 없이 오도 가도 못하는 궁지에 몰릴 터였다. 그런 다음 레더는 육군과 해군이 이견을 보이는 주요 논점을 짚었다. 육군은 도버 해협에서 라임 만에 이르는 넓은 전선을 원했다. 그러나 해군은 영국 해군과 공군의 강한 반격이 예상되는 상황에서 그런 작전에 필요한 선박을 도저히 제공할 수 없었다. 따라서 레더는 전선을 좁혀야 한다고—도버 해협에서 이스트본까지로—강하게 주장했다. 제독은 결정타를 남겨두고 있었다.

"모든 것을 고려하면 작전에 가장 적합한 시기는 1941년 5월일 것이다."

하지만 히틀러는 그렇게 오래 기다리고 싶지 않았다. 날씨와 관련해 할 수 있는 일은 "당연히" 없다고 인정하긴 했다. 그러나 시간 허비의 결과를 고려해야 했다. 봄이 오더라도 영국 해군과 비교해 독일 해군이 더 강해질 리는 없었다. 영국 육군의 상태는 말이 아니었다. 하지만 8개월에서 10개월의 시간만 벌면 30개 내지 35개 사단을 보강해 한정된 침공 예정 지역에서 운용할 상당한 전력을 갖출 터였다. 그런 이유로 히틀러의 결정은 (레더와 할더 모두 작성한 기밀문서에 따르면)[13] 다음과 같았다.

아프리카에서의 양동작전을 연구해야 한다. 그러나 결정적인 성과는 잉글랜드 본토 공격으로만 달성할 수 있다. 그러므로 1940년 9월 15일의 작전을 준비해야 한다. … 작전을 9월에 실행할지 아니면 1941년 5월로 연기할지는 공군이 1주일간 잉글랜드 남부를 집중 공격한 후에 결정할 것이다. 공습의 효과가 커서 적의 공군, 항만, 해군 등이 심대한 타격을 받는다면 바다사자 작전을 1940년에 실행한다. 그렇지 않을 경우 1941년 5월로 연기한다.

이제 모든 것은 공군에 달려 있었다.

이튿날인 8월 1일, 그 결과로 히틀러는 OKW에서 두 가지 지령을 내렸다. 하나는 직접 서명했고, 다른 하나는 카이텔이 서명했다.

종통 본부

1940년 8월 1일

일급비밀

대잉글랜드 공중전 및 해전의 수행을 위한 지령 제17호

잉글랜드 최종 정복에 필요한 조건들을 확립하기 위해 나는 잉글랜드 본토를 겨냥한 공중전과 해전을 이제까지보다 더욱 집중적으로 이어가고자 한다.

이 목표를 위해 나는 다음과 같이 명령한다.

1. 독일 공군은 가용한 모든 수단으로 영국 공군을 되도록 일찍 제압한다. …

2. 일시적이든 국지적이든 제공권을 확보하고 나면 항만, 특히 식량 공급 관련 시설을 겨냥하여 공중전을 수행한다. … 남해 연안의 항만들에 대한 공격은 아군이 의도하는 작전을 고려하여 되도록 소규모로 실행한다. …

4. 공군은 바다사자 작전을 위해 무장 상태로 대기한다.

5. 보복 수단으로서의 테러 공격에 대한 결정권은 내가 보유한다.

6. 강화된 공중전은 8월 6일이나 그 이후에 개시할 것이다. … 해군은 예정대로 같은 시점에 강화된 해전을 개시할 권한을 지닌다.

아돌프 히틀러[14]

같은 날 카이텔이 히틀러를 대신해 서명한 지령의 일부는 다음과 같았다.

일급비밀
바다사자 작전

7월 31일에 해군 총사령관이 바다사자를 위해 필요한 준비를 9월 15일 전까지 완료할 수 없다고 보고한 뒤, 총통은 다음과 같이 명령했다.
바다사자를 위한 준비를 지속하고 육군과 공군은 9월 15일까지 완료한다. 8월 5일경으로 예정된 대영국 공습이 개시되고 8일 내지 2주 후에 총통은 침공을 올해 실행할지 말지 결정할 것이다. 총통의 결정은 대체로 공습의 결과에 달려 있을 것이다. …
짧은 해안선에 걸친(서쪽으로는 이스트본까지) 엄호만 보장할 수 있을 뿐이라는 해군의 경고에도 불구하고, 원래 계획대로 광범한 공격을 위한 준비를 지속한다. …[15]

이 마지막 문장은 침공 전선을 길게 하느냐 짧게 하느냐는 문제를 둘러싼 육군과 해군의 불화를 더 부채질하기만 했다. 2주 전 해전 지휘부는 우선 램즈게이트에서 라임 만에 이르는 320킬로미터 전선에 병력 10만 명을 장비 및 보급물자와 함께 상륙시키라는 육군의 요구를 이행하려면 바지선 1722척, 모터보트 1161척, 예인선 471척, 수송선 155척을 그러모아야 할 것으로 추산한 바 있었다. 7월 25일에 레더가 히틀러에게 보고하기를 설령 그토록 방대한 수의 선박들을 한데 모으는 것이 가능하다 해도 바지선과 예인선을 대거 징발할 경우 거기에 크게 의존하고 있는 내륙 수로의 운송체계가 엉망이 되어 독일 경제 자체가 망가질 터였다.[16] 게다가 레더가 명확히 밝혔듯이, 반격해올 것이 확실한 영국 해군과 공군을 상대로 그렇게 넓은 전선에 걸쳐 보급을 하려는 대규모 선단을 보호하는 것은 독일 해군의 역량을 넘어서는 일이었다. 해전 지휘부는 육군 측에 그토록 넓은 전선을 고집할 경우 해군이 **모든** 함정을 잃을 수도 있다고 경고했다.

그러나 육군은 고집을 꺾지 않았다. 당시 영국군의 전력을 과대평가한 육군은 좁은 전선에 상륙할 경우 "우세한" 영국 지상군의 공격에 직면할 것이라고 주장했다. 8월 7일, 육군과 해군은 담판을 지었다. 육군 참모총장 할더가 자신과 대등한 지위에 있는 해전 지휘부 참모장 슈니빈트 제독을 만났다. 그리고 격렬하고 극적인 충돌이 벌어졌다.

평소 매우 차분한 육군 참모총장이 "나는 해군의 제안을 철저히 거절합니다"라며 씩씩댔다. "육군의 관점에서 보면 그 제안은 완전히 자살행위입니다. 차라리 상륙 부대를 소시지 기계로 곧장 밀어넣는 편이 낫겠습니다!"

이 회의에 관한 해전 지휘부의 기록에 따르면* 슈니빈트는 "영국 해군의 우위를 고려할 때" 육군이 바라는 대로 그렇게 넓은 전선으로 병력을 수송하려는 시도 역시 "똑같이 자살행위"라고 대꾸했다.

이것은 괴로운 딜레마였다. 넓은 전선에 걸쳐 대규모 병력을 상륙시키려 할 경우 영국 해군에 의해 독일 원정군 전체가 바다에 가라앉을 수

---

* 그날 저녁 일기에서 할더는 자신의 발언을 위와 같이 옮겨놓지는 않았다. 양측이 그저 "좁힐 수 없는 간극을 확인했을 뿐이다"라고 적었다. 해군은 "영국 대양함대를 두려워했고 이 위험을 독일 공군으로 방어하는 것은 불가능하다"라고 주장했다. 이 무렵에 독일 육군은 몰라도 해군은 분명히 괴링 휘하 공군의 타격력에 관해 그다지 환상을 품고 있지 않았다.

있었다. 좁은 전선을 택하고 그에 부합하는 규모의 병력을 상륙시킬 경우 영국 육군에 의해 침공군이 바다까지 밀려날 수 있었다. 8월 10일, 육군 총사령관 브라우히치는 OKW에 포크스톤과 이스트본 사이 전선〔좁은 전선을 의미한다〕에 상륙하는 방책을 "받아들일 수 없다"고 알렸다. 그럼에도 "비록 썩 내키지는 않지만" 전선을 좁히고 해군과 절충하고자 라임 만에 상륙하는 방책을 포기할 용의는 있었다.

이는 완고한 제독들에게는 미흡한 절충안이었고, 그들의 경고와 완강한 태도가 OKW에 영향을 주기 시작했다. 8월 13일, 요들은 눈앞의 상황에 대한 '평가서'를 작성하면서 바다사자 작전이 성공하기 위한 다섯 가지 조건을 제시했다. 당시 딜레마가 그토록 심각하지 않았다면 장군들과 제독들이 거의 터무니없다고 생각했을 법한 조건이었다. 첫째로 남해안에서 영국 해군을 제거해야 하고, 둘째로 영국 상공에서 영국 공군을 제거해야 한다. 다른 세 조건은 분명히 독일 해군의 역량을 넘어서는 전력과 속도로 병력을 상륙시키는 과제와 관련이 있었다. 이 조건들이 충족되지 않는다면 상륙은 "절망적인 상황에서 실행할 수밖에 없는 필사적인 조치일 테지만, 지금 우리가 실행할 이유는 없다"라고 요들은 생각했다.[17]

해군의 우려가 요들에게로 번졌다면, OKW 작전참모장의 망설임은 히틀러에게 영향을 주었다. 전쟁 개시 이래로 총통은 줏대 없고 둔한 OKW 총장보다 요들에게 훨씬 더 의지했다. 그러므로 8월 13일 레더가 베를린에서 최고사령관을 만나 넓은 전선과 좁은 전선 사이에서 결정을 내려달라고 요청했을 때, 히틀러가 좀 더 소규모의 작전을 바라는 해군 쪽으로 기운 것은 놀랄 일이 아니다. 히틀러는 이튿날 육군 총사령관을 만난 뒤 명확한 판정을 내리겠다고 약속했다.[18] 14일 브라우히치의 의견을 들은 뒤 히틀러는 마침내 마음을 정했고, 16일 카이텔이 서명한 OKW 지령을 통해 총통은 라이헤나우 장군의 제6군이 수행할 라임 만 상륙을 포기하기로 결정했다고 알렸다. 더 좁은 전선으로 상륙하는 9월 15일의 작전을 계속 준비하기로 했지만, 총통 자신의 의구심이 처음으로 기밀 지령에서 드러나기 시작했다. "상황이 명확해질 때까지 최종 명령은 내리지 않을 것이다"라고 지령은 부언했다. 그렇지만 이 새로운 명령은 얼마간 절충안이었다. 그날 또다른 지령을 내려 좁은 전선을 다시 확대했기 때문이다.

주력의 해협 횡단은 좁은 전선에서 실행한다. 그와 동시에 4천에서 5천 명을 모터보트로 브라이턴에 상륙시키고, 같은 수의 공수부대를 딜-램즈게이트에 투입한다. 이에 더해 디데이 하루 전에 공군이 런던에 맹폭을 가하여 주민 대피와 도로 봉쇄를 유발한다.[19]

8월 23일, 할더가 일기에 "이런 기반 위에서 올해 공격이 성공할 가망은 없다"라고 속기로 휘갈겨 썼음에도, 카이텔이 서명한 8월 27일 지령서에는 남해안의 포크스톤부터 포츠머스 바로 동쪽의 셀시빌에 걸친 4개 거점에 상륙하기 위한 최종 계획이 제시되었다. 그전과 마찬가지로 제1목표는 포츠머스와 런던 동쪽 템스 강 어귀의 그레이브젠드를 잇는 선이었으며, 해안 교두보들을 연결하고 정비하여 북쪽 타격이 가능해지는 즉시 상륙 병력을 북진시킬 계획이었다. 그와 동시에 '가을 여행Herbstreise'을 비롯한 일종의 양동작전 실행을 준비하라고 명령할 예정이었다. 영국을 속이려면 동해안을 대규모로 공격하는 시늉이 필요했는데, 앞에서 언급했듯이 처칠과 그의 군사 고문들은 독일군 주력이 동해안을 타격할 것이라고 여전히 예상하고 있었다. 이 목표를 위해 독일 최대의 여객선 오이로파Europa 호와 브레멘Bremen 호를 포함하는 4척의 대형 여객선, 4척의 순양함이 호위하는 10척의 추가 수송선이 디데이 이틀 전에 노르웨이 남부 항구들과 헬리골란트 만에서 출항하여 애버딘과 뉴캐슬 사이 영국 해안으로 향할 예정이었다. 수송선들은 비어 있을 터였고, 어둠이 깔리면 그 전체가 귀항했다가 이튿날 같은 술책을 되풀이할 터였다.[20]

8월 30일, 브라우히치는 상륙에 관한 장문의 훈령을 내렸지만, 그것을 받아든 장군들은 틀림없이 그 총사령관이 작전에 얼마나 진지하게 임하고 있는지 의심했을 것이다. 그 제목은 "바다사자 작전의 **준비**를 위한 훈령"이었다—본인이 9월 15일부터 실행하라고 지시한 작전의 준비에 관한 훈령으로서는 꽤 지체된 것이었다. "실시 명령의 발령은 정치적 상황에 달려 있다"라고 브라우히치는 덧붙였다—이 조건에 비정치적인 장군들은 분명 어리둥절했을 것이다.[21]

9월 1일, 북해 연안의 독일 항만들에서 영불 해협의 승선 항구들로 선박 이동이 시작되었으며, 이틀 후인 9월 3일 OKW에서 또다른 지령이 나왔다.

침공 함대의 발진 날짜는 일러도 9월 20일, 상륙 날짜는 9월 21일로 정해졌다.

공격 개시 명령은 디데이 10일 전, 따라서 아마도 9월 11일에 내려질 것이다.

최종 명령은 늦어도 디데이 3일 전 정오에 내려질 것이다.

모든 준비는 제로 아워 24시간 전에 취소될 수도 있다.

카이텔[22]

이 지령은 비즈니스처럼 들렸다. 그러나 속임수였다. 9월 6일, 레더는 히틀러와 다시 한 번 장시간 회의했다. "잉글랜드 상륙에 관한 총통의 결정은 아직 내려지지 않았다. 총통은 '상륙' 없이도 영국의 패배를 달성할 수 있다고 확신하기 때문이다"라고 그날 밤 레더는 해전 지휘부 일지에 기록했다. 이 회의에 관한 레더의 긴 기록이 보여주듯이, 실제로 총통은 노르웨이, 지브롤터, 수에즈 운하, "미국 문제", 프랑스 식민지 저리, 그리고 '북독일연합' 수립이라는 자신의 광적인 견해 등 거의 모든 사안에 관해 길게 말하면서도 바다사자 작전은 거론하지 않았다.[23]

처칠과 군 수뇌부가 이 놀라운 회의를 알아챘더라면 이튿날인 9월 7일 저녁 영국에서 '침공 임박'을 의미하는 암호명 '크롬웰Cromwell'이 발령되지 않았을 수도 있고, 그랬다면 향토방위대가 교회 종을 끝도 없이 울리고, 왕립 공병대가 교량 몇 개를 폭파하고, 급하게 부설한 지뢰에 피할 수 있는 사상자가 발생하는 등의 끝없는 혼란이 일어나지 않았을 수도 있다.*

그러나 9월 7일 토요일 늦은 오후에 독일군은 전투기 648대의 호위를 받는 폭격기 625대로 첫 번째 런던 대공습을 개시했다. 이는 한 도시에 대한 공습으로는 전례 없는 것이었다―그에 비하면 바르샤바나 로테르담 공습은 따끔한 정도였다. 저녁까지 이 대도시의 부둣가 전체가 화

---

* 처칠은 자신도 참모총장들도 결정적인 암호명 크롬웰이 발령된 것을 "알지" 못했다고 말한다. 그 암호명은 향토방위대 본부에서 발령했다. (*Their Finest Hour*, p. 312) 그러나 나흘 후인 9월 11일, 처칠은 방송에서 만약 침공이 시작되면 "오래 지연시킬" 수 없고 "따라서 우리는 다음 주 정도를 우리 역사에서 아주 중대한 시기로 여겨야 할 것입니다"라고 경고했다. "그 시기는 에스파냐 대함대가 영불 해협으로 몰려오던 시기, 드레이크가 공놀이를 끝낸 시기[영국의 프랜시스 드레이크 제독은 에스파냐 무적함대와 싸우기에 앞서 공놀이를 했다는 일화가 있다], 넬슨이 불로뉴에서 나폴레옹의 대육군을 저지한 시기에 비견될 것입니다."

염에 휩싸였고 침공 방어에 극히 중요한, 남쪽으로 가는 모든 철도 노선이 차단되었다. 그런 상황에서 런던의 대다수 주민들은 이 살인적인 공습을 임박한 독일군 상륙의 전주곡이라 믿었고, 다른 무엇보다 바로 그 이유로 '침공 임박' 경보를 발령했던 것이다. 머지않아 밝혀진 것처럼, 9월 7일의 이 야만적인 런던 공습은, 비록 조급한 경보를 유발하고 큰 피해를 입히긴 했지만, 역사상 최초로 벌어진 대규모 공중 결전인 '영국 전투'의 결정적 전환점이었다. 그리고 이 전투는 급속히 절정으로 치닫고 있었다.

히틀러가 침공을 개시할지 말지 결정해야 하는 운명적인 시간도 다가오고 있었다. 9월 3일자 지령서에 명시된 대로, 그 결정은 9월 11일에 내려져 삼군에 열흘의 점검 시간을 줄 예정이었다. 하지만 10일이 되자 히틀러는 14일까지 결정을 미루기로 했다. 날짜를 연기한 데에는 적어도 두 가지 이유가 있었던 것으로 보인다. 한 가지 이유는 런던 폭격이 영국의 재산과 사기에 심대한 타격을 입혀 침공이 불필요할지도 모른다는 OKW의 믿음이었다.*

또 한 가지 이유는 독일 해군이 선박을 그러모으면서 겪기 시작한 난관에서 비롯되었다. 9월 10일에 해군 당국이 "완전히 이상하고 불안정"하다고 보고한 날씨 외에도, 괴링이 분쇄하겠다고 약속한 영국 공군이 해군과 공조해 침공 함대의 집결을 갈수록 방해하고 있었다. 같은 날 해전 지휘부는 영국 공군과 해군이 독일의 수송선 이동을 공격할 "위험"에

---

* 런던으로부터의 정보를 방수하고 윤색하여 보내온 워싱턴 주재 독일 대사관의 전보를 독일 측은 매우 중시했다. 미국 참모본부는 영국이 오래 버티지 못할 것이라고 생각한다는 것이었다. 로스베르크(Loßberg) 중령에 따르면(*Im Wehrmacht Führungsstab*, p. 91) 히틀러는 영국에서 혁명이 일어나는 상황을 진지하게 기대했다. 로스베르크는 OKW의 육군 대표였다.

관해 경고하고 그 공격이 "의심할 바 없이 성공할" 것으로 내다보았다. 이틀 후인 9월 12일, 서부 해군집단사령부는 베를린에 불길한 메시지를 보냈다.

적의 공군, 장거리포, 해군의 날렵한 부대에 의한 방해가 처음으로 중대한 의미를 지니게 되었다. 영국군의 폭격과 포격 위험 때문에 오스텐더, 됭케르크, 불로뉴의 항구를 선박의 야간 정박지로 사용할 수 없다. 영국 함대의 부대들은 지금 해협 안에서 거의 방해 없이 작전을 수행할 수 있다. 이런 난관 때문에 침공 함대의 집결이 더 지연될 것으로 예상된다.

이튿날에는 상황이 더욱 악화되었다. 영국 해군의 날렵한 부대들이 해협의 침공 준비 항구들인 오스텐더, 칼레, 불로뉴, 셰르부르를 포격하는 한편 영국 공군이 오스텐더 항에서 바지선 80척을 격침했다. 그날 히틀러는 베를린에서 군 수뇌부와 오찬을 함께하면서 상의했다. 그는 공중전이 매우 잘 풀리고 있다고 생각했고 침공의 위험을 무릅쓸 의사가 없다고 단언했다.[24] 실제로 요들은 총통의 발언에서 "바다사자를 완전히 포기하기로 결정한 듯한" 인상을 받았는데, 그 인상은 그날에는 딱 맞아떨어졌다. 이튿날 히틀러는 요들의 그런 인상을 확인해주었다—그렇지만 당일에 다시 마음을 바꾸었다.

9월 14일에 베를린에서 열린 히틀러와 군 수뇌부의 회의에 관해서는 레더와 할더 모두 기밀 기록을 남겼다.[25] 레더는 회의 시작 전에 히틀러에게 의견서를 슬며시 건네는 데 성공했다. 다음과 같은 해군의 의견을 개진하는 문서였다.

현재의 공중 상황은 작전[바다사자]을 수행할 여건을 제공하지 않는다. 여전히 위험이 너무 크다.

회의를 시작할 때 나치 통수권자는 다소 부정적인 기분을 내비치고 자꾸 모순적인 생각을 내놓았다. 그는 침공 개시 명령을 내리지 않을 생각이었지만 그렇다고 침공을 취소할 마음도 없었다. 레더는 해전 지휘부 일지에 "그는 9월 13일에 실행할 계획이었던 듯하다"라고 적었다.

히틀러가 막판에 마음을 바꾼 이유는 무엇이었을까? 할더는 그 이유를 꽤 자세히 기록했다.

[총통이 주장함] 상륙에 성공하고 뒤이어 점령을 마칠 경우 전쟁은 단시일 내에 끝날 것이다. 잉글랜드는 굶주릴 것이다. 상륙을 반드시 일정한 기일 내에 실행할 필요는 없다. … 그러나 장기전은 바람직하지 않다. 우리는 이미 필요한 모든 것을 달성했다.

영국이 소련과 미국에 거는 기대는 실현되지 않았다고 히틀러는 말했다. 소련은 영국을 위해 피를 흘리려 하지 않을 것이고, 미국의 재무장은 1945년까지 완결되지 않을 터였다. 당분간 "가장 빠른 해결책은 잉글랜드 본토 상륙이다. 해군은 필요한 조건을 달성했다. 공군의 작전은 아무리 칭찬해도 부족하다. 날씨가 나흘이나 닷새 동안 괜찮으면 결판이 날 것이다. … 우리는 잉글랜드를 굴복시킬 절호의 기회를 잡았다."

그렇다면 무엇이 문제였을까? 침공 개시를 더 주저할 이유가 무엇이었을까?

그 문제를 히틀러는 이렇게 인정했다.

적은 몇 번이고 회복하고 있다. … 적의 전투기는 아직 완전히 제거되지 않았다. 적이 심각한 피해를 입긴 했지만, 우리 측의 성공 보고는 온전히 신뢰할 만한 수준이 아니다.

그런 다음 히틀러는 전반적으로 보아 "우리의 모든 성공에도 불구하고 **바다사자 작전의 전제조건은 아직 실현되지 않았다**"라고 단언했다(강조는 할더).

히틀러는 자신의 판단을 다음과 같이 요약했다.

1. 상륙 성공은 승리를 의미하지만, 이를 위해서는 제공권을 완전히 장악해야 한다.

2. 이제까지 악천후가 우리의 완전한 제공권 장악을 방해했다.

3. 다른 모든 요인들은 이상 없다.

따라서 작전을 아직 포기하지 않기로 결정한다.

히틀러는 이렇게 소극적인 결론을 내린 다음, 너무도 감질나고 아슬아슬하게 비켜가는 승리를 공군이 가져다줄 수도 있다는 희망에 부풀었다. "이제까지 공군의 공격은, 비록 주로 심리에 영향을 주었을 테지만, 엄청난 효과를 거두었다. 공중전에서 10일이나 12일 정도만 승리하더라도 영국인은 집단 히스테리를 일으킬 것이다."

공군의 예쇼네크는 그런 집단 히스테리 발작을 유도하기 위해 런던의 주거 지구들에 대한 폭격을 허락해달라고 요청했는데, 이 지구들을 폭격 대상에서 제쳐두면 런던에서 '집단 패닉'의 징후가 안 나타날 것이기 때문이었다. 레더 제독은 약간의 테러 폭격을 열렬히 지지했다. 그렇지만 히틀러는 군사 목표물에 폭격을 집중하는 것이 더 중요하다고 생각했다. "집단 패닉을 일으키는 것을 목적으로 하는 폭격은 마지막 수단으로 남겨두어야 한다."

레더 제독이 테러 폭격에 열의를 보인 것은 무엇보다 상륙 작전에 열의가 없었기 때문으로 보인다. 회의 중에 레더는 상륙에 수반되는 "큰 위험"을 다시금 강조했다. 상륙이 예정된 9월 24~27일 이전에 공중 상황이 나아질 가능성은 희박하고, 따라서 "10월 8일이나 24일까지는" 상륙을 단념해야 한다고 지적했다.

하지만 히틀러가 알아챘듯이 이는 사실상 침공을 전면 취소한다는 의미였다. 히틀러는 9월 17일—사흘 뒤—까지는 상륙에 관한 결정을 유보하기로 했다. 그러면서 9월 27일에 결행할 수도 있다고 여지를 남겼다. 그리고 또다시 실행 불가능이라고 판단되면 10월의 날짜를 고려하기로 했다. 이렇게 해서 다음과 같은 최고사령부 지령이 나왔다.

베를린

1940년 9월 14일

일급비밀

… 총통은 다음과 같이 결정했다.

바다사자 작전의 개시를 다시 연기한다. 새 명령은 9월 17일에 내린다. 모든 준비를 지속한다.

런던 공습을 지속하고, 표적 지역을 군사시설과 그 밖의 필수시설(예컨대 철도역)로 확대한다.

순전한 주거 지역에 대한 테러 폭격은 최후의 압박 수단으로 행사하기 위해 유보한다.[26]

이렇듯 히틀러는 침공 결정을 사흘 미루긴 했으나 결코 포기한 것은 아니었다. 독일 공군이 며칠 내에 영국 공군을 끝장내고 런던의 사기를 꺾어놓으면 상륙을 실행할 수 있었다. 그것으로 최종 승리를 거둘 수 있었다. 따라서 이번에도 괴링이 큰소리를 뻥뻥 친 공군에 모든 것이 달려 있었다. 실제로 공군은 바로 다음날 최대한의 공격을 퍼부을 참이었다.

그렇지만 공군에 대한 해군의 견해는 시시각각 나빠졌다. 베를린에서 이미 언급한 중요 회의가 열린 14일 저녁, 독일 해전 지휘부는 영국 공군이 안트베르펜에서 불로뉴에 걸친 침공 준비 항구들에 맹폭을 가했다고 보고했다.

… 안트베르펜에서 … 수송선이 상당한 피해를 입었다―항내의 증기수송선 5척이 심하게 손상되었다. 바지선 1척이 침몰하고, 기중기 2기가 파손되고, 탄약을 실은 열차가 폭파되고, 창고 몇 동이 불타고 있다.

그 이튿날 밤에는 상황이 더욱 악화되어 해군이 "르아브르와 안트베르펜 사이 연안 지역 전체에 대한 적의 맹폭" 사실을 보고했다. 침공 준비 항구들에 대공 방어를 더 지원해달라고 수병들이 SOS를 쳤다. 9월 17일, 해전 지휘부는 이렇게 보고했다.

영국 공군은 아직까지 결코 주저앉지 않았다. 오히려 점점 더 해협 항구들을 폭격하고 집결 이동을 방해하고 있다.*27

---

* 어느 독일 당국자에 따르면 9월 16일 영국 공군 폭격기들이 독일군의 대규모 침공 훈련 현장을 기습하여 인명과 상륙주정에 심대한 손실을 입혔다. 이 때문에 독일군이 실제로 상륙을 시도했다가

그날 밤 보름달이 떴고, 영국의 야간 폭격기들은 그 달빛을 최대한 활용했다. 독일의 해전 지휘부는 당시 침공 준비 항구들을 가득 메우고 있던 선박들의 "매우 심각한 손실"에 관해 보고했다. 됭케르크에서 바지선 84척이 격침되거나 손상되었고, 셰르부르에서 덴헬데르에 이르는 지역에서는 다른 무엇보다 500톤의 비축 탄약이 폭발하고, 식량 창고가 불타고, 각종 증기선과 어뢰정이 침몰하고, 다수의 사상자가 발생했다. 이 맹렬한 폭격에 더해 해협 건너편으로부터 중포의 포격이 가해지자 해전 지휘부는 이미 해협에 집결해 있는 군함과 수송선을 분산시키고 침공 준비 항구로 향하는 선박의 추가 이동을 중지할 필요가 있다고 보고했다.

그렇게 하지 않으면 머지않아 적의 정력적인 행동에 의해 사상자가 갈수록 더 발생하여 당초에 구상해둔 규모의 작전을 실행하기가 어차피 어려워질 것이다.[28]

이미 그렇게 되어 있었다.

독일 해전 지휘부는 9월 17일 일지에 다음과 같이 간결하게 기록했다.

적 공군은 아직까지 결코 격파되지 않았다. 오히려 공세를 늘려가고 있다.

영국군에 의해 격퇴되었다는 보도가 독일 안팎에서 많이 나왔다. (Georg W. Feuchter, *Geschichte des Luftkriegs*, p. 176) 나는 며칠 휴가를 보내고 있던 스위스 제네바에서 9월 16일에 그런 '보도'를 접했다. 9월 18일과 19일에는 기다란 구급열차가 베를린 교외에 부상병들을 내려놓는 모습을 보았다. 붕대를 감고 있어서 그들 대부분이 화상을 입었다고 판단했다. 그전 석 달 동안 지상전은 어디에서도 없었다.
9월 21일의 독일 해군 기밀문서는 수송선 21척과 바지선 214척—침공을 위해 집결시킨 선박의 약 12퍼센트—이 침몰하거나 손상을 입은 것으로 기록하고 있다. (*FCNA*, p. 102)

전체적인 기상 상태를 보건대 향후 잔잔한 기간을 기대할 수 없다. … **그러므로 총통은 '바다사자'를 무기한 연기하기로 결정했다.** [강조는 해군에 의함]²⁹

여러 해 동안 눈부신 성공을 거두어온 아돌프 히틀러는 마침내 좌절을 마주했다. 그러고도 근 한 달 동안은 침공을 감행할 수도 있다는 겉치레를 이어갔지만, 허장성세에 지나지 않았다. 9월 19일, 총통은 침공 함대의 추가 집결을 중지하고 이미 입항한 선박을 분산시켜 "적의 공습으로 인한 선적 공간의 상실을 최소화하라"고 정식으로 명령했다.

그러나 분산시킨 함대, 무기한 연기된 침공을 위해 해협에 집결한 각종 부대, 총포, 전차, 보급물자를 유지하는 것조차 불가능했다. 할더는 9월 28일 일기에서 "바다사자의 존재를 이어가는 이 상황을 견딜 수가 없다"라고 소리쳤다. 10월 4일에 브렌네르 고개에서 치아노와 무솔리니가 총통을 만난 날, 이탈리아 외무장관은 "영국 제도 상륙에 관한 이야기는 전혀 나오지 않았다"라고 일기에 적었다. 히틀러의 좌절에 파트너 무솔리니는 오랜만에 기분이 최고로 좋아졌다. "오늘 브렌네르 고개에서처럼 … 기분이 좋은 두체를 나는 거의 본 적이 없다"라고 치아노는 썼다.³⁰

벌써 해군과 육군은 바다사자를 완전히 취소하는 결정을 내리라며 총통을 압박하고 있었다. 육군 참모총장은 해협에서 병력을 유지하다가 "영국의 끊임없는 공습에 계속 사상자가 발생했다"라고 총통에게 지적했다.

마침내 10월 12일, 나치 통수권자는 실패를 정식으로 인정하고 일단 이듬해 봄까지는 침공을 취소한다고 발표했다. 그리고 정식 지령을 하달했다.

일급비밀

총통은 금일부터 오는 봄까지 '바다사자' 준비는 잉글랜드에 대한 정치적·
군사적 압력을 계속 가하는 목표를 위해서만 지속하기로 결정했다.
1941년 봄이나 초여름에 침공을 다시 고려해야 할 경우, 추후에 작전 준비
재개를 위한 명령을 내릴 것이다. …

육군은 "다른 임무, 또는 다른 전선에서의 운용을 위해" 바다사자 작
전의 편성을 해제하라는 지시를 받았다. 해군은 "인력과 선적 공간을 해
제하는 모든 조치를 취하라"는 지시를 받았다. 하지만 육군과 해군 모두
위장을 이어가야 했다. "영국으로 하여금 우리가 넓은 전선에 대한 공격
을 준비하고 있다고 믿게끔 해야 한다"라고 히틀러는 적시했다.[31]
 대체 무슨 일이 있었기에 아돌프 히틀러가 뜻을 꺾었던 것일까?
 두 가지 일이 있었다. 하나는 공중에서 펼쳐진 영국 전투의 운명적인
경과였고, 다른 하나는 히틀러의 관심이 다시 한 번 동쪽으로, 소련으로
쏠린 일이었다.

영국 전투

———

괴링의 대규모 공습인 독수리 작전Adlerangriffe은 8월 15일, 영국 공군
을 공중에서 몰아냄으로써 침공 개시의 조건 하나를 확보한다는 목표
로 시작되었다. 이제 비대해진 괴링 제국원수는 승리를 의심하지 않았다.
7월 중순에 그는 영국 남부에서의 전투기 방어망을 나흘 안에 총력 강습

으로 분쇄하여 침공의 길을 열겠다고 자신했다. 영국 공군을 완전히 파괴하는 데에는 시일이 조금 더, 2주에서 4주 정도는 걸릴 것이라고 괴링은 육군 최고사령부에 알렸다.[32] 사실 훈장을 단 독일 공군 수장은 공군 홀로 영국을 굴복시킬 수 있고 지상군의 침공은 아마도 필요하지 않을 것이라고 생각했다.

이 원대한 목표를 달성하기 위해 괴링은 3개의 대규모 항공함대 Luftflotten를 동원했다. 저지대 국가들과 북부 프랑스에서 작전을 펴는 케셀링 원수 휘하의 제2항공함대, 북부 프랑스에 기지를 둔 슈페를레 원수 휘하의 제3항공함대, 그리고 노르웨이와 덴마크에 주둔하는 슈툼프트 Stumpft 장군 휘하의 제5항공함대였다. 앞의 두 항공함대에는 모두 합해서 전투기 929대, 폭격기 875대, 급강하폭격기 316대가 있었고, 제5항공함대에는 훨씬 더 적게 폭격기 123대, 쌍발 ME-110 전투기 34대가 있었다. 이 엄청난 전력에 맞서 영국 공군은 8월 초에 영공을 방어할 전력으로 전투기 700~800대를 보유하고 있었다.

7월 내내 독일 공군은 해협 내의 영국 선박과 영국 남부 항구들에 대한 공격을 점차 강화했다. 이것은 찔러보기식 작전이었다. 침공을 시작할 수 있도록 좁은 해역에서 영국 선박을 제거할 필요가 있긴 했지만, 이 예비 공습의 주목적은 영국 전투기를 전장으로 유인하는 것이었다. 이 작전은 실패했다. 영국 공군 사령부는 예리한 판단력으로 일부의 전투기만 발진시켰고, 그 결과로 영국 선박과 몇몇 항구들이 상당한 피해를 입었다. 영국 구축함 4척과 상선 18척이 격침되었지만, 이 예비 스파링에서 독일 공군 측도 항공기 296대가 파괴되고 135대가 손상되었다. 영국 공군은 전투기 148대를 잃었다.

8월 12일, 괴링은 독수리 작전을 이튿날 개시하라고 명령했다. 12일에 작전의 서막 격으로 적의 레이더 기지들을 맹렬히 공격해 실제로 5곳에 피해를 주고 1곳을 완파했지만, 이 단계에서 독일 측은 영국의 방어에서 레이더가 얼마나 필수적인지 간파하지 못해 공격을 이어가지 않았다. 13일과 14일에 독일 공군은 주로 영국 공군의 전투기 비행장들을 겨냥하여 약 1500대의 항공기를 발진시켰다. 독일 측은 비행장 5곳을 "완파했다"고 주장했으나 사실 피해는 경미했으며, 영국 공군이 항공기 13대를 잃은 것에 비해 독일 공군은 47대를 잃었다.*

8월 15일, 첫 번째 대규모 공중전이 벌어졌다. 독일군은 3개 항공함대의 주력, 즉 폭격기 801대와 전투기 1149대를 출격시켰다. 스칸디나비아에서 발진한 제5항공함대는 재앙을 만났다. 독일군은 약 800대로 영국 남해안을 집중 공격하면서 북동해안은 무방비일 것으로 예상했다. 그러나 쌍발 ME-100 전투기 34대의 호위를 받는 100대의 폭격기가 영국 타인사이드에 접근하다가 7개 비행대대의 허리케인과 스핏파이어의 기습을 받아 심대한 손실을 입었다. 대부분 폭격기인 독일 항공기 30대가 격추된 반면에 방어 측의 손실은 없었다. 이것으로 제5항공함대는 영국 전투에서 퇴장했다. 다시는 돌아오지 못했다.

그날 영국 남부에서 독일 공군은 성공을 거두었다. 4개 편대로 나뉘어 대규모 공습을 가했고 그중 1개 편대는 거의 런던 상공까지 뚫고 들어갔다. 크로이던에서는 항공기 제조공장 4곳이 폭격을 당했고 영국 공군의 전투기 비행장 5곳이 피해를 입었다. 결국 항공기 손실은 독일군 75대, 영국군 34대였다.** 계속 이런 식이라면 독일 공군은 수적 우위에도 불

---

* 독일 공군은 영국 항공기 134대를 격추하고 자신들은 34대를 잃었다고 주장했다. 이 시점부터 양측 모두 상대방에게 입힌 피해 규모를 턱없이 부풀렸다.

구하고 영국 공군을 공중에서 몰아낼 가망이 거의 없었다.

그러자 괴링은 자신의 두 가지 전술상 잘못 중에 첫 번째 잘못을 저질 렀다. 영국 전투기 사령부에서는 기민한 레이더 사용에 근거하여 훨씬 우세한 적 공군을 상대했다. 독일 항공기들은 서유럽의 기지에서 출격한 순간부터 영국의 레이더 스크린에 포착되었고, 그 침로가 아주 정밀하게 표시된 덕에 전투기 사령부는 언제 어디서 반격할지 정확하게 판단할 수 있었다. 레이더는 어느 의미에서 새로운 전투 방법이었고, 이 전자장치 의 개발과 사용에서 영국군에 한참 뒤진 독일군을 곤혹스럽게 만들었다.

[독일의 유명한 전투기 에이스 아돌프 갈란트Adolf Galland가 훗날 증언함] 우리 는 영국 공군의 전투기대대들이 분명 무언가 새로운 방법으로 지상의 관제 를 받는다는 것을 알아챘다. 스핏파이어와 허리케인에 독일군 편대들 쪽으 로 가라고 능숙하고 정확하게 지시하는 것을 들었기 때문이다. … 우리에게 이 레이더에 의한 전투기 관제는 경악스럽고 무척 괴로운 것이었다.[33]

그럼에도 독일 공군은 8월 12일 영국 레이더 기지들에 심대한 피해를 주었던 공격을 8월 15일에는 이어가지 않았다. 첫 번째 대실책을 저지른 이날, 괴링은 레이더 기지 공격을 전면 중지하며 이렇게 단언했다. "레이 더 기지 공격을 이어가는 것에 무슨 효과가 있는지 의문이다. 공격을 받 은 뒤 활동을 멈춘 기지는 한 곳도 없기 때문이다."

영국 남부의 상공 방어가 잘 이루어진 두 번째 요인은 선형扇形지구 통

***

** 그날 저녁 런던 정부는 공식 성명에서 독일 항공기 182대가 격추되고 아마도 43대가 더 파괴되 었을 것이라고 발표했다. 이로써 영국군 전반과 특히 압박감에 시달리던 전투기 조종사들의 사기가 크게 올라갔다.

신본부였다. 이것은 비밀의 신경중추로서 레이더 기지, 지상 관측소, 공중의 조종사 등이 보내온 최신 정보에 근거해 무선전화로 허리케인과 스핏파이어의 전투를 지휘했다. 갈란트가 썼듯이, 독일군은 이 통신본부와 비행 중인 조종사가 전파를 통해 끊임없이 주고받는 대화를 들을 수 있었고, 마침내 이 지상 통제 센터들의 중요성을 깨닫기 시작했다. 8월 24일, 독일군은 이 통신본부들을 파괴하는 쪽으로 전술을 바꾸었는데, 런던 주변 비행장에 있는 7곳의 통신본부는 영국 남부와 수도 자체의 방어에 극히 중요했다. 이 전술 전환은 실로 영국 방공의 급소를 찌르는 것이었다.

그날까지 전황은 독일 공군에 불리하게 돌아가는 모양새였다. 8월 17일 독일 공군의 손실은 71대, 영국 공군의 손실은 27대였다. 폴란드나 서부전선에서 육군 승리의 길을 닦는 데 일조했던 느림보 슈투카 급강하 폭격기는 영국 전투기의 손쉬운 표적으로 밝혀졌고, 8월 17일 괴링의 지시로 전투에서 빠지게 되어 독일의 폭격 능력이 3분의 1 감소했다. 8월 19일부터 23일까지 닷새간은 악천후 때문에 공중전은 주춤했다. 19일, 베를린 근교의 별장 카린할Carinhall에서 전황을 검토한 괴링은 독일 공군에 날씨가 호전되자마자 영국 공군만을 집중 공격하라고 명령했다.

"우리는 대對영국 공중전의 결정적인 시기에 이르렀다"라고 괴링은 힘주어 말했다. "핵심 임무는 적 공군을 격파하는 것이다. 우리의 제1목표는 적 전투기를 파괴하는 것이다."[34]

8월 24일부터 9월 6일까지 독일군은 이 목표를 달성하기 위해 일일 평균 1천 대의 항공기를 출격시켰다. 이번만은 제국원수가 옳았다. '영국 전투'는 결정적인 단계를 지나는 중이었다. 비록 지난 한 달 동안 하루에도 몇 번씩 출격하느라 이미 지친 영국 조종사들이 용맹하게 싸우긴 했지만, 독일군의 수적 우위가 효과를 발휘하기 시작했다. 영국 남부의 전투기 전진기지라 할 비행장 5곳이 중대한 피해를 입고 설상가상으로 핵심 통신본부 7곳 중 6곳이 맹폭을 당해 통신체계 전체가 마비될 지경이었다. 영국으로서는 절체절명의 위기였다.

영국 측에 특히 불리한 점은 이 추세가 영국 공군의 전투기 방어에도 영향을 주기 시작했다는 것이다. 8월 23일부터 9월 6일까지 결정적인 2주 동안 영국 측은 전투기 466대를 잃거나 심각한 손상을 입었는데, 비록 그들이 알지는 못했으나 독일 공군의 손실은 더 적은 385대였으며 그중 전투기가 214대, 폭격기가 138대였다. 더욱이 영국 공군의 경우 조종사 103명이 사망하고 128명이 중상을 입었다. 이는 비행 가능한 조종사 총원의 4분의 1이었다.

"승패의 저울은 전투기 사령부에 불리한 쪽으로 기울어 있었다. … 걱정이 많았다"라고 훗날 처칠은 썼다. 이 추세가 몇 주 더 이어졌다면 영국은 조직된 방공 전력을 잃었을 것이다. 독일의 침공도 거의 확실하게 성공했을 것이다.

그런데 이때 괴링이 갑자기 두 번째 전술상 잘못을 저질렀다. 이 실책은 결과의 측면에서 볼 때 지난 5월 24일 히틀러가 기갑부대의 됭케르크 공격을 중지한 오판에 비견될 만했다. 흠씬 얻어맞고 비틀거리던 영국 공군은 그 덕에 살아났고, 역사상 최초의 대규모 공중전이 일대 전환점을 맞았다.

영국의 전투기 방어 전력이 공중과 지상에서 손실을 입어 오래 버티지 못할 상황이었는데, 독일 공군은 9월 7일 런던을 겨냥한 대대적인 야간 폭격으로 공세를 전환했다. 그 덕에 영국 공군의 전투기들은 위기에서 벗어났다.

독일 진영에서 무슨 일이 있었기에 장차 히틀러와 괴링의 야망에 그야말로 치명적인 것으로 밝혀질 이 전술 전환이 이루어졌던 것일까? 그 답은 아이러니로 가득하다.

우선 8월 23일 밤에 독일 폭격기 10여 대의 조종사들이 사소한 비행 실수를 저질렀다. 런던 외곽의 항공기 제조공장과 유류 탱크를 폭격하라고 지시받은 그들은 표적을 놓친 탓에 수도 중심부에 폭탄을 투하해 주택 몇 채를 날려버리고 민간인 몇 명을 죽였다. 영국 측은 의도적인 행위라고 생각해 그 보복으로 이튿날 밤에 베를린을 폭격했다.

대수로운 일은 아니었다. 그날 밤 베를린 상공에 구름이 짙게 끼는 바람에 출격한 영국 폭격기 81대 중 절반가량만 표적을 발견했다. 물질적 피해는 경미했다. 그러나 독일인의 사기에 끼친 영향은 엄청났다. **베를린에 폭탄이 떨어진 것은 이번이 처음이었기 때문이다.**

[내가 8월 26일 일기에 씀] 베를린 주민들은 아연실색했다. 그들은 그런 일이 생길 수 있다고는 꿈에도 생각지 않았다. 이 전쟁을 시작할 때 괴링은 그럴 리 없다고 장담했다. … 그들은 괴링을 믿었다. 그런 까닭에 오늘의 환멸감이 더욱 크다. 그 환멸감을 가늠하려면 그들의 얼굴을 보면 된다.

베를린은 이중으로 빙 두른 대형 대공무기로 잘 방비되었고, 침입한 폭격기들이 수백 개의 탐조등 광선을 막아주는 구름 위에서 윙윙거리는 세 시간 동안 내 생애에서 처음으로 목격한 규모의 대공사격이 맹렬하게 이어졌다. 그러나 단 한 대의 폭격기도 추락하지 않았다. 영국군은 "히틀러가 시작한 전쟁은 계속될 것이고, 히틀러가 전쟁을 하는 한 지속될 것이다"라고 적힌 전단도 얼마간 뿌렸다. 이것은 훌륭한 선전 문구였지만,

터지는 폭탄의 굉음이 더욱 훌륭한 선전이었다.

영국 공군은 8월 28일에서 29일에 걸친 밤에 더 큰 규모로 다시 공습했고, 내가 일기에 적었듯이 **"처음으로 제국의 수도에서 독일인을 죽였다"**. 공식 집계는 사망 10명에 부상 29명이었다. 나치 거물들은 격분했다. 영국의 첫 공습에 관해서는 신문에 몇 줄만 싣도록 했던 괴벨스는 이제 베를린의 무방비 아녀자를 공격하는 영국 조종사의 "만행"을 크게 규탄하라고 지시했다. 그날 베를린의 일간지들은 대부분 "영국의 비열한 공격"이라는 헤드라인을 일제히 달았다. 이틀 지나 3차 공습이 벌어진 뒤의 헤드라인은 "영국의 공중 해적, 베를린 상공에!"였다.

[내가 9월 1일 일기에 씀] 1주일간 이어진 영국의 야간 폭격의 주된 효과는 국민들 사이에 큰 환멸감을 퍼뜨리고 그들의 마음속에 의심의 씨를 뿌린 것이다. … 사실 폭격 자체는 그리 치명적이지 않았다.

9월 1일은 개전 1주년 되는 날이었다. 나는 독일 국민이 잠을 빼앗기고 기습 폭격과 대공사격의 끔찍한 소음에 질겁하여 신경이 곤두섰다는 사실 외에도 그들의 분위기에 주목했다.

올해 독일군은 이 공격적이고 군국주의적인 민족의 찬란한 군사사에서도 유례가 없는 승리를 거두었다. 그러나 전쟁을 끝내지도 이기지도 못했다. 그리고 바로 이 측면에 국민의 관심이 쏠리고 있다. 그들은 평화를 염원한다. 그리고 겨울이 오기 전에 평화를 얻고자 한다.

히틀러는 9월 4일 동계구호사업을 시작하는 스포츠궁 행사에서 국민에게 연설할 필요가 있다고 생각했다. 히틀러가 등장한다는 사실은 마지막 순간까지 비밀에 부쳤는데, 해가 지기 한 시간 전에 행사가 열렸음에도 혹시 적 항공기가 구름에 기대어 침투해 집회를 망칠지도 모른다고 우려했기 때문으로 보인다.

나는 나치 독재자가 그날만큼 빈정대거나, 혹은 원체 유머라곤 없는 그가 독일인이 생각하는 유머에 그토록 열중하는 모습을 본 적이 없다. 히틀러는 처칠을 가리켜 "저 유명한 종군기자"라고 불렀다. 또 "더프 쿠퍼와 같은 인물을 가리키는 낱말이 보통의 독일어에는 없습니다. 바이에른어에만 이런 유형의 사람을 가리키는 적절한 낱말이 있는데 바로 'Krampfhenne'입니다" 하고 말했다. 이 단어는 '안달복달하는 늙은 암탉' 정도로 번역할 수 있을 것이다.

처칠 씨나 이든 씨―노인을 존경하니 체임벌린 씨는 언급하지 않겠습니다―의 재잘거림은 독일 국민에게 아무런 의미도 없습니다. 기껏해야 웃길 뿐입니다.

이어서 히틀러는 대부분 여성 간호사와 사회복지사로 이루어진 청중을 웃겼다. 그런 다음 히스테리에 가까운 박수갈채를 이끌어냈다. 히틀러는 독일 국민들이 가장 궁금해하는 두 가지 물음에 답을 해야 했다. 영국을 언제 침공할 것인가? 그리고 베를린과 여타 독일 도시들에 대한 야간 폭격에 어떻게 대처할 것인가? 첫 번째 물음과 관련해 히틀러는 이렇게 말했다.

잉글랜드에서는 모두가 호기심에 가득 차서 "그는 왜 안 오는 거야?"라고 계속 묻고 있습니다. 진정하세요, 진정해. 지금 갑니다! 지금 갑니다!

청중은 이 재담을 아주 재미있게 들으면서도 총통의 명확한 약속이라고 생각했다. 폭격과 관련해 히틀러는 전형적인 사실 왜곡으로 시작해 무서운 위협으로 말을 끝맺었다.

바로 지금 … 처칠 씨는 야간 공습이라는 새로운 발상을 과시하고 있습니다. 처칠 씨가 이런 공습을 실행하는 것은 효과가 매우 클 것 같아서가 아니라 그의 공군은 낮시간에 독일 상공을 비행할 수 없는 반면에 … 독일 항공기들은 매일 영국 상공을 비행하고 있기 때문입니다. … 그 영국인은 밤에 빛이 보일 때마다 … 주택지나 농장, 마을에 폭탄을 떨어뜨립니다.

그런 다음 위협을 했다.

석 달 동안 내가 응수하지 않은 것은 그런 미친 짓을 멈출 거라고 믿었기 때문입니다. 이것을 처칠 씨는 유약함의 신호로 받아들였습니다. 그래서 이제 우리는 밤이면 밤마다 응수하고 있습니다.
영국 공군이 2천, 3천, 4천 킬로그램의 폭탄을 투하한다면 우리는 하룻밤에 15만, 23만, 30만, 40만 킬로그램을 투하할 것입니다.

내 일기에 의하면, 이 순간 히틀러는 여성 청중의 히스테리성 박수갈채 때문에 잠시 연설을 멈춰야 했다.
"그들이 우리 도시에 대한 공격을 강화하겠다고 선언한다면, 우리는 그들의 도시를 남김없이 **지워버릴** 것입니다" 하고 히틀러가 말을 이었다. 그러자 젊은 여성들이 무아지경으로 발광하듯 박수를 쳤다. 청중이 흥분을 가라앉히자 히틀러는 이렇게 덧붙였다. "우리는 이 밤하늘 해적의 수작을 멈출 것이니, 신이시여 우리를 도우소서!"

내가 일기에 적었듯이, 이 말을 듣고서 "독일의 젊은 여성들은 깡충깡충 뛰고 가슴을 들썩이며 찬동의 소리를 외쳐댔다!"

"어느 한쪽이 부서질 시간이 왔고 그것은 국가사회주의 독일이 아닐 것입니다!"라고 히틀러는 단정했다. 그러자 "발광하던 여자들이 그래도 정신을 붙잡아 떠들썩한 환희의 외침을 멈추고서 "반드시! 반드시!"라고 합창했다".

몇 시간 후에 이 연설의 녹음 방송을 들은 로마의 치아노는 당혹감을 토로했다. "히틀러는 불안한 것이 틀림없다."[35]

히틀러의 불안은 독일 공군이 영국 공군을 상대로 승기를 잡아가던 주간 공격에서 야간의 런던 대공습으로 전환한 치명적인 결정의 한 요인이었다. 이것은 군사적인 결정 못지않게 정치적인 결정이었다. 다시 말해 어느 정도는 베를린과 여타 독일 도시들에 대한 폭격(독일 공군이 영국 도시들을 폭격한 것에 비하면 그저 따끔한 정도였다)을 앙갚음하고 런던을 **지워버림으로써** 영국인의 저항 의지를 꺾기 위한 결정이었다. 히틀러와 괴벨스가 확신했듯이, 이 작전이 성공한다면 침공할 필요가 없을 수도 있었다.

그리하여 9월 7일 늦은 오후에 런던 대공습이 시작되었다. 앞에서 언급했듯이 독일군은 폭격기 625대와 전투기 648대를 투입했다. 그 토요일 오후 5시경, 독일군이 보유한 모든 전투기의 호위를 받는 제1진 폭격기 320대가 템스 강 상공을 누비며 울리치 병기고, 각종 가스 공장, 발전소, 창고, 그리고 수 킬로미터에 걸친 부두에 폭탄을 떨어뜨리기 시작했다. 이윽고 광대한 지역 전체가 불바다가 되었다. 실버타운 지구에서는 주민들이 불길에 휩싸여 수로를 통해 대피해야 했다. 일몰 이후 오후 8시 10분, 제2진 폭격기 250대가 도달해 폭격을 재개했고, 일요일 새벽 4시 30분까지 파상공격을 이어갔다. 9월 8일 일요일 저녁 7시 30분, 폭격기 200대가 공격을 재개하고 밤새도록 이어갔다. 영국의 공식 역사가에 따르면, 첫 이틀 동안 무려 842명이 죽고 2347명이 다쳤으며 이 대도시 곳곳이 막대한 피해를 입었다.[36] 공습은 한 주 내내, 밤마다 계속되었다.*

그 후 독일 공군은 이 성공에, 혹은 성공했다는 생각에 고무되어, 얻어맞아 불타는 영국 수도에 대규모 주간 공습을 가하기로 결정했다. 그리하여 9월 15일 일요일, 2차대전의 결정적인 전투 중 하나가 벌어졌다.

정오 무렵 독일 폭격기 200대와 그보다 3배 많은 호위 전투기가 영불해협 상공에 나타나 런던으로 향했다. 영국 전투기 사령부는 레이더 스크린으로 공격기의 대규모 편대를 살피고 대비 태세를 갖추었다. 독일군은 수도에 접근하기 전에 요격당했다. 항공기 일부는 돌파했으나 대체로 흩어졌고 다른 일부는 폭탄을 투하하기 전에 격추되었다. 두 시간 뒤 더 강력한 독일군 편대가 재차 접근했다가 패주했다. 영국 측은 독일 공군 항공기 185대를 격추했다고 주장했지만, 전후에 베를린 문서고를 통해 밝혀진 실제 수치는 그보다 훨씬 적었다—총 56대에 그나마 36대는 폭격기였다. 영국 공군의 손실은 26대에 불과했다.

이날의 전투는 영국 전투기 사령부에 1주일이라는 복구 시간을 주었던 독일 공군이 어쨌거나 당분간은 대규모 주간 공습에 성공할 수 없다는 것을 보여주었다. 사정이 그렇다면 상륙으로 효과를 거둘 가망은 별

---

* 이 시점에 야간 방어 태세는 아직 완벽하지 않았고 독일군의 손실은 경미했다.

로 없었다. 그런 의미에서 9월 15일은 훗날 처칠이 평가했듯이 영국 전투의 "핵심"이었다. 이튿날 괴링은 전술 변경을 명령하면서 이제 주간에는 폭격기를 더 이상 폭격에 사용하지 말고 영국 전투기를 유인하는 용도로만 운용하도록 했다. 그리고 적의 전투기를 "4~5일 내에 끝장내겠다"고 큰소리쳤다.[37] 그러나 히틀러와 육해군 사령관들은 전황을 더 잘 알고 있었고, 앞에서 언급했듯이 결정적인 공중전 이틀 후인 9월 17일에 총통은 바다사자 작전을 무기한 연기했다.

런던은 9월 7일부터 11월 3일까지 57일간 연속으로 일일 평균 200대의 폭격기에 의해 끔찍하게 난타당했고, 훗날 처칠이 밝혔듯이 머지않아 돌무더기로 변할 것이 확실해 보였다. 그리고 특히 코번트리를 비롯해 영국의 다른 대다수 도시들도 그해의 음울한 가을과 겨울에 엄청난 피해를 입었다. 그럼에도 영국인의 사기는 꺾이지 않았고, 히틀러가 너무도 자신만만하게 예상했던 것과 달리 영국의 군비 생산량은 줄어들지 않았다. 오히려 정반대였다. 독일 폭격기의 주요 표적 중 하나였던 영국 내 항공기 제조공장들은 실제로 1940년에 독일 측의 생산량을 9924대 대 8070대로 앞질렀다. 히틀러는 영국 전투에서 입은 막대한 폭격기 손실을 결코 메우지 못했고, 독일 기밀문서를 통해 드러났듯이 실제로 독일 공군은 그해 늦여름과 가을에 영국 상공에서 입은 피해를 끝내 완전히 회복하지 못했다.

그해 초봄에 노르웨이 앞바다에서 전력을 잃어 반신불수가 된 독일 해군은, 수뇌부가 줄곧 인정했듯이, 영국 침공에 해군력을 제공할 수 없었다. 해군력과 제공권 없이는 독일 육군이 좁은 영불 해협을 건널 방도가 없었다. 히틀러는 최종 승리를 확신하던 바로 그 순간에 개전 이후 처음으로 저지당하고 정복 계획에서 좌절을 겪었다.

히틀러는 결정적인 전투가 공중에서 결판날 수 있다고는 결코 생각하지 않았다—당시 어느 누구도 그렇게 생각하지 않았다. 또 히틀러는 유럽이 암담한 겨울로 접어들던 당시에 한줌의 영국 전투기 조종사들이 독일의 침공을 좌절시킴으로써 나중에 서쪽으로부터 대륙을 재정복할 수 있는 요충 기지로서의 영국을 보존했다는 사실을 깨닫지 못했을 것이다. 그의 관심은 부득이 다른 곳으로 옮겨갔다. 실은 앞으로 볼 것처럼 벌써 옮겨가 있었다.

영국은 화를 면했다. 영국은 근 천 년 동안 해군력으로 스스로를 지켜온 나라였다. 그런데 전간기의 온갖 실책(그것에 관해서는 이 책에서 너무나 자주 거론했다)에도 불구하고 영국의 지도부, 그중 극소수는 20세기 중엽에 이르러 공군력이 결정적인 전력이 되었고 작은 전투기와 그 조종사가 방어의 주된 방패라는 것을 적절한 때에 깨달았다. 처칠은 공중전이 아직 한창이고 어떻게 결판날지 불확실한 8월 20일에 기억에 남을 또다른 하원 연설에서 이렇게 말했다. "인류의 싸움터에서 이토록 많은 사람들이 이토록 적은 사람들에게 이토록 큰 신세를 진 일은 결코 없었습니다."

만약에 침공이 성공했다면

———

나치 독일의 영국 점령이 실현되었다면 독일 측은 너그럽게 굴지 않았을 것이다. 압수된 독일 문서를 보면 의심할 여지가 없다. 9월 9일, 육군 총사령관 브라우히치는 한 지령서에 서명했다. "[영국에서] 17세에서 45세 사이 신체 건강한 남성 주민은, 현지 상황상 예외적 판정이 필요하지 않는 한, 수용하여 대륙으로 보낸다." 며칠 뒤 OKH 병참감은 같은 취지의 명령을 침공을 위해 집결해 있던 제9군과 제16군에 전달했다. 독일 군은 다른 어떤 피정복 국가에서도, 심지어 폴란드에서도 그토록 과격한 조치로 시작한 적이 없었다. 브라우히치의 지령은 "잉글랜드 군사정부의 조직과 기능에 관한 명령"이라는 제목을 달고 있었고 상당히 구체적이었 다. 이 섬나라를 체계적으로 약탈하고 그 주민들에게 테러를 가하기 위 해 고안된 듯했다. 7월 27일, 독일은 영국 약탈을 위해 특별히 '군사경제 참모부'를 설치했다. 보통의 세간살이를 제외한 모든 것을 곧장 몰수할 작정이었다. 인질도 잡으려 했다. 독일 측의 눈 밖에 나는 현수막을 내거 는 사람은 누구든 즉결 처형될 수 있었고, 화기나 무선 수신기를 24시간 안에 제출하지 않는 사람도 비슷한 처벌을 받을 수 있었다.

하지만 실제 테러는 힘러와 친위대가 가할 예정이었다. 그 임무는 하 이드리히 휘하의 무시무시한 제국보안본부(RSHA)가 맡았다.* 런던 현 지에서 이 활동을 지휘하도록 지명된 사람은 친위대 대령 프란츠 직 스Franz Six 교수로, 나치 시대에 무슨 이유에서인지 힘러의 비밀경찰 업 무에 이끌린 특이한 지식인 깡패들 중 한 명이었다. 직스는 베를린 대 학 경제학부 교수직을 떠나 하이드리히의 보안국에 합류했고, 그곳에서 안경잡이 힘러와 그의 동료 폭력배들을 매료시킨 기묘한 '과학적 문제' 를 전문으로 담당했다. 직스 박사가 영국 국민의 면전까지 오지 않은 덕 에 그들이 무엇을 모면했는지는 나중에 그가 소련에서 맡은 업무로 판 단할 수 있을 것이다. 소련에서 대량 학살로 이름을 떨친 친위대 특무집 단Einsatzgruppen에서 활동한 박사의 특기 중 하나는, 소비에트 정치위원

---

* RSHA는 Reichssicherheitshauptamt의 약어로, 1939년부터 게슈타포, 형사경찰, 친위대 보안 국을 통괄했다.

들을 색출해 처형하는 것이었다.*

압수된 제국보안본부 문서고를 통해 드러났듯이, 8월 1일 괴링은 하이드리히에게 활동을 시작하라고 지시했다. 친위대 보안경찰과 보안국은

잉글랜드에서 독일에 적대적인 수많은 중요 조직 및 협회를 효과적으로 장악하고 진압하기 위해 군사적 침공과 동시에 활동을 개시한다.

9월 17일, 아이러니하게도 히틀러가 침공을 무기한 연기한 날, 하이드리히는 직스 교수를 영국에서의 새로운 직책에 정식으로 임명하고 이렇게 말했다.

귀관의 임무는 잉글랜드 국내에서 파악 가능한 모든 반독일 조직, 기관, 집단을 상대로 필요한 수단을 동원해 싸우고, 가용한 모든 자료를 제거하지 못하도록 막고, 장차 활용할 수 있도록 한데 모으고 지키는 것이다. 나는 귀관의 본부 소재지로 런던을 지정하고 … 귀관에게 상황과 필요에 따라 영국의 다른 지역들에서 소규모 특무집단을 신설할 권한을 부여한다.

실제로 이미 8월에 하이드리히는 영국을 염두에 두고서 런던, 브리스틀, 버밍엄, 리버풀, 맨체스터, 에든버러─또는 포스 교가 폭파될 경우 글래스고─의 본부에서 활동할 6개의 특무기동대Einsatzkommando를 조직했다. 그들은 나치 테러를 실행할 예정이었고, 우선 '영국 특별수색명

---

* 직스 박사는 1948년 뉘른베르크 재판에서 전범으로 20년 징역형을 선고받았으나 1952년에 석방되었다.

단die Sonderfahndungsliste, G.B.[Great Britain]'에 오른 인사들을 모두 체포하려 했다. 이 명단은 힘러의 부하 가운데 또 한 명의 젊고 총명한 대학 졸업자이며 당시 제국보안본부 제4국 E부—방첩부—의 부장이던 발터 셸렌베르크가 5월에 서둘러 얼렁뚱땅 작성한 것이었다. 훗날 셸렌베르크는 그렇게 주장했는데, 다만 당시에 그는 포르투갈 리스본에서 윈저 공 납치라는 괴상한 임무에 주력하고 있었다.

'영국 특별수색명단'은 힘러의 문서 중에서 재미난 축에 드는(물론 재미로 만든 것은 아니지만) '침공' 관련 서류철에 들어 있다. 여기에는 게슈타포가 즉시 감금해야 할 만큼 중요하다고 생각한 영국 내 저명인사 약 2300명(전부 영국인은 아니다)의 이름이 들어 있다. 당연히 처칠과 함께 각료들이나 각 정당의 유명한 정치인들이 포함되어 있다. 주요 편집장들, 출판업자들, 그리고 특보로 나치당을 불쾌하게 만들었던 《타임스》의 전 베를린 통신원 노먼 에버트와 더글러스 리드Douglas Reed 등의 기자들도 명단에 있다. 영국의 집필가들은 요주의 대상이었다. 특이하게도 조지 버나드 쇼의 이름은 없지만, H. G. 웰스와 더불어 버지니아 울프, E. M. 포스터, 올더스 헉슬리, J. B. 프리스틀리, 스티븐 스펜더, C. P. 스노, 노엘 카워드, 레베카 웨스트, 필립 깁스 경, 노먼 에인절 같은 작가들은 보인다. 학자들도 빼먹지 않았다. 길버트 머리, 버트런드 러셀, 해럴드 래스키, 비어트리스 웹, J. B. S. 홀데인 등이 포함되었다.

게슈타포는 영국 체류를 활용해 외국인과 독일인 양측 망명자들도 잡아들일 생각이었다. 체코슬로바키아 망명정부의 베네시 대통령과 얀 마사리크 외무장관뿐 아니라 이그나치 파데레프스키, 지크문트 프로이트,[*]

---

[*] 이 유명한 정신분석가는 1939년에 런던에서 이미 사망한 상태였다.

하임 바이츠만도 명단에 있었다. 영국에 망명 중인 독일인 중에는 특히 히틀러의 개인적인 친구였다가 등을 돌린 헤르만 라우슈닝과 푸치 한프슈텡글이 포함되었다. 여러 영국인 이름의 철자가 누군인지 모를 정도로 엉망으로 적혀 있고 때로는 엉뚱한 신원 정보가 붙어 있다. 일례로 보넘 카터 부인Lady Bonham Carter은 명단에 "카터-보넘 부인"으로 올라 있고 "바이올렛 애스퀴스로 출생"했다는 정보뿐 아니라 "고립주의파 여성 정치인"이라는 오정보까지 붙어 있다. 각각의 이름 아래에는 제국보안본부의 어느 국에서 담당할지 표시되어 있다. 처칠은 제6국—대외정보국—이 담당했지만, 대다수는 제4국—게슈타포—으로 넘겨질 예정이었다.*

사실 나치의 이 블랙리스트는 극비 자료였던 듯한 《영국 정보 편람 Informationsheft Grossbritannien》의 부록 격이었다. 역시 셸렌베르크가 자신이 썼다고 주장한 이 책자의 목적은 정복군이 영국에서 물자를 약탈하고 반독일 단체를 근절하도록 돕는 것이었던 듯하다. 이 책자는 특별 수색 명단보다도 더 재미있다. 요시찰 단체 중에는 제국보안본부의 "특별한 주의"가 필요한 프리메이슨 지부나 유대인 조직 외에도 '퍼블릭 스쿨'(영국에서는 사립학교를 가리킨다), "영국 제국주의 정책의 강력한 도구"라고 설명된 영국 국교회, "영국 정보기관을 위한 훌륭한 정보원"이라고 적힌 보이스카우트가 있었다. 보이스카우트의 존경받는 지도자이자 창립자 베이든-파월Baden-Powell 경은 즉시 체포할 대상이었다.

---

* 체포 대상 명단에는 미국인도 많다. 버나드 바루크(Bernard Baruch), 존 건서(John Gunther), 폴 로브슨(Paul Robeson), 루이스 피셔(Louis Fischer), 대니얼 데 루스(Daniel de Luce, D 항목에 "Daniel, de Luce—미국 통신원"으로 올라 있는 AP 통신원), 그리고 《시카고 데일리 뉴스》의 통신원이며 반나치 기사로 유명했던 M. W. 포도르(Fodor) 등이다.

만약에 독일군이 침공을 시도했다면 영국군은 그들을 부드럽게 상대하지 않았을 것이다. 훗날 처칠은 무슨 일이 벌어졌을지 종종 궁금했다고 털어놓았다. 하지만 이것만은 확실했다.

음울한 대규모 학살을 양편 모두 저질렀을 것이다. 자비도 관용도 없었을 것이다. 그들은 테러를 자행했을 것이고, 우리는 무슨 짓이든 할 각오였다.[38]

처칠은 그 무슨 짓이 무엇인지 구체적으로 말하지는 않지만, 피터 플레밍Peter Fleming은 바다사자 작전에 관한 저서에서 한 가지 예를 든다. 플레밍에 따르면 영국군은 만약 다른 모든 재래식 방어책이 실패할 경우 최후의 수단으로 저공비행하는 항공기로 해안에 상륙한 독일군에 겨자가스를 살포할 작정이었다. 이는 수뇌부에서 한참 고심한 끝에 내린 고통스러운 결정이었다. 그리고 플레밍의 말마따나 "당시에도 그 이후에도 줄곧 비밀에 부쳐진" 결정이었다.[39]

처칠이 숙고했던 특정한 학살, 게슈타포가 계획했던 특정한 테러는 이 시점에 영국에서 일어나지 않았다—그 이유는 이 장에서 살펴보았다. 그러나 채 1년도 지나기 전에 독일군은 유럽의 다른 지역에서 전례 없는 규모의 만행을 저지를 터였다.

이미 영국 침공을 포기하기도 전에 아돌프 히틀러는 결정을 내렸다. 이듬해 봄에 소련을 겨냥하기로 말이다.

추가: 나치의 윈저 공 부부 납치 음모

———

중요하다기보다 재미있는, 하지만 그해 여름 대정복에 나선 제3제국 통치자들의 터무니없는 면모에 대한 통찰을 선사하는 이야기가 있다. 바로 윈저 공 부부를 납치한 뒤 영국과의 강화협상에서 전 영국 국왕〔윈저 공을 말한다. 1936년 에드워드 8세로 즉위했으나 왕실에서 반대하는 심프슨 부인과 결혼하기 위해 퇴위했다〕이 히틀러를 지원하도록 유도한다는 음모였다. 이 황당한 계획의 발전 과정은 압수된 독일 외무부 문서에 길게 적혀 있고,[40] 계획 수행자로 지명되었던 친위대 보안국의 젊은 간부 발터 셸렌베르크가 회고록에서 다루었다.[41]

셸렌베르크는 리벤트로프로부터 그 계획이 히틀러의 구상이라고 들었다. 끝을 모르게 무지하여 툭하면 열을 올리던 나치 외무장관은 그 계획을 열렬히 반겼고, 그로 인해 독일 외무부와 에스파냐 및 포르투갈 주재 사절들은 1940년의 중차대한 여름에 그만큼 시간을 허비할 수밖에 없었다.

1940년 6월에 프랑스가 함락된 뒤, 프랑스 육군 최고사령부에서 영국 군사파견단의 일원으로 복무하던 윈저 공은 독일군에 체포되지 않도록 부인과 함께 에스파냐로 달아났다. 6월 23일, 마드리드 주재 독일 대사인 직업외교관 에버하르트 폰 슈토러Eberhard von Stohrer는 베를린에 전보를 쳤다.

에스파냐 외무장관은, 오늘 마드리드에 도착할 예정이며 리스본을 경유해 잉글랜드로 향할 것으로 보이는 윈저 공 부부의 처우에 관한 조언을 요청하고 있다. 외무장관은 어쩌면 우리가 공작을 이곳에 억류하고 가능하다면 교분을 쌓는 데 관심이 있을지도 모른다고 생각한다. 전보로 지시 요망.

리벤트로프는 이튿날 전보로 지시했다. 그는 윈저 공 부부를 "에스파냐에 2주간 억류"할 것을 제안하면서도 그것이 "독일 측의 제안에 의한 것으로" 보여서는 안 된다고 주의를 주었다. 하루 지난 6월 25일, 슈토러는 이렇게 답장했다. "[에스파냐] 외무장관은 윈저 공을 이곳에 한동안 억류할 수 있도록 모든 조치를 취하겠다고 약속했다." 외무장관 후안 베이그베데르 이 아티엔사Juan Beigbeder y Atienza 대령은 공작을 만난 뒤 그와 나눈 대화 내용을 독일 대사에게 보고했고, 대사는 7월 2일 "일급비밀" 전보로 베를린에 타전해, 윈저 공은 부인이 영국 왕실의 일원으로 인정받고 자신에게 요직이 주어지지 않는 한 귀국하지 않을 것이라고 알렸다. 그럴 경우 공작은 프랑코 정부가 제공하기로 약속한 에스파냐의 어느 성에 정착할 생각이었다.

[대사가 부언함] 윈저 공은 외무장관과 그 밖의 지인들에게 자신은 처칠과 이번 전쟁에 반대한다는 의견을 표명했다.

윈저 공 부부는 7월 초 포르투갈 리스본에 도착했고, 7월 11일 그곳의 독일 공사는 리벤트로프에게 보고했다. 공작이 바하마 총독으로 임명되었지만 "사태가 자신에게 유리한 쪽으로 바뀌기를 기대하며 … 출발을 최대한 미루려 한다"라고 말이다.

[공사가 부언함] 그는 자신이 왕위에 머물렀다면 전쟁을 피했을 것이라고 확신하고 있고, 스스로를 독일과의 평화적 협정에 대한 확고한 지지자로 묘사

했다. 공작은 맹폭을 지속한다면 잉글랜드가 강화를 받아들일 것이라고 굳게 믿고 있다.

오만한 독일 외무장관은 이 첩보에 고무되어 같은 날인 7월 11일 늦은 저녁에 푸슐에 있던 자신의 특별열차에서 마드리드의 독일 대사관으로 "총급, 일급비밀" 표시가 붙은 전보를 보냈다. 외무상관은 가급적이면 에스파냐 친구들을 통해 공작을 다시 에스파냐로 데려와서 바하마행을 저지하고자 했다. "공작 부부가 에스파냐로 돌아오고 나면 에스파냐 영내에 머물도록 설득하거나 강제해야 한다"라고 리벤트로프는 조언했다. 필요할 경우 에스파냐가 공작을 영국군 장교로서 "억류"하고 "탈영 군인"으로 다룰 수도 있었다.

[리벤트로프가 이어서 조언함] 적당한 기회에 공작에게 독일은 잉글랜드 국민과의 강화를 원한다는 것, 그것을 처칠과 그 일당이 방해한다는 것, 공작이 향후 사태 진전에 대비하면 좋겠다는 것을 알려야 한다. 독일은 모든 권력 수단으로 잉글랜드에 평화를 강제할 각오이며, 그러고 나면 특히 공작 부부의 영국 왕위 계승을 고려하여 공작이 표명하는 어떠한 소망이든 수용할 용의가 있다. 만약에 공작에게 다른 계획이 있다면, 독일과 잉글랜드의 우호관계를 확립하는 데 협력하는 한, 우리 역시 국왕에 걸맞은 삶을 영위할 만한 … 여건을 공작 부부에게 보장할 용의가 있다.*

---

* 거기에 더해 스위스에 예치해둔 5000만 스위스 프랑을 "총통은 고위 인사에게 기꺼이 건넬 용의가 있다"라고 리벤트로프는 셸렌베르크에게 말했다.

런던 주재 독일 대사를 지내고도 영국인에 대해 거의 배운 바가 없었던 이 미련한 나치 외무장관은, 공작을 바하마로 보내자마자 "영국 정보기관"이 즉시 "없앨" 것이라는 정보를 입수했다고 부언했다.

이튿날인 7월 12일, 마드리드 주재 독일 대사는 에스파냐 내무장관이자 프랑코의 처남인 라몬 세라노 수녜르Ramón Serrano Suñer를 만났는데, 후자는 프랑코 대원수를 음모에 끌어들여 다음과 같은 계획을 실행하겠다고 약속했다. 에스파냐 정부는 공작의 오랜 친구로서 팔랑헤당의 마드리드 지도자이자 전 에스파냐 독재자의 아들인 미겔 프리모 데 리베라Miguel Primo de Rivera를 리스본으로 보낼 계획이었다. 리베라는 공작을 에스파냐로 초대해 얼마간 사냥을 함께하고 그 기회에 영국-에스파냐 관계에 대해 정부와 상의하도록 권하는 역할이었다. 수녜르는 공작에게 그를 제거하려는 영국 첩보기관의 음모를 알릴 의도였다.

[독일 대사가 베를린에 통지함] 그런 다음 장관은 공작 부부에게 에스파냐의 후의를, 그리고 아마도 재정 지원까지 받는 방안을 권유할 것이다. 어쩌면 공작의 출발을 다른 방법으로 막을 수도 있을 것이다. 그럴 경우 우리는 전체 계획을 전혀 드러내지 않을 것이다.

독일 문서에 따르면, 리베라는 7월 16일 리스본으로 윈저 부부를 처음 방문한 뒤 마드리드로 돌아와 에스파냐 외무장관에게 공작의 메시지를 전했고, 외무장관은 독일 대사에게 건넸으며, 독일 대사는 다시 베를린으로 급송했다. 그 메시지에 의하면 처칠은 "매우 차갑고 단정적인 편지로" 공작을 바하마 총독에 지명하고 당장 부임지로 가라고 명령했다. 따르지 않을 경우 "처칠은 윈저 공을 군사재판에 회부하겠다고 위협했다".

에스파냐 정부는 "공작에게 그 직책을 맡지 말라고 다시 한 번 긴급하게 경고"하기로 했다.

리베라는 7월 22일 리스본을 두 번째로 방문한 뒤 돌아왔고, 이튿날 마드리드 주재 독일 대사는 당연히 리벤트로프에게 "최급, 일급비밀" 전보를 보냈다.

그는 윈저 공과 두 차례 길게 대화했다. 마지막 대화에는 부인도 동석했다. 공작은 허심탄회하게 의견을 밝혔다. ⋯ 정치적으로 그는 국왕과 현 영국 정부로부터 점점 멀어지고 있다. 공작 부부는 매우 어리석은 국왕보다는 공작과 특히 그 부인을 상대로 능숙하게 음모를 꾸미는 교활한 왕비를 더 두려워한다.

공작은 ⋯ 영국의 현 정책을 거부하고 동생과 절연한다는 ⋯ 성명의 발표를 고려하고 있다. ⋯ 공작 부부는 에스파냐로 돌아가기를 열망하고 있다.

부부의 에스파냐행을 촉진하기 위해 독일 대사는 수녜르와 함께 또다른 에스파냐 특사를 포르투갈로 보낼 계획을 짰다. "공작을 설득해 마치 장거리 자동차 여행을 떠나는 것처럼 해서 리스본을 떠난 뒤 미리 정해둔 지점, 에스파냐 비밀경찰이 국경을 안전하게 넘을 수 있도록 조치할 지점에서 국경을 넘는다"라는 계획이었다.

이틀 후 대사는 리벤트로프에게 보내는 "긴급, 기밀 엄수" 전보에서 리베라로부터 얻은 또다른 정보를 알렸다.

그가 공작에게 영국의 정책과 관련해 중요한 역할을 요청받을 수도 있고 어쩌면 영국 왕위에 즉위할 수도 있으므로 바하마로 가지 말고 에스파냐로 돌아오라고 조언했을 때, 공작과 그 부인은 놀라운 증언을 했다. 두 사람은 … 영국 헌법에 의해 퇴위 후에는 즉위가 가능하지 않을 것이라고 답변했다. 비밀 특사가 전쟁의 향방에 따라 영국 헌법까지도 바뀔지 모른다는 기대를 표명하자 특히 공작의 부인이 수심에 잠겼다.

이 전보에서 독일 대사는 리벤트로프에게 리베라가 "그 문제에 관한 독일의 관심을 전혀" 모른다고 말했다. 이 젊은 에스파냐인은 자신이 본국 정부를 위해 활동한다고 믿는 듯했다.

7월 마지막 주, 윈저 공 부부를 납치하려는 나치의 계획이 세워졌다. 히틀러가 직접 발터 셸렌베르크를 계획 실행자로 지명했다. 셸렌베르크는 사전에 베를린에서 마드리드로 날아가 그곳 독일 대사와 상의한 뒤 작업을 개시하기 위해 포르투갈로 이동했다. 7월 26일, 대사는 리벤트로프에게 장문의 "최급, 일급비밀" 전보를 보내 음모의 개요를 설명할 수 있었다.

… 공작 부부는 에스파냐로 돌아가려는 확고한 의도를 지닌 것으로 추정할 수 있다. 이 의도를 굳히기 위해 오늘 두 번째 비밀 특사가 매우 교묘하게 작성된 서신을 가지고 출발했다. 그 서신에 월경을 실행하기 위한 매우 정교한 계획을 동봉했다.

이 계획에 따라 공작 부부는 표면상으로는 에스파냐 측 국경 인근의 산중에서 여름휴가를 보내기 위해 출발할 것이며, 이는 사냥 여행 중 특정 시각에 미리 정확히 정해둔 장소에서 국경을 넘기 위함이다. 공작은 여권이 없기 때문에 포르투갈 측 국경 근무자를 포섭할 것이다.

계획에 따라 정해진 시각에 첫 번째 비밀 특사[프리모 데 리베라]가 안전을 보장하기 위해 국경의 적절한 장소에서 에스파냐 부대와 함께 대기할 것이다.

셸렌베르크는 리스본에서 자기 일행과 긴밀히 협조하며 같은 목적을 위해 활동하고 있다.

이 목적을 위해 휴가 자체뿐 아니라 여름휴가 장소로 가는 여행까지도 믿을 만한 포르투갈 경찰 간부의 도움을 받아 미행을 붙일 것이다. …

예정대로 정확한 월경 순간에 셸렌베르크 일행이 국경의 포르투갈 쪽에서 경호를 넘겨받은 뒤 직접 호위대로 임하면서 때때로 드러나지 않게 인원을 바꿔가며 에스파냐까지 인솔할 것이다.

전체 계획의 보안을 위해 [에스파냐] 장관은 또다른 비밀요원으로 한 여성을 발탁했다. 그녀는 필요할 경우 두 번째 비밀요원과 연락할 수 있고, 또 필요할 경우 셸렌베르크 일행에게 정보를 전할 수 있다.

영국 정보기관의 행동으로 인해 비상사태가 발생할 경우 공작 부부가 항공편으로 에스파냐까지 올 수 있도록 준비하고 있다. 첫 번째 계획을 실행할 때와 마찬가지로 이 경우에 주된 필요조건은, 도주한다는 인상을 주지 않으면서도 영국 정보기관에 대한 불안감과 에스파냐 땅에서 자유롭게 정치적 활동을 할 수 있으리라는 전망을 활용하여 공작의 뚜렷한 영국인 심성에 심리적으로 세련된 영향을 줌으로써 자진해 떠난다는 동의를 얻어내는 것이다.

리스본에서의 보호에 더해, 필요할 경우 영국 정보기관에 책임을 전가할 수 있는 적절한 겁주기 술책을 구사해 자진해 떠나도록 유도하는 방안도 고려하고 있다.

이상이 윈저 공 부부를 납치하려던 나치의 계획이었다. 독일 측은 그들 특유의 이 어설픈 계획에서 평소처럼 '공작의 영국인 심성'을 이해하지 못해 애를 먹었다.

'겁주기 술책'은 예상대로 셀렌베르크가 실행했다. 그는 어느 날 밤에 윈저 공 부부 저택의 창문에 돌멩이를 몇 개 던진 다음 하인들 사이에 "영국 정보기관"의 소행이라는 소문을 퍼뜨리도록 지시했다. 또 부인에게 꽃다발과 함께 "영국 정보기관의 술수를 조심하십시오. 당신을 염려하는 포르투갈 친구가"라고 적힌 카드를 보냈다. 그리고 베를린에 보낸 공식 보고서에 적었듯이 "7월 30일 밤으로 예정했던 (침실 창문을 깨는 무해한) 충격은 생략했는데, 부인의 떠나려는 욕구를 키우는 심리적 효과밖에 없을 것이기 때문이었다".

시간이 줄어들고 있었다. 7월 30일, 셀렌베르크는 공작의 오랜 친구이자 영국 정부의 고위 관료인 월터 몽크턴Walter Monckton 경이 리스본에 도착했다고 보고했다. 그의 임무는 윈저 공 부부의 바하마행을 최대한 재촉하는 것임이 분명했다. 같은 날 마드리드 주재 독일 대사는 그 직전에 리스본의 독일 첩보원이 공작 부부가 8월 1일—이틀 후—에 떠날 계획이라고 알려왔다는 내용의 "최급, 일급비밀" 전보를 리벤트로프에게 보냈다. 이 정보를 감안해 대사는 리벤트로프에게 "우리가 어느 정도는 유보적인 자세에서 벗어나야 하지 않을지" 물었다. 대사가 이어서 말하기를 독일 첩보에 따르면 공작은 저택 주인인 포르투갈 은행가 히카르두 두 이스피리투 산투 실바Ricardo do Espírito Santo Silva에게 "총통과 접촉하고픈 바람"을 표명했다. 그렇다면 윈저 공과 히틀러의 만남을 주선하는 게 어떻겠는가?

이튿날인 7월 31일, 대사는 또다시 리벤트로프에게 "최급, 일급비밀" 전보를 보냈다. 리스본에서 윈저 공 내외를 만나고 막 돌아온 에스파냐 특사에 따르면 부부는 "자신들을 노리는 영국의 음모와 신변의 위험에 관한 보고에 강한 인상을" 받았고, 비록 윈저 공이 "실제 날짜를 감추려" 애쓰기는 해도 8월 1일 출발할 생각인 것으로 보인다는 내용이었다. 어쨌든 에스파냐 내무장관은 "공작 부부의 출발을 막기 위해 마지막 노력"을 기울일 것이라고 대사는 덧붙였다.

윈저 공 부부가 그렇게 일찍 떠날 수도 있다는 소식에 깜짝 놀란 리벤트로프는 당일 7월 31일 오후 늦게 푸슐의 특별열차에서 리스본 주재 독일 공사에게 "최급, 일급비밀" 전보를 쳤다. 리벤트로프는 포르투갈인 은행가 집주인을 통해 공작에게 다음과 같이 알리라고 지시했다.

기본적으로 독일은 잉글랜드 국민과의 강화를 원한다. 처칠 일당은 이 평화를 방해하고 있다. 이성에 호소하는 총통의 마지막 요청도 거부당한 지금, 독일은 모든 권력 수단으로 잉글랜드에 강화 체결을 강제하기로 결의했다. 공작이 추후의 사태에 대비한다면 좋을 것이다. 그럴 경우 독일은 공작과 가장 긴밀하게 협조하고 공작 부부가 어떠한 소망을 표명하든 그 길을 열어줄 의향이 있다. … 공작 부부에게 다른 의도가 있다면, 하지만 독일과 잉글랜드의 우호관계를 확립하는 데 협조할 용의가 있다면, 독일 역시 공작과 협력하고 공작 부부의 소망에 따라 미래를 계획할 용의가 있다. 공작과 함께 거주하는 포르투갈인 친구는 내일 공작의 출발을 막기 위해 최선의 노력을 다해야 한다. 처칠이 공작을 바하마의 부임지로 보내 그곳에 영원히 가둬둘 의도이기 때문이며, 또 바하마 제도諸島에서 지낼 공작과 적절한 순간에 연락하기가 우리로서는 극히 어려울 것이기 때문이다. …

독일 외무장관의 긴급 메시지는 자정 직전에 리스본 공사관에 도착했다. 독일 공사는 밤중에 이스피리투 산투 실바 씨를 만나 유명한 손님에게 장관의 메시지를 전할 것을 촉구했다. 은행가는 8월 1일 아침에 그 메시지를 전달했으며, 공사관의 전보에 따르면 공작은 깊은 인상을 받았다.

공작은 평화를 바라는 총통에게 경의를 표하고 그것이 자신의 관점과 완전히 일치한다고 말했다. 그는 자신이 국왕이었다면 결코 전쟁에 이르지 않았을 것이라고 굳게 확신했다. 적절한 시기에 평화 확립에 협력해달라는 호소에 그는 선뜻 동의했다. 그렇지만 당장은 본국 정부의 정식 명령에 따라야만 한다. 복종하지 않을 경우 그의 의도가 때 이르게 드러나고, 스캔들이 나고, 잉글랜드에서 위신을 잃게 될 것이다. 또한 그는 자신이 전면에 나서기에 지금은 너무 이르다고 확신했는데, 아직까지 잉글랜드가 독일에 접근하는 쪽으로 기울지 않았기 때문이다. 그렇지만 이런 심경이 변한다면 그는 곧바로 돌아올 용의가 있다. … 잉글랜드가 언젠가 그에게 요청할 수도 있고, 독일이 그와 교섭하고 싶다는 바람을 표명할 수도 있다. 두 경우 모두 그는 어떠한 개인적 희생이든 감수할 용의가 있고, 일말의 개인적 야망도 없이 요청에 응할 것이다.
공작은 전 집주인과 계속 연락할 것이고, 그와 암호를 정해두고 그 암호를 받으면 즉시 돌아오기로 약속했다.

공작 부부는 8월 1일 저녁 미국 여객선 엑스칼리버Excalibur 호를 타고 출항하여 독일 측을 경악시켰다. 이튿날 셸렌베르크는 "외무장관[리벤트로프]에게 직접" 보내는, 임무 실패를 보고하는 장문의 마지막 전보에서 자신은 공작의 출발을 막고자 최후의 순간까지 할 수 있는 일이면 전부다 했다고 단언했다. 우선 프랑코 장군의 형인 리스본 주재 에스파냐 대사를 설득하여 윈저 공 부부에게 떠나지 말라고 막판에 호소했다. 또 셸렌베르크는 부부의 짐을 옮기는 자동차에 '사보타주'를 하라고 시켰고 그 때문에 짐이 부두에 늦게 도착했다고 주장했다. 독일 측은 배에 시한폭탄이 설치되었다는 소문을 퍼뜨렸다. 포르투갈 관리들은 여객선을 샅샅이 수색하며 출항 시간을 늦추었다.

그럼에도 공작 부부는 그날 저녁에 떠났다. 나치의 음모는 실패했다. 셸렌베르크는 리벤트로프에게 보내는 마지막 보고서에서 몽크턴의 영향, "에스파냐 측 계획"의 실패, 그리고 "공작의 심성"을 탓했다.

압수된 독일 외무부 서류철에는 이 음모에 관한 마지막 문서가 있다. 8월 15일, 리스본 주재 독일 공사는 베를린에 전보를 쳤다. "공작의 친구가, 행동하는 편이 바람직할 경우 곧장 연락해달라는 내용의 전보를 방금 버뮤다의 공작에게서 받았다. 어떤 회답을 해야 하는가?"

빌헬름슈트라세의 문서 중에서는 회답이 발견되지 않았다. 8월 중순이면 히틀러가 영국을 무력으로 정복하기로 결정한 상태였다. 새로운 영국 국왕을 찾을 필요는 없었다. 그 섬나라도 다른 모든 피정복 영토처럼 베를린에서 통치할 작정이었다. 적어도 히틀러는 그렇게 생각했다.

독일 기밀문서가 들려주고 가장 미덥지 않은 셸렌베르크─다만 셸렌베르크 스스로 인정한 우스꽝스러운 역할을 그가 처음부터 끝까지 지어냈다고 생각하기는 어렵다─가 부언한 이 흥미로운 이야기는 이쯤에서 그치자.

독일 기밀문서가 공개된 후 1957년 8월 1일, 런던의 변호사들을 통해 발표한 성명에서 공작은 리벤트로프가 에스파냐 및 포르투갈 사절들과 주고받은 통신이 "완전한 날조이며 어느 정도는 터무니없는 진실 왜곡"이라고 잘라 말했다. 윈저 공은 1940년 리스본에서 바하마행 선편을 기다리는 동안 친나치 동조자로 밝혀진 "어떤 사람들"이 자신을 설득해 에스파냐로 돌아가 바하마 총독직에 취임하지 않는 쪽으로 유도하려 애썼다고 설명했다.

"심지어 우리가 바하마로 가겠다고 고집하면 신상이 위태로워질 것이라고 암시하기까지 했습니다." "나는 그런 제안을 마땅히 경멸했고, 그것에 응하겠다는 생각을 단 한 순간도 하지 않았습니다."

영국 외무부는 공식 성명에서 전시 내내 영국에 대한 윈저 공의 충성심은 결코 흔들리지 않았다고 단언했다.[42]

제23장

바르바로사:
소련의 차례

히틀러가 서부 정복을 지휘하느라 정신이 팔린 1940년 여름 동안, 스탈린은 그 틈을 타 발트 국가들로 발을 들여놓고 발칸 국가들에 손을 뻗었다.

표면상으로 양대 독재국가는 서로 모든 면에서 우호적이었다. 몰로토프는 스탈린을 대신해 독일 측이 침공이나 정복의 새 막을 열 때마다 그들을 칭송하고 치켜세웠다. 1940년 4월 9일 독일이 노르웨이와 덴마크를 침공했을 때, 소비에트 외무인민위원은 당일 오전 모스크바 주재 독일 대사 슐렌부르크에게 "소비에트 정부는 독일의 부득이한 조치를 이해한다"라고 서둘러 말했다. "우리는 독일의 그 방어 조치가 완전히 성공하기를 바란다."[1]

한 달 후에 독일 대사가 몰로토프를 찾아가 국방군의 서부 공격은 "벨기에와 네덜란드를 경유하는 영국-프랑스 군의 루르 진격이 임박하여 부득이하게 취한 조치"였다고 리벤트로프의 지시대로 정식으로 알렸을 때에도 외무인민위원은 흔쾌히 받아들였다. "몰로토프는 그 통지를 이해한다는 자세로 받아들였고 독일이 영국-프랑스의 공격에 맞서 자국을 지켜야 한다는 것을 알고 있다고 부언했다. 그는 우리의 성공을 의심하지 않았다"라고 슐렌부르크는 베를린에 타전했다.[2]

6월 17일 프랑스가 휴전을 요청한 날, 몰로토프는 자기 집무실로 슐렌부르크를 불러 "독일 국방군의 눈부신 성공에 대한 소비에트 정부의 심심한 축의를 표명했다".

외무인민위원은 그 밖에 다른 말도 했는데, 그 말은 독일 측에 그리 기분 좋게 들리지 않았다. 독일 대사가 베를린에 "최급" 전보로 알렸듯이, 몰로토프는 "발트 국가들에 대한 소비에트의 조치"를 통지한 다음—이 순간 번뜩였을 그의 안광이 보이는 듯하다—"발트 국가들에서 독일과 소련 사이에 불화와 불신의 씨를 뿌리려던 잉글랜드와 프랑스의 계략에 종지부를 찍는 조치가 필요했다"라고 덧붙였다.[3] 그런 "불화"를 끝내기 위해 소비에트 정부는 발트 삼국으로 "특사들"을 파견했다고 몰로토프는 부언했다. 사실 그 세 명은 스탈린이 선발한 발군의 해결사들이었다. 바로 리투아니아로 간 블라디미르 데카노조프Vladimir Dekanozov, 라트비아로 간 안드레이 비신스키Andrey Vyshinsky, 에스토니아로 간 안드레이 즈다노프였다.

이 삼인방, 특히 나중 두 명은 자기 임무를 철저히 수행했다. 독일군이 파리에 입성한 6월 14일, 소비에트 정부는 벌써 리투아니아에 9시간 시한의 최후통첩을 보내 정부의 사퇴, 핵심 관료 몇 명의 체포, 원하는 만큼 붉은군대 병력을 파견할 권리 등을 요구했다. 리투아니아 정부가 최후통첩을 수락했음에도, 모스크바는 "불만족스럽다"며 이튿날인 6월 15일 발트 국가들 중 유일하게 독일과 국경을 접하는 이 나라를 군대로 점령했다. 그다음 며칠 동안 라트비아와 에스토니아도 소비에트의 비슷한 최후통첩을 받은 뒤 역시 비슷하게 붉은군대에 의해 점령되었다.

이런 사안에서 스탈린은 히틀러만큼이나 난폭하고 무자비하게 굴었다—게다가 더 냉소적이기까지 했다. 언론은 탄압당하고, 정치 지도부는 체포되고, 공산당을 제외한 모든 정당이 불법으로 규정되었다. 소련 측은 7월 14일 삼국 모두에서 '선거'를 실시했고, 그렇게 '선출된' 각국 의회가 소련으로의 합병에 찬성 투표한 뒤, 소련 최고평의회가 삼국을 모국에 합병하는 방안을 '승인'했다. 리투아니아는 8월 3일에, 라트비아는 8월 5일에, 에스토니아는 8월 6일에 합병되었다.

　아돌프 히틀러는 굴욕을 당했으나 영국 침공을 준비하느라 한창 바빠서 아무것도 할 수 없었다. 베를린에 주재하는 발트 삼국의 사절들이 소련의 침공에 항의하며 독일 측에 보낸 서한은 리벤트로프의 지시로 반송되었다. 독일로서는 더욱 굴욕스럽게도, 8월 11일에 몰로토프는 독일 측에 커우너스, 리가, 탈린의 독일 공사관을 2주 내에 '정리'하고 독일에 있는 삼국의 영사관을 9월 1일까지 폐쇄하라고 퉁명스럽게 통보했다.

　스탈린은 발트 삼국을 삼킨 것으로 만족하지 않았다. 영국-프랑스 군이 놀랍도록 일찍 무너지자 그에 고무된 스탈린은 이미 많은 것을 얻었으면서도 최대한 더 많이 얻어내려 했다. 그는 한시가 바쁘다고 생각했던 게 틀림없다. 프랑스 측이 결국 항복하고 콩피에뉴에서 휴전협정에 서명한 다음날인 6월 23일, 몰로토프는 다시 모스크바 주재 나치 대사를 불러 "베사라비아 문제의 해결을 더 이상 미룰 수 없다. 소비에트 정부는 루마니아 정부가 강화협정을 거절할 경우 무력행사에 나서기로 결의했다"라고 말했다. 독일에 대해서는 "소련의 조치를 방해하지 않고 지지하기를" 기대한다고 몰로토프는 덧붙였다. 게다가 "소비에트의 권리 주장은 부코비나로까지 확대되었다"고 알렸다.[4] 베사라비아는 1차대전 막판에 루마니아가 러시아로부터 빼앗은 지역이지만, 부코비나는 러시아에 속한 적이 없고 1919년에 루마니아가 가로챌 때까지는 오스트리아의 통치하에 있었다. 지난날 나치-소비에트 조약을 교섭할 때 리벤트로프는 히틀러와 상의한 뒤 베사라비아를 소련의 이익권으로 넘겨줄 수밖에 없었다. 그러나 부코비나를 넘겨준 적은 없었다. 이 사실을 리벤트로프는 히틀러에게 상기시켰다.

베를린에서 경보가 울렸고 이것이 서부의 OKW 본부로까지 퍼졌다. 국방군은 루마니아산 석유에 절박하게 의존하고 있었으며 독일 전체로서도 이 발칸 국가에서 들여오는 식량과 사료가 필요했다. 붉은군대가 루마니아를 점령할 경우 이들 물자를 놓칠 수 있었다. 얼마 전인 5월 23일, 프랑스 전투가 한창이던 때에 루마니아 참모본부는 OKW에 SOS를 쳐 소비에트군이 국경에 집결하고 있다고 알렸다. 요들은 이튿날 일기에 히틀러 본부의 반응을 요약해서 적었다. "러시아가 베사라비아를 겨냥해 병력을 집결시킨 바람에 동부의 상황이 위험해지고 있다."

6월 26일 밤, 소련은 루마니아에 최후통첩을 보내 베사라비아와 북부 부코비나를 할양할 것을 요구하고 이튿날까지 회답하라고 통보했다. 몹시 당황한 리벤트로프는 자신의 특별열차에서 부쿠레슈티 주재 공사에게 황급히 전보를 쳐 루마니아 정부에 양보를 권고하라고 지시했으며, 6월 27일 루마니아 정부는 그 권고대로 했다. 이튿날 소비에트군은 새로 획득한 영토로 진입했고, 베를린 측은 적어도 소련이 루마니아 전역을 차지하여 석유와 식량의 풍부한 공급원을 차단당하는 사태는 피했다며 가슴을 쓸어내렸다.

본인의 행동과 독일 기밀문서를 보면, 분명 스탈린은 독일군이 서유럽에 매여 있는 동안 동유럽에서 최대한 많은 것을 챙기려 하면서도 히틀러와 갈라서는 일은 바라지도 고려하지도 않았음을 알 수 있다.

6월 말, 처칠은 스탈린에게 친서를 보내 독일에 의한 영국 정복의 위험이 있듯이 소련 정복의 위험도 있다고 경고하려 했다.[5] 소비에트 독재자는 구태여 답장하지 않았는데, 다른 무엇보다 영국이 끝장났다고 생각했기 때문일 것이다. 그래서 영국 정부가 하려는 일을 독일 측에 고자실했다. 영국 총리가 볼셰비키 사이에서 더 호응을 얻기를 기대하며—훗날 처칠이 구슬프게 인정했듯이 부질없는 희망이었다—신임 영국 대사로서 모스크바로 급파한 좌파 노동당 지도자 스태퍼드 크립스Stafford Cripps 경은, 처칠의 묘사대로 7월 초에 스탈린과 "형식적이고 냉랭한" 회견을 했다. 7월 13일, 몰로토프는 스탈린의 지시에 따라 이 비밀 회담의 기록문을 독일 대사에게 건넸다.

　그것은 흥미로운 문서다. 어떤 문서와도 달리 외교 문제를 냉철하게 계산하지 못하는 소비에트 독재자의 심각한 한계를 드러내기 때문이다. 슐렌부르크는 그 문서를 베를린에 "최급"으로, 그리고 당연히 "기밀"로 급송했고, 리벤트로프는 그 내용을 확인하고 소비에트 정부에 "이 통지에 깊이 감사드립니다"라고 말하기까지 했다. 회담 기록이 전하듯이, 크립스는 스탈린에게 다른 무엇보다 다음과 같은 원칙적인 문제에 관해 어떤 입장인지 알려달라고 요구했다.

　영국 정부는 독일이 유럽에서 패권을 잡으려 하고 있다고 확신한다. … 이는 영국뿐 아니라 소련에도 위험하다. 그러므로 양국은 독일에 맞서는 공동의 방위 정책과 유럽에서의 세력균형의 재확립에 관해 합의해야 한다. …

　스탈린의 답변은 다음과 같았다.

스탈린은 유럽에서 어느 한 나라가 패권을 잡을 위험은 없고 독일이 유럽을 집어삼킬 위험은 더더욱 없다고 본다. 그는 독일의 정책을 관찰했고 독일의 주요 정치가 몇 명도 알고 있다. 그는 유럽 국가들을 집어삼키려는 그들의 욕망을 전혀 발견하지 못했다. 스탈린은 독일의 군사적 성공이 소련 자체에 위협이 된다고 생각하지 않으며, 소련과 독일의 우호관계를 위협하게 된다고도 생각하지 않는다. …[6]

말문이 턱 막힐 만큼 경악스러운 독단이자 끝을 모를 무지였다. 물론 소련의 폭군이 독일 총통의 과대망상의 속내까지 알 길은 없었다. 하지만 총통의 과거 행적, 그 유명한 야심, 예상 밖으로 신속한 나치의 정복은 스탈린에게 당시 소련이 심각한 위험에 처했다는 경고를 주기에 충분했다. 그러나 이해할 수 없게도 스탈린에게는 충분하지가 않았다.

압수된 나치 문서, 1940년 서유럽의 광대한 영역에서 펼쳐진 일대 드라마에서 활약한 독일 지도부 인사들의 훗날 증언을 보면, 스탈린이 어처구니없이 만족하며 방심하던 바로 그 순간에 히틀러는 사실 동쪽으로 방향을 돌려 소련을 분쇄할 방책을 궁리하고 있었던 것이 분명하다.

그런 발상의 기본적인 형태는 훨씬 전으로, 적어도 15년 전의《나의 투쟁》으로까지 거슬러 올라가는 것이었다.

[히틀러가 씀] 그러므로 우리 국가사회주의자들은 600년 전에 중단된 과업을 이어간다. 우리는 남유럽과 서유럽으로 향하는 독일인의 끝없는 이동을 멈추고 시선을 동방의 땅으로 돌린다. … 오늘날 유럽의 새로운 영토에 대해 말할 때 우리는 주로 러시아 및 그와 인접한 속국들을 생각해야 한다. 운명 자체가 우리에게 그곳으로 향하라고 가리키는 듯하다. … 이 거대한

동방 제국을 해체할 시기가 무르익었으며, 러시아에서 유대인 지배의 종식은 곧 국가로서의 러시아의 종식이 될 것이다.[7]

이 발상은 히틀러의 마음속에 마치 기반암처럼 깔려 있었다. 스탈린과 조약을 맺고도 히틀러는 이 발상을 조금도 바꾸지 않았다. 그저 결행을 미루었을 뿐이다. 그리고 그 지연 기간마저 길지 않았다. 실제로 소련과 조약을 체결하여 폴란드 분쇄에 활용한 지 채 두 달도 지나지 않아 총통은 정복한 폴란드 영토를 "향후 독일군 작전을 위한 집결지"로 여기라고 육군에 지시했다. 그 날짜가 1939년 10월 18일이었고, 할더가 그날 일기에 그렇게 적어두었다.

5주 뒤인 11월 23일, 주저하는 장군들에게 서부 공격에 대한 장광설을 늘어놓을 때에도 히틀러는 결코 소련을 잊지 않았다. **"서부에서 자유로워져야 비로소 러시아를 상대할 수 있다"**라고 힘주어 말했다. 한 세기 동안 독일 장군들의 악몽이었던 양면 전쟁이 당시 히틀러의 큰 고민거리였고, 그래서 차제에 길게 말했던 것이다. 그는 과거 독일 통치자들의 실책을 되풀이하지 않을 작정이었다. 한 시기에 하나의 전선에만 육군을 투입할 계획이었다.

그러므로 프랑스를 함락하고, 영국 육군을 해협 건너편으로 쫓아버리고, 영국의 붕괴가 머지않았다고 예상하는 상황에서 히틀러의 생각이 다시 한 번 소련으로 향한 것은 지극히 자연스러운 일이었다. 이제 그는 서부에서 자유로워졌고, 따라서 스스로 정해둔, "러시아를 상대"하기 위한 전제조건 중 하나를 달성한 터였기 때문이다. 6월에 발트 국가들과 루마니아의 두 지방을 신속하게 차지한 스탈린의 행보도 히틀러의 결정을 재촉했다.

이제 우리는 그 결정을 내린 순간을 추정할 수 있다. 요들은 "기본적인 결정"을 내린 때가 "서부 작전 기간으로까지 거슬러 올라간다"라고 말한다.[8] OKW에서 요들의 부관이었던 발터 바를리몬트 대령은 7월 29일 작전장교 회의에서 요들이 "히틀러는 1941년 봄에 소련을 공격할 계획이다"라고 알린 것으로 기억한다. 이 회의 이전의 어느 시점에 요들이 전한 바로는 히틀러가 카이텔에게 "1940년 가을에 소련에 대한 공격을 개시할 생각이다"라고 말했다고 한다. 그러나 이 계획은 카이텔이 듣기에도 무모한 것이어서, 가을의 악천후에 더해 육군 대부분을 서부에서 동부로 이동시키기가 어렵다는 사정까지 이유로 들어 총통에게 단념하기를 권했다. 바를리몬트에 따르면 7월 29일 작전장교 회의가 열릴 무렵에는 "[러시아를] 공격할 시기가 1941년 봄으로 연기된 상태였다".[9]

할더의 일기를 보면 알 수 있듯이,[10] 불과 1주일 전만 해도 총통은 영국을 침공하지 않으면 가을에 소련에서 작전을 펼 수 있다는 견해를 고집하고 있었다. 7월 21일 베를린 군사회의에서 히틀러는 브라우히치에게 소련 공격 준비를 서두르라고 지시했다. 브라우히치가 히틀러에게 보인 반응을 고려하면 육군 총사령관과 참모본부가 이 문제를 사전에 어느 정도 생각했던 것―하지만 충분히 생각하지는 않았던 것―이 분명하다. 브라우히치는 소련 작전이 "4주에서 6주간 이어질" 것이고 그 목적은 "소련 육군을 무찌르거나 적어도 소련 영토를 충분히 점령하여 소련 폭격기는 베를린이나 슐레지엔 공업지대에 닿지 못하는 반면 독일 공군 폭격기는 소련 내 모든 중요한 목표물에 닿도록 하는" 데 있다고 말했다. 브라우히치는 독일군 80개에서 100개 사단으로 그 목적을 달성할 수 있다고 생각했고, 소련군의 전력을 "50개에서 75개의 견실한 사단"으로 평가했다. 할더가 브라우히치로부터 이 회의에 관해 전해 듣고서 적은 메모는, 히틀러가 스탈린의 동부 장악으로 괴로워했다는 것, 소비에트 독재자가 영국이 버티도록 부추기기 위해 "잉글랜드에 꼬리를 친다"고 생각했다는 것, 하지만 소련이 대독일 전쟁을 준비한다는 징후를 확인하지는 못했다는 것을 알려준다.

1940년 7월의 미지막 날에 베르크호프에서 열린 또다른 회의에서, 히틀러는 영국을 침공할 전망이 흐려지는 전황 때문인지 소련에 대한 사신의 결정을 처음으로 육군 수뇌부에 알렸다. 이번에는 회의에 직접 참석한 할더가 통수권자의 발언을 속기로 정확하게 받아적었다.[11] 할더의 메모는 히틀러가 이듬해 봄에 소련을 공격하기로 명확히 결정했다는 점뿐 아니라 이미 주요한 전략적 목표를 구상하고 있었다는 점도 드러낸다.

[히틀러가 말함] 영국은 러시아와 미국에 희망을 걸고 있다. 러시아에 거는 희망이 깨지고 나면 미국에 거는 희망도 깨질 텐데, 러시아가 제거되고 나면 극동에서 일본의 힘이 엄청나게 증대할 것이기 때문이다.

생각하면 할수록 영국이 전쟁을 지속하겠다고 완강히 버티는 것은 소련에 의존하기 때문이라는 확신이 강해진다고 히틀러는 말했다.

[히틀러가 설명함] 영국에서 무언가 이상한 일이 일어났다! 영국은 이미 완전히 주저앉은 상태였다.* 그런데 이제 영국은 다시 일어서고 있다. 가로챈 대화. 러시아는 서유럽에서 급박하게 돌아가는 사태 전개에 불쾌해하며 동요하고 있다.

---

* 할더는 이 독일어 텍스트에서 영단어 'down'을 사용한다.

러시아가 잉글랜드에 자기들은 독일이 너무 강해지기를 바라지 않는다고 암시하기만 해도 잉글랜드는 마치 물에 빠진 사람처럼 6개월에서 8개월 안에 사정이 크게 바뀔 것이라는 희망을 되찾을 것이다.

그러나 러시아를 분쇄한다면, 영국의 마지막 희망이 산산조각 날 것이다.

그렇게 해서 독일은 유럽과 발칸의 주인이 될 것이다.

결론: 이런 상황임을 고려하여 러시아를 정리해야 한다. 1941년 봄.

러시아 분쇄는 이를수록 좋다. [강조는 할더]

그런 다음 나치 통수권자는 자신의 전략계획을 자세히 개진했다. 장군들이 듣기에 히틀러는 서부에서의 싸움에 몰두하면서도 한동안 머릿속에서 그 계획을 가다듬어온 것이 분명했다. 그 작전은 강한 일격으로 소련을 분쇄하는 것을 목표로 할 경우에만 실행할 가치가 있다고 히틀러는 말했다. 소련의 여러 지역을 정복하는 것만으로는 충분하지 않았다. "러시아의 생존력 자체를 잘라버려라! 그것이 목표다!"라고 히틀러는 강조했다. 작전 초기의 진격 경로는 둘이었다. 하나는 남쪽에서 키이우와 드니프로 강으로 향하는 경로였고, 다른 하나는 북쪽에서 발트 국가들을 통과해 모스크바로 향하는 경로였다. 두 집단군은 모스크바에서 합류한다. 그런 다음 필요할 경우 특수작전을 전개해 바쿠의 유전지대를 확보한다. 히틀러는 이 새로운 정복을 구상하는 것만으로도 흥분했다. 벌써 정복을 바탕으로 무엇을 할지 궁리하고 있었다. 그는 곧장 우크라이나, 벨라루스, 발트 국가들을 병합하고 핀란드의 영토를 백해까지 확장할 생각이었다. 그리고 전체 작전에 120개 사단을 할당하고 서부와 스칸디나비아의 방어를 위해 60개 사단을 남겨두려 했다. 공격은 1941년 5월에 개시할 것이고 완수하는 데 5개월이 걸릴 것이라고 히틀러는 단언했다.

겨울까지는 끝낼 작정이었다. 자신은 올해 결행하는 편을 선호하지만 그것은 사정상 가능하지 않다고 했다.

하루 지난 8월 1일, 할더는 참모본부와 함께 계획 수립에 착수했다. 훗날 할더는 소련을 공격한다는 이 발상을 미친 짓으로 여겨 반대했다고 주장했지만, 이날 일기는 그가 도전적인 새 과제에 의욕을 불태웠다는 것을 알려준다.

독일은 특유의 철두철미한 자세로 세 가지 층위에서 계획 수립을 진행했다. 바로 육군 참모본부, OKW 내 바를리몬트의 작전참모부, OKW 내 토마스 장군의 군수경제국이었다. 토마스는 8월 14일, 독일이 소련에 주문한 물자가 "1941년 봄까지는" 배송되기를 바란다는 히틀러의 뜻을 괴링으로부터 전해 들었다.* 한편 군수경제국은 장차 독일군이 공격할 표적을 안내하기 위해, 그리고 나중에 소련을 관리하는 데 도움을 주기 위해 소련의 산업·운수·석유 중심지에 대한 상세한 조사를 수행하기로 했다.

그 며칠 전인 8월 9일, 바를리몬트는 동부에서 대소련 공격을 개시할 부대 전개 지역들을 준비하라는 첫 지령을 내렸다. 이 작전의 암호명은 '동부 증강Aufbau Ost'이었다. 8월 26일, 히틀러는 10개 보병사단과 2개 기갑사단을 서부에서 폴란드로 이동시키라고 명령했다. 그리고 루마니아의 유전지대 방어를 위해 출동할 수 있도록 그 기갑전력을 폴란드 남동부에 집결시키라고 명령했다.[12] 대규모 병력이 동부로 이동한다는 사실**이 스탈린에게 알려질 경우 안 그래도 의구심 덩어리인 그를 자극

---

* 이 사안에 대한 보고서에서 토마스는 당시 소련이 독일에 대한 물자 배송 기일을 엄수했다고 강조한다. 그의 말대로 "공격 개시 직전까지" 소련은 기일을 지켰고, 놀랍게도 "마지막 며칠 동안에도 천연고무를 극동으로부터 실어오는 작업을 급행 화물열차를 통해 완수했다"—아마도 시베리아 횡단 철도를 이용했을 것이다.[13]

하기 십상이었으므로 독일 측은 그가 알지 못하도록 온갖 애를 썼다. 그래도 다소간의 이동은 들킬 수밖에 없었으므로, 모스크바 주재 독일 육군 무관 에른스트 쾨스트링Ernst Köstring 장군에게 소련 참모본부에 그저 고참 병사들을 공장으로 보내고 신참 병사들로 교체하는 것뿐이라고 통지하도록 지시했다. 9월 6일, 요들은 위장과 기만의 방법을 꽤 자세히 개관하는 지령을 내렸다. "이런 재편성으로 우리가 동부 공세를 준비하고 있다는 인상을 러시아에 주어서는 안 된다"라고 요들은 명시했다.[14]

독일군이 여름의 대승리 이후 이미 얻은 영예에 안주하지 않도록 히틀러는 1940년 11월 12일, 유럽 전역과 그 너머에까지 미치는 새로운 군사적 과제들을 개관하는 포괄적인 극비 지령을 내렸다. 우리는 그 지령 중 일부를 나중에 다시 살펴볼 것이다. 여기서 살펴볼 것은 소련을 다루는 부분이다.

당분간 러시아의 태도를 명확히 하는 것을 목표로 하는 정치적 논의가 시작되었다. 이 논의의 결과와 무관하게, 동부와 관련해 이미 구두로 명령해둔 모든 준비를 지속할 것이다. 육군이 작전계획의 개요를 내게 제출하고 내가 승인하는 즉시 관련 지시를 다시 내릴 것이다.[15]

실제로 당일인 11월 12일, 몰로토프가 히틀러 본인과 정치적 논의를 이어가기 위해 베를린에 도착했다.

** 독일군은 폴란드에 7개 사단만 두었고, 그중 2개 사단을 춘계 공세 기간에 서부로 이동시켰다. 할더가 털어놓았듯이, 폴란드 내 병력은 세관 업무를 유지하기에도 빠듯했다. 만약에 스탈린이 1940년 6월에 독일을 공격했다면 붉은군대는 독일 측이 이렇다 할 저항을 조직하기도 전에 베를린에 당도할 수 있었을 것이다.

베를린의 몰로토프

———

지난 몇 달간 베를린과 모스크바의 관계는 좋지 않았다. 스탈린과 히틀러가 제3자의 뒤통수를 치는 것과 서로의 뒤통수를 치기 시작하는 것은 전혀 다른 이야기였다. 히틀러는 소련이 발트 국가들과 루마니아의 두 지방인 베사라비아 및 북부 부코비나를 차지하는 것을 막을 방도가 없었고, 그의 좌절감은 분노를 더욱 키우기만 했다. 독일은 소련의 서진을 막고 무엇보다 루마니아에서 저지해야 했는데, 영국의 봉쇄 때문에 더 이상 해로를 통해서는 수입이 불가능한 독일로서는 루마니아의 석유 자원에 사활이 걸려 있었다.

히틀러에게는 설상가상으로, 헝가리나 불가리아도 루마니아 영토의 일부를 요구했다. 실제로 헝가리는 1940년 여름이 끝나갈 즈음 1차대전 후 루마니아에 빼앗겼던 트란실바니아를 되찾기 위해 전쟁을 벌일 준비까지 했다. 히틀러가 깨달았듯이, 그런 전쟁이 날 경우 독일은 중요한 원유 자원을 차단당할 수 있었고, 어쩌면 소련군이 개입해 루마니아 전역을 점령하고 독일에게서 루마니아산 석유를 영원히 빼앗는 결과에 직면할 수도 있었다.

8월 28일, 상황이 얼마나 급박해졌던지 히틀러는 5개 기갑사단과 3개 차량화사단에 더해 낙하산부대와 공수부대에 9월 1일 루마니아의 유전지대를 장악할 준비를 하라고 명령했다.[16] 같은 날 히틀러는 베르크호프에서 리벤트로프 및 치아노와 상의한 뒤 두 사람을 빈으로 급파하면서, 추축국의 중재를 받아들이도록 헝가리 및 루마니아의 외무장관을 겁박하라고 지시했다. 리벤트로프가 양측을 을러댄 뒤, 이 임무는 어렵지 않게 완수되었다. 8월 30일, 빈의 벨베데레 궁에서 헝가리 측과 루마니아 측은 추축국의 중재안을 수용했다. 루마니아 외무장관 미하일 마노일레스쿠Mihail Manoilescu는 트란실바니아의 절반을 헝가리에 넘겨준다고 표시해둔 지도를 보고서 혼절하여 협정 서명이 이루어질 탁자 위로 쓰러졌고, 의사들이 장뇌를 투약하고서야 의식을 되찾았다.[*17] 루마니아가 나머지 영토에 대한 독일과 이탈리아의 보장을 받아들인 것은 겉보기에는 이성적인 결정이었으나 실은 히틀러에게 향후 계획에 필요한 법적인 구실을 준 꼴이었다.[**]

3주 후, 총통은 향후 계획의 실마리를 측근들에게 제시했다. 9월 20일 극비 지령에서 히틀러는 루마니아에 "군사사절단"을 보내라고 명령했다.

세상에 알릴 그들의 임무는 루마니아 측에 군대의 조직과 교육에 관해 우호적으로 조언하는 것이다.
실제 임무―루마니아 측에도 우리 군대에도 명확히 알려서는 안 된다―는 다음과 같다.
유전지대를 방어하는 것. …
소비에트 러시아와의 전쟁이 불가피할 경우 루마니아의 기지들에서 독일군과 루마니아군을 전개하기 위해 준비하는 것.[18]

이 병력은 히틀러가 구상하기 시작한 새로운 전선의 남익을 맡을 참

---

* 이 일로 루마니아의 카롤 2세는 왕위를 잃었다. 9월 6일, 국왕은 나이 열여덟의 아들 미하이에게 왕위를 물려주었고, 머리칼이 붉은 정부 마그다 루페스쿠(Magda Lupescu)와 함께 '약탈품'이라 할 만한 것으로 가득한 10량 특별열차에 올라 유고슬라비아를 가로질러 스위스로 도피했다. 그러자 파시스트 '철위대(Garda de fier)'의 수장이자 히틀러의 친구인 이온 안토네스쿠 장군이 루마니아의 독재자가 되었다.
** 루마니아는 남부 도브루자도 불가리아에 넘겨주어야 했다.

이었다.

모스크바 당국은 독일이 자기네와 협의하지도 않은 채 빈에서 분쟁을 중재하고 루마니아의 잔존 영토를 보장한 것을 납득하기 어려웠다. 9월 1일, 슐렌부르크가 몰로토프를 찾아가 빈에서 일어난 일을 설명—그리고 정당화—하려는 리벤트로프의 알맹이 없는 문서를 제출했을 때, 외무인민위원은 대사의 보고대로 "평소와 달리 말수가 적었다". 그렇지만 구두로 강하게 항의하는 것마저 삼갈 정도로 말수가 없지는 않았다. 몰로토프는 독일 정부가 사전에 협의해야 한다는 나치-소비에트 조약의 제3조를 위반했고, "공동 이익의 문제"에 관한 독일의 확약과 상충되는 방식으로 소련 측에 "기정사실"을 통보하고 있다고 비난했다.[19] 이런 경우에는 거의 불가피한 일이지만, 도둑들이 훔친 물건을 놓고 서로 다투기 시작한 격이었다.

그다음 며칠 동안 양측의 맞비난은 더욱 고조되었다. 9월 3일, 리벤트로프는 모스크바에 장문의 문서를 타전하여 독일의 모스크바 조약 위반을 부인하고 오히려 소련이야말로 베를린과 협의하지 않은 채 발트 국가들과 루마니아의 두 지방을 집어삼킴으로써 조약을 위반했다고 비난했다. 이 문서는 강한 표현으로 이루어졌으며, 소련도 9월 21일 똑같이 가차없는 표현으로 회신했다—이번에는 양측 모두 서면으로 주장을 폈다. 이 회신에서 독일이 조약을 위반했다고 다시 지적한 소련은 여전히 루마니아에 걸린 이해관계가 많다고 경고하고, 사전 협의를 요하는 조항이 독일 측에 "모종의 불편함과 제약"이 된다면 소비에트 정부는 그 조항을 수정하거나 삭제할 용의가 있다는 냉소적인 제안으로 답변을 끝맺었다.[20]

히틀러에 대한 크렘린의 의구심은 9월에 일어난 두 사건으로 인해 더욱 커졌다. 9월 16일, 리벤트로프는 슐렌부르크에게 몰로토프를 방문해 독일 증원군을 핀란드를 경유해 노르웨이 북부로 보내려 한다고 "무심한 듯" 통지하라고 전보로 지시했다. 며칠 후인 9월 25일에 나치 외무장관은 모스크바 대사관에 전보를 또 보냈는데, 슐렌부르크가 휴가차 독일로 돌아와 있어서 이번에는 대사대리에게 보냈다. "기밀 엄수—국가 기밀" 표시가 붙은 그 극비 메시지에는 이튿날 대사대리가 베를린으로부터 전보나 전화로 특별암호를 받는 경우에만 지시사항을 실행하라고 적혀 있었다.[21]

대사대리는 몰로토프에게 "앞으로 며칠 안에" 일본, 이탈리아, 독일이 베를린에서 군사동맹을 맺을 것이라고 통지할 터였다. 그 동맹은 소련을 겨냥하는 것이 아니었다—그것을 구체적인 조항으로 밝힐 생각이었다.

[리벤트로프가 진술함] 이 동맹은 오로지 미국의 전쟁광들을 겨냥한다. 물론 여느 조약처럼 이 점을 조약문에 명기하지는 않지만, 조약의 조항으로부터 오해의 여지 없이 추론할 수 있다. … 조약의 유일한 목표는 미국의 참전을 요구하는 부류에게 만약 그들이 현재의 분쟁에 관여한다면 자동적으로 세 강대국을 적으로 돌리게 된다는 것을 확실하게 보여줌으로써 그들의 경각심을 불러일으키는 데 있다.[22]

독일에 대한 의구심을 6월에 꽃이 자라듯이 쑥쑥 키워가던 쌀쌀맞은 소련 외무인민위원은 9월 26일 저녁, 대사대리 베르너 폰 티펠슈키르히가 이 소식을 전했을 때 매우 회의적인 반응을 보였다. 친구든 적이든 간에 자신과 협상하는 모든 상대를 몹시 짜증나게 하는, 세세한 것까지 꼬치꼬치 따지는 주의력으로 몰로토프는 곧장 모스크바 조약 제4조에 따라 소비에트 정부는 이 삼국 군사동맹의 조문을, 그리고 "비밀의정서가 있다면" 그것까지 포함해 **체결 전에** 확인할 권리가 있다고 말했다.

몰로토프는 독일이 핀란드를 통과해 병력을 수송하기 위해 후자와 맺은 협정에 관해서도 알고 싶다면서, 자신은 그 소식을 대부분 UP 통신사의 베를린발 보도를 통해 들었다고 말했다. 지난 사흘 동안 모스크바는 적어도 핀란드의 세 항구에 독일군이 상륙했다는 보고를 받았으나 "그에 관해 독일로부터 통지받지 못했다"고 몰로토프는 부언했다.

[몰로토프가 이어서 말함] 소비에트 정부는 병력의 핀란드 통과에 관한 협정의 조문을 그 비밀 조항들과 함께 제공받고 … 그 협정의 취지가 무엇인지, 어떤 대상을 겨냥하는지, 어떤 의도에 이바지하는지에 대해 통지받기를 원한다.[23]

소련 측을 달랠 필요가 있었으므로—둔감한 리벤트로프마저 그것을 알아챌 수 있었다—10월 2일에 리벤트로프는 모스크바에 전보를 보내면서 그것이 핀란드와 맺은 협정의 조문이라고 알렸다. 또한 그사이에 체결해버린 삼자 조약*은 소련을 겨냥하지 않는다고 다시 주장하고 "비밀의정서도 다른 어떤 비밀 협정도 존재하지 않는다"라고 정식으로 확언

---

* 1940년 9월 27일 베를린에서, 내가 다른 책에서 묘사한(*Berlin Diary*, pp. 532-537) 희가극 같은 설정과 격식을 거쳐 체결되었다. 제1조와 제2조에서 일본은 "유럽의 신질서를 수립함에 있어 독일과 이탈리아의 지도적 지위"를 인정하고 두 나라는 대동아공영권에서 일본의 지도적 지위를 인정했다. 제3조에서는 삼국 중 어느 한 나라라도 미국의 공격을 받을 경우 상호 원조를 제공하기로 했다. 다만 미국이라고 명기하지는 않고 분명하게 가리키기만 했다. 당일에 베를린에서 일기에 썼듯이 내가 이 조약에서 가장 의미심장하다고 생각한 것은 이제 히틀러가 장기전을 받아들였다는 점이었다. 이탈리아를 대표해 조약에 서명한 치아노도 같은 결론을 내렸다(*Ciano Diaries*, p. 296). 그리고 독일 측의 부인에도 불구하고 이 조약은 소련에 대한 경고를 의도한 것이었다.

했다.[24] 리벤트로프는 10월 7일 티펠슈키르히에게 독일의 "군사사절단"을 루마니아로 파견한다는 것을 몰로토프에게 "부수적으로" 통지하라고 지시하고, 이 또다른 소식에 대한 몰로토프의 회의적인 반응(외무인민위원은 "얼마나 많은 병력을 루마니아로 보내고 있는지" 알려달라고 했다)을 접한 뒤,[25] 10월 13일 독일에 대한 소련의 불안감을 가라앉히고자 스탈린에게 장문의 서신을 보냈다.[26]

예상할 수 있듯이 그것은 허튼소리와 거짓말, 속임수로 넘쳐나는, 미련한 동시에 오만한 서신이었다. 이번 전쟁의 발발과 그 모든 여파의 책임이 영국에 있지만 한 가지는 확실하다고 리벤트로프는 말했다. "그 전쟁은 우리가 승리했습니다. 남은 문제는 잉글랜드가 … 붕괴를 인정하기까지 얼마나 걸리느냐는 것뿐입니다." 삼국 조약뿐 아니라 핀란드와 루마니아에서 소련을 겨냥하는 독일의 행보까지도 실은 러시아에 이롭다고 리벤트로프는 설명했다. 한편에서는 영국 외교부와 비밀 요원들이 소련과 독일의 사이를 이간질하려 시도하고 있었다. 그 시도를 좌절시키기 위해 리벤트로프는 스탈린에게 물었다. 몰로토프를 베를린으로 보내고 총통이 그에게 "우리 두 나라의 향후 관계 설정에 관한 견해를 직접 설명"하면 어떻겠느냐고 말이다.

리벤트로프는 그 견해에 관해 살짝 귀띔을 했다. **전 세계를 전체주의 4개국이 나누어 갖자**는 견해였다.

> [리벤트로프가 말함] 4개국 ─ 소련, 이탈리아, 일본, 독일 ─ 의 임무는 …
> **전 세계적인 차원에서 각국의 이익 범위를 정함으로써 … 장기적인 정책을 채택하는 것으로 보입니다.** [강조는 리벤트로프]

모스크바 주재 독일 대사관은 이 편지를 수신인에게 전하는 일을 약간 지체했다. 그러자 리벤트로프는 노발대발하여 슐렌부르크에게 자신의 편지가 17일까지 전해지지 않은 이유와 "그 내용의 중요성에 걸맞게" 스탈린에게 직접 전달되지 않은 이유—슐렌부르크는 그 편지를 몰로토프에게 건넸다—를 알려달라고 요구하는 성난 전보를 보냈다.[27] 스탈린은 10월 22일에 눈에 띄게 다정한 어조로 답변했다. "몰로도프는 베를린으로 귀하를 방문할 의무가 있다고 인정합니다. 그래서 귀하의 초대를 수락합니다."[28] 스탈린의 다정함은 틀림없이 가식에 지나지 않았을 것이다. 며칠 후 슐렌부르크는 소련 측의 항의를 베를린에 타전했는데, 독일이 소련에 대한 전쟁물자 배송을 거부하는 동시에 핀란드로 무기를 수송하고 있다는 내용이었다. "우리가 핀란드로 무기를 수송하는 것을 소비에트 측이 거론한 것은 이번이 처음이다"라고 슐렌부르크는 부언했다.[29]

어둡고 보슬비가 내리던 날, 몰로토프가 도착했다. 환영식은 극히 딱딱하고 형식적이었다. 차를 타고 린덴의 소비에트 대사관까지 갈 때, 내 눈에 그는 앞뒤 꽉꽉 막힌 시골 교장 선생처럼 보였다. 하지만 크렘린의 살인적인 경쟁에서 살아남은 만큼 그에게는 분명 무언가가 있을 것이다. 독일 측은 모스크바에 소련의 오랜 꿈인 보스포루스와 다르다넬스 해협을 넘겨주고 자기네는 발칸의 나머지, 즉 루마니아, 유고슬라비아, 불가리아를 갖겠다며 감언이설을 쏟아낼 것이다. …

나의 1940년 11월 12일 일기는 이렇게 시작한다. 독일 측의 감언이설은 그 자체로는 충분히 그럴듯한 말이었다. 독일 외무부 문서를 압수한 덕에 오늘날 우리는 이 이상하고―훗날 밝혀졌듯이―운명적인 회담에 관해 훨씬 더 많이 알고 있다. 외무부 문서 중에는 독일 측의 이틀치 기밀 회의록이 있는데, 한 건을 제외하고는 모두 어느 자리에나 끼는 슈미트 박사가 작성한 것이다.*[30]

11월 12일 오전에 진행된 두 외무장관의 첫 회담에서 리벤트로프는 최대한 무미건조하고 거만한 자세를 취했으나 몰로토프는 곧장 상대를 간파하고 독일의 수법을 알아차렸다. 리벤트로프가 말문을 열었다. "잉글랜드는 난타당했고 언제 패배를 인정할지는 시간문제일 뿐입니다. … 이제 영 제국의 종말이 시작되었습니다." 영국은 미국의 지원을 바라고 있지만 "미합중국의 참전은 독일에 전혀 중요하지 않습니다. 독일과 이탈리아는 앵글로색슨족이 유럽 대륙에 상륙하는 것을 다시는 용납하지 않을 것입니다. … 이것은 군사 문제가 전혀 아닙니다. … 그러므로 추축국은 전쟁을 어떻게 이길지 생각하고 있는 게 아니라 이미 이긴 전쟁을 얼마나 일찍 종결지을 수 있을지 생각하고 있는 것입니다."

이런 상황이니 소련, 독일, 이탈리아, 일본 4개국이 각각의 "이익권"을 정할 때가 왔다고 리벤트로프는 설명했다. 그는 총통이 네 나라 모두 당연히 "남쪽으로" 팽창할 것으로 판단하고 있다고 말했다. 일본은 이미 남쪽으로 방향을 돌렸고, 이탈리아도 마찬가지였으며, 독일은 서유럽에서 "신질서"를 확립한 뒤 (다른 데가 아닌!) "중앙아프리카"에서 추가로 생존 공간을 찾을 것이다. 소련도 "남쪽으로 방향을 돌려 자국에 극히 중요한

---

* 이 감언이설의 정확성은 나중에 스탈린이 의도치 않게 확인해주었다. 처칠은 1942년 8월에 스탈린으로부터 몰로토프가 베를린에서 한 발언 기록을 받았으며 그것이 "더 간결"하긴 해도 "독일 측의 기록과 본질적으로 다르지 않다"라고 말한다. (Churchill, *Their Finest Hour*, pp. 585-586)

공해로 이어지는 자연적 진출로를 찾지" 않을지 "궁금"하다고 리벤트로프는 말했다.

"어떤 바다 말입니까?" 하고 몰로토프가 쌀쌀맞게 끼어들었다.

독일 측이 이제부터 36시간 동안 이 완고하고 단조롭고 간간한 볼셰비키와 끊임없이 대화하면서 알게 될 것처럼, 이것은 곤란하지만 결정적인 질문이었다. 말허리를 자른 이 질문에 리벤트로프는 한동안 쩔쩔맸고 적절한 답변을 떠올리지 못했다. 그 대신 "전후에 세계 곳곳에서 일어날 커다란 변화"에 관해 횡설수설하다가 중요한 것은 "독일-러시아 조약의 양 당사국이 함께 좋은 일을 했는지", "앞으로도 어떤 일을 할 것인지 여부"라고 떠들어댔다. 그래도 몰로토프가 자신의 간단한 질문에 답해달라고 고집하자 리벤트로프는 결국 "길게 볼 때 러시아에 가장 이로운 해양 진출로는 페르시아 만과 아라비아 해 방면에서 찾을 수 있을 것입니다"라고 에둘러 답했다.

회담에 동석해 메모한 슈미트 박사의 말마따나 몰로토프는 "속내를 알 수 없는 표정으로" 앉아 있었다.[31] 회담 막판에 "특히 독일과 러시아 사이" 이익권의 경계를 정하려면 "정확성과 신중함"이 필요하다고 발언한 것 말고는 말수가 매우 적었다. 교활한 소비에트 교섭자는 오후에 만날 히틀러를 의식하며 탄약을 아끼고 있었다. 전능한 나치 통수권자에게 몰로토프와의 회담은 매우 놀랍고 신경질이 나고 실망스럽고 심지어 유일무이한 경험이 될 터였다.

히틀러의 태도는 독일 외무장관만큼이나 모호하고 심지어 더 거창했다. 히틀러는 날씨가 개자마자 "잉글랜드에 최후의 일격"을 가할 것이라며 말문을 열었다. 확실히 "미국 문제"가 있기는 했다. 하지만 미국은 "1970년이나 1980년 이전에는 다른 국가들의 자유를 위협하지" 못할 것이고 "유럽에도, 아프리카에도, 아시아에도 개입할 권리가 없습니다"—
몰로토프가 끼어들어 이 주장에 동의한다고 했다. 하지만 히틀러의 다른
발언에는 대부분 동의하지 않았다. 나치 지도자가 듣기 좋아할 만한 일
반론, 각자 열망을 추구하고 공통으로 "대양으로의 진출로"를 얻고자 한
다는 점에서 양국 간에 근본적 차이는 없다고 강조하는 일반론을 장황하
게 늘어놓은 뒤, 몰로토프는 "총통의 발언은 일반론적인 것"이라고 대꾸
했다. 그러면서 자신이 모스크바를 떠날 때 스탈린으로부터 "정확한 지
시사항"을 받았다며 이제부터 스탈린의 생각을 개진하겠다고 말했다. 회
의록으로 분명하게 알 수 있듯이, 독일 독재자는 몰로토프의 질문 공세
에 대응할 준비가 거의 되어 있지 않았다.

"질문이 히틀러에게 빗발쳤다"라고 훗날 슈미트는 회상했다. "내가 동
석한 자리에서 그 어떤 외국인 손님도 히틀러에게 그런 식으로 말한 적
이 없었다."[32]

독일은 핀란드에서 무엇을 하려는 것인가? 몰로토프는 그것을 알고
자 했다. 유럽과 아시아에서 신질서는 어떤 의미이고 그 안에서 소련이
맡을 역할은 무엇인가? 삼국 조약의 "의의"는 무엇인가? "게다가 불가리
아, 루마니아, 터키와 관련해 발칸 지역과 흑해에서의 소련의 이해관계
를 명확히 해야 하는 문제가 있습니다." 그는 얼마간의 답변과 "설명"을
듣고 싶다고 말했다.

히틀러는 너무 놀란 나머지 답변을 하지 못했다. 아마도 평생 처음 겪
는 일이었을 것이다. 히틀러는 "혹시 모를 공습경보를 고려해" 잠시 쉬자
고 제안하면서 상세한 논의는 이튿날 하기로 약속했다.

결투는 연기되었지 중지되지 않았고, 이튿날 오전에 히틀러와 몰로토
프가 회담을 재개했을 때에도 소련 인민위원은 집요하게 나왔다. 우선

핀란드 문제를 거론했는데, 이 주제를 놓고 두 사람은 곧 치열하고 신랄한 언쟁에 돌입했다. 몰로토프는 독일이 핀란드에서 병력을 철수시킬 것을 요구했다. 히틀러는 "핀란드가 독일군에 의해 점령되었다"는 것을 부인했다. 독일군은 그저 핀란드를 **통과해** 노르웨이로 향할 뿐이라며 히틀러는 오히려 "러시아가 핀란드와 전쟁을 벌일 의도인지" 알고자 했다. 독일 회의록에 따르면 몰로토프는 "이 질문에 다소 얼버무리는 식으로 답변"했고 히틀러는 만족하지 않았다.

"발트 지역에서 전쟁이 일어나서는 안 됩니다"라고 히틀러는 역설했다. "전쟁이 나면 독일-러시아 관계에 중대한 긴장이 초래될 것"이라고 위협했고, 잠시 후 그런 긴장이 "예상치 못한 결과"를 가져올 수도 있다고 부언했다. 어쨌거나 소련은 핀란드에서 무엇을 더 원하는가? 이것을 히틀러는 알고자 했고, 소련 손님은 "베사라비아와 같은 정도의 협정"을 원한다고 답변했다—이는 전면적인 병합을 뜻했다. "그것에 관한 의견"을 히틀러에게 서둘러 물어본 몰로토프는 평소 제아무리 차분하게 굴었을지라도 총통의 반응에 틀림없이 동요했을 것이다.

히틀러는 다소 피해가는 식으로 "광범한 반향을 불러일으킬 수도 있으므로 핀란드와의 전쟁은 피해야 한다"라는 입장을 되풀이할 수밖에 없다고 답변했다.

"그 입장으로 인해 논의에 새로운 요인이 추가되었습니다"라고 몰로토프는 받아쳤다.

언쟁이 과열되자 이쯤이면 분명 몹시 놀랐을 법한 리벤트로프가 끼어들어, 독일 회의록에 따르면, "핀란드 문제를 쟁점으로 삼을 이유가 실은 전혀 없습니다. 그저 오해일지도 모릅니다" 하고 말했다.

히틀러는 이 시의적절한 개입을 틈타 재빨리 주제를 바꾸었다. 머지 않아 영 제국이 붕괴하고 나면 가능해질 무제한의 약탈로 소련 측을 유혹할 수 있지 않을까?

"더 중요한 문제들로 관심을 돌립시다" 하고 히틀러가 말했다.

[히틀러가 단언함] 잉글랜드 정복 이후에 영 제국은 전 세계에 걸친 4000만 평방킬로미터라는 어마어마한 파산 자산으로서 배분될 것입니다. 이 파산 자산에는 얼지 않는, 정말로 열린 공해로 진출할 러시아의 몫도 있을 것입니다. 이제까지 소수였던 잉글랜드인 4500만 명이 영 제국의 주민 6억 명을 통치했습니다. 나는 이 소수를 격파할 생각입니다. … 이런 상황에서 전 세계적인 전망이 열렸습니다. … 파산 자산에 관심을 보일 법한 모든 나라는 서로 간의 모든 논쟁을 멈추고 오로지 영 제국의 분할에 전념해야 합니다. 이는 독일, 프랑스, 이탈리아, 러시아, 일본에 적용됩니다.

냉정하고 무덤덤한 소련 손님은 그렇게 번드르르한 "전 세계적인 전망"에 감동하지도 않고, 조만간 영 제국을 차지할 전망—나중에 이 논점에 대해 싫은 소리를 했다—을 독일 측만큼 확신하지도 않았던 것으로 보인다. 그는 "좀 더 유럽에 가까운" 문제들을 논의하고 싶다고 말했다. 이를테면 터키, 불가리아, 루마니아 같은.

"소비에트 정부는 루마니아에 대한 독일의 보장이, 아주 직설적으로 말하자면, 소비에트 러시아의 이해관계를 겨냥한다고 보고 있습니다" 하고 몰로토프는 말했다. 온종일 직설적인 표현으로 독일 측의 짜증을 돋운 몰로토프는 더욱 압박을 가했다. 그는 이 보장을 "철회"할 것을 독일 측에 요구했다. 히틀러는 거절했다.

그렇다면 보스포루스 해협과 다르다넬스 해협에 대한 모스크바의 관심을 고려해 "만약 러시아가 불가리아에 … 독일과 이탈리아가 루마니아에 보장한 것과 똑같은 조건의 보장을 해준다면" 독일은 무어라 말할 것이냐고 몰로토프는 물고 늘어졌다.

히틀러의 찌푸린 얼굴이 눈에 보이는 듯하다. 히틀러는 루마니아처럼 불가리아도 그런 보장을 요청했느냐고 물었다. 독일 회의록에 따르면 "그(총통)는 불가리아가 모종의 요구를 했다고 늘은 바가 없다"고 부인했다. 어쨌든 히틀러는 소련 측에 해당 문제에 관한 더 명확한 답변을 하기 전에 먼저 무솔리니와 상의해야 했다. 그러면서 불길하게도 만약 독일이 "러시아와 마찰을 빚을 구실을 찾는다면, 굳이 해협을 들먹일 필요도 없을 것"이라고 덧붙였다.

그러나 평소 수다스러운 총통도 이 난감한 러시아인과는 더 이상 말하고 싶지 않았다.

"대화의 이 대목에서 총통은 시간이 벌써 늦었다면서 주요 쟁점들은 충분히 논의한 것 같으니 영국의 공습 가능성을 감안해 이제 회담을 마치는 편이 낫겠다고 말했다"라고 독일 측 회의록은 전한다.

그날 저녁 몰로토프는 운터 덴 린덴의 소련 대사관에서 독일 측을 위해 연회를 열었다. 히틀러는 회담으로 진이 빠지고 아직 울화가 가라앉지 않아서였는지 얼굴을 내밀지 않았다.

영국 측은 참석했다. 나는 그 무렵 거의 매일 밤 베를린 상공에 출현하던 영국 폭격기가 이날도 나타나 독일 수도에서 처음으로 밤을 보내는 소비에트 인민위원에게 독일 측이 뭐라고 말했건 간에 영국이 아직 전쟁을, 그것도 치열하게 이어가고 있음을 일깨우지 않은 이유가 무엇인지 궁금했다. 고백하건대 우리 중 일부는 은근히 영국 폭격기를 기다렸지만, 그 시각까지 폭격기는 오지 않았다. 최악의 사태를 우려하던 빌헬름슈트라세의 관료들은 눈에 띄게 안도했다. 그러나 그 안도감은 오래가지 못했다.

11월 13일 밤, 영국 항공기가 일찌감치 찾아왔다.* 연중 이 시기에 베를린은 오후 4시쯤이면 어두워지는데, 그날 9시 직후 공습경보가 울리기 시작한 뒤 우레와 같은 대공포 소리와 그 사이사이로 상공에서 웅웅거리는 폭격기 소리를 들을 수 있었다. 대사관 연회에 참석했던 슈미트 박사에 따르면, 몰로토프가 우호의 건배를 제의하고 리벤트로프가 화답하려고 일어선 순간 공습경보가 울리고 손님들이 대피처로 흩어졌다. 나는 독일인들과 러시아인들이 외무부 지하의 방공호로 들어가려고 린덴과 빌헬름슈트라세 모퉁이에서 허둥지둥 달려가던 모습을 기억하고 있다. 슈미트를 포함해 일부 관료들은 아들론 호텔로 몸을 피했고, 우리 몇 사람이 호텔 앞에 있다가 그 모습을 보았다. 그들은 두 외무장관이 외무부 지하 깊은 곳에서 진행한 즉흥 회의에 동석할 수 없었다. 그래서 슈미트가 부득이 빠진 가운데 이 회의의 기록은 모스크바 독일 대사관의 참사관으로 이번 독-소 회담의 통역관들 중 한 명으로 활동한 구스타프 힐거Gustav Hilger가 작성했다.

영국 폭격기들이 밤하늘을 유유히 비행하고 대공포들이 부질없이 마구 불을 뿜어대는 동안, 약삭빠른 나치 외무장관은 소련 측을 속이려 마지막으로 시도했다. 리벤트로프는 주머니에서 협정문 초안을 꺼냈는데, 사실상 3개국 군사조약을 소련까지 끼는 4개국 조약으로 바꾼 것이었다. 리벤트로프가 그 초안을 전부 낭독하는 동안 몰로토프는 참을성

---

* 처칠은 이 행사에 맞춰 일부러 공습한 것이라고 말한다. "우리는 사전에 그 회담에 관해 들었고, 비록 논의에 초대받지는 못했지만 완전히 배제당하고 싶지는 않았다." (Churchill, *Their Finest Hour*, p. 584)

있게 들었다.

제2조가 핵심이었다. 독일, 이탈리아, 일본, 소련은 "각국의 자연적 이익권을 존중한다". 이익권과 관련한 모든 분쟁은 "우호적인 방법으로" 해결한다. 두 파시스트 국가와 일본은 "소련의 현재 점유지의 범위를 인정하고 그것을 존중한다"는 데 동의했다. 제3조에 따라 네 나라 모두 "4개국 중 1개국을 겨냥하는" 어떠한 연합에도 참가하지 않고 지지하시도 않는다는 데 동의했다.

리벤트로프는 협정 자체는 공표하되 그 비밀의정서는 당연히 공개하지 않을 것이라고 말한 다음 계속 읽어나갔다. 가장 중요한 조항은 각국의 "영토적 염원"을 규정한 것이었다. 소련의 염원은 "소련 국토의 남부를 인도양 방향으로 조정하는" 것이었다.

몰로토프는 이 미끼를 물지 않았다. 명백히 독일이 제안한 조약은 예로부터 서쪽의 발트 지역을 압박해온 소련의 진출 방향을 발칸 반도와 두 해협 너머의 지중해로 돌리려는 시도였는데, 그곳으로 진출하면 독일 및 이탈리아의 탐욕스러운 구상과 충돌할 수밖에 없었다. 소련은 적어도 당시에는 저 멀리 떨어진 인도양에 관심이 없었다. 몰로토프가 답변했듯이, 당시 소련의 관심은 유럽과 터키의 해협에 있었다. "결과적으로 서면 협정은 소련에 충분하지 않을 것이다. 소련은 실질적인 안전보장을 요구할 수밖에 없다"라고 몰로토프는 부언했다.

[몰로토프가 자세히 설명함] 소련이 관심을 두는 문제들은 터키뿐 아니라 불가리아와도 관련이 있다. … 하지만 루마니아와 헝가리의 운명도 소련의 관심사이며 어떠한 상황에서도 중시하지 않을 수 없다. 여기에 더해 소비에트 정부는 유고슬라비아 및 그리스와 관련해 추축국의 구상이 무엇인지, 또 폴

란드와 관련해 독일의 의도가 무엇인지에도 관심이 있다. … 소비에트 정부는 스웨덴의 중립 문제에도 관심이 있다. … 게다가 발트 해를 빠져나가는 통행 문제도 있다. …

지칠 줄 모르는 무표정한 얼굴의 소비에트 외무인민위원은 아무것도 빠뜨리지 않았고, 눈사태처럼 쏟아지는 질문에 파묻힌다고 느낀 리벤트로프는—이 시점에 몰로토프가 질문에 답변해주면 "고맙겠다"고 말하자—자신이 "지나치게 심문"당하고 있다고 항의했다.

[리벤트로프가 힘없이 답변함] 결정적인 문제는 소련이 과연 영 제국을 해체하는 일에서 우리와 협력할 용의가 있고 협력하겠다는 입장인지 여부라는 말을 반복하고 또 반복할 수밖에 없었다.

몰로토프는 매섭게 되받아칠 준비를 하고 있었다. 힐거는 그 응수를 마땅히 회의록에 기록했다.

이에 답하여 몰로토프는 독일 측이 대對잉글랜드 전쟁을 사실상 이미 승리한 것으로 상정하고 있다고 말했다. 그러므로 [히틀러의 주장대로] 독일이 잉글랜드와 생사를 건 싸움을 벌이고 있다면, 그로서는 독일은 '삶을 위해' 싸우고 잉글랜드는 '죽음을 위해' 싸우는 것으로 해석할 수밖에 없다.

기막히게 우둔한 리벤트로프는 이 비꼬는 말을 이해하지 못했을 테지만, 몰로토프는 구태여 지적하지 않았다. 영국은 끝났다는 말을 몇 번이고 반복하는 독일 외무장관에게 몰로토프는 결국 이렇게 대꾸했다. "만약 그렇다면, 우리가 이 방공호에 있는 이유는 무엇이고 지금 떨어지는 이 폭탄은 누구의 것입니까?"*

모스크바의 악착같은 교섭자를 상대한 지긋지긋한 경험과 2주 후 스탈린의 게걸스러운 식욕이 갈수록 커진다는 또다른 증거를 바탕으로, 히틀러는 최종 결정을 내렸다.

이 대목에서 꼭 짚어야 할 점은, 소비에트 독재자가, 이후에 상반된 주장을 펴긴 했지만, 이때 파시스트 진영에 가담하라는 히틀러의 제안을 받아들였다는 사실이다. 다만 베를린이 제안한 것보다 더 비싼 가격을 불렀을 뿐이다. 몰로토프가 독일에서 귀국한 지 채 2주도 지나지 않은 11월 26일, 스탈린은 모스크바 주재 독일 대사관에 소련이 다음과 같은 조건으로 4개국 조약에 참여할 용의가 있다고 통지했다.

1. 독일군은 소련의 영향권에 속하는 … 핀란드에서 즉시 철수한다. …
2. 앞으로 수개월 내에 소련과 불가리아 간의 상호원조 조약을 체결하고 … 장기 조차를 통해 보스포루스 및 다르다넬스의 영역 내에 소련의 육군 및 해군을 위한 기지를 건설함으로써 … 해협에서의 소련의 안보를 확보한다.
3. 바투미와 바쿠의 남쪽에서 대체로 페르시아 만에 이르는 지역을 소련이 염원하는 중심지로 인정한다.
4. 일본은 북부 사할린에서의 석탄 및 석유 채굴권을 포기한다.[33]

---

* 몰로토프의 마무리 발언은 처칠이 밝힌 것으로, 훗날 전시에 스탈린으로부터 들었다고 한다. (Churchill, *Their Finest Hour*, p. 586)

스탈린은 자신의 새로운 제안을 담은 비밀의정서를 2개도 모자라 총 5개를 요구했고, 한 술 더 떠서 터키가 해협을 통제하는 소련의 기지 건설을 꺼릴 경우 4개국이 터키에 맞서 **군사적** 조치를 취할 것을 요구했다.

스탈린이 제안하는 비싼 대가는 히틀러로서는 고려해볼 여지조차 없는 수준이었다. 히틀러는 소련을 유럽에서 배제하려 했지만, 이제 스탈린은 핀란드, 불가리아, 두 해협에 더해 사실상 아라비아와 페르시아의 유전들—평상시 유럽이 사용하는 석유의 대부분을 공급한다—에 대한 통제권까지 요구하고 있었다. 히틀러는 인도양을 소련이 '염원'하는 중심지로서 넘겨주고 입을 막으려 했지만, 소련 측은 인도양을 언급조차 하지 않았다.

"스탈린은 영리하고 교활하다"라고 히틀러는 군 수뇌부에 말했다. "그는 점점 더 요구한다. 그는 냉혹한 협박범이다. 독일의 승리는 러시아에 견딜 수 없는 일이 되었다. 그러므로 러시아를 되도록 일찍 굴복시켜야 한다."[34]

냉혹하고 뛰어난 나치 협박범은 호적수를 만난 셈이었고, 그 깨달음에 격분했다. 12월 초에 히틀러는 할더에게 소련 강습을 위한 참모본부의 계획안을 가져오라고 지시했다. 12월 5일, 할더와 브라우히치는 본분에 충실하게 응했고, 네 시간의 품의 끝에 히틀러가 그 계획안을 승인했다. 압수된 OKW 전쟁 일지와 할더 본인의 비밀 일기에 이 중대한 회의에 관한 보고가 담겨 있다.[35] 나치 통수권자는 "폴란드에서처럼" 붉은 군대를 프리퍄티 습지 북쪽과 남쪽 양측에서 격파하고 포위해서 섬멸해야 한다고 강조했다. 그리고 모스크바는 "중요하지 않다"고 할더에게 말했다. 중요한 것은 소련의 "생명력"을 파괴하는 일이었다. 루마니아와 핀란드는 공격에 가담할 테지만 헝가리는 아니었다. 나르비크에 있는 디틀 장군의 산악사단을 스웨덴 북부를 가로질러 핀란드까지 이동시켜 소련의 북극 지역에 대한 공격에 투입할 계획이었다.* 이 대규모 작전에 도합 "120개에서 130개 사단"이 할당되었다.

할더 장군은 일기에 이 회의 내용을 기록하면서 지난날 소련 공격 계획을 가리킬 때 사용했던 암호명인 '오토'를 사용했다. 그로부터 2주가 지나기 전인 1940년 12월 18일, 이 암호명은 역사에 남을 다른 암호명으로 교체되었다. 이날 히틀러는 루비콘 강을 건넜다. "바르바로사 작전"이라는 제하의 지령 제21호를 발령했다.

일급비밀

총통 본부

1940년 12월 18일

독일군은 대잉글랜드 전쟁 종결 이전에 **신속한 작전으로 소비에트 러시아를 분쇄할** 준비를 해야 한다. 이 목표를 위해 **육군**은 점령 지역을 기습으로부터 보호할 부대를 제외하고 가용한 모든 부대를 동원해야 한다. …

준비는 … 1941년 5월 15일까지 완료한다. 공격 의도를 들키지 않도록 극히 주의해야 한다. [강조는 히틀러]

이렇듯 목표일은 이듬해 봄의 5월 중순이었다. 바르바로사 작전의 "전반적 목표"를 히틀러는 다음과 같이 규정했다.

---

* 소련-핀란드 전쟁 중에 연합군의 통과를 거부했던 스웨덴은 이 완전무장한 사단의 통과를 허가했다. 물론 헝가리는 나중에 대소련 전쟁에 참가했다.

서부 러시아에서 기갑부대가 쐐기 대형으로 적진 깊숙이 진격하는 과감한 작전으로 러시아 **육군**을 대부분 격멸하고, 전투 태세를 갖춘 온전한 병력이 러시아의 광범한 공간으로 퇴각하는 것을 차단한다. 작전의 최종 목표는 볼가 강에서 아르한겔스크에 이르는, 아시아 방면 러시아에 대한 방어선을 구축하는 것이다.

이어서 히틀러의 지령은 주요한 공격 방침을 자세히 기술했다.* 루마니아와 핀란드의 역할도 규정되었다. 두 나라는 최북익과 최남익에서 공격을 개시할 지점뿐 아니라 이 작전에서 독일군을 지원할 병력도 제공해야 했다. 특히 핀란드의 역할이 중요했다. 여러 핀란드-독일 연합부대가 레닌그라드와 라도가 호 지역으로 진격하여 무르만스크 철도를 차단하고, 페첸가의 니켈 광산을 확보하고, 북극해에 면한 소련 부동항들을 점령할 계획이었다. 히틀러가 인정했듯이 관건은 과연 노르웨이로부터 오는 독일군의 통과를 스웨덴이 허용할지 여부였지만, 스웨덴이 편의를 제공할 것이라는 그의 예측은 적중했다.

주요 작전은 프리퍄티 습지를 경계로 둘로 갈라질 것이라고 히틀러는 설명했다. 주력 공격은 습지 북쪽에서 완전한 2개 집단군이 담당한다. 첫 번째 집단군은 발트 국가들로 북상해 레닌그라드로 향한다. 훨씬 남쪽의 두 번째 집단군은 벨라루스를 통과한 뒤 북으로 선회해 첫 번째 집단군과 합류함으로써 발트 지역에서 퇴각하려는 소련의 잔존 병력을 가

---

* 상당수 역사가들은 히틀러가 이 첫 번째 바르바로사 지령에서 세부를 논하지 않았다고 주장했는데, 이런 오해는 아마도 *NCA*에 극히 간략한 버전의 영어 번역이 실려 있는 데에서 비롯되었을 것이다. 그러나 *TMWC*, XXVI, pp. 47–52에 실린 상세한 독일어 전문은 이 시점에 독일의 군사계획이 어느 정도까지 진척되었는지 알려준다.[36]

로막는다. 그런 후에야 모스크바를 공격해야 한다고 히틀러는 적시했다. 2주 전만 해도 히틀러에게 "중요하지 않아" 보였던 소련 수도는 이제 한층 중요해졌다. "이 도시의 함락은 정치 및 경제 면에서 결정적인 승리를 의미할 뿐 아니라 이 나라의 가장 중요한 철도 교차점의 함락까지 의미한다." 그리고 히틀러는 모스크바가 소련의 교통 중심지일 뿐 아니라 주된 병기 생산지이기도 하다고 지적했다.

세 번째 집단군은 습지 남쪽에서 우크라이나를 횡단해 키이우 방면으로 진격한다. 주요 목표는 드니프로 강 서쪽에서 소련군을 포위해 섬멸하는 것이다. 한참 남쪽에서는 독일-루마니아 연합군이 주요 작전 부대의 측면을 엄호하며 오데사 방면으로 진격한 뒤 그곳에서 다시 흑해 연안을 따라 진격한다. 그리고 소련 공업의 60퍼센트가 집중되어 있는 도네츠 분지를 장악한다.

이것이 1940년 크리스마스 휴가 기간 직전에 완성된 히틀러의 거창한 계획이었는데, 근본적인 수정이 필요 없을 정도로 잘 준비되어 있었다. 기밀 유지를 위해 이 지령서의 사본은 단 아홉 부만 만들었고, 삼군에 각한 부씩 주고 나머지는 OKW 본부에서 보관했다. 심지어 최고위 야전사령관들에게도 그저 "러시아가 우리에 대한 종래의 태도를 바꿀 경우에 대처하기 위한" 계획이라고만 통지하도록 했다. 그리고 히틀러는 이 기밀을 아는 장교의 수를 "되도록 적게 유지하라"고 지시했다. "그렇지 않을 경우 우리의 대비 태세가 탄로나 중대한 정치적·군사적 불이익이 생길 위험이 있다."

독일과의 조약을 충실히 이행하여 독일로 하여금 폴란드와 서유럽에서 승리할 수 있도록 해준 소련을 이제 공격하겠다는 히틀러의 결정에 육군 최고사령부 장군들이 반대했다는 증거는 없다. 훗날 할더는 "히틀러의 러시아 모험"에 대해 조롱하는 투로 쓰고 육군 수뇌부가 처음부터 그 모험에 반대했다고 주장했다.[37] 그러나 1940년 12월의 그의 방대한 일기를 다 뒤져도 이 주장을 뒷받침하는 말은 단 한 마디도 없다. 사실 할더는 그 "모험"에 진심으로 열광했다는 인상을 주며, 육군 참모총장으로서 계획 수립의 주요 책임자이기도 했다.

어쨌거나 히틀러로서는 주사위를 던진 셈이었고, 비록 자각하진 못했으나 1940년 12월 18일의 이 결정으로 자신의 최종 운명을 결정지은 터였다. 훗날 밝힌 대로 마침내 결정을 내려 한시름 덜어낸 히틀러는 영불해협—소련으로부터 최대한 멀리 떨어질 수 있었던 곳—으로 가서 병사들 및 조종사들과 함께 크리스마스 휴일을 축하했다. 또한 본인과 마찬가지로 영광스러운 정복을 수없이 완수한 뒤 소련의 광대한 스텝지대에 깊숙이 들어갔다가 참화를 입은 스웨덴의 칼 12세나 나폴레옹 보나파르트에 관한 생각을 머릿속에서 최대한 떨쳐냈을 것이다. 히틀러가 어떻게 그들의 선례를 중시할 수 있었겠는가? 곧 기록을 인용해 보여줄 것처럼, 그 무렵 지난날 빈의 부랑자는 스스로를 역사상 가장 위대한 정복자로 여기고 있었다. 모든 정복자의 불치병인 자기우월증이 그를 사로잡고 있었다.

좌절의 6개월

그런데 1940년 봄과 초여름의 온갖 떠들썩한 승리 이후, 나치 정복자는 좌절의 6개월을 맛보았다. 영국에 최종 승리를 거두지 못했을 뿐 아니라 지중해에서 영국에 치명타를 날릴 기회도 놓쳐버렸다.

크리스마스 이틀 후 레더 대제독은 베를린에서 히틀러를 만났으나 총통에게 건넬 마땅한 성탄절 선물이 없었다. "지중해 동부, 근동, 북아프리카 일대에서 영국에 대한 위협은 제거되었다. … 그러므로 지중해에서 우리가 희망했던 결정적인 조치는 더 이상 가능하지 않다"라고 제독은 총통에게 보고했다.[38]

아돌프 히틀러는 간사한 프랑코와 어설픈 무솔리니로 인해, 게다가 페탱 원수의 노화로 인해 실제로 지중해에서 호기를 놓친 터였다. 동맹국 이탈리아는 이집트 사막에서 참사를 당한 뒤 12월에는 알바니아의 눈 덮인 산악지대에서 또다시 재앙에 직면해 있었다. 이런 뜻밖의 사태 역시 2차대전과 제3제국 역사의 행로에서 전환점으로 작용했다. 이런 사태가 일어난 것은 그저 독일의 우방과 동맹국이 약해서가 아니라 어느 정도는 나치 통수권자가 여러 대륙을 아우르는 더 광범한 전략, 레더와 심지어 괴링마저도 필요하다고 권고했던 전략을 제대로 파악하지 못한 탓이었다.

영국을 직접 공격하는 것이 불가능해 보이는 상황에서 레더 대제독은 1940년 9월 6일과 26일 두 차례에 걸쳐 총통에게 새로운 전망을 열어주려 시도했다. 두 번째 회의에서 레더는 육군과 공군의 장교들이 대화를 방해하지 못하도록 홀로 히틀러에게 다가가 해군의 전략과 영불 해협 이외의 다른 장소에서 영국을 괴롭히는 활동의 중요성에 관해 길게 이야기했다.

[레더가 말함] 영국은 항상 지중해를 자기네 세계 제국의 주축으로 여겨왔다. … 영국의 세력에 에워싸인 이탈리아는 빠르게 주요 공격 표적이 되어가고 있다. … 우리의 도움을 거절한 이탈리아 측은 아직 그 위험을 깨닫지 못했다. 그렇지만 독일은 미합중국이 효과적으로 개입하기 전에 가용한 모든

수단으로 지체 없이 대영국 전쟁을 벌여야 한다. 이런 이유로 이번 겨울에 지중해 문제를 해결해야 한다.

어떻게 해결한단 말인가? 이어서 제독은 요점을 짚었다.

지브롤터를 차지해야 한다. 공군으로 카나리아 제도를 확보해야 한다. 수에즈 운하를 차지해야 한다.

수에즈 장악 이후 논리적으로 뒤따를 사태를 레더는 장밋빛으로 그렸다.

수에즈에서 팔레스타인, 시리아를 거쳐 터키까지 최대한 진격할 필요가 있다. 그 지점에 도달하고 나면 터키가 우리의 세력권 안에 들어올 것이다. 그렇게 되면 러시아 문제는 다른 양상을 띨 것이다. ⋯ 북부에서 러시아로 진격할 필요가 있을지 의문이다.

지중해에서 영국을 몰아내고 터키와 소련을 독일의 세력권 안에 둔다고 구상한 다음, 레더는 그림을 완성했다. 미국의 지원을 받는 영국과 드골파 세력이 결국 북아프리카에서 향후 추축국과 교전하기 위한 발판을 확보하려 시도할 것이라고 올바르게 예측한 제독은, 독일과 비시 프랑스가 이 전략적 요충지를 확보하여 그 시도를 미연에 저지할 것을 촉구했다.

레더에 따르면 히틀러는 "생각의 전반적인 방향"에 동의하면서도 해당 문제를 먼저 무솔리니, 프랑코, 페탱과 논의해야 한다고 덧붙였다.[39]

이 논의를 히틀러는 진행했다. 다만 시간을 한참 허비한 후에 했다. 히틀러는 10월 23일에 에스파냐 독재자를, 이튿날에 이제 독일에 부역하는 비시 정부의 수반이 된 페탱을, 그리고 며칠 후에 두체를 만날 계획을 세웠다.

에스파냐 내전에서 이탈리아와 독일의 대규모 군사 원조 덕에 승리한 프랑코는 다른 모든 독재자와 마찬가지로 전리품에 대한 욕망이 과했다. 특히 적은 비용으로 전리품을 얻을 수 있을 경우에 과욕을 부렸다. 6월에 프랑스가 함락되었을 때 프랑코는 재빨리 히틀러에게 에스파냐가 모로코와 서부 알제리를 포함하는 광대한 프랑스령 아프리카 제국을 대부분 넘겨받고 또 독일로부터 무기, 가솔린, 식량을 넉넉히 공급받는 대가로 참전할 용의가 있다고 알린 바 있었다.[40] 총통이 10월 23일 에스파냐와 국경을 마주한 프랑스 도시 앙다이에 특별열차편으로 도착한 것은 프랑코에게 지난 6월의 약속을 이행할 기회를 주기 위함이었다. 그러나 그사이 수개월 동안 많은 일이 일어난 터라―일례로 영국이 완강히 버텼다―히틀러는 뜻밖의 봉변을 당했다.

간교한 프랑코는 "잉글랜드가 이미 결정적으로 패했다"라는 총통의 호언장담에 감명받지도 않았고, 프랑스령 북아프리카에서 "프랑스의 손실분을 영국의 식민지들로 메울 수 있을 정도의" 영토 보상을 에스파냐에 해주겠다는 히틀러의 약속에 만족하지도 않았다. 프랑코는 아무런 조건도 붙지 않은 프랑스령 아프리카 제국을 원했다. 히틀러의 제안은 에스파냐가 1941년 1월에 참전하는 것이었지만, 프랑코는 그런 성급한 행동은 위험하다고 지적했다. 히틀러는 공중 침투로 벨기에 에방에말 요새를 장악했던 독일 특수부대의 도움을 받아 에스파냐군이 1월 10일에 지브롤터를 공격하기를 원했다. 프랑코는 에스파냐인 특유의 자긍심으로 지브롤터는 에스파냐군 "단독으로" 탈취할 것이라고 대꾸했다. 이런 식으로 두 독재자는 아홉 시간에 걸쳐 언쟁을 벌였다. 거기에도 동석했던 슈미트 박사에 따르면, 프랑코는 억양이 없는 단조로운 목소리로 계속 중얼거렸고, 히틀러는 점점 짜증을 내다가 그전에 체임벌린에게 했던 것처럼 벌떡 일어나 이런 대화는 계속해봐야 소용없다고 소리쳤다.[41]

나중에 히틀러는 에스파냐 독재자에게 당한 시련을 무솔리니에게 이야기하면서 "그런 일을 다시 겪느니 이를 서너 개 뽑는 편이 낫겠습니다" 하고 말했다.[42]

히틀러 특별열차의 식당차에서 식사한 시간까지 포함해서 아홉 시간 후, 프랑코가 참전하겠다는 명확한 언질을 주지 않은 채 회담은 늦은 밤에 결렬되었다. 히틀러는 그날 밤 리벤트로프에게 그곳에 남아 에스파냐 외무장관 세라노 수녜르와 협상을 이어가서 에스파냐 측과 무언가를, 하다못해 영국 측을 지브롤터에서 몰아내고 지중해 서부에서 그들에게 문을 걸어 잠그겠다는 협정이라도 체결하라고 지시했다. 그러나 허사였다. "은혜도 모르는 겁쟁이!" 이튿날 아침, 리벤트로프는 슈미트 앞에서 프랑코를 욕했다. "우리한테 신세를 져놓고 이제 와서 함께하지 않겠다니!"[43]

이튿날 몽투아르에서 열린 히틀러와 페탱의 회담은 전날보다 잘 풀렸다. 하지만 그것은 1차대전 베르됭 전투의 영웅이자 2차대전 프랑스 항복의 장본인인 노령의 패배주의자 페탱 원수가 최근까지 동맹국이었던 영국을 굴복시키려는 정복자의 마지막 시도에 협력했기 때문이다. 실제로 페탱은 다음과 같은 역겨운 거래를 문서화하는 데 동의했다.

추축국과 프랑스는 잉글랜드의 패배를 최대한 신속히 완수한다는 동일한 이해관계를 가지고 있다. 따라서 프랑스 정부는 이 목적을 위해 추축국이 취하는 조치들을 능력이 닿는 데까지 지원할 것이다.[44]

이 배반 행위의 대가로 프랑스는 "새 유럽"에서 "프랑스에 걸맞은 위치"를 얻고, 또 아프리카에서 파시스트 독재자들이 영 제국으로부터 어떤 영토를 강탈하든 간에 그 영토를 넘겨받기로 했다. 양측은 이 조약을 "절대 기밀"에 부치기로 했다.*

페탱의 수치스럽지만 중대한 양보에도 불구하고 히틀러는 만족하지 않았다. 슈미트 박사에 따르면 히틀러는 그 이상을 원했다—바로 프랑스가 대영국 전쟁에 적극 참여할 것을 원했다. 이 공식 통역관이 보기에 뮌헨까지 돌아가는 동안 총통은 이번 여정의 결과에 실망해 풀이 죽어 있었다. 게다가 히틀러는 10월 28일 오전 피렌체에서 무솔리니를 만나 실망할 터였다.

두 사람은 불과 3주 전인 10월 4일에 브렌네르 고개에서 만나 상의한 바 있었다. 그때 히틀러는 평소처럼 거의 혼자 떠들면서 자신의 찬란한 구상을 제시했다. 하지만 이탈리아도 눈독을 들이던 루마니아에 독일군을 파견한다는 말은 전혀 하지 않았다. 며칠 후 이 사실을 알게 된 두체는 분통을 터뜨렸다.

---

* 처칠과 루스벨트는 몽투아르 비밀협정의 내용을 알지 못하면서도 최악의 사태를 예상했다. 영국 국왕은 미국 채널을 통해 페탱에게 영국에 등을 돌리지 말라고 친히 호소했다. 루스벨트 대통령은 페탱에게 단호하고 강경한 어조의 메시지를 보내 비시 프랑스가 영국을 배반할 경우 맞이하게 될 비참한 결과에 대해 경고했다. (William L. Langer, *Our Vichy Gamble*, p. 97 참조. 랭어 교수는 이 책을 쓰면서 영국 정부와 미국 정부가 11년 동안 공개하지 않았던 독일 측 문서를 열람할 수 있었다.)

[무솔리니가 치아노에게 화를 쏟아냄] 히틀러는 언제나 내게 기정사실을 들이민다. 이번에 나는 그대로 되갚아줄 작정이다. 내가 그리스를 점령했다는 소식을 그는 신문 보도로 알게 될 것이다. 이런 식으로 균형을 되찾을 것이다.[45]

두체가 히틀러 못지않게 발칸 반도에 대한 야욕을 불태우고 있던 터라, 이미 8월 중순에 독일 측은 유고슬라비아와 그리스에서 아무런 모험도 벌이지 말라고 로마 정부에 경고했다. "그쪽 전선에서는 아무것도 하지 말라는 확고한 명령이다"라고 치아노는 8월 17일 일기에 적었다. 무솔리니는 일단 당분간은 발칸에서 무위를 떨치려던 계획은 단념하고 8월 27일 히틀러에게 보낸 겸손한 편지에서 그 사실을 확인해주었다. 그러나 그리스를 조속히 손쉽게 정복하여 히틀러의 눈부신 승리를 어느 정도 상쇄할 수 있으리라는 전망은, 비록 틀린 전망이긴 했지만, 이 으스대며 맞서는 파시스트 카이사르에게는 너무나 탐나는 유혹이었던 것으로 드러났다.

10월 22일, 무솔리니는 이탈리아군이 그리스를 기습할 날짜를 10월 28일로 정하고, 같은 날 히틀러에게 서한을 보내(기입한 날짜는 10월 19일) 자신이 구상한 조치를 암시하되 정확한 성격과 날짜는 모호하게 남겨두었다. 그날 치아노가 일기에 썼듯이, 무솔리니는 총통이 중지를 '명령'할까 우려했다. 히틀러와 리벤트로프는 프랑스에서 각자 특별열차편으로 귀국하던 도중에 두체의 계획을 눈치챘고, 총통의 명령에 따라 나치 외무장관은 독일의 첫 역에서 열차를 멈추고는 로마의 치아노에게 전화를 걸어 당장 추축국 지도자 회담을 열자고 재촉했다. 무솔리니는 10월 28일 피렌체를 제안했고, 턱을 쳐들고 두 눈에 기쁨을 가득 담은 채로, 그날 아침 열차에서 내리는 독일 손님을 맞이했다. "총통, 우리는 진군하고 있습니다! 승승장구하는 이탈리아군이 오늘 새벽에 그리스-알바니아 국경을 넘었습니다!"[46]

모든 기록에 따르면, 이때 무솔리니는 나치 독재자가 이제껏 동맹국 이탈리아에 사전에 귀띔하지도 않은 채 몇 번이고 타국으로 진격했던 것에 대해 복수하면서 무척 즐거워했다. 히틀러는 격노했다. 하필이면 연중 최악의 시기에 완강한 적을 공격하는 이 경솔한 행위는 발칸 반도에 대한 독일의 계획을 망쳐놓을 위험이 있었다. 얼마 후 무솔리니에게 썼듯이 총통이 급히 피렌체로 갔던 것은 이런 행위를 막기 위함이었으나 이제 만시지탄이었다. 동행했던 슈미트에 따르면 나치 지도자는 가까스로 분노를 억눌렀다.

[훗날 슈미트가 씀] 히틀러는 오후에 비통한 심정으로 북쪽으로 향했다. 그는 세 차례나 좌절했다 — 앙다이에서, 몽투아르에서, 그리고 이제 이탈리아에서. 이 멀고 힘겨운 여정은 그 후로 수년에 걸쳐 긴긴 겨울밤에 은혜를 모르고 신뢰할 수 없는 우방들, 추축국 파트너들, "기만하는" 프랑스인들을 신랄하게 비난할 때면 빠지지 않고 화제에 올랐다.[47]

그런데 히틀러는 영국 침공이 불가능한 것으로 밝혀진 상황에서도 대영국 전쟁을 이어가기 위해 무언가 조치를 취해야 했다. 히틀러가 베를린에 도착하기 무섭게 두체의 군대가 그리스에서 낭패를 당하는 바람에 행동할 필요성이 더욱 커졌다. "승승장구하는" 이탈리아군의 그리스 공격은 1주일도 지나지 않아 패주로 바뀌었다. 11월 4일, 히틀러는 육군의 브라우히치와 할더, OKW의 카이텔과 요들을 베를린 총리 관저로 불러 군사회의를 열었다. 할더의 일기와 요들이 이 회의 내용에 관해 해군에 보고한 문서의 사본 덕에 오늘날 우리는 통수권자가 어떤 결정을 내렸는지 알 수 있다. 그 결정은 11월 12일에 발령한 히틀러의 지령 제18호에 담겼으며, 그 전문은 뉘른베르크 기록에 포함되어 있다.[48]

그 지령에서는 히틀러의 전략에 독일 해군이 끼친 영향과 더불어, 비틀거리는 동맹국 이탈리아와 관련해 무언가를 해야 했다는 것이 분명하게 드러난다. 할더는 이탈리아 지도부에 대한 총통의 "신뢰 부족"을 기록했다. 그 결과로 지난 9월에 이집트로 진격해 시디바라니까지 100킬로미터를 들어간 로돌포 그라치아니Rodolfo Graziani 원수 휘하의 이탈리아군이 다시 해안을 따라 120킬로미터를 더 들어가 마르사마트르후에 도달할 때까지—서두르더라도 크리스마스 전에는 도달하지 못할 것으로 예상되었다—독일군을 리비아에 파병하지 **않기로** 결정했다. 그사이에 이집트에 급강하폭격기 몇 대를 파견해 알렉산드리아의 영국 함대를 공격하고 수에즈 운하에 기뢰를 부설할 계획이었다.

그리스와 관련해 히틀러가 장군들에게 인정했듯이, 이탈리아의 공격은 "유감스러운 실책"이며 불운하게도 발칸에서 독일의 입지를 위태롭게 했다. 영국은 크레타 섬과 렘노스 섬을 점령함으로써 루마니아의 유전을 손쉽게 폭격할 수 있는 공군 기지를 획득했고, 그리스 본토에 병력을 파견함으로써 발칸에서 독일의 입지를 위협했다. 이 위협에 맞서기 위해 히틀러는 육군에 적어도 10개 사단의 전력을 먼저 루마니아로 파병한 뒤 불가리아를 경유해 그리스를 침공할 계획을 즉시 세우라고 지시했다. 그러면서 "러시아는 중립을 지킬 것으로 예상된다"라고 말했다.

그렇지만 11월 4일의 군사회의와 뒤이은 지령 제18호에서 큰 비중을 차지한 것은 지중해 서부에서 영국의 입지를 파괴한다는 목표였다.

[지령서에 적시함] 지브롤터를 탈취하고 해협을 봉쇄한다.

영국이 이베리아 반도의 다른 어떤 지점이나 대서양의 섬에서 발판을 획득하는 것을 저지한다.

지브롤터, 에스파냐령 카나리아 제도, 포르투갈령 카보베르데 제도를 탈취하는 작전의 암호명은 '펠릭스Felix'로 정했다. 또 해군이 포르투갈령 마데이라 제도와 아조레스 제도를 점령할 가능성에 관해서도 검토하기로 했다. 포르투갈 본토를 점령해야 할 수도 있었다. 그 암호명은 '이사벨라 작전Operation Isabella'이었고, 작전 수행을 위해 독일군 3개 사단을 에스파냐-포르투갈 국경에 집결시킬 계획이었다.

끝으로 프랑스가 북서아프리카에서 영국과 드골에 맞서 속령을 방어할 수 있도록 프랑스 함대의 부대들과 일부 병력을 구속에서 풀어줄 생각이었다. 히틀러는 지령에서 "이 초기 임무를 시작으로 프랑스가 대잉글랜드 전쟁에 전면적으로 참가할 수 있게 된다"라고 말했다.

11월 4일에 장군들에게 명확히 밝히고 1주일 후 지령서에 적시한 히틀러의 새로운 계획은 군사적으로 매우 상세했고―특히 독일군의 대담한 공격으로 지브롤터를 탈취하는 것에 관해―육군 수뇌부에 과감하고 기민한 작전이라는 인상을 주었던 것으로 보인다. 그러나 실제로는 도저히 목적을 달성할 수 없는 미봉책이자 어느 정도는 휘하 장군들을 속이는 술책이었다. 할더가 기록했듯이 11월 4일 히틀러는 장군들에게 방금 프랑코로부터 참전하겠다는 약속을 새로 받았다고 확언했지만, 앞에서 언급했듯이 이는 전혀 사실이 아니었다. 영국을 지중해에서 몰아낸다는 목표는 괜찮았지만, 그 임무를 맡길 전력은 특히 이탈리아의 약세를 고려하면 턱없이 부족했다.

해전 지휘부는 11월 14일 레더가 히틀러에게 전한 강경한 어조의 의견서에서 이 문제를 지적했다.[49] 이탈리아의 그리스 참사—무솔리니의 군대는 알바니아까지 밀려난 뒤 계속 퇴각하는 중이었다—로 인해 지중해에서 영국의 전략적 입지가 크게 개선되었을 뿐 아니라 영국의 위신까지 세계적으로 높아졌다고 해군은 지적했다. 이탈리아의 이집트 공격에 관해 해군은 딱 잘라 말했다. "이탈리아는 이집트에서 **결코 공세를 취하지 못할 것이다.** 이탈리아 지도부는 형편없다. 그들은 현 상황을 이해하지 못한다. 이탈리아군은 지중해 지역에서 요구되는 작전을 그에 필요한 속도와 결단력으로 수행하여 성공리에 완수할 만한 통솔력도 군사적 효율성도 **갖추고 있지 못하다.** [강조는 해군]"

그러므로 그 임무는 독일이 수행해야 한다고 해군은 결론지었다. "**아프리카 지역을 차지하기 위한 전투**는 독일의 전쟁 전체를 통틀어 가장 중요한 전략적 목표다. … 그 전투는 **전쟁의 결과에 결정적으로 중요하다.**"

그러나 나치 독재자는 설득되지 않았다. 그는 지중해와 북아프리카에서의 전쟁을 자신의 주요 목표에 부차적인 것 이상으로 생각해본 적이 없었다. 11월 14일 회의에서 레더 제독이 해군의 전략적 구상을 자세히 설명했을 때도 히틀러는 "여전히 러시아와 대결하는 쪽으로 기울어 있다"고 대꾸했다.[50] 사실 히틀러는 과거 어느 때보다도 소련과 대결할 생각을 다지고 있었는데, 몰로토프가 총통의 분노를 잔뜩 돋운 뒤 그날 아침 막 베를린을 떠난 상태였기 때문이다. 크리스마스 이틀 후에 제독이 상관을 만나 독일이 어떤 경위로 지중해에서 호기를 놓쳤는지 보고했을 때, 히틀러는 별로 동요하지 않았다. 레더가 영국군이 이집트에서 이탈리아군에 승리했고* 미국으로부터 물질적 원조를 점점 많이 받고 있으므로 영국을 쓰러뜨리려면 독일의 모든 자원을 투입하고 "영국을 타도할" 때까지 바르바로사 작전을 미뤄야 한다고 주장했을 때, 히틀러는 귓등으로도 듣지 않았다.

"현재의 정치 상황의 진전과 특히 발칸 문제에 대한 러시아의 개입을 고려할 때, 영국과 씨름하기 전에 대륙에 잔존하는 마지막 적을 무슨 대가를 치르더라도 제거할 필요가 있다"라고 히틀러는 말했다. 이때부터 비통한 최후까지 히틀러는 이 근본적인 전략을 광신적으로 고수했다.

해군 수장을 달래는 격으로, 히틀러는 에스파냐 측이 지브롤터를 공격해 영국 함대의 지중해 진입을 틀어막을 수 있도록 자신이 "프랑코에게 다시 한 번 힘을 써보겠다"고 약속했다. 하지만 실은 이미 이 방책을 포기한 상태였다. 12월 11일, 히틀러는 "정치적 여건이 더 이상 존재하지 않으므로 펠릭스 작전은 실행하지 않기로 한다"라고 은밀히 지시했다. 프랑코를 채근해달라는 독일 해군과 이탈리아 측의 잔소리에 히틀러는 내키지 않으면서도 마지막 시도를 했다. 1941년 2월 6일, 그는 에스

---

* 이 무렵까지 1개 기갑사단, 1개 인도 보병사단, 2개 보병여단, 1개 왕립전차연대―총 3만 1000명―로 이루어진 변변찮은 영국 사막군은 3배 규모의 이탈리아군을 이집트에서 몰아내고 3만 8000명을 포로로 삼았다. 영국군의 손실은 사망 133명, 부상 387명, 실종 8명이었다. 아치볼드 웨이벌 (Archibald Wavell) 경이 총지휘하는 영국군은 12월 7일 반격을 시작해 나흘 만에 그라치아니 원수의 이탈리아군을 패주시켰다. 애초에 닷새 기한으로 시작한 반격은 2월 7일까지 이어졌고, 그때까지 800킬로미터에 걸친 키레나이카 지역 전체를 소탕하고 리비아에서 이탈리아군 10개 사단을 섬멸하면서 포로 13만 명, 포 1240문, 전차 500대를 획득하고 사망 500명, 부상 1373명, 실종 55명의 손실을 보았다. 영국의 의심 많은 군사저술가 J. F. 풀러는 "역사상 가장 대담한 작전 중 하나"라고 썼다. (Fuller, *The Second World War*, p. 98)
이탈리아 해군도 치명타를 입었다. 11월 11일에서 12일에 걸친 밤에 영국 항공모함 일러스트리어스 호(Illustrious, 독일 공군이 격침했다고 주장한 함정)에서 출격한 폭격기들이 타란토에 정박해 있던 이탈리아 함대를 공격해 전함 3척과 순양함 2척을 수개월간 작동 불능으로 만들었다. 11월 12일 치아노의 일기는 "암울한 날이다"라는 말로 시작했다. "영국이 경고도 없이 드레드노트급 카보우르 호(Cavour)를 격침하고 전함 리토리오 호(Littorio)와 두일리오 호(Duilio) 호에 심각한 손상을 입혔다."

파냐 독재자에게 장문의 서한을 보냈다.

> … 카우디요, 우선 명확히 해둘 것이 있습니다. 우리는 생사를 건 전투를 치
> 르고 있고 이 시점에 무언가를 선물할 수는 없습니다. …
> 독일과 이탈리아가 치르고 있는 전투가 에스파냐의 운명까지도 결정할 것
> 입니다. 우리가 승리하는 경우에만 귀하의 현 정권도 존속할 것입니다.[51]

추축국 측에는 불행하게도, 이 서한은 키레나이카에 있던 그라치아니 원수의 마지막 병력이 벵가지 남쪽에서 영국군에 의해 궤멸당한 바로 그 날 카우디요(군사 지도자를 뜻하는 말로 프랑코를 가리킨다)에게 전달되었다. 1941년 2월 26일에야 시간을 내 답장을 한 프랑코가 추축국에 대한 자신의 "절대적 충성"을 단언하면서도, 나치 지도자에게 최근의 사태 전개를 보건대 "10월의 상황은 한참 전"의 일이며 그 시기에 관한 이해는 "과거지사"가 되었다고 지적한 것은 별로 놀랄 일이 아니다.

파란만장한 생애를 통틀어 매우 드물게도 아돌프 히틀러는 패배를 인정했다. "에스파냐 측이 구구절절 늘어놓는 따분한 이야기는 요컨대 참전하고 싶지도 않고 참전할 일도 없을 것이라는 이야기입니다"라고 히틀러는 무솔리니에게 썼다. "이는 지극히 성가신 일인데, 당분간 영국을 가장 간단한 방법으로 타격할 가능성, 즉 지중해의 속령들에서 타격할 가능성이 사라졌다는 뜻이기 때문입니다."

그렇지만 지중해에서 영국 격파의 열쇠를 쥔 나라는 에스파냐가 아니라 이탈리아였다. 그러나 두체의 비실비실한 제국은 그 과제를 홀로 감당할 수 없었고, 히틀러는 그 과제를 완수할 만한 수단, 자신이 가지고 있는 수단을 이탈리아에 제공할 만큼 현명하지 않았다. 히틀러가 털어놓

았듯이, 영불 해협 건너편의 영국을 직접 타격하거나 더 넓은 지중해 곳곳에서 간접 타격할 가능성은 "당분간" 없었다. 비록 불만스럽긴 해도 히틀러는 이런 현실을 인정하면서 한편으로 안도했다. 이제 자신이 중시하는 문제에 더 심혈을 기울일 수 있었기 때문이다.

1941년 1월 8~9일, 당시 눈에 파묻힌 베르히테스가덴의 꼭대기 베르크호프에서 히틀러는 군사회의를 열었다. 이 회의에 관한 레더 제독과 할더 장군의 장문의 기밀 보고서가 알려주듯이,[52] 산중의 공기 덕에 정신이 맑아졌기 때문인지 히틀러는 넓은 시야로 자신의 대전략의 개요를 군수뇌부에 설명했다. 낙관론을 되찾았던 모양이다.

[레더가 기록함] 총통은 설령 우리가 북아프리카 전체를 잃는다 해도 유럽의 상황이 더 이상 독일에 불리하게 돌아가지 않을 것이라고 굳게 확신하고 있다. 유럽에서 우리의 입지가 워낙 탄탄해서 우리에게 불리한 결과가 도저히 나올 수 없다는 것이다. … 영국은 대륙에서 우리를 물리치는 경우에만 전쟁에서 이길 희망이 있다. 총통은 그런 일이 불가능하다고 확신하고 있다.

영국을 직접 침공하는 선택지는 "영국이 상당한 손상을 입고 독일이 제공권을 완전히 장악하지 않는 한 실행할 수 없다"라고 히틀러는 인정했다. 해군과 공군은 영국의 수송로를 공격해 보급을 차단하는 데 주력해야 했다. 그런 공격이 "이르면 7월이나 8월에 승리로 이어질 수도 있다". 그사이에 "독일은 향후 잉글랜드(그리고 미국)와의 전쟁에 대처할 수 있도록 대륙에서 스스로를 강화해야 한다". 여기서 괄호는 할더가 넣은 것으로 중요한 의미가 있다. 이것은 압수된 독일 기록을 통틀어 히틀러가—1941년 초에—미국의 대독일 참전 가능성을 직시하고 있었음을 알려주는 첫 번째 언급이다.

그런 다음 나치 통수권자는 전략상의 여러 지역이나 문제를 하나씩 거론하며 거기에 어떻게 대처할 참인지를 대강 설명했다.

[레더가 씀] 총통은 전쟁의 결과로 이탈리아가 붕괴하지 않는 것이 아주 중요하다는 의견이다. … 총통은 이탈리아가 북아프리카를 잃는 사태를 … 막기로 결심했다. 북아프리카를 잃으면 추축국의 위신이 크게 떨어질 것이다. … [그러므로] 총통은 이탈리아를 지원하기로 결심했다.

이 대목에서 히틀러는 독일의 계획을 누설하지 말라고 군 수뇌부에 주의를 주었다.

총통은 우리의 계획을 이탈리아 측에 알리는 것을 원하지 **않는다.** 이탈리아 왕실이 영국에 첩보를 흘릴 위험이 크다!! [강조와 느낌표는 레더]

이탈리아를 지원하기 위해 대전차부대들과 몇몇 공군 편대들을 리비아로 파견할 것이라고 히틀러는 확언했다. 더 중요한 것은 2.5개 사단으로 이루어진 육군 군단을 파견해 알바니아에서 퇴각 중인 이탈리아군을 지원한다는 결정이었다—그리스군이 알바니아로 진입해 계속 추격하고 있었다. 이와 관련해 '마리타 작전Operation Marita'*을 추진하기로 했다.

---

* 마리타 작전은 1940년 12월 13일 지령 제20호를 통해 알렸다. 루마니아에 집결한 육군 24개 사단이 날씨가 좋아지는 대로 불가리아를 통과해 그리스로 들이닥친다는 작전이었다. 이 지령은 히틀러가 서명했다.[53]

그리고 3월 36일에 마리타 작전을 개시할 수 있도록 병력을 루마니아에서 불가리아로 즉시 이동시키라고 명령했다. 또 히틀러는 1940년 12월 10일 지령에서 약술했던 '아틸라 작전Operation Attila'—독일의 위장 작전 명은 거의 끝이 없는 듯하다—의 실행을 준비할 필요성에 대해서도 한참을 말했다. 이것은 잔존 프랑스를 점령하고 툴롱의 프랑스 함대를 강탈한다는 계획이었다. 당시 히틀러는 이 작전을 곧 실행해야 할지도 모른다고 생각했다. "프랑스가 골칫거리가 될 듯하면 완전히 뭉개버려야 한다"라고 단언했다. 그럴 경우 콩피에뉴 휴전협정을 대놓고 위반하는 셈이지만, 할더와 레더가 주목한 바에 따르면—혹은 적어도 기록한 바에 따르면—그 어떤 장군도 제독도 의문을 제기하지 않았다.

이 군사회의에서 히틀러는 스탈린을 "냉혹한 협박꾼"으로 묘사하고 사령관들에게 소련을 "되도록 일찍" 굴복시켜야 한다고 통보했다.

> [히틀러가 말함, 미국의 참전 가능성을 두 번째로 언급함] 미국과 소련이 대독일 전쟁에 참전할 경우 상황이 매우 복잡해질 것이다. 따라서 그런 위협의 가능성은 애초에 제거해야 한다. 러시아의 위협을 제거하고 나면 영국을 상대로 무한정 전쟁할 수 있다. 러시아가 붕괴하면 일본이 크게 안도할 것이다. 그렇게 되면 미국에 대한 위협이 커질 것이다.

이것이 1941년에 독일 독재자가 구상하던 세계 전략이었다. 군사회의 이틀 후인 1월 11일, 그 구상을 히틀러는 지령 제22호로 구체화했다. 독일 증원군을 '해바라기 작전Operation Sonnenblume'에 따라 트리폴리로, 또 '알펜파일헨 작전Operation Alpenveilchen'에 따라 알바니아로 파견한다는 내용이었다.[54]

"전 세계가 숨을 죽일 것이다!"

———

무솔리니는 히틀러로부터 1월 19일과 20일에 베르크호프에서 만나자는 요청을 받았다. 이집트와 그리스에서 군사적 낭패를 당해 충격을 받고 치욕을 느낀 무솔리니는 이번 여정이 내키지 않았다. 치아노가 보기에 무솔리니는 히틀러와 리벤트로프, 독일 장군들이 무례하게 거들먹거릴까 걱정되어 특별열차에 오르면서도 "우거지상에 초조한" 모습이었다. 설상가상으로 두체는 참모차장 알프레도 구초니Alfredo Guzzoni 장군을 데려갔는데, 이 장군을 가리켜 치아노는 배불뚝이에 작은 염색가발을 쓴 평범한 사람이라고 묘사했고, 독일 측에 소개하기에는 꽤 남부끄러운 인물이라고 생각했다.

무솔리니로서는 놀랍고도 다행스럽게도, 작은 푸흐 철도역의 눈 덮인 승강장으로 마중을 나온 히틀러는 싹싹하고 다정해 보였고 이탈리아의 유감스러운 전투 성적을 비난하지도 않았다. 또 치아노가 일기에 적었듯이, 무솔리니가 보기에 히틀러는 반소련 감정이 강한 듯했다. 둘째 날에 히틀러는 이탈리아 손님들과 한 무리의 양국 장군들 앞에서 두 시간이 넘도록 강연을 했는데, 이를 위해 요들 장군이 준비한 기밀 보고서[55]는 총통이 알바니아와 리비아에서 이탈리아군을 돕는 데 신경을 쓰면서도 무엇보다 소련을 중시했다는 것을 확인해준다.

[히틀러가 말함] 나는 설령 미국이 참전한다 해도 큰 위험이 된다고는 보지 않습니다. 훨씬 큰 위험은 러시아라는 거대한 장애물입니다. 러시아와는 정치적·경제적으로 매우 유리한 협정을 맺긴 했지만, 나는 내 수중의 강력한 수단에 의지하는 편을 선호합니다.

히틀러는 자신의 "강력한 수단"으로 무엇을 할 의도인지를 암시하긴 했지만, 실행 계획을 파트너에게 밝히지는 않았다. 그러나 그 정도만 알려줘도 책임자 육군 참모총장은 세부 계획을 세워 2주 후 열린 베를린 회의에서 최고사령관에게 제출할 수 있었다.

OKW와 육군 최고사령부(OKH)의 최고위 장군들이 참석한 이 군사회의는 2월 3일 정오부터 오후 6시까지 이어졌다. 육군 참모본부의 계획을 개관한 할더 장군은 훗날 저서에서[56] 자신과 브라우히치가 소비에트의 군사력에 대한 독일 측 평가에 의문을 제기하고 바르바로사 작전을 "모험"으로 여겨 대체로 반대했다고 주장했지만, 그날 저녁 할더 본인이 쓴 일기와 이 회의에 관한 OKW의 극비 기록에는 그 주장을 뒷받침하는 언급이 전혀 없다.[57] 오히려 이들 자료는 할더가 처음에 적군의 전력을 사무적으로 평가했다는 것, 즉 적의 전력은 대략 155개 사단이며 독일의 전력은 거의 같지만 "질적으로 훨씬 우세"하다고 평가했다는 것을 보여준다. 나중에 재앙이 시작되자 할더와 동료 장군들은 붉은군대에 대한 자신들의 정보가 터무니없는 오류였음을 깨달았다. 그러나 1941년 2월 3일 시점에는 아무런 의심도 하지 않았다. 사실 히틀러는 양국의 전력이나 붉은군대 섬멸을 위해 채택할 전략*에 관한 할더의 보고에 설득력이 있다고 확신하여 끝에 가서 "전반적으로" 동의한다고 말했을 뿐 아니라, 참모총장이 제시한 전망에 흥분한 나머지 이렇게 외치기까지 했다.

"바르바로사가 시작되면 전 세계가 숨을 죽이고 아무 말도 못할 것

---

* 이 전략은 본질적으로 이미 언급한 1940년 12월 18일의 지령 제21호에 적시된 것과 같았다. 이번에도 히틀러는 브라우히치와 할더에게 적군을 퇴각시키는 것이 아니라 "적 대부분을 섬멸하는" 것이 중요하다고 강조했다. 그리고 **주요 목표**는 발트 국가들과 레닌그라드를 수중에 넣는 것"이라고 역설했다(강조는 히틀러).

이다!"

히틀러는 도저히 작전 개시를 가만히 기다릴 수가 없었다. 그래서 참지 못하고 작전지도와 병력 배치 계획을 "최대한 일찍" 가져오라고 지시했다.

발칸 전주곡

봄에 바르바로사 작전을 개시하기에 앞서 발칸 반도에 해당하는 남부 측면을 확보하고 강화해두어야 했다. 1941년 2월 셋째 주까지 독일은 폴란드 남부 국경에서 흑해에 이르는 500여 킬로미터에 걸쳐 우크라이나와 국경을 접하는 루마니아에 68만 대군을 집결시켰다.[58] 그러나 남쪽에서는 그리스가 여전히 이탈리아군을 저지하고 있어, 독일로서는 리비아의 영국군이 곧 그리스에 상륙할 것이라고 믿을 만한 이유가 있었다. 이 시기의 수많은 회의록으로 알 수 있듯이, 히틀러는 살로니카 북쪽에 연합군의 전선이 형성될까 우려했다. 독일 측에 그 전선은 1차대전 당시의 비슷한 전선보다 더 골치 아픈 문제였을 텐데, 영국이 그곳 기지를 사용해 루마니아의 유전지대를 폭격할 수 있었기 때문이다. 게다가 그 전선은 바르바로사 자체마저 위태롭게 할 수 있었다. 사실 이 위험은 이미 1940년 12월에 마리타 작전에 대한 첫 지령을 내려 루마니아에 집결시킨 병력에 불가리아를 경유해 그리스를 강타할 준비를 하라고 명령했을 때부터 예견한 것이었다.

1차대전에서 승자를 잘못 예상했다가 값비싼 대가를 치렀던 불가리아는 이번에도 비슷한 오판을 저질렀다. 벌써 전쟁에서 이겼다는 히틀러의 호언장담을 믿은 불가리아 정부는 남쪽의 그리스 영토를 확보하면 에게해로 나갈 진출로가 열린다는 전망에 눈이 멀어 마리타 작전에 참여—

적어도 독일군의 통과를 허용하는 정도에서―하기로 했다. 그리고 이런 취지의 협정을 1941년 2월 8일, 리스트 원수와 불가리아 참모본부가 비밀리에 체결했다.[59] 2월 28일 밤, 독일 육군 부대들은 루마니아에서 도나우 강을 건너 불가리아의 거점들에 포진했고, 이튿날 불가리아가 삼국동맹에 가입했다.

더 강인한 유고슬라비아 측은 불가리아만큼 고분고분하게 나오지 않았다. 하지만 그런 완강함은 유고슬라비아까지 자기 진영으로 끌어들이려는 독일의 의욕을 더 키웠을 뿐이다. 3월 4~5일, 유고슬라비아 섭정 파블레 공은 극비리에 총통의 호출을 받고 베르크호프를 찾아가 으레 그렇듯이 협박을 당한 데 더해 살로니카를 뇌물로 제안받았다. 3월 25일, 유고슬라비아 드라기샤 치베트코비치Dragiša Cvetković 총리와 알렉산다르 친차르-마르코비치Aleksandar Cincar-Marković 외무장관은 반대 시위나 심지어 납치까지 당할 위험을 피하고자 야밤에 베오그라드를 은밀히 빠져나간 뒤 빈에 도착해 히틀러와 리벤트로프 앞에서 유고슬라비아가 삼국동맹에 가입한다는 협정에 서명했다. 히틀러는 무척 기뻐했고 치아노에게 이로써 그리스 공격이 수월해질 것이라고 말했다. 유고슬라비아 지도부는 빈을 떠나기 전에 리벤트로프로부터 두 통의 서신을 받았는데, "어떠한 경우에도 유고슬라비아의 주권과 영토 보전"을 존중하겠다는 독일의 "결의"를 확인하고 추축국이 "이번 전쟁 중에" 유고슬라비아를 통과해 군대를 이동시킬 권리를 요구하지 않겠다고 약속하는 내용이었다.[60] 히틀러는 두 가지 모두 그로서도 신기록일 정도로 단시일 내에 파기해버렸다.

유고슬라비아 각료들이 베오그라드로 돌아간 직후인 3월 26일에서 27일에 걸친 밤, 공군 수뇌부 다수가 주도하고 육군 대다수가 지지하는 민중 봉기가 일어나 정부와 섭정이 타도되었다. 그리고 섭정부 관료들의 감시를 받다가 우수관을 통해 몰래 빠져나간 젊은 왕위계승자 페타르가 국왕으로 선포되었다. 두샨 시모비치Dušan Simović 장군의 새 정권이 즉각 독일에 불가침 조약 체결을 제안하긴 했지만, 베를린에서는 총통이 유고슬라비아의 몫으로 정해주었던 꼭두각시 역할을 새 정권이 받아들이지 않을 게 뻔하다고 판단했다. 베오그라드에서 환희의 축제를 여는 동안 군중은 독일 공사의 차량에 침을 뱉었는데, 이는 세르비아 사람들이 어느 쪽에 동조하는지를 보여주는 행위였다.

베오그라드의 쿠데타 소식에 아돌프 히틀러는 평생을 통틀어 몇 번 없을 정도로 노발대발했다. 쿠데타를 자신에 대한 모욕으로 받아들인 히틀러는 분노로 치를 떨며 장차 제3제국의 운명에 재앙을 가져올 결정을 갑자기 내렸다.

히틀러는 3월 27일 군 수뇌부를 베를린 총리 관저로 급히 불러서는—회의가 워낙 다급하게 잡혀서 브라우히치, 할더, 리벤트로프는 늦게 도착했다—유고슬라비아에 복수하겠다며 열을 올렸다. 베오그라드의 쿠데타는 마리타 작전뿐 아니라 바르바로사 작전까지 위협한다고 그는 말했다. 그런 이유로 "새 정부의 혹시 모를 충성 선언을 기다리지 않고 국가로서의 유고슬라비아를 군사적으로 파괴하기로" 결심했다면서 "외교상 문의도 최후통첩 제출도 하지 말라"고 지시했다. 유고슬라비아를 "무자비하고 냉혹하게" 뭉개버릴 작정이었다. 그는 괴링에게 헝가리의 공군 기지들에서 출격하는 폭격기들의 "파상공격으로 베오그라드를 파괴하라"고 명령했다. 또한 유고슬라비아를 즉각 침공하기 위한 지령 제25호를 하달하고,[61] 카이텔과 요들에게 당일 저녁에 군사계획을 세우라고 말했다. 리벤트로프에게는 헝가리, 불가리아, 이탈리아 3국 측에 연락해서 작은 꼭두각시 국가 크로아티아를 제외한 유고슬라비아 영토를 그들에게 나누어줄 것임을 통지하도록 지시했다.*

이 회의에 관한 OKW의 극비 기록 중 밑줄이 쳐진 부분에 따르면,[62] 히틀러는 이어서 가장 치명적인 결정을 발표했다.

"바르바로사 작전의 개시를 최대 4주 연기해야 할 것이다"라고 장군들에게 말했다.**

감히 자신에게 대든 발칸의 작은 나라에 분풀이를 하기 위해 대소련 공격을 연기한 것은 아마도 히틀러의 경력을 통틀어 가장 파멸적인 단일 결정일 것이다. 히틀러는 3월의 어느 날 오후에 베를린 총리 관저에서 분노로 부들부들 떨며 이 결정을 내림으로써 전쟁에서 이길 절호의 기회, 그리고 야만적일지언정 놀라운 천재성으로 창조해낸 제3제국을 독일 역사상 가장 위대한 제국으로 만들고 스스로 유럽의 제왕이 될 황금 같은 기회를 날려버렸다고 말하더라도 과언은 아닐 것이다. 독일 육군 총사령관 브라우히치 원수와 재능 있는 참모총장 할더 장군은 훗날 몹시 애통해하면서, 아울러 유고슬라비아 공격 결정 당시보다는 그 결과를 더 잘 이해하는 관점에서 이 결정을 되돌아볼 터였다. 그 훗날이란 러시아의 폭설과 혹한 속에서 그들이 애초에 최종 승리를 거두는 데 필요하다고 생각했던 기간보다 3~4주가 더 필요하다는 것을 깨달았을 때였다. 히틀러의 발칸 침공 결정 이후로 브라우히치와 할더, 동료 장군들은 늘 뒤이은 모든 재앙의 책임을 허영심 강하고 분노에 찬 인물의 성급하

---

* "대유고슬라비아 전쟁은 이탈리아, 헝가리, 불가리아에서 호평을 받아야 한다"라고 히틀러는 빈정거렸다. 그러면서 바나트는 헝가리에, 마케도니아는 불가리아에, 아드리아 해 연안은 이탈리아에 주겠다고 말했다.
** 1940년 12월 18일 첫 바르바로사 지령의 원래 개시 날짜는 1941년 5월 15일이었다.

고 경솔한 결정 탓으로 돌렸다.

회의를 끝내기 전에 최고사령관이 장군들에게 하달한 군사지령 제25호는 전형적인 히틀러식 문서였다.

유고슬라비아의 군사 반란으로 발칸의 정치적 상황이 크게 바뀌었다. 유고슬라비아는 충성을 맹세하고는 있지만 당분간 적으로 간주해야 하고 따라서 최대한 신속하게 분쇄해야 한다.

나의 의도는 유고슬라비아로 밀고 들어가 … 유고슬라비아 육군을 섬멸하는 것이다. …

OKW 작전참모장 요들은 당일 밤에 계획을 준비하라는 지시를 받았다. "그날 저는 총리 관저에서 밤새도록 일했습니다"라고 요들은 훗날 뉘른베르크 법정에서 말했다. "3월 28일 오전 4시에 저는 이탈리아 최고사령부의 우리 측 연락장교 폰 린텔렌von Rintelen 장군에게 비망록을 건넸습니다."[63]

알바니아에서 기진맥진한 이탈리아군의 배후를 유고슬라비아군이 노릴 위험이 있었으므로 무솔리니에게 독일의 작전계획을 즉시 알리고 협조를 구해야 했다. 히틀러는 요들 장군의 군사계획 수립을 기다리지도 않은 채 자신이 기대하는 바를 두체가 확실히 이해하도록 27일 자정에 편지를 휘갈겨 쓰고는 밤중에 무솔리니에게 전달되도록 즉시 로마로 타전하라고 지시했다.[64]

두체, 사정상 부득이 가장 빠른 이 방법으로 현 상황과 예상되는 결과에 대한 나의 판단을 전합니다.

처음부터 나는 유고슬라비아를 그리스 분쟁에 도사리는 위험 요인으로 여겼습니다. ⋯ 그런 이유로 유고슬라비아를 우리 공동체로 끌어들이기 위해 성심껏 최선을 다했습니다. ⋯ 불운하게도 그런 노력은 성공하지 못했습니다. ⋯ 오늘 받은 보고서들을 보건대 유고슬라비아의 외교 정책이 곧 전환되리라는 것에 의문의 여지가 없습니다.

따라서 나는 이미 군사적 수단을 포함해 필요한 모든 조치를 ⋯ 준비해두었습니다. 그러니 두체 당신에게 앞으로 며칠 동안 알바니아에서 다른 어떤 작전에도 착수하지 말 것을 정중히 요청합니다. 나는 당신이 유고슬라비아에서 알바니아로 넘어가는 가장 중요한 고갯길들을 가용한 모든 병력으로 지키고 차단할 필요가 있다고 생각합니다.

⋯ 또한 나는 두체 당신이 이탈리아-유고슬라비아 전선의 당신 군대를 모든 수단을 강구해 최대한 신속히 보강할 필요가 있다고 생각합니다.

그리고 두체, 나는 우리가 행하고 명령하는 모든 사안을 절대 기밀로 유지할 필요가 있다고 생각합니다. ⋯ 이 조치들은 외부에 누설될 경우 가치를 전부 상실할 것입니다. ⋯ 두체, 기밀을 지켜주시고 ⋯ 나는 우리 모두가 1년 전 노르웨이에서 거둔 성공에 못지않은 성공을 거둘 것을 믿어 의심치 않습니다. 이것은 나의 흔들리지 않는 확신입니다.

나의 진심과 우정이 담긴 인사를 받아주시기를.

당신의

아돌프 히틀러

이 단기 목표와 관련한 나치 통수권자의 예측은 이번에도 정확했지만, 유고슬라비아에 대한 복수의 성공으로 인해 장기적으로 어떤 대가를 치러야 할지는 짐작하지 못했던 것으로 보인다. 4월 6일 새벽에 압도적으로 우세한 독일군 부대들은 불가리아, 헝가리, 그리고 독일 자체의 국경을 파죽지세로 넘어 유고슬라비아와 그리스에 들이닥쳤다. 독일 공군의 통상적인 사전 폭격에 어안이 벙벙해진 허술한 방어군을 향해 기갑전력을 총동원한 독일군이 빠르게 진격해갔다.

베오그라드는 히틀러가 명령한 대로 초토화되었다. 사흘 밤낮으로 괴링의 폭격기가 이 작은 수도의 상공을 거의 지붕 높이로 저공비행하며—도시에 대공포가 없었기 때문에—민간인 1만 7000명을 죽이고, 더 많은 수를 다치게 하고, 도시를 연기 나는 돌무더기에 불과한 장소로 바꾸어 놓았다. 히틀러는 이것을 "징벌 작전"이라 불렀고, 자신의 명령이 이토록 효과적으로 수행되었다는 데에 분명히 만족했다. 강인한 소규모 육군을 동원할 시간이 미처 없었던 데다 참모본부에서 국토 전역을 방어하려던 실책을 저지른 유고슬라비아군은 독일군에 압도당했다. 4월 13일 독일군과 헝가리군이 아직 남은 베오그라드에 입성했고, 17일에 아직 28개 사단이 남아 있던 유고슬라비아 육군이 사라예보에서 항복했으며, 국왕과 총리가 비행기를 타고 그리스로 달아났다.

6개월간의 전투에서 이탈리아군에 굴욕을 안겨준 그리스군은, 4개 기갑사단을 포함해 15개 사단으로 이루어진 리스트 원수의 제12군을 당해낼 수가 없었다. 영국군은 리비아에서 그리스로 약 4개 사단—총 5만 3000명—을 급파했으나 그 병력도 독일 기갑부대와 공군의 맹공격에 압도당했다. 그리스 북부군은 4월 23일 독일군과 (쓰라리게도) 이탈리아군에 항복했다. 나흘 후 나치 전차들은 덜컹거리며 아테네로 입성해 아크로폴리스에 스와스티카 깃발을 내걸었다. 이 무렵 영국군은 다시 한 번 해로로 병력을 철수시키고자 절박하게 애쓰고 있었다—이는 됭케르크 작전의 축소판으로, 거의 같은 정도로 성공을 거두었다.

4월 말까지 3주 만에 크레타 섬을 제외하고는 모든 전투가 끝났으며, 크레타 섬도 5월 말에 독일 공수부대가 영국으로부터 빼앗았다. 무솔리니가 겨울철에 비참하게 실패한 곳에서 히틀러는 봄철의 며칠 만에 성공을 거두었다. 두체는 곤경에서 벗어나 안도하면서도 독일군의 손을 빌렸다는 데에 굴욕감을 느꼈다. 히틀러가 분배하기 시작한 유고슬라비아 전리품에서 이탈리아에 주어진 실망스러운 몫노 무솔리니의 굴욕감을 달래주지 못했다.*

총통이 엉망진창인 하위 파트너를 곤경에서 구해준 곳은 발칸만이 아니었다. 리비아에서 이탈리아군이 괴멸당한 뒤, 히틀러는 내키지 않으면서도 1개 경기갑사단과 약간의 공군 부대를 북아프리카로 파견하는 데 결국 동의했다. 그곳에서 에르빈 로멜 장군에게 이탈리아-독일 군의 총지휘를 맡길 계획이었다. 프랑스 전투에서 기갑사단 지휘관으로서 수훈을 세웠던 늠름하고 지략이 풍부한 전차부대 장교 로멜은 영국군이 북아프리카 사막에서 일찍이 접해보지 못한 유형의 장군이었고, 뒤이은 2년간 영국군에 엄청난 곤경을 안겨주었다. 하지만 문제는 로멜만이 아니었다. 영국군은 상당한 규모의 육군과 공군을 리비아에서 그리스로 파견한 터라 사막에서 전력이 크게 약해진 상태였다. 처음에 영국군은 지나치게 걱정하지 않았고, 2월 말에 독일 기갑부대들이 트리폴리타니아에 도착했다는 첩보를 받은 후에도 마찬가지였다. 그러나 지나치게 걱정

---

* 1941년 4월 12일, 공격 개시 엿새 후에 히틀러는 유고슬라비아를 독일, 이탈리아, 헝가리, 불가리아에 분배한다는 기밀 지령을 내렸다. 크로아티아가 자치 괴뢰국으로서 수립되었다. 총통은 자기 몫을 넉넉히 챙겨 옛 오스트리아와 인접한 영토를 차지했고, 구리와 석탄 채굴 지역들뿐 아니라 옛 세르비아 전역까지 독일의 점령하에 두기로 했다. 이탈리아의 몫은 다소 모호했지만 그리 많지는 않았다.[65]

했어야 마땅했다.

　로멜은 휘하 독일 기갑사단과 이탈리아군 2개 사단(1개 기갑사단 포함)으로 3월의 마지막 날에 키레나이카를 불시에 타격했다. 12일 만에 로멜은 이 지역을 탈환하고, 토브루크를 포위하고, 이집트 국경에서 불과 몇 킬로미터 떨어진 바르디아에 도달했다. 이로써 이집트와 수에즈에서 영국의 입지 자체가 또다시 위험해졌다. 실은 그리스를 차지한 독일군과 이탈리아군으로 인해 지중해 동부에 대한 영국의 장악력도 매우 위험해진 상황이었다.

　전쟁 둘째 해의 봄에 독일군은 더욱 눈부신 승리를 거두었다. 이제 홀로 버티며 국내에서는 밤마다 독일 공군의 폭격에 난타당하고 국외에서는 그리스와 키레나이카에서 쫓겨난 영국은 그전 어느 때보다도 암울하고 희망이 없어 보였다. 생사를 건 싸움에서, 특히 미국과 소련에 영향을 끼친다는 점에서 선전이 막강한 무기로 쓰이는 싸움에서 너무도 중요한 영국의 위신은 점점 추락했다.*

　히틀러는 5월 4일 베를린 제국의회에서 승리 연설을 하면서 영국의

---

* 내게는 놀랍도록 순진해 보인 미국의 영웅 비행사 찰스 A. 린드버그는 독일을 방문한 기간에 나치가 떠들어대는 선전에 속아 넘어간 뒤 미국으로 돌아가 열광적인 대규모 청중 앞에서 연설을 하면서 영국이 벌써 패했다고 주장했다. 1941년 4월 23일, 독일군이 발칸과 북아프리카에서 승리한 순간에 린드버그는 신설 단체인 미국 우선주의위원회(America First Committee)의 첫 번째 뉴욕 집회에 모인 3만 명 앞에서 연설했다. "영국 정부는 절박한 마지막 계획을 가지고 있습니다. … 또 다른 미국 원정군을 유럽으로 파병하여 이번 전쟁의 대실패를 재정적으로만이 아니라 군사적으로도 영국과 분담하도록 우리를 설득하는 것입니다" 하고 린드버그는 말했다. 그는 영국이 "유럽의 더 작은 국가들을 부추겨 이길 가망이 없는 상대와 싸우도록 했습니다"라고 비난했다. 이 사람의 머릿속에서는 히틀러가 그 직전에 처부순 유고슬라비아와 그리스가 독일로부터 정당한 이유 없이 무자비한 공격을 받았다는 생각, 그들에게 명예심이 있고 승산 없는 적과도 맞서려는 용기가 있어서 본능적으로 스스로를 지키려 했다는 생각은 떠오르지 않았던 모양이다. 4월 25일 루스벨트 대통령이 공개적으로 린드버그는 패배주의자이자 유화론자라고 낙인찍자, 4월 28일 린드버그는 미국 육군 항공대 예비역 대령직에서 사임했다. 육군장관은 이 사임을 수락했다.

위신 추락을 누구보다 재빠르게 써먹었다. 연설 내내 히틀러는 주로 처칠이 (유대인과 더불어) 전쟁을 선동하고 또 패전으로 이끈 장본인이라며 악의적으로 비꼬는 인신공격을 퍼부었다.

그는 역사상 가장 피에 굶주린 전략가이거나 가장 어설픈 전략가입니다. … 5년이 넘도록 이 사람은 마치 불을 지를 무언가를 찾는 미치광이처럼 온 유럽을 쏘다녔습니다. … 군인으로서 그는 형편없는 정치가이고, 정치가로서도 똑같이 형편없는 군인입니다. … 처칠 씨가 가진 재능은 경건한 표정으로 거짓말을 하고 가장 처참한 패배를 결국 가장 영광스러운 승리로 바꿀 때까지 진실을 왜곡하는 재능입니다. … 처칠, 장난삼아 가장 가망 없는 전략을 짜는 사람들 중 한 명은 그리하여 [유고슬라비아와 그리스에서] 단 일격에 두 지역의 전장을 잃었습니다. 다른 나라였다면 그는 군사재판에 넘겨졌을 것입니다. … 그의 비정상적인 정신 상태는 마비성 질환 아니면 술고래의 주정으로만 설명할 수 있을 것입니다. …

본인을 격분시켰던 유고슬라비아 쿠데타와 관련해 히틀러는 진짜 감정을 감추려 하지 않았다.

우리 모두는 한줌의 매수된 음모자들이 저지른 그 쿠데타에 경악했습니다. … 이곳의 신사 분들은 내가 그 소식을 듣자마자 유고슬라비아를 공격하라고 지시한 것을 이해할 것입니다. **독일 제국을 그런 식으로 대하는 것은 있을 수 없는 일입니다.** …

히틀러는 1941년 봄의 승리, 특히 영국을 상대로 거둔 승리로 기고만장했지만, 그것이 영국에 얼마나 심대한 타격이었는지, 그리고 영 제국이 얼마나 절박한 곤경에 내몰렸는지 충분히 알지 못했다. 히틀러가 제국의회에서 연설하던 바로 그날, 처칠은 루스벨트 대통령에게 편지를 써 이집트와 중동의 상실로 인한 심각한 결과를 알리고 미국의 참전을 호소하고 있었다. 영국 총리는 2차대전을 통틀어 몇 번 경험하지 않은 암담한 기분에 젖어 있었다.

[처칠이 씀] 중동 붕괴에 뒤따를지 모르는 후과의 심각성을 과소평가하지 마시기를 대통령님께 간청합니다.[66]

독일 해군은 총통에게 이 정세를 최대한 활용할 것을 권고했다. 추축국으로서는 더욱 유리하게도, 이라크의 신임 총리로 친독파인 라시드 알리Rashid Ali가 바그다드 외곽 하바니야에 있는 영국 공군 기지에 대한 공격을 이끌었고, 자국에서 영국군을 몰아내도록 도와달라고 히틀러에게 호소했다. 이때가 5월 초였다. 5월 27일에 독일이 크레타 섬을 점령하자 예전부터 줄곧 바르바로사 작전에 미온적이었던 레더 제독은 5월 30일 히틀러에게 이집트와 수에즈에 대한 결정적인 공세를 준비하자고 호소했고, 증원군을 얻는 즉시 계속 진격하기를 열망하던 로멜도 북아프리카에서 비슷한 호소를 했다. "이 일격이 런던 함락보다 영 제국에 더욱 치명적일 것입니다!"라고 레더는 총통에게 말했다. 1주일 후 제독은 해전지휘부의 작전국이 준비한 의견서를 히틀러에게 건넸다. 여기서 해군은 바르바로사를 "OKW 지휘부에서 당연히 중시하고 있지만, 어떠한 상황에서도 지중해 전쟁의 수행을 포기하거나 연기해서는 안 된다"라고 경고했다.[67]

그러나 총통은 이미 마음을 정한 터였다. 사실 총통은 크리스마스 휴가철에 바르바로사 작전을 천명하고 레더 제독에게 소련을 "우선 제거해야" 한다고 말한 이래로 마음을 바꾼 적이 없었다. 오직 육지에만 관심이 쏠려 있던 그는 해군이 주창하는 더 폭넓은 전략을 이해하지 못했다. 5월 말에 레더와 해전 지휘부가 호소하기도 전에 히틀러는 5월 25일 지령 제30호를 발령해 독단적인 지시를 내렸다.[68] 군사사절단과 항공기 몇 대, 약간의 무기를 바그다드로 보내 이라크를 도우라고 명령했던 것이다. "나는 이라크를 지원함으로써 중동 정세의 진전을 조장하기로 결정했다." 그러나 이 변변찮고 불충분한 조치 이후를 내다보지는 못했다. 해군 제독들과 로멜이 옹호하는 더 원대하고 과감한 전략에 관해 히틀러는 이렇게 단언했다.

　향후 수에즈 운하에 대한 공세를 개시하고 결국 지중해와 페르시아 만 사이에 자리잡은 영국 세력을 몰아낼 수 있을지 여부 — 그리고 만약 가능하다면 어떤 방법으로 실행할 것인지의 문제 — 는 바르바로사 작전이 완료될 때까지 결판나지 않는다.

　소련 파괴가 최우선이었다. 그 밖의 모든 일은 후순위였다. 이제는 알 수 있듯이, 그것은 경악스러운 실책이었다. 당시 1941년 5월 말에 히틀러는 휘하 전력의 일부만 투입해도 영 제국에 강력한 일격을, 어쩌면 치명타를 날릴 수 있었다. 궁지에 몰린 처칠은 이런 현실을 다른 누구보다도 잘 알고 있었다. 5월 4일 루스벨트 대통령에게 보낸 메시지에서 처칠은 영국이 이집트와 중동을 잃는다면 설령 미국이 참전한다 해도 전쟁의 지속이 "힘겹고 길고 암담한 과제가 될 것"이라고 인정했다. 그러나 히틀러는 이런 전황을 이해하지 못했다. 그의 맹목성을 더 이해하기 어려운 것은 발칸 전투로 인해 바르바로사 작전 개시가 몇 주 연기되었고, 그리하여 작전 실행이 위태로워졌기 때문이다. 작전 개시가 연기된 만큼 애초 계획했던 기간보다 더 짧은 기간 내에 소련 정복을 완수해야 했다. 이 작전의 기한, 즉 칼 12세나 나폴레옹을 패배시킨 러시아의 겨울을 변경할 수는 없었기 때문이다. 독일군은 겨울이 오기 전까지 단 6개월 안에 서쪽에서 오는 군대에 단 한 번도 정복된 적이 없는 광대한 나라를 제압해야 했다. 게다가 벌써 6월인데 남동쪽의 유고슬라비아와 그리스로 진격해 들어갔던 대규모 육군을, 이렇듯 방대한 인원을 감당하기에는 턱없이 빈약한 비포장도로와 단선 철도를 통해 아주 멀리 떨어진 소비에트 국경까지 다시 수송해야 했다.

나중에 밝혀졌듯이 이 지연은 치명적이었다. 히틀러의 군사적 천재성을 옹호하는 자들은 발칸 원정으로 바르바로사의 일정표가 크게 늦어진 것은 아니며 어쨌거나 대소련 작전이 지연된 것은 대체로 그해에 얼음이 늦게 녹아 6월 중순까지 동유럽의 도로가 그야말로 진창으로 변해 있었기 때문이라고 주장해왔다. 그러나 독일군 핵심 장군들의 증언은 다르다. 당시 육군 참모본부에서 소련 원정의 수석 설계자였으며 이제 언제나 스탈린그라드 전투와 함께 언급되는 프리드리히 파울루스Friedrich Paulus 원수는 뉘른베르크 증인석에서 유고슬라비아를 파괴하겠다는 히틀러의 결정으로 바르바로사 작전 개시가 "약 5주" 지연되었다고 증언했다.[69] 해전 지휘부의 일지에서 말하는 지연 기간도 이와 같다.[70] 소련에서 남부집단군을 지휘한 룬트슈테트 원수는 전후에 연합국 심문관들에게 발칸 전투 때문에 "우리는 적어도 4주 늦게 시작했습니다. 그것은 매우 값비싼 지연이었습니다"라고 말했다.[71]

어쨌든 독일군이 유고슬라비아와 그리스 정복을 완료한 4월 30일, 히틀러는 바르바로사를 개시할 새 날짜를 정했다. 1941년 6월 22일이었다.[72]

테러 계획 수립

———

소련 장악에는 아무런 제약도 없었다. 히틀러는 장군들이 이것을 아주 명확하게 이해해야 한다고 역설했다. 1941년 3월 초에 히틀러는 삼군 총사령관들과 육군의 핵심 야전사령관들을 소집해 독단적인 지시를 내렸다. 할더는 총통의 말을 받아적었다.[73]

[히틀러가 말함] 대러시아 전쟁은 기사도적인 방식으로는 수행할 수 없는 전쟁이다. 이것은 이데올로기와 인종이 상이한 세력들 간의 싸움이며, 전례 없이 무자비하고 가차없고 냉혹하게 수행해야 할 것이다. 모든 장교는 시대에 뒤처진 관념을 버려야 한다. 나는 그런 방식으로 전쟁을 수행할 필요성에 관해 장군들이 제대로 이해하지 못하리라는 점을 알고 있지만 … 나의 명령을 이견 없이 실행할 것을 단호히 요구한다. 정치위원들은 국가사회주의와 정반대되는 이데올로기의 담지자다. 그러므로 정치위원들을 제거할 것이다. 국제법을 위반하는 독일 군인은 … 용서받을 것이다. 러시아는 헤이그 협약에 가입하지 않았고 따라서 그 협약을 적용받을 권리가 없다.

이렇게 이른바 '정치위원 명령Kommissarbefehl['코미사르 지령'이라고도 함]'이 내려졌다. 훗날 뉘른베르크 재판에서 독일 장군들이 과연 총통의 명령에 복종해 전쟁범죄를 저질러야 했는가, 아니면 스스로의 양심에 따라야 했는가 하는 중대한 도덕적 질문이 제기되었을 때, 이 명령이 많이 논의될 터였다.*

할더의 훗날 기억에 따르면 장군들은 이 명령에 분개했고 회의가 끝나자마자 브라우히치 총사령관에게 항의했다. 이 줏대 없는 원수**는 "이런 형태의 명령에 따르지 않고 항의하겠다"고 약속했다. 할더의 단언에 따르면, 나중에 브라우히치는 OKW에 서면으로 육군 장교들은 "그런 명령을 결코 실행할 수 없다"라고 통보했다. 그런데 과연 그랬을까?

뉘른베르크에서 직접 심문을 받을 때 브라우히치는 히틀러와 관련해 "이 세상의 그 무엇도 그의 태도를 바꿀 수 없었기 때문에" 그런 조치를 취하지 않았다고 인정했다. 법정에서 진술하기를 이때 육군 수장이 취한 조치는 "과거에 적용되었던 방침과 규정에 따라 육군의 규율을 엄격히 지켜라"는 서면 명령을 내린 것이었다.

"당신은 정치위원 명령을 직접 언급하는 그 어떤 명령도 내리지 않았습니까?"라고 예리한 재판장 제프리 로런스Geoffrey Lawrence 경이 브라우히치에게 물었다.

"그렇습니다." 브라우히치가 답했다. "저는 그 명령을 직접 철회할 수는 없었습니다."[74]

프로이센 전통을 간직한 구식 육군 장교들은 5월 13일 총통의 이름으로 카이텔 장군이 하달한 후속 지령들 때문에 또다시 양심과 싸워야

---

* "저의 군인으로서의 본분과 복종 의무가 충돌한다고 느껴진 것은 그때가 처음이었습니다"라고 만슈타인 원수는 뉘른베르크 증인석에서 정치위원 명령을 논하면서 힘주어 말했다. "사실 저는 복종해야 했습니다. 그렇지만 군인으로서 이런 명령에는 협조할 수 없다고 스스로에게 말했습니다. 저는 당시 상관인 집단군 사령관에게 그런 명령은 실행할 수 없고 그것은 군인의 명예와 상반된다고 말했습니다."[75] 기록에 의하면, 이 명령은 당연히 대규모로 실행되었다.
** 나중에 히틀러는 브라우히치를 "허수아비"라고 불렀다. (*Hitler's Secret Conversations*, p. 153)

했다. 주요 내용은 독일 군사법원의 기능을 제한한다는 것이었다. 군사법원을 더 원시적인 형태의 법으로 대체한다는 것이었다.

> [소련에서] 적국 민간인이 저지르는 처벌 가능한 범죄는, 추후 통지가 있을 때까지, 더 이상 군사법원의 관할에 속하지 않는다. …
>
> **범죄행위 용의자들은 즉시 장교에게 데려간다. 해당 장교가 그들을 총살할지 여부를 결정한다.**
>
> **국방군의 장병이 적국 민간인**에게 저지른 **범죄**의 경우, 그 행위가 동시에 군사적 범죄 또는 위법행위일지라도 **기소는 의무가 아니다.** [강조는 지령문 그대로]

육군은 1918년 이래 '볼셰비키'가 독일에 가한 온갖 위해를 잊지 말고 각 경우에 장병 범법자를 관대하게 다루라는 지시를 받았다. 독일 군인을 군사법원에 회부하는 것은 "군율 유지나 보안상 그런 조치가 필요한" 경우에만 정당화될 터였다. 어쨌거나 이 지령은 "최고사령부의 정치적 의도와 합치하는 판결만 확정된다"고 결론지었다.[76] 이 지령은 "'극비'로 취급"해야 했다.*

---

* 1941년 7월 27일, 카이텔은 군사법원에 관한 이 5월 13일 지령의 모든 사본을 파기하라고 지시했다. 다만 "그 지령의 유효성은 사본 파기에 영향을 받지 않는다"라고 명기했다. 또 이 7월 27일 지령서 "자체도 파기하라"고 덧붙였다. 그러나 두 지령 모두 사본이 남아 있다가 뉘른베르크 법정에 제출되어 독일군 최고사령부를 괴롭혔다.

그 나흘 전인 7월 23일, 카이텔은 "일급비밀"이라고 표시한 또 하나의 지령을 내렸다. "7월 22일, 총통은 육군 총사령관[브라우히치]을 인견한 뒤 다음과 같은 명령을 내렸다. 동방에서 점령할 지역들의 광대함을 고려할 때, 모든 저항을 범법자에 대한 법적 기소로 처벌하는 방법이 아니라 점령군 단독으로도 주민들 간의 모든 저항 기도를 능히 분쇄할 수 있다는 공포를 퍼뜨리는 방법으로만 동원 가능한 병력으로 안보를 충분히 확립할 수 있을 것이다."[77]

히틀러를 대신해 카이텔이 서명하여 같은 5월 13일에 발령된 두 번째 지령은 힘러에게 소련에서의 정치적 행정을 준비하기 위한 **특수임무**를 맡겼다—지령에 의하면 그 임무는 "서로 대립하는 두 정치체제가 치러야 하는 싸움에서 파생되는" 것이었다. 이 나치 비밀경찰 사디스트는 "스스로의 책임하에" 육군과 "별개로" 행동할 권한을 위임받았다. 장군들은 비록 훗날 뉘른베르크 증인석에 섰을 때 몰랐다고 부인하긴 했지만, 총통이 힘러에게 "특수임무"를 위임한 것이 무슨 의미인지를 잘 알고 있었다. 더욱이 그 지령에는 소련에서 힘러가 임무를 수행하는 동안 그 점령 지역들을 봉쇄하게 되어 있었다. 심지어 "정부나 당의 최고위 인사들"일지라도 봉쇄 지역 시찰이 허락되지 않는다고 히틀러는 명시했다. 또 같은 지령에서 "독일 산업에 이용하기 위해 토지를 개발하고 경제적 자산을 확보할" 책임자로 괴링을 지명했다. 또 부수적으로 히틀러는 그 지령에서 군사작전을 종결짓는 대로 소련을 "저마다 자체 정부를 가지는 몇몇 국가들로 분할"하겠다고 선언했다.[78]

정확히 어떻게 분할할 것인지의 문제는 알프레트 로젠베르크에게 맡기기로 했다. 발트 출신으로 머릿속이 뒤죽박죽인 로젠베르크는 앞에서 언급했듯이 뮌헨 시절 히틀러의 초기 멘토들 중 한 명이며 공식적으로 나치의 지도적 사상가였다. 4월 20일에 총통은 로젠베르크를 '동유럽 지역 관련 문제 중앙통제 판무관'에 임명했고, 그 즉시 이 나치 얼뜨기는 역사를, 심지어 자신이 태어나고 교육받은 러시아의 역사마저 왜곡하는 적극적인 천재성으로 지난날의 고국에 사상누각을 세우는 작업에 착수했다. 로젠베르크의 방대한 서류철들은 온전한 형태로 압수되었다. 그의 저서들과 마찬가지로 그 서류철들은 음울한 읽을거리여서 군이 소개하지는 않겠다. 다만 히틀러의 소련 관련 계획 중 일부를 알려주기 때문에 이따금 언급할 수밖에 없다.

5월 초, 로젠베르크는 독일 역사상 최대 규모가 될 것이라고 약속하며 소련 정복에 관한 첫 번째 청사진을 장황하게 작성했다. 우선 유럽 러시아를 이른바 국가판무관부Reichskommissariat들로 분할할 계획이었다. 러시아령 폴란드는 오스틀란트Ostland라는 독일 보호령이 되고, 우크라이나는 "독일과 동맹관계에 있는 독립국"이 되고, 풍부한 유전이 있는 캅카스 지역은 독일 "전권대사"의 통치를 받고, 발트 삼국과 벨라루스는 대독일제국에 완전히 병합되기 위한 준비 단계로서 독일 보호령이 될 예정이었다. 본인 말마따나 자기 결정의 "역사적·인종적 조건"을 해명하기 위해 히틀러와 장군들에게 끊임없이 퍼부은 의견서들 중 하나에서, 로젠베르크는 인종적으로 동화 가능한 발트인을 독일화하고 "바람직하지 않은 부류를 추방하는" 방법으로 발트 삼국과 벨라루스의 병합을 달성할 것이라고 설명했다. 그리고 "라트비아와 에스토니아에서는 대규모 추방을 예상해야 한다"라고 주의를 주었다. 추방된 사람들의 빈자리는 독일인으로, 되도록이면 퇴역군인으로 채울 생각이었다. "발트 해는 독일의 내해가 되어야 한다"라고 로젠베르크는 단정했다.[79]

군대가 출동하기 이틀 전, 로젠베르크는 장차 러시아 통치 임무를 담당할 측근 협력자들에게 연설을 했다.

[로젠베르크가 말함] 독일 국민을 먹이는 일이 동방에 대한 독일의 권리 주장 목록에서 가장 상위에 있다. [러시아] 남부 영토는 … 독일 국민을 먹이기 위해 쓰여야 할 것이다.
우리는 그 잉여 영토의 생산물로 러시아 국민까지 먹일 의무가 우리에게 결코 없다고 본다. 우리는 이것이 감정이 전혀 담기지 않은 가혹하고 불가피

한 현실임을 알고 있다. … 미래는 러시아인에게 매우 힘겨운 시절이 될 것이다.[80]

참으로 힘겨운 시절이 될 터였으니, 독일 측이 러시아인 수백만 명을 고의로 굶겨 죽일 작정이었기 때문이다!

소련을 경제적으로 착취할 임무를 맡은 괴링은 관련 계획을 로젠베르크보다도 더 분명하게 밝혔다. 1941년 5월 23일에 하달한 장문의 지령에서 괴링의 동부경제국은 소련 남부 흑토지대의 잉여 식량을 어차피 파괴할 예정인 공업지대의 주민에게 공급해서는 안 된다고 명시했다. 이들 지역의 노동자와 그 가족은 그저 굶도록 내버려둘 생각이었다—혹은 가능하다면 시베리아로 이주시킬 생각이었다. 소련에서 생산되는 대량의 식량은 독일인에게 공급해야 했다.

> [지령에서 단언함] 이들 지역의 독일 행정기구는 틀림없이 발생할 기근의 영향을 완화하고 원시적인 농경 조건으로의 복귀를 촉진하려 시도할 것이다. 그렇지만 그 조치들로 기근을 방지하지는 않을 것이다. 그곳 주민들을 아사로부터 구하기 위해 흑토지대로부터 잉여 식량을 들여오려 시도할 경우, 유럽에 식량을 공급할 수 없다. 그렇게 되면 전쟁에서 독일의 지구력이 감소하고, 봉쇄에 대항하는 독일과 유럽의 힘이 약해질 것이다. 이 점을 명확하고 완전하게 이해해야 한다.[81]

이 의도적인 정책의 결과로 얼마나 많은 소련 민간인이 죽을 것인가? 5월 2일 장관급 회의에서 독일 측은 이미 개략적인 답변을 내놓았다. "우리가 그 나라에서 우리에게 필요한 물자를 탈취할 경우, 그 결과로 틀림없이 수백만 명이 아사할 것이다"라고 기밀 회의록에 명시했다.[82] 그리고 괴링과 로젠베르크는 그 물자를 탈취할 것이라고 말했다—그것만큼은 "명확하고 완전하게 이해"해야 했다.

어떤 독일인이, 심지어 단 한 명의 독일인이라도 이 무자비한 계획, 수백만의 인간을 굶겨 죽이려는 이 용의주도한 계획에 항의했던가? 소련을 약탈하라는 녹일의 지령들과 관련 있는 문서를 통틀어 누군가 반대했다—적어도 일부 장군들이 '정치위원 명령'에 반대했던 것처럼—는 언급은 전혀 없다. 이 계획은 히틀러, 괴링, 힘러, 로젠베르크 같은 뒤틀린 정신과 영혼의 무모하고 사악한 공상에 불과했던 것이 아니다. 기록을 보건대 몇 주, 몇 달 동안 독일 관료 수백 명이 따스한 봄날의 쾌적한 햇살 아래 각자의 책상에서 수치를 더하고 문서를 작성하면서 수백만 명을 학살할 계획을 냉정하게 구상했던 게 분명하다. 그 경우에는 굶주림을 통한 학살이었다. 온화한 얼굴의 전직 양계업자 하인리히 힘러도 이 무렵 베를린의 친위대 본부에 앉아 또다른 수백만 명을 더 신속하고 더 난폭한 방법으로 학살하려는 계획서를 코안경 너머로 응시하고 있었다.

군인과 민간인 부하들이 소련을 강습하고 파괴하고 약탈하고 그 시민들을 대량 학살할 계획을 세우느라 분주히 움직이는 모습에 만족한 히틀러는 4월 30일에 공격 날짜—6월 22일—를 정하고, 5월 4일에 제국의회에서 승리 연설을 한 뒤, 제일 좋아하는 장소인 베르히테스가덴 꼭대기 베르크호프로 물러났다. 그곳에서 그는 아직 봄눈으로 덮인 알프스 준봉들을 바라보며, 장군들에게 말했듯이 전 세계가 숨을 죽일 자신의 다음 정복, 가장 위대한 정복에 관해 숙고할 수 있었다.

바로 이 산장에서 1941년 5월 10일 토요일 밤에 히틀러는 뜻밖의 기이한 소식을 들었다. 그 소식에 히틀러는 뼛속까지 흔들렸고, 서구 세계의 거의 모든 사람과 마찬가지로 한동안 전쟁을 잊어버렸다. 그의 최측근, 나치당의 부당수, 괴링에 이어 총통의 후계 2인자, 1921년부터 헌신적이고 광신적인 추종자였으며 룀이 살해된 뒤 가장 가까운 친구였던 루돌프 헤스가 혼자서 적과 담판을 짓겠다며 문자 그대로 날아갔던 것이다!

루돌프 헤스의 비행

——

5월 10일 늦은 밤, 루돌프 헤스가 홀로 메서슈미트-110 전투기에 올라 스코틀랜드를 향해 떠났다는 보고가 히틀러에게 처음 전해졌을 때, 슈미트 박사가 회고했듯이 "베르크호프에 폭탄이 떨어진 것 같았다".[83] 카이텔 장군이 가서 보니 총통이 널찍한 서재를 이리저리 오가며 한 손가락으로 자기 이마를 가리킨 채 헤스가 미친 게 틀림없다고 중얼거리고 있었다.[84] 그러고는 "당장 괴링과 의논해야겠네" 하고 소리쳤다. 이튿날 아침 괴링과 나치당 대관구장들이 모두 모여 심란한 얼굴로 이 당혹스러운 사건을 독일 국민과 세계에 발표할 방도를 "알아내려"—카이텔의 표현—했다. 카이텔이 훗날 증언했듯이, 그들의 과제는 영국 측이 처음에 독일 방문객에 관해 침묵을 지킨 탓에 수월하지 않았으며, 한동안 히틀러와 회의 참석자들은 어쩌면 전투기 연료가 바닥나 헤스가 차가운 북해에 추락해 익사했을지도 모른다는 희망을 품었다.

총통이 처음 받은 정보는 헤스가 5월 10일 오후 5시 45분에 아우크스부르크에서 출발하고서 몇 시간 후에 급사가 가져온, 다소 횡설수설하는 헤스의 편지였다. "헤스의 편지인지 모르겠네. 다른 사람 같아. 그에게 무슨 일이, 어떤 정신 장애가 생긴 게 틀림없네"라고 히틀러는 카이텔에게 말했다. 그러나 총통은 의심하기도 했다. 그래서 헤스가 이륙한 기업 비행장의 소유자인 메서슈미트를 체포하고 부당수의 측근 수십 명도 잡아들이라고 명령했다.

히틀러가 헤스의 느닷없는 출발 소식에 어리둥절했다면, 처칠도 헤스의 난데없는 도착 소식에 얼떨떨하기는 마찬가지였다.* 스탈린도 깊은 의심을 품었다. 전쟁 내내 이 기묘한 사건은 수수께끼로 남았고, 헤스가 피고들 중 한 명으로 출석한 뉘른베르크 재판에 이르러서야 해명되었다. 사실관계는 간단하게 정리할 수 있다.

비록 로젠베르크만큼 얼간이는 아니지만 언제나 머릿속이 혼란스러웠던 헤스는 자신이 강화협정을 체결할 수 있다는 망상에 빠져 단독으로 영국까지 비행했다. 다만 망상에 빠지긴 했으나 진심이었다―그것을 의심할 이유는 없어 보인다. 헤스는 1936년 베를린 올림픽 때 해밀턴Hamilton 공작을 만난 적이 있었고, 그가 메서슈미트에서 탈출해 낙하산을 타고 무사히 착지한 뒤 어느 농부에게 이 귀족에게 데려가달라고 부탁한 곳이―비행을 아주 잘한 덕에―공작의 스코틀랜드 저택에서 20킬로미터도 떨어지지 않은 위치였다. 영국 공군 중령인 해밀턴은 우연찮게도 그 토요일 저녁에 한 방위지구 작전실에서 근무하다가 10시 직후 앞바다로부터 착륙 태세로 다가오는 메서슈미트 기를 목격했다. 1시간 후 해밀턴은 그 전투기가 추락해 불길에 휩싸였고 거기서 탈출한 알프레트 호른이라는 조종사가 해밀턴 공작을 만나야 하는 "특수임무"를 띠고 있다고 주장한다는 보고를 받았다. 이튿날 아침 영국 당국이 이 만

---

* 처칠은 그 토요일 늦은 밤에 시골에 가 있다가 헤스 소식을 듣고 곧이곧대로 믿기에는 너무 황당하다고 생각했던 사연을 저서에서 생생히 묘사했다. (*The Grand Alliance*, pp. 50-55)

남을 주선했다.

공작에게 헤스는 자신이 "인간애의 사명"을 띠고 왔고 "총통은 잉글랜드를 패배시키기를 원하지 않고 싸움을 멈추기를 바란다"고 설명했다. 헤스는 사실 이번이 영국까지 비행하려는 네 번째 시도이며—이전의 세 번은 날씨 때문에 귀환할 수밖에 없었다—어쨌든 자신은 독일 각료라면서 이것이 "자신의 진실성과 독일의 강화 의지"를 보여준다고 말했다. 이후의 다른 회견들과 마찬가지로 이 회견에서도 헤스는 독일이 결국 승전할 것이고 만약에 전쟁을 지속한다면 영국이 끔찍한 곤경에 처할 것이라는 주장을 굽히지 않았다. 그러므로 영국 측은 자신을 활용해 강화협정을 교섭해야 했다. 이 나치 광신도는 영국 측이 자리를 마련해 자신과 담판을 지을 것이라고 굳게 확신했고, 공작에게 "자신은 영국에 비무장 상태로 자진해서 왔으므로 국왕에게 이야기해서 자신을 '석방'하도록" 해줄 것을 요청했다.[85] 나중에는 각료에 걸맞은 대우를 요구하기도 했다.

그 후 한 차례를 제외한 모든 회담에서 영국 측의 교섭자는 베를린 주재 영국 대사관의 1등서기관으로 근무했던 박식한 아이번 커크패트릭 Ivone Kirkpatrick이었으며, 훗날 그의 기밀 보고서가 뉘른베르크 법정에 제출되었다.[86] 나치 독일에 해박한 이 교양 있는 인물에게 헤스는 오스트리아에서 스칸디나비아와 저지대 국가들에 걸친 나치의 모든 침공에 관한 히틀러의 설명을 앵무새처럼 되풀이하고, 영국이 전쟁에 책임이 있고 당장 전쟁을 멈추지 않으면 확실히 패할 것이라고 역설한 뒤, 자신의 강화 제안을 전했다. 그것은 히틀러가 폴란드 공격 전야에 체임벌린에게 강권했던—성공하지 못한—제안과 다를 바 없었다. 바로 영국이 독일에 유럽 내에서의 재량권을 주고 그 대가로 독일이 영국에 "제국 내에서의 완전한 재량권"을 준다는 제안이었다. 영국은 예전 독일 식민지들을 돌려주어야 했고, 당연히 이탈리아와 강화해야 했다.

[커크패트릭이 보고함] 끝으로 우리가 방에서 나가려 할 때, 헤스가 한 가지
를 놓쳤다고 하면서 말했다. 이 제안은 독일이 영국의 현 정부 이외의 정부
를 상대로 교섭한다는 양해가 있어야만 고려될 수 있음을 상기시키고 싶다
고 헤스는 말했다. 총통이 교섭에 나설 만한 상대는 1936년 이래로 전쟁을
계획한 처칠 씨와 그의 전쟁 정책에 협력한 동료들은 아니라는 것이었다.

루돌프 헤스는 먼저 나치당 내에서, 뒤이어 제3제국 내에서 아수라장
을 헤치며 아주 높은 지위까지 올라간 독일인이면서도, 그를 아는 누구
나 증언할 수 있었듯이, 유별나게 순진했다. 회견 기록으로 분명하게 알
수 있듯이, 헤스는 영국 측이 자신을 곧장 진지한 교섭자로 받아들일 것
으로 기대했다―처칠이 아니라면 '야당'이, 그가 야당 지도부의 일원이
라고 생각한 해밀턴 공작이 상대해줄 것이라고 믿었다. 영국 관료 집단
과의 접촉이 계속 커크패트릭으로 제한되자 헤스는 갈수록 호전적이고
위협적으로 변해갔다. 5월 14일 회견에서 헤스는 회의적인 커크패트릭
에게 영국이 전쟁을 지속할 경우 맞이할 끔찍한 결과를 묘사했다. 머지
않아 독일이 영국 제도를 가혹하고 철저하게 봉쇄할 것이라고 했다.

[커크패트릭이 헤스의 말을 들음] 잉글랜드가 항복하더라도 영 제국의 식민
지를 근거지 삼아 전쟁을 이어갈 수 있다고 누군가 이곳에서 상상하더라도
소용없다. 그런 만일의 경우 잉글랜드 봉쇄를 지속한다는 것이 히틀러의 의
도이며 … 그렇게 되면 이 섬나라의 주민을 고의로 굶기는 상황에 직면할
것이다.

헤스는 자신이 크나큰 위험을 무릅쓰고 실현하려는 대화를 당장 진행하자고 재촉했다. 커크패트릭에게 설명했듯이, "그가 날아온 것은 우리에게 위신을 잃지 않고 대화를 시작할 기회를 주기 위해서다. 그런 기회를 거부한다면, 그것은 우리가 독일과의 강화를 바라지 않는다는 분명한 증거가 될 것이고, 히틀러는 우리를 완전히 분쇄하고 영원한 종속 상태에 묶어둘 자격을—실은 의무를—갖게 될 것이다". 헤스는 영국 교섭자의 수를 적게 유지해야 한다고 고집했다.

독일 각료로서 그는 많은 인원의 십자포화 같은 발언과 질문을 단독으로 받아낼 수 있는 입장이 아니다.

커크패트릭에 관한 한, 이 우스꽝스러운 메모를 마지막으로 대화는 끝났다. 그러나—놀랍게도—처칠에 따르면[87] 영국 내각은 사이먼 경에게 6월 10일에 헤스와 회견해달라고 "요청"했다. 뉘른베르크 재판에 임한 이 나치당 부당수의 변호인에 따르면, 사이먼은 헤스의 그 강화 제안으로 영국 정부의 주의를 환기시키겠다고 약속했다.[*][88]

헤스의 동기는 분명했다. 진심으로 영국과의 강화를 원했던 것이다. 그는 독일이 승전할 것이고 당장 강화를 체결하지 않으면 영국을 파괴하리라는 것을 추호도 의심하지 않았다. 물론 다른 동기도 있었다. 전쟁 탓에 헤스의 권세는 빛을 잃었다. 전시에 히틀러의 대리로서 나치당을 운

---

* 뉘른베르크 법정에서 헤스는 사이먼 경이 스스로를 "거스리(Guthrie) 박사"로 소개하면서 "저는 정부의 권한으로 와 있고, 당신이 무슨 진술을 하든 정부의 정보에 이롭다고 판단하는 한 기꺼이 토론할 의향이 있습니다"라고 말했다고 진술했다.[89]

영하는 것은 따분하고 그리 중요하지도 않은 일이었다. 이제 독일에서 중요한 일은 전쟁과 외교였다. 총통의 관심은 거의 전쟁과 외교로만 쏠렸고, 두 과제를 담당하는 괴링, 리벤트로프, 힘러, 괴벨스, 그리고 장군들이 각광을 받았다. 헤스는 좌절감과 질투심을 느꼈다. 헤스가 경애하는 총통과 국가로부터 예전의 입지를 되찾을 방법으로 탁월하고 대담한 정치적 수완을 발휘하여 독일과 영국의 강화협정을 단독으로 이끌어내는 것보다 더 나은 방법이 있었을까?

끝으로, 송충이 눈썹의 총통대리는 다른 나치 거물들—히틀러 본인이나 힘러—과 마찬가지로 점성술을 꾸준히 믿었다. 뉘른베르크에서 헤스가 구치소 소속의 미국인 정신과의사 더글러스 M. 켈리Douglas M. Kelley 박사에게 털어놓기를, 1940년 말에 어느 점성술사는 헤스가 평화를 가져올 운명이라는 별점을 쳤다고 한다. 또 옛 멘토인 뮌헨 대학의 지정학자 하우스호퍼 교수가 꿈에 헤스가 영국의 성에서 태피스트리로 덮인 넓은 방을 활보하며 두 위대한 '북방인' 국가의 강화를 이끌어내는 모습을 보았다고 했다.[90] 정신적 사춘기에서 끝내 벗어나지 못한 헤스는 틀림없이 이런 이야기에 들떠 영국으로 간다는 기이한 사명에 박차를 가했을 것이다.

뉘른베르크에서 영국 측 검사들 중 한 명은 또다른 이유를 제시했다. 헤스가 영국으로 날아간 것은 독일이 소련을 공격할 때 한쪽 전선에서만 싸울 수 있도록 영국과 강화협정을 체결하기 위해서였다는 것이다. 소련 측 검사는 자신도 그렇게 확신한다고 재판부에 말했다. 그리고 이오시프 스탈린도 그렇게 확신하고 있었다. 이 결정적인 시기에 스탈린의 강력한 의심은 마땅히 독일로 향해야 했건만 오히려 영국으로 향했던 것으로 보인다. 헤스가 스코틀랜드에 도착했다는 소식에 스탈린은 처칠과 히틀러가 모종의 흉악한 음모를 꾸미고 있고 자신이 독일에 폴란드와 서유럽을 강습할 자유를 주었던 것처럼 영국이 독일에 소련을 타격할 자유를 줄 것이라고 확신했다. 3년 후에 처칠은 모스크바를 두 번째로 방문하여 스탈린에게 그 진실을 납득시키려 노력했으나 스탈린은 전혀 믿지 않았다. 헤스를 다그쳐 소련에 대한 히틀러의 의도를 알아내려 했던 커크패트릭의 보고서에서 아주 분명하게 드러나듯이, 헤스는 바르바로사 작전을 몰랐거나, 설령 알았다 해도 작전 실행이 임박했음을 몰랐다.

헤스가 느닷없이 떠난 뒤 히틀러는 한동안 인생에서 가장 당혹스러운 한 시기를 보냈다. 히틀러는 최측근 협력자의 비행으로 자기 정권의 위신이 심각하게 추락했음을 깨달았다. 이 사태를 독일 국민과 외부 세계에 어떻게 설명해야 하는가? 헤스의 측근들을 체포해 심문한 총통은 자신에 대한 불충이 없고 분명히 음모도 없다고 확신했다. 그저 자신이 신뢰하던 부관의 정신이 나갔던 것이다. 영국 측이 헤스의 도착 사실을 확인해준 뒤, 베르크호프에서는 정신 이상에 대한 설명을 발표하기로 결정했다. 곧 독일 언론은 한때 국가사회주의의 큰 별이었던 인물이 "세계대전[1차대전]에서 입은 부상의 후유증으로 환각에 시달리는, 머릿속이 허황되고 혼란스럽고 뒤죽박죽인 이상주의자"가 되었다는 짤막한 설명을 달아 지시대로 보도했다.

[공식 언론 발표] 당 동지 헤스가 환각 상태로 지냈고 그 결과로 자신이 잉글랜드와 독일 간의 우호관계를 조성할 수 있다고 생각했던 것으로 보인다. … 그렇지만 이 일은 독일 국민에게 맡겨진 전쟁을 지속하는 데 아무런 영향도 주지 않을 것이다.

히틀러는 행여나 헤스가 돌아오면 즉시 총살하라고 은밀히 명령했고[*] 옛 동지의 모든 직위를 공식적으로 박탈하고 나치당 부당수를 더 사악하고 음흉한 마르틴 보어만으로 교체했다. 총통은 이 기이한 에피소드가 최대한 일찍 잊히기를 바랐다. 총통 본인의 관심은 그리 머지않은 소련 공격으로 금세 쏠렸다.

곤경에 처한 크렘린

___

히틀러의 의도에 대한 갖가지 증거—폴란드 동부에서 보인 독일군의 증강, 발칸 인근에 배치된 나치의 100만 병력, 국방군의 유고슬라비아 및 그리스 정복과 루마니아, 불가리아, 헝가리 점령—에도 불구하고, 크렘린 인사들, 특히 스탈린은 예전부터 냉정한 현실주의자라는 평판을 들었으면서도, 소련이 나치 폭군의 진노를 어떻게든 피할 수 있다는 데 맹목적인 희망을 걸고 있었다. 물론 그들은 있는 그대로의 사실을 자연히 의심할 수밖에 없었고, 히틀러가 남동유럽에서 취하는 조치에 점점 커지는 분노를 억누를 수도 없었다. 그렇지만 1941년 봄의 몇 주 동안 모스

___

[*] 안쓰럽고 망가진 모습으로 뉘른베르크에 나타나 한동안 기억을 완전히 상실한 척했던(정신이 확실히 엉망이긴 했지만) 헤스는 히틀러보다 오래 살았다. 그는 국제군사재판에서 종신형을 선고받아 사형을 면했는데, 대체로 정신질환 때문이었다. 나는 뉘른베르크에서 재판받던 헤스의 모습을 《베를린 일기의 끝(End of a Berlin Diary)》에서 묘사했다.

영국 측은 헤스를 전쟁포로로 다루다가 1945년 10월 10일 석방했고, 그 덕에 헤스는 뉘른베르크 재판을 받을 수 있었다. 영국에 억류되어 있는 동안 헤스는 "완전한 외교 특권"을 인정받지 못하고 있다고 격렬히 항의하며 그 특권을 끊임없이 요구했다. 애초에 균형이 좋지 못한 그의 정신은 악화되기 시작해 장기 기억상실증에 걸렸다. 그렇지만 헤스는 켈리 박사에게 영국에 억류되어 지내는 동안 두 차례 자살을 시도했다고 말했다. 그리고 영국 측이 자신을 독살하려 시도한 것이 확실하다고 말했다.

크바와 베를린이 주고받은 외교적 대화(압수된 나치 문서에 남김없이 기록되어 있다)에는 무언가 비현실적이고 도무지 믿기 어렵고 매우 기괴한 측면이 있다. 이 대화를 통해 독일 측은 크렘린을 속이려고 끝까지 어설프게 시도했으며, 소비에트 지도부는 이런 현실을 제대로 파악해 적시에 대응하지 못했던 것으로 보인다.

소련 측은 독일군이 루마니아와 불가리아에 진입하고 유고슬라비아와 그리스를 공격한 것이 나치-소비에트 조약 위반이자 소련의 "안보 이해관계"에 대한 위협이라고 몇 차례 항의하긴 했지만, 독일의 공격 날짜가 다가옴에 따라 베를린을 달래고자 무척 애를 썼다. 스탈린이 솔선수범을 보였다. 1941년 4월 13일, 슐렌부르크 대사는 베를린에 흥미로운 전보를 보내 그날 저녁 일본 외무대신 마쓰오카 요스케松岡洋右가 모스크바를 떠날 때 스탈린이 일본 측뿐 아니라 독일 측에도 얼마나 "눈에 띄게 우호적인 태도"를 보여주었는지 자세히 전했다. 기차역에서

[슐렌부르크가 타전함] 스탈린은 공개적으로 본관을 찾고는 … 본관의 어깨에 팔을 둘렀다. "우리는 친구로 남아야 하고 귀관은 이제 그 목표를 위해 전력을 다해야 합니다!" 잠시 후 스탈린은 독일 무관을 대리하는 크렙스 대령에게 향하더니 먼저 독일인인지 확인한 다음 이렇게 말했다. "우리는 귀관과 친구로 남을 겁니다. 좋을 때나 안 좋을 때나!"[91]

사흘 뒤 모스크바 주재 독일 대사대리 티펠슈키르히는 베를린에 전보를 보내, 기차역에서 스탈린이 독일에 우호적인 태도를 보여주었고 "독일과 소련의 분쟁이 임박했다는 소문이 꾸준히 돌고 있음을 고려할 때" 그것은 특히 중요하다고 강조했다.[92] 그 전날 티펠슈키르히는 크렘린이

몇 달간 옥신각신한 끝에 이가르카 강에서 발트 해에 이르는 양국 국경에 관한 독일의 협정 제안을 "무조건" 수락하기로 했다고 베를린에 알렸다. "소비에트 정부의 유순한 태도는 매우 주목할 만한 일로 보인다."[93] 베를린에서 무슨 일을 꾸미는 중이었는지를 감안하면 실로 주목할 만한 일이었다.

봉쇄당한 독일에 중요한 원재료를 공급하면서 소련 정부는 계속 유순한 태도를 보였다. 1941년 4월 5일, 모스크바와의 교역 협상을 책임지는 슈누레는 1월과 2월에 "정치관계의 냉각" 때문에 감소했던 소련의 물자 공급량이 "3월 들어 특히 곡물, 석유, 망간, 비철금속, 귀금속 항목에서 대폭" 늘었다고 나치 상관들에게 신나게 보고했다.

[슈누레가 부언함] 시베리아를 경유하는 물자 수송은 평소처럼 순조롭게 이루어지고 있다. 우리의 요청에 따라 소비에트 정부는 만주 국경에 우리가 마음대로 사용할 수 있는 고무 수송용 특별 화물열차를 마련해주기까지 했다.[94]

6주 후인 5월 15일, 슈누레는 협조적인 소련 측이 특별 화물열차를 마련해준 덕에 독일에 절실히 필요한 생고무 4000톤을 시베리아 철도를 통해 수송할 수 있다고 보고했다.

러시아 측이 큰 부담을 지면서도 계약된 양의 원재료를 기일 내에 배송하고 있다. … 본관의 생각에 1월 10일 조약의 범위를 넘어서는 경제적 요구, 현재의 계약 물량 이상으로 독일의 식량과 원재료를 확보하기 위한 요구를 모스크바 측에 할 수 있을 듯하다.[95]

슈누레는 독일이 소련으로 기계류를 넘겨주는 일정이 지체되고 있다고 말하면서도, 소련 측이 개의치 않는 한 본인도 개의치 않았던 것으로 보인다. 그렇지만 5월 15일에는 다른 요인 때문에 방해를 받았다. "독일-러시아 충돌이 임박했다는 소문이 무성해 큰 어려움이 생기고 있다"고 불평하면서 그 책임을 독일 관변 탓으로 돌렸다. 또 놀랍게도 외무부에 보낸 장문의 의견서에서 그 "어려움"은 소련이 아니라 소련과의 계약을 "철회"하려는 독일 기업들에서 기인한다고 설명했다.

여기서 지적할 것이 있다. 히틀러는 충돌 소문을 부인하기 위해 최선을 다했지만, 동시에 장군들과 고위 관료들에게 독일에 대한 소련의 공격 위험이 커져간다는 것을 납득시키느라 바빴다. 장군들은 군사 첩보를 통해 정황을 더 잘 알고 있었다. 그러나 히틀러의 마력에 워낙 강하게 사로잡혔기 때문인지 전후에도 할더, 브라우히치, 만슈타인을 비롯한 장군들(더 정직했던 것으로 보이는 파울루스 장군은 예외다)은 초여름 즈음 폴란드 국경에서 소련의 군사력 증강이 매우 위협적인 수준에 이르렀다고 주장했다.

짧은 휴가차 모스크바에서 귀국한 슐렌부르크 백작은 4월 28일 베를린에서 히틀러를 만나 소련의 평화적인 의도를 납득시키려 했다. "러시아는 자국에 대한 독일의 공격을 예상하는 소문을 매우 우려하고 있습니다. 저는 러시아가 독일을 공격할 것이라고는 믿을 수 없습니다. … 스탈린이 잉글랜드와 프랑스 모두 아직 강했던 1939년에도 양국과 함께하지 못했다면, 프랑스가 파괴되고 잉글랜드가 난타당한 오늘날에는 확실히 그런 결정을 내리지 않을 것입니다. 오히려 저는 스탈린이 우리에게 좀 더 양보하려 들 것이라고 확신합니다."

총통은 의심하는 척했다. 그는 "세르비아의 사태로 미리 경고를 받은 셈"이라며 "러시아 측은 어떤 악령에 씌었기에 유고슬라비아와 우호조약을 체결했을까?" 하고 말했다.* 사실 본인 말마따나 히틀러는 "러시아가 독일을 공격할 수도 있다"는 것을 믿지 않았다. 그럼에도 "조심해야" 한다고 결론지었다. 히틀러는 소련을 겨냥해 준비해둔 계획을 대사에게 말하지 않았고, 정직하고 점잖은 구식 독일인 슐렌부르크는 마지막까지 그 계획을 알지 못했다.

스탈린도 그 계획을 알지 못했다. 하지만 히틀러가 꾸미는 일의 **징후** 또는 **신호**에 관한 보고를 받기는 했다. 4월 22일, 소비에트 정부는 3월 27일에서 4월 18일 사이에 나치 항공기가 80차례나 국경을 침범했다며 정식으로 항의하고 각각의 건을 상세히 설명했다. 4월 15일에는 리브네 부근에 불시착한 독일 정찰기에서 카메라, 노광된 필름, 소련 서부 지역들을 표시한 찢어진 지형도가 발견되었으며, "이 모두가 탑승자의 비행 목적을 입증한다"라고 지적했다. 소련 측은 항의하면서도 회유하는 태도를 보였다. 항의서에서 국경 수비대들에 "비행이 빈번히 일어나지 않는 한, 소비에트 영공을 비행하는 독일 항공기에 발포하지 말라"는 명령을 내렸다고 말했다.[96]

스탈린은 5월 초에 독일을 더욱 회유하려는 행보를 보였다. 히틀러를 기쁘게 하려고 모스크바에 주재하는 벨기에, 노르웨이, 그리스, 심지어 유고슬라비아의 외교 대표까지 추방하고 공사관을 폐쇄했다. 또한 라시드가 이끄는 이라크의 친나치 정부를 승인했다. 그리고 독일을 도발하지 않고자 소비에트 언론을 엄격히 통제했다.

---

* 독일이 유고슬라비아를 공격하기 전날인 4월 5일, 소비에트 정부는 유고슬라비아의 새 정부와 '불가침 우호조약'을 서둘러 체결했는데, 히틀러를 저지하고자 부리나케 이런 시도를 했던 것으로 보인다. 몰로토프는 전날 밤에 슐렌부르크에게 조약에 관해 통지했고, 독일 대사는 "그 시점이 매우 유감이다"라고 소리치며 소련 측을 설득해 조약 체결을 늦추려 했으나 성공하지 못했다.[97]

[슐렌부르크가 5월 12일 베를린에 타전함] 스탈린 정부의 이런 의도 표명은 …
소련과 독일 간의 긴장을 완화하고 미래를 위해 더 나은 분위기를 조성하기
위함이다. 우리는 스탈린이 개인적으로 늘 독일과 소련의 우호관계를 옹호
했다는 점에 유의해야 한다.[98]

스탈린이 그전부터 소련의 절대적인 독재자였음에도, 슐렌부르크가
전보에서 '스탈린 정부'라는 표현을 사용한 것은 이번이 처음이었다. 여
기에는 그럴 만한 이유가 있었다. 5월 6일, 스탈린은 몰로토프를 대신해
인민위원평의회 의장직(총리 격)에 직접 취임했다—몰로토프는 외무인
민위원으로 남았다. 전권을 가진 공산당 서기장이 정부의 직위에 취임
한 것은 이번이 처음이었다. 세계의 전반적인 반응은 특히 나치 독일과
의 관계에서 소련의 상황이 아주 심각해져서 스탈린만이 명실상부한 정
부 수반으로서 그 상황에 대처할 수 있다는 것이었다. 이 해석은 자명했
지만, 그리 분명하지 않은 다른 측면도 있었으며, 모스크바의 예리한 독
일 대사는 즉각 베를린에 그 측면을 지적했다.
슐렌부르크는 스탈린이 독일-소비에트 관계의 악화에 불쾌해했고 그
책임을 대부분 몰로토프의 어설픈 외교 탓으로 돌렸다고 보고했다.

[슐렌부르크가 말함] 본관의 의견으로는 스탈린이 최우선 외교 정책의 목표
를 직접 정했고 … 그 목표를 본인의 노력으로 달성하려는 것이 확실하다
고 추정할 수 있다. 본관은 스탈린이 스스로 심각하다고 생각하는 국제 정
세에서 소련이 독일과 충돌하지 않도록 한다는 목표를 직접 정했다고 굳게
믿는다.[99]

이 무렵―1941년 5월 중순―교활한 소비에트 독재자는 이것이 불가능한 목표라는 것, 히틀러에게 비굴하게 항복하지 않고는 이 목표를 달성할 수 없다는 것을 알고 있었을까? 스탈린은 분명 히틀러가 유고슬라비아와 그리스를 정복한 일, 소련 서남쪽의 루마니아와 헝가리에 독일 대군을 배치한 일, 폴란드 접경지대에서 국방군을 증강하는 일이 무엇을 의미하는지 알고 있었다. 모스크바에서 꾸준히 떠도는 소문도 분명히 들었다. 5월 2일 전보에서 슐렌부르크는 "독일과 러시아의 군사적 결전이 임박했다는 소문"이 소비에트 수도에 워낙 만연하여 자신과 독일 대사관 직원들이 소문을 부인하느라 애를 먹고 있다고 전했다.

[슐렌부르크가 베를린에 진언함] 이곳 모스크바에서 그런 소문에 대응하려는 시도는, 그런 소문이 독일에서 이곳으로 끊임없이 들려오는 한, 그리고 모스크바에 도착하거나 모스크바를 거쳐 가는 모든 여행자가 그런 소문을 가져올 뿐 아니라 사실을 제시하며 소문을 확인하기까지 하는 한, 효과가 없을 수밖에 없다는 점을 염두에 두기 바란다.[100]

노련한 대사 자신도 의심하기 시작했다. 베를린에서 받은 지시사항은 소문을 계속 부인하고, 독일군이 소련 접경지대에 집결하고 있지 않을 뿐 아니라 실은 상당한 병력(대사 "개인 정보"로 8개 사단이라고 들었다)을 "동쪽에서 서쪽으로" 이동시키고 있다는 소문을 퍼뜨리라는 것이었다.[101] 아마도 이런 지시사항은 대사의 불안을 확인해주기만 했을 텐데, 이 무렵 전 세계의 언론이 소련 접경지대에서 독일이 군사력을 증강하고 있다고 떠들어대기 시작했기 때문이다.

그런데 이렇게 되기 한참 전에 스탈린은 히틀러의 계획에 관한 여러 구체적인 경고를 받고도 전혀 신경쓰지 않았던 것으로 보인다. 가장 심각한 경고는 미국 정부로부터 받았다.

1941년 1월 초, 베를린 주재 미국 상무관 샘 E. 우즈Sam E. Woods는 국무부에 기밀 보고서를 보냈다. 히틀러가 봄에 소련 침공을 계획하고 있다는 첩보를 믿을 만한 독일 정보원들로부터 입수했다는 내용이었다. 이 길고 상세한 보고서는 독일 참모본부의 공격 계획(훗날 아주 정확한 것으로 판명되었다)과 정복 이후 소련을 경제적으로 착취하기 위한 준비 계획의 개요를 서술했다.*

미국 국무장관 코델 헐은 처음에 우즈가 독일의 "계략"에 당했다고 생각했다. 헐은 J. 에드거 후버Edgar Hoover를 불렀다. 이 FBI 국장은 우즈의 보고서를 읽고서 사실이라고 판단했다. 우즈는 베를린의 여러 부처와 독일 참모본부에 근무하는 정보원 몇 사람의 이름을 댔는데, 워싱턴에서 확인해보니 그들은 독일 상층부에서 무슨 일이 벌어지는지 알 만한 지위

---

* 싹싹한 외향인인 샘 우즈는 세계 정치나 역사에 관한 이해가 그리 뛰어나지 않았고, 그를 알고 좋아했던 나와 내 동료들이 보기에 베를린의 미국 대사관 근무자 중에서는 그런 결정적 첩보를 입수할 가능성이 가장 낮은 사람이었다. 대사관에서 그와 함께 근무했던 동료들 중 일부는 지금까지도 우즈가 첩보를 입수했다는 사실에 의문을 품고 있다. 그러나 전 국무장관 코델 헐(Cordell Hull)은 회고록에서 그 사실을 확언하고 세부 내용을 밝혔다. 전 국무장관에 따르면, 우즈에게는 독일 여러 부처, 제국은행, 나치당의 고위직과 접촉하는 반나치 독일인 친구가 있었다. 이 친구가 1940년 8월에 우즈에게 히틀러의 본부에서 소련 침공 준비에 관한 회의가 열리고 있다고 알려주었다. 그때부터 이 정보원은 우즈에게 참모본부에서, 그리고 소련에 대한 경제적 착취를 계획하는 사람들 사이에서 무슨 일이 벌어지는지를 꾸준히 알려주었다. 발각되지 않기 위해 우즈는 베를린의 여러 영화관에서 정보원을 만나 어둠 속에서 수기 메모를 건네받았다. (*The Memoirs of Cordell Hull*, Vol. II, pp. 967~968)
나는 1940년 12월에 베를린을 떠났다. 당시 베를린 대사관에 남았던 가장 뛰어난 직원 조지 케넌(George Kennan)이 내게 알려주기를, 대사관 측은 몇몇 정보원으로부터 소련 침공에 관해 들었다고 했다. 케넌에 따르면 침공 2~3주 전에 쾨니히스베르크 주재 미국 영사 카이켄덜(Kuykendall)이 침공 개시의 정확한 날짜를 보고해왔다.

에 있고 또 설령 기밀을 누설하더라도 부자연스럽지 않을 만큼 반나치인 사람들이었다. 당시 미국 정부와 소련 정부가 껄끄러운 관계였음에도 헐은 소련 측에 알리기로 결정했고, 국무차관 섬너 웰스에게 지시하여 소련 대사 콘스탄틴 우만스키에게 우즈 보고서의 요지를 전하도록 했다. 이 지시는 3월 20일 이행되었다.

[웰스가 나중에 씀] 우만스키 씨는 아주 창백해졌다. 그는 한동안 침묵한 다음 이렇게만 말했다. "귀하가 내게 전해주신 메시지의 엄중함을 충분히 알고 있습니다. 우리 정부는 귀하의 신뢰에 감사할 것이고, 나는 우리의 대화를 본국에 즉시 알릴 것입니다."[102]

소련 정부가 과연 고마워했는지, 이 시의적절한 첩보를 과연 믿었는지 모르겠지만, 그런 의중을 미국 정부에 알린 적은 없다. 사실 국무장관 헐이 회고록에 썼듯이, 모스크바는 미국이 영국을 지원하는 바람에 자국이 요구하는 물자를 모두 공급하지 못하고 있다는 이유로 갈수록 적대적이고 호전적인 태도를 보였다. 그럼에도 헐에 따르면 6월 첫째 주에 부쿠레슈티와 스톡홀름의 영사관으로부터 독일이 2주 내에 소련을 침공할 것이라는 전보를 받은 미국 국무부는 전보의 사본을 모스크바 주재 대사 스타인하트에게 전달했고, 스타인하트가 다시 몰로토프에게 전달했다.

처칠 역시 스탈린에게 경고하려 했다. 4월 3일, 처칠은 모스크바 대사 스태퍼드 크립스 경에게 연락해 자신의 친서를 소련 독재자에게 전해달라고 했다. 여기서 처칠은 어느 영국 첩보원을 통해 폴란드 남부에서 이루어지는 독일군의 병력 이동에 관해 알게 되었다며 이것이 소련 측에 무엇을 의미하는지 지적했다. 크립스는 이 메시지를 늦게 전달했는데,

처칠은 수년 후에 회고록을 쓸 때에도 이 일을 거론하며 짜증을 냈다.[103]

4월 말 이전에 크립스는 독일의 공격 날짜를 알았고, 독일 측은 크립스가 안다는 사실을 알았다. 4월 24일, 모스크바 주재 독일 해군 무관은 베를린 해군 최고사령부에 간략한 메시지를 보냈다.

영국 대사는 6월 22일을 전쟁 발발 날짜로 예측한다.[104]

압수된 나치 문서 중에서 발견된 이 메시지는 같은 날 독일 해군 일지에 기록되었고 맨 끝에 느낌표가 붙었다.[105] 제독들은 영국 사절의 예측이 정확하다는 데 놀랐다. 모스크바 주재 대사와 마찬가지로 딱하게도 기밀을 전해 듣지 못한 해군 무관은 전보에 그 날짜가 "명백히 허황되다"라고 부언했다.

몰로토프도 허황되다고 생각했던 게 틀림없다. 한 달 후인 5월 22일, 몰로토프는 슐렌부르크를 접견해 여러 사안을 논의했다. 슐렌부르크는 베를린에 "몰로토프는 여느 때처럼 상냥하고 자신감 있고 정보에 밝았다"라고 보고하면서 "소련에서 가장 강한 두 사람"인 스탈린과 몰로토프가 "무엇보다도" 독일과의 충돌을 피하고자 애쓰고 있다고 다시 한 번 강조했다.[106]

평소 명민한 대사는 한 가지 점에서 영 헛다리를 짚고 있었다. 이 시점에 몰로토프는 확실히 "정보에 밝"지 않았다. 하지만 이는 대사도 마찬가지였다.

소련 외무인민위원이 얼마나 정보에 어두운가 하는 점은 독일이 침공하기 불과 1주일 전인 1941년 6월 14일에 널리 알려졌다. 그날 저녁 몰로토프는 슐렌부르크를 불러 당일 밤에 타스 통신을 통해 방송하고 이튿날 아침 신문에 게재할 성명문을 건넸다.[107] 이 공식 성명에서 소비에트 정부는 "영국과 외국의 언론에 널리 퍼진 '소련과 독일 간의 임박한 전쟁'에 관한 소문"의 책임을 콕 집어 크립스에게 씌우고 그런 소문이 "명백히 터무니없는 소리이고 … 소련과 독일에 대항하는 세력들의 어설픈 선전 공작"이라고 단언했다. 그런 다음 이렇게 덧붙였다.

소비에트 측의 견해로는 독일이 … 소련에 대한 공격을 개시할 … 의도를 가지고 있다는 소문은 전혀 근거가 없다.

이 성명에서는 최근 독일 병력이 발칸 반도에서 소련 접경지대로 이동한 것도 "소비에트-독일 관계와는 아무런 관련도 없다"라고 설명했다. 소련이 독일을 공격할 것이라는 소문에 관해서는 "허위이자 도발"로 치부했다.

소비에트 정부를 대변한 타스 성명의 아이러니는 독일의 두 가지 조치로 인해 더욱 커졌다. 하나는 성명 발표 당일인 6월 15일의 조치였고, 다른 하나는 이튿날의 조치였다.

베네치아에서 치아노와 회담하던 리벤트로프는 6월 15일 부다페스트에 기밀 메시지를 보내 헝가리 정부가 "국경 방비 조치를 취해야" 한다고 경고했다.

독일의 동부 국경에 러시아 병력이 대규모로 집결하고 있음을 고려할 때, 총통은 늦어도 7월 초에는 부득이 독일-러시아 관계를 명확히 하고 이와 관련해 모종의 요구를 할 수밖에 없을 것이다.[108]

독일은 헝가리 측에는 기밀을 귀띔하면서도 주요 동맹국에는 귀띔하지 않았다. 이튿날 베네치아 운하에서 곤돌라를 타던 도중 치아노가 리벤트로프에게 독일이 소련을 공격한다는 소문에 대해 물었을 때, 나치 외무장관은 이렇게 답변했다.

친애하는 치아노, 아직까지 모든 결정이 총통의 헤아릴 수 없는 의중 안에 있어서 아무것도 말해줄 수 없습니다. 그렇지만 한 가지는 확실합니다. 만약 우리가 공격한다면, 스탈린의 러시아는 8주 내에 지도에서 지워질 겁니다.*

크렘린이 1941년 6월 14일에 전 세계에 알릴 방송, 즉 독일이 소련을 공격한다는 소문이 "명백히 허황되다"라는 방송을 자신 있게 준비하는 동안, 아돌프 히틀러는 바로 그날 국방군의 주요 장교들을 소집해 바르바로사 작전에 관한 마지막 대규모 군사회의를 열었다. 병력을 동부에 집결시키고 공격 개시 지점에 전개하기 위한 일정표는 5월 22일부터 실행에 들어갔다. 그리고 며칠 후 변경된 일정표가 하달되었다.[109] 그것은 길고 상세한 문서로, 소련을 강습하기 위한 모든 계획이 6월 초에 완전히 세워져 있었다는 사실뿐 아니라 부대, 포, 전차, 항공기, 함정, 보급물자를 대규모로 정교하게 이동시키는 작업이 예정대로 착착 진행되고 있었다는 사실도 알려준다. 5월 29일 해전 지휘부 일지에는 간략하게 "바

---

* 이 발언은 치아노가 처형되기 며칠 전인 1943년 12월 23일 베로나 감옥 제27호실에서 쓴 마지막 일기에서 인용한 것이다. 그는 이탈리아 정부가 독일의 소련 침공을 알게 된 것은 침공이 시작되고 1시간 30분이 지나서였다고 덧붙였다. (*Ciano Diaries*, p. 583)

르바로사를 위한 군함의 예비 이동이 시작되었다"라고 적혀 있다. 루마니아, 헝가리, 핀란드 참모본부—당시 핀란드 측은 겨울전쟁에서 러시아에 빼앗긴 몫을 되찾고 싶어 안달하고 있었다—와의 대화도 끝난 상태였다. 6월 9일, 베르히테스가덴에서 히틀러는 6월 14일에 삼군 총사령관들과 고위 야전사령관들을 베를린으로 소집해 바르바로사를 위한 마지막 회의를 종일 열기로 했다.

막중한 과제였음에도, 역사상 가장 거대한 군사작전—북극해의 페첸가에서 흑해에 이르는 장장 2400킬로미터에 걸친 전선에서의 전면 공격—의 세부를 마지막으로 검토할 때는 히틀러뿐 아니라 장군들도 자신만만한 분위기였다. 그 전날 브라우히치는 동부의 병력 증강을 점검하고 베를린으로 돌아왔다. 할더는 일기에 브라우히치의 기분이 매우 좋아 보인다고 적었다. 브라우히치는 장병들도 최상의 상태이며 싸울 준비가 되었다고 말했다.

이 최종 군사회의는 6월 14일 오전 11시부터 오후 6시 30분까지 진행되었다. 오후 2시에 점심식사를 위해 휴회했을 때, 히틀러는 또 한 번 열을 올리며 전투 전야의 독려 연설을 했다.[110] 할더에 따르면 이 "포괄적인 정치 연설"에서 히틀러는 소련이 몰락하면 영국이 "포기할" 것이므로 소련을 공격할 수밖에 없다고 강조했다. 하지만 피에 굶주린 총통은 다른 무언가를 더욱 강조했던 게 틀림없다. 훗날 카이텔은 뉘른베르크 증인석에서 직접 심문받는 동안 그 무언가에 대해 말했다.

주된 주제는 이것이 두 이데올로기 간의 결전이고 우리가 군인으로서 알고 있는 관행—국제법상 유일하게 올바른 관행—을 완전히 다른 기준으로 평가해야 한다는 것이었습니다.

그런 다음 히틀러는 소련에서 전례가 없는 테러를 "무자비한 방법"으로 수행하라는 명령들을 내렸다고 카이텔은 전한다.

"당신은, 혹은 다른 어떤 장군이라도, 이 명령에 이의를 제기했습니까?" 하고 카이텔의 변호인이 물었다.

"아닙니다. 저는 아무 의견도 내지 않았습니다" 하고 장군이 답했다. 그리고 다른 모든 장군도 마찬가지였다고 덧붙였다.*

크렘린 사람들이 의심 많고 교활하고 빈틈없다는 온갖 평판을 들었음에도 불구하고, 눈앞에 훤히 보이는 온갖 증거와 경고에도 불구하고, 그들의 국가를 거의 파괴할 정도의 위력에 공격당할 처지임을 마지막 순간까지 깨닫지 못했다는 것은 상상하기도 어려운 일이지만, 그럼에도 사실이다.

1941년 6월 21일 쾌적한 여름날의 밤 9시 30분, 독일이 예정대로 침공을 개시하기 9시간 전에 몰로토프는 크렘린의 집무실에서 독일 대사를 접견하고 "최후의 어리석은 짓"(처칠의 표현)을 저질렀다. 몰로토프는 독일 항공기가 또다시 국경을 침범했다고 지적하고 그와 관련해 베를린

---

* 하셀이 이 증언을 확인해준다. 이틀 후인 6월 16일 일기에 하셀은 이렇게 썼다. "브라우히치와 할더는 이미 히틀러의 [러시아에서의] 전술에 동의했다. 따라서 이제까지 친위대로 국한되었던 살인과 방화의 책임을 육군이 져야 한다."
처음에 반나치 '음모단'은 순진하게도 장군들이 히틀러의 러시아에서의 테러 명령에 충격을 받아 반나치 반란에 가담할 것이라고 믿었다. 그러나 6월 16일 하셀 스스로 환상에서 벗어났다. 그날 일기는 이렇게 시작한다. "포피츠, 괴르델러, 베크, 오스터와 연달아 회의하며 육군 사령관들이 받은 (하지만 그들이 아직 발령하지 않은) 특정 명령들이 군 지휘부가 싸워서 지키고자 하는 체제의 본질에 관한 그들의 시야를 과연 열어줄 수 있을지에 대해 생각했다. 그 명령들은 군대가 러시아를 침공할 때 볼셰비키에게 취할 … 무자비한 조치와 관련이 있다. 우리는 현재로서는 아무것도 기대할 수 없다고 결론지었다. … 그들[장군들]은 미몽에 빠져 있다. … 가망 없는 원사들이다!" (*The Von Hassell Diaries*, pp. 198-199)

주재 소련 대사에게 리벤트로프의 주의를 촉구할 것을 지시했다고 말한 뒤, 다른 주제로 넘어갔다. 그 주제를 슐렌부르크는 당일 밤 빌헬름슈트라세에 보낸 긴급 전보에서 이렇게 기술했다.

[몰로토프가 슐렌부르크에게 말함] 독일 정부가 소비에트 정부에 불만을 품고 있음을 보여주는 여러 조짐이 있다. 독일과 소련의 전쟁이 임박했다는 소문까지 돌고 있다. … 소비에트 정부는 독일이 불만을 품는 이유를 이해할 수 없다. … 무엇 때문에 독일-소비에트 관계가 지금처럼 되었는지 말해준다면 고맙겠다.
[슐렌부르크가 부언함] 본관은 관련 정보가 없어서 그 질문에 답할 수 없다고 답변했다.[111]

그 정보를 슐렌부르크는 곧 알게 되었다.

베를린과 모스크바 사이의 전파를 타고 1941년 6월 21일 리벤트로프가 보낸, "총급, 국가 기밀, 대사 친전" 표시가 붙은 긴 암호 메시지가 슐렌베르크에게로 오고 있었기 때문이다. 그 메시지는 이렇게 시작했다.

이 전보를 수신하는 즉시 아직 그곳에 있는 모든 암호표를 파기하라. 무선 수신기를 폐기 처분하라.
필히 몰로토프 씨에게 긴급 전언이 있다고 즉시 통지하라. … 그리고 필히 다음과 같이 선언하라.

그것은 익숙한 선언문, 히틀러와 리벤트로프가 정당한 이유 없는 침공을 개시할 때마다 그것을 정당화하기 위해 너무나 능숙하게 구사하고 너무나 자주 지어냈던 온갖 진부한 허위와 날조로 뒤덮인 선언문이었다. 이 선언문은 아마도―적어도 내가 다시 읽으면서 받은 인상으로는―순전한 후안무치와 기만이라는 측면에서 종래의 모든 선언문을 넘어섰을 것이다. 독일은 나치-소비에트 조약을 충실히 준수한 반면에 소련은 거듭 위반했다고 그 선언문은 말했다. 소련은 독일을 겨냥해 "사보타주, 테러 활동, 간첩 활동"을 벌였다. "유럽에서 안정된 질서를 수립하려는 독일의 시도를 저지했다." 영국과 함께 "루마니아와 불가리아에서 독일군을 공격하려는" 음모를 꾸몄다. "러시아의 가용한 모든 병력을 발트 해에서 흑해에 이르는 긴 전선에" 집결시켜 독일을 "위협"했다.

[선언문이 이어짐] 최근 며칠간 받은 보고로 이 러시아군 집결의 공격적 성격에 관해 남아 있던 마지막 의문이 사라졌다. … 이에 더해 잉글랜드와 소련의 정치적·군사적 협력을 한층 긴밀히 하기 위한 크립스 대사의 교섭에 관해 잉글랜드에서 수집한 정보도 있다.

요약하면, 상기의 이유로 독일 정부는 소비에트 정부가 의무에 반하여 다음과 같은 태도를 취한다고 선언하는 바이다.

1. 독일과 유럽을 해하려는 시도를 지속할 뿐 아니라 강화하기까지 했다.

2. 점점 더 반독일적 외교 정책을 채택했다.

3. 대비 태세를 갖춘 전 병력을 독일 국경에 집결시켰다.

그리하여 소비에트 정부는 독일과의 조약들을 파기했고, 사활을 걸고 싸우고 있는 독일의 배후를 공격하기 직전이다. 따라서 총통은 독일군에 가용한 모든 수단으로 이 위협에 대항하라고 명령했다.[112]

"이 통지에 관한 논의는 일체 금한다"라고 리벤트로프는 전보 말미에 대사에게 지시했다. 인생의 한창때를 독일-러시아 관계를 개선하는 데 바쳤고 소련에 대한 공격이 정당하고 타당한 이유가 없는 공격임을 알고 충격 속에 환멸을 느끼는 슐렌부르크가 대체 무슨 말을 할 수 있었겠는가? 막 동이 틀 무렵 크렘린을 다시 찾은 슐렌부르크는 독일의 선언문을 읽는 데 그쳤다.* 어안이 벙벙해진 몰로토프는 끝까지 잠자코 들은 뒤 이렇게 말했다.

"이건 전쟁입니다. 당신은 우리가 그런 일을 당해 마땅하다고 생각합니까?"

같은 새벽녘에 베를린 빌헬름슈트라세에서도 비슷한 장면이 연출되고 있었다. 6월 21일 오후 내내 소련 대사 블라디미르 데카노조프는 독일 항공기가 또다시 국경을 침범한 일에 대해 가볍게 항의하고자 외무부에 전화를 걸어 리벤트로프와 약속을 잡으려 했다. 나치 외무부는 리벤트로프가 "시내에 없다"고 했다. 그런 다음 22일 오전 2시가 되어 리벤트로프가 오전 4시에 외무부에서 대사를 접견할 것이라는 통지를 받았다. 외무인민위원 대리이자 스탈린의 해결사이며 리투아니아 접수 계획의 주역인 소련 대사는 독일 외무부에서, 모스크바의 몰로토프와 마찬가지로, 일생일대의 충격을 받았다. 동석했던 슈미트 박사가 그 광경을 묘사했다.

---

* 이렇게 해서 베테랑 대사의 외교 경력이 끝났다. 독일로 귀국해 은퇴를 강요당한 슐렌부르크는 베크, 괴르델러, 하셀 등이 이끄는 반대파에 가담했고, 한때는 반나치 정권의 외무장관 후보자였다. 하셀은 슐렌부르크가 1943년에 스탈린과 독일 반나치 정부 간의 강화 교섭을 논의하기 위해 러시아 전선을 넘어갈 의향이 있었다고 전한다. (*The Von Hassell Diaries*, pp. 321-322) 슐렌부르크는 1944년 7월의 반히틀러 음모 이후 체포되어 투옥되었고, 11월 10일 게슈타포에 의해 처형되었다.

나는 데카노조프가 도착하기까지 5분간만큼 리벤트로프가 흥분한 모습을 본 적이 없었다. 그는 마치 우리에 갇힌 동물처럼 방안을 이리저리 서성였다. …

데카노조프가 나타났고, 분명히 무언가 잘못되었음을 짐작하지 못한 채 리벤트로프에게 손을 내밀었다. 우리는 자리에 앉았고 … 데카노조프는 본국 정부를 대신해 명확히 할 필요가 있는 몇 가지 질문을 하려고 했다. 하지만 그가 입을 열기 무섭게 리벤트로프가 무표정한 얼굴로 끼어들며 말했다. "지금 그게 문제가 아닙니다." …

오만한 나치 외무장관은 그 문제가 무엇인지 설명하고, 그 시각에 슐렌부르크가 몰로토프에게 읽어주고 있던 문서의 사본을 대사에게 건네며, 지금 이 순간 독일군이 소련 국경에서 "군사적 대응조치"를 취하고 있다고 통지했다. 깜짝 놀란 소련 대사는, 슈미트에 따르면, "곧바로 평정을 되찾고" 사태 전개에 "깊은 유감을 표하며" 독일에 책임을 물었다. "그는 자리에서 일어나 건성으로 인사한 뒤 악수도 없이 방에서 나갔다."[113]

이렇게 해서 나치와 소련의 밀월관계는 끝났다. 1941년 6월 22일 오전 3시 30분, 크렘린과 빌헬름슈트라세에서 외교상의 형식적 절차가 마무리되기 30분 전에 수백 킬로미터에 걸친 전선에서 히틀러의 포성이 그 밀월관계를 영원히 날려버렸다.

독일의 포격에 앞서 다른 외교 전주곡도 있었다. 6월 21일 오후, 히틀러는 동프로이센의 음산한 숲속 소도시 라슈텐부르크 인근에 새로 자리잡은 지하 본부인 '늑대굴'의 책상에 앉아 무솔리니에게 보낼 장문의 편지를 구술했다. 다른 모든 침공 때와 마찬가지로, 이번에도 히틀러는 친구이자 주요 동맹자인 무솔리니를 충분히 신뢰하지 않아 마지막 순간까지 기밀을 알려주지 않았다. 그렇지만 이제 정말 막판에 이르러 기밀을 알려주었다. 히틀러의 서한은 그가 이 치명적인 조치, 오랫동안 바깥 세계를 어리둥절하게 만들고 그 자신과 제3제국의 종말로 나아가는 길을 닦은 조치를 취한 이유와 관련해 우리가 가지고 있는 가장 의미심장하고 확실한 증거다. 분명 이 서한은 우방들까지 속이려 했던 히틀러의 상투적인 거짓말과 얼버무림으로 가득하다. 하지만 그런 거짓말과 얼버무림의 이면과 행간에서, 1941년 여름 2차대전이 본격적으로 시작되는 시점에, 히틀러의 기본적인 생각과 세계정세에 관한 진정한 평가—비록 틀렸을지언정—가 어떠했는지 드러난다.

두체!
수 개월간 초조하게 숙고하고 내내 조마조마하며 기다린 끝에 내 인생에서 가장 어려운 결정을 내리는 순간에 당신에게 이 편지를 쓰고 있습니다.
정황: 잉글랜드는 이번 전쟁에서 졌습니다. 물에 가라앉는 사람처럼 잉글랜드는 지푸라기라도 잡으려 합니다. 그렇다 해도 잉글랜드의 희망 중 일부에는 당연히 일정한 논리가 없지 않습니다. … 프랑스가 파괴되자 … 영국 전쟁광들의 시선은 줄곧 그들이 전쟁을 일으키려는 장소로 향했습니다. 바로 소비에트 러시아입니다.
소비에트 러시아와 잉글랜드 두 나라 모두 … 장기전으로 기진맥진한 … 유럽에 똑같이 관심이 있습니다. 이 두 나라의 배후에는 이들을 부추기는 북아메리카연합이 있습니다. … [강조는 히틀러]

이어서 히틀러는 소련의 방대한 군대가 자신의 배후에 있는 한, 영국을 굴복시킬 총공격—"특히 공중에서"—을 위해 병력을 집결시킬 수 없다고 설명했다.

실제로 러시아의 모든 가용한 병력이 우리 국경에 집결해 있습니다. … 만약에 독일 공군을 잉글랜드에 투입해야 하는 사정이 생긴다면 러시아가 강탈 전략을 취하기 시작할 위험이 있고, 나로서는 공군력의 열세를 의식해 잠자코 양보할 수밖에 없을 것입니다. … 잉글랜드가 러시아의 협력에 희망을 걸 수 있게 된다면, 강화에 나설 의향은 점점 줄어들 것입니다. 사실 이 희망은 러시아 군대의 준비가 진행될수록 자연히 커질 수밖에 없습니다. 그리고 이 희망의 배후에는 잉글랜드가 1942년에 넘겨받기를 희망하는 미국의 대규모 군수물자가 있습니다. …

따라서 나는 끊임없이 고심한 끝에 결국 올가미에 단단히 걸리기 전에 그것을 잘라내기로 결심했습니다. … 현재 나의 전반적인 견해는 다음과 같습니다.

1. **프랑스**는 종래와 같이 신뢰하지 않는다.

2. **북아프리카** 자체는, 당신 두체의 식민지들에 관한 한, 아마도 가을까지 위험하지 않을 것이다.

3. **에스퍄냐**는 우유부단하여—유감스럽게도—전쟁의 결과가 확실해진 후에야 어느 한쪽 편을 들 것이다.

…

5. 가을 이전에 **이집트**를 공격하는 것은 논외다. …

6. **미국**이 참전할지 여부는 이미 동원 가능한 전력으로 우리의 적을 지원하고 있는 만큼 대수롭지 않은 문제다.

7. 잉글랜드 자체의 상황은 나쁘다. 식량과 원료의 공급이 꾸준히 어려워지

고 있다. 전쟁을 수행하려는 사기는 결국 희망에 의해서만 유지된다. 이 희망의 근거는 오직 두 가지, 바로 러시아와 미국이다. 우리가 미국을 제거할 가망은 없다. 그러나 러시아를 물리칠 힘은 우리에게 있다. 이와 동시에 러시아 제거는 동아시아에서 일본의 부담이 엄청나게 줄어든다는 것을 의미하며, 따라서 일본의 개입을 통해 미국의 활동에 훨씬 더 큰 위협을 가할 가능성을 의미한다.

나는 이런 상황에서 크렘린의 위선적인 연기에 종지부를 찍기로 결심했습니다.

독일은 소련에서 이탈리아 병력이 전혀 필요하지 않을 것이라고 히틀러는 말했다. (프랑스 정복은 나누었지만 이제 러시아 정복의 영광을 나눌 생각은 없었던 것이다). 하지만 이탈리아는 북아프리카에서 전력을 강화하고 "프랑스가 조약을 위반할 경우 프랑스로 진격할" 준비를 하는 방법으로 "결정적인 도움을 줄" 수 있었다. 이것은 땅에 굶주린 두체를 꾀기에 좋은 미끼였다.

잉글랜드에서의 공중전에 관한 한, 우리는 한동안 수세를 유지할 것입니다. … 동부 전쟁에 관해 말하자면, 두체, 분명히 힘들 테지만, 나는 대성공을 거두리라는 것을 한순간도 의심하지 않습니다. 나는 무엇보다도 우리가 우크라이나에서 공동의 식량 공급 기지를 확보하여 장차 우리에게 필요할지 모르는 추가 공급을 받을 수 있기를 희망합니다.

그런 다음 기밀을 파트너에게 더 일찍 귀띔하지 않은 데 대해 양해를 구했다.

두체, 내가 이 순간까지 기다렸다가 당신에게 정보를 알리는 것은 최종 결정 자체가 오늘 밤 7시 정각에야 내려질 것이기 때문입니다. …

어떤 결정이 내려지든 간에, 두체, 이 조치의 결과로 우리의 상황이 더 나빠질 일은 없습니다. 좋아질 수만 있습니다. … 그럼에도 잉글랜드가 엄연한 사실로부터 아무런 결론도 도출하지 않는다면, 우리는 배후의 안전을 확보한 뒤 더욱 강한 전력으로 적을 해치우는 데 전념할 수 있습니다.

끝으로 히틀러는 마침내 마음을 정해 큰 시름을 덜었다고 말했다.

… 하나만 더 말하겠습니다, 두체. 나는 고투 끝에 이 결정을 내렸기 때문에 그만큼 정신적으로 홀가분합니다. 소련과의 동반자 관계는, 최종 조정을 이루기 위해 우리가 그야말로 진지하게 노력했음에도 불구하고, 내게는 자주 무척 짜증나는 일이었습니다. 이런저런 방식으로 나의 모든 근원, 나의 구상, 나의 기존 의무감과 단절되는 것처럼 느껴졌기 때문입니다. 이제 그런 정신적 고뇌에서 벗어나 다행입니다.

진심 어린 동지로서의 인사를 보내며.

당신의

아돌프 히틀러[114]

6월 22일 오전 3시 정각, 독일군이 침공을 개시하기 겨우 30분 전, 로마의 비스마르크Bismarck 대사는 치아노를 깨워 히틀러의 장문의 편지를 전달했고, 이탈리아 외무장관은 리초네의 여름별장에서 쉬고 있던 무솔리니에게 전화를 걸었다. 두체가 추축국 파트너의 메시지 때문에 오밤중에 잠에서 깬 것은 이번이 처음은 아니었다. 두체는 발끈했다. "나는 밤중에는 하인이라도 귀찮게 하지 않건만 독일 측은 아무 때고 최소한의 배려도 없이 나를 침대에서 일으켜 세우지"라고 무솔리니는 치아노에게 투덜댔다.[115] 그럼에도 무솔리니는 눈을 비벼 졸음을 쫓자마자 지금 즉시 소련에 선전포고를 하라고 명령했다. 이제 그는 완전히 독일의 포로가 되어 있었다. 그는 그 사실을 알았고 그것에 분개했다. "나는 이 동부 전쟁에서 단 한 가지, 독일군이 깃털을 많이 잃기만을 바라네"라고 치아노에게 말했다.[116] 그럼에도 무솔리니는 이제 자신의 미래가 오로지 독일군에 달려 있음을 깨달았다. 그는 독일군이 소련에서 승리할 것을 확신하면서도 그들이 적어도 코피 정도는 흘리기를 바랐다.

독일군의 피해가 코피 정도로 그치지 않으리라는 것을 무솔리니는 알 수도 짐작할 수도 없었다. 어느 진영이든 서방의 다른 모든 사람도 마찬가지였다. 6월 22일 일요일 아침, 과거 1812년에 나폴레옹이 모스크바로 향하고자 네만 강을 건넜던 날, 그리고 나폴레옹의 나라 프랑스가 콩피에뉴의 숲에서 항복한 지 꼭 1년이 되는 날, 아돌프 히틀러의 기갑부대들, 기계화부대들, 그리고 이제까지 불패인 부대들이 네만 강과 다른 여러 강을 도하하여 삽시간에 러시아로 뚫고 들어갔다. 붉은군대는 온갖 경고와 경고 징후에도 불구하고, 할더 장군이 첫날 일기에 썼듯이, "전선 전체에서 전술상 기습을 당했다".* 독일군은 최전선의 교량들을 모두 온전한 상태로 장악했다. 할더가 전하듯이, 사실 국경의 대다수 장소들에서 소련군은 전투 태세로 전개되어 있지도 않았고, 저항을 조직하기도

---

* 할더의 첫날 일기에는 흥미로운 기록이 있다. 독일 측이 감시하던 소련의 라디오 방송국들이 다시 방송을 시작했다고 언급한 뒤, 할더는 이렇게 썼다. "그들은 일본 측에 러시아와 독일 간의 정치적·경제적 불화를 중재해줄 것과 독일 외무부와의 접촉을 끊지 말 것을 요청했다." 과연 스탈린은 — 공격 개시 9시간 후인데도 — 공격을 어떻게든 중지시킬 수 있다고 믿었던 것일까?

전에 제압당했다. 소련 항공기 수백 대가 비행장들에서 파괴되었다.* 며칠 사이에 포로 수만 명이 쏟아져 들어오기 시작했으며, 부대들 전체가 순식간에 포위당했다. '폴란드 전역Feldzug in Polen'이 고스란히 재현될 것처럼 보였다.

평소 신중하던 할더는 참모본부의 최신 보고서들을 검토한 뒤 7월 3일 일기에 "러시아 작전은 14일 만에 승리했다고 해도 과언이 아니다"라고 적었다. 그리고 몇 주 안에 다 끝날 것이라고 덧붙였다.

---

* 제4군의 참모장 귄터 블루멘트리트 장군이 훗날 회상하기를, 독일군의 포가 이미 표적을 겨냥하고 있던 21일 자정을 조금 지난 시각에 베를린-모스크바 급행열차가 부크 강의 독일 국경을 지나고 강을 건너 브레스트-리토프스크 쪽으로 "사고 없이" 갔다. 그에게는 "기이한 순간"이었다. 그에게 거의 똑같이 기이했던 것은, 독일군이 강습을 시작했음에도 소련군이 응사하지 않은 일이었다. "러시아군은 우리 전선에서 기습에 완전히 당했다." 동이 틀 무렵 독일군의 신호소들은 붉은군대의 무선망을 엿들었다. "우리는 포격당하고 있다. 어떻게 해야 하는가?" 블루멘트리트는 소련군의 교신 하나를 인용한다. 본부의 회답은 이러했다. "제정신이야? 그리고 왜 암호로 보내지 않는 거야?" (*The Fatal Decisions*, edited by Seymour Freidin and William Richardson)

제24장

전세 역전

1941년 초가을, 히틀러는 소련이 끝장났다고 믿었다.

30개 보병사단과 15개 기갑사단 또는 차량화사단으로 이루어진 보크 원수의 중부집단군은 전투 개시 3주 만에 비아위스토크에서 스몰렌스크까지 725킬로미터를 밀고 들어갔다. 과거 1812년에 나폴레옹이 행군했던 대로를 따라 동쪽으로 320킬로미터만 더 가면 모스크바였다. 북쪽에서는 21개 보병사단과 6개 기갑사단으로 이루어진 레프 원수의 집단군이 발트 국가들을 지나 레닌그라드를 향해 빠르게 북진하고 있었다. 남쪽에서는 25개 보병사단, 4개 차량화사단, 4개 산악사단, 5개 기갑사단으로 이루어진 룬트슈테트 원수의 집단군이 드니프로 강과 히틀러가 탐내는 비옥한 우크라이나의 수도 키이우를 향해 진격하고 있었다.

OKW가 성명으로 밝혔듯이 발트 해에서 흑해에 이르는 1600킬로미터 전선에서 독일군이 **계획대로** 착착 전진하고 있었으며, 나치 독재자는 소련군 부대들이 잇따라 항복하거나 흩어지는 가운데 독일군의 파죽지세가 이어지리라 확신한 나머지 침공을 시작한 지 불과 3주 지난 7월 14일에 지령을 내려 육군의 전력을 "가까운 장래에 대폭 축소"하고 군비 생산을 해군 함정과 공군 항공기에, 특히 마지막으로 남은 적인 영국과의 전쟁을 위해, 그리고 "만일의 경우 미국과의" 전쟁을 위해 항공기에 집중할 것이라고 통지했다.[1] 9월 말에는 최고사령부에 40개 보병사단을 해체하고 그 인력을 산업 분야에서 활용할 준비를 하라고 지시했다.[2]

소련에서 가장 큰 두 도시, 즉 표트르 대제가 발트 해에 면하는 수도로 건설한 레닌그라드와 당시 볼셰비키의 수도인 유서 깊은 모스크바는 히틀러가 보기에 함락 직전이었다. 9월 18일, 그는 엄명을 내렸다. "레닌그라드 또는 모스크바의 항복은 설령 제안이 오더라도 수락해서는 안 된다."[3] 두 도시를 어떻게 할지에 관해서는 9월 29일 지령에서 사령관들에게 명확히 알렸다.

총통은 상트페테르부르크[레닌그라드]를 지상에서 없애버리기로 결정했다. 소비에트 러시아를 타도하고 나면 이 대도시의 존속 여부는 우리의 관심사가 아니다. …

우리의 의도는 이 도시를 포위하고 포격과 지속적인 공습으로 초토화하는 것이다. …

도시를 인수하라는 요청이 있어도 거절할 것이다. **그곳 주민의 생존과 식량 공급 문제는 우리가 해결할 수도 없고 해결해서도 안 되는 문제이기 때문이다.** 이번 전쟁에서 우리는 이 대도시 인구의 일부라도 살려두는 일에 관심이 없다. [강조는 원문 그대로]*[4]

---

* 몇 주 후에 괴링은 치아노에게 이렇게 말했다. "올해 러시아에서는 2000만에서 3000만 명이 굶어 죽을 텐데, 그렇게 되어도 좋을 것이다. 특정한 민족들은 섬멸해야 하기 때문이다. 설령 좋은 일은 아니더라도 어쩔 수 없는 일이다. 명백히 인류는 굶어 죽을 운명이고, 최후까지 살아남는 것은 우리 두 민족일 것이기 때문이다. … 러시아 포로수용소들에서 그들은 서로를 먹기 시작했다."

같은 주의 10월 3일, 베를린으로 돌아온 히틀러는 독일 국민에게 전하는 연설에서 소련의 붕괴를 선포했다. "저는 오늘 아무런 거리낌도 없이 동방의 적이 쓰러졌고 다시는 일어서지 못할 것이라고 선언하는 바입니다. … 우리 군대의 후방에는 이미 제가 집권한 1933년 독일 제국 영토의 두 배에 달하는 영토가 있습니다."

10월 8일 모스크바 남쪽의 요충 도시인 오룔이 함락되었을 때, 히틀러는 언론담당관 오토 디트리히를 그곳으로 파견했다. 이튿날 항공기편으로 베를린으로 돌아온 디트리히는 세계 주요 언론의 통신원들에게 온전하게 남은 마지막 소련 병력으로서 모스크바를 방어하고 있는 세묜 티모셴코Semyon Timoshenko 원수의 부대가 수도의 전면에서 독일군의 철통같은 양익 포위에 갇혔고, 세묜 부됸니Semyon Budyonny 원수의 부대가 패주해 흩어졌고, 보로실로프 원수 휘하 60~70개 사단이 레닌그라드에서 포위되었다고 말했다.

디트리히는 의기양양하게 결론지었다. "모든 군사적 목표와 관련해 소비에트 러시아는 끝났습니다. 양면 전쟁이라는 영국의 꿈은 사라졌습니다."

히틀러와 디트리히의 이런 호언장담은 아무래도 시기상조였다.* 사실 소련군은 6월 22일 기습을 당했고, 그로 인해 병력과 장비에서 큰 손실을 입었으며, 최정예 전력 중 일부가 황급히 퇴각하거나 포위되긴 했지

(*Ciano's Diplomatic Papers*, pp. 464-465)

* 그렇지만 미국 참모본부의 경고만큼 시기상조는 아니었다. 7월에 미국 참모본부는 본국의 신문 편집책임자들과 워싱턴 주재 통신원들에게 소련의 붕괴가 불과 몇 주밖에 남지 않았다고 비밀리에 통지했다. 그러니 1941년 10월 초에 히틀러와 디트리히가 그렇게 선언한 것을 독일과 그 밖의 나라들뿐 아니라 미국과 영국에서도 널리 믿은 것은 놀랄 일이 아니다.

만, 7월부터는 독일 국방군이 일찍이 맞닥뜨린 적 없는 응전 태세를 보이기 시작했다. 할더의 일기, 그리고 중부전선에서 대규모 기갑집단을 지휘하던 구데리안 장군과 같은 최전선 사령관들의 보고서에도 현재 격전 중이다, 소련군이 필사적으로 버티며 반격하고 있다, 소련군뿐 아니라 독일군도 심각한 손실을 입었다는 등의 언급이 속속 등장하기 시작했다—나중에는 그런 서술로 가득차기에 이르렀다.

훗날 블루멘트리트 장군은 이렇게 썼다. "[민스크를 노린] 첫 전투에서부터 러시아군의 행동은 패배한 폴란드군이나 서부 연합군의 행동과는 현저히 대비되었다. 포위되었을 때조차 러시아군은 물러서지 않고 싸웠다."[5] 그리고 소련군은 히틀러가 상상했던 것보다 더 많은 병력과 더 좋은 장비를 갖추고 있었다. 독일 첩보기관이 전혀 알아채지 못한 새로운 소련군 사단들이 속속 전투에 투입되었다. 할더는 8월 11일 일기에 이렇게 썼다. "우리가 대국 러시아의 힘을 경제와 운수 분야만이 아니라 무엇보다 군사 분야에서 과소평가했다는 것이 갈수록 분명해지고 있다. 당초 우리는 적에게 약 200개 사단이 있다고 추산했으나 이미 확인된 사단만 360개다. 10여 개 사단을 섬멸하면 러시아군은 곧장 다른 10여 개 사단을 투입한다. 이 광대한 공간에서 우리의 전선은 너무 얇다. 두께가 없다. 그 결과, 적의 반복 공격이 자주 얼마간 성공을 거둔다." 룬트슈테트는 전후에 연합국 심문관들에게 툭 터놓고 말했다. "저는 공격을 개시한 직후에 이제껏 나온 러시아에 관한 모든 글이 헛소리였음을 깨달았습니다."

몇몇 장군, 그중에서도 구데리안, 블루멘트리트, 제프 디트리히는 러시아의 T-34 전차를 처음 조우했을 때의 놀라움을 글로 써서 남겼다. 이전까지 들어본 적도 없는 이 전차는 방호력이 얼마나 대단한지 독일 대전차포의 포탄을 피해 없이 튕겨버렸다. 이 전차의 등장은 이른바 '전차 공포'의 시작이었다고 훗날 블루멘트리트는 말했다. 또한 독일군이 2차 대전 개시 후 지상군을 엄호하고 미리 정찰하는 압도적인 제공권의 혜택을 누리지 못한 것도 처음이었다. 작전 첫날에 지상에서, 그리고 전투 초기에 공중에서 심각한 손실을 입었음에도, 소비에트 전투기들은 새로운 육군 사단들과 마찬가지로 어딘가에서 계속 나타났다. 더욱이 독일군이 쾌속 진격하긴 했으나 소련에 적합한 비행장이 남아 있지 않았기 때문에 후방의 너무 멀리 떨어진 독일 전투기 기지에서는 최전선을 효과적으로 엄호할 수가 없었다. "진격의 몇몇 단계에서 나의 전차부대들은 전방의 엄호가 부족해 곤란을 겪었습니다"라고 훗날 클라이스트 장군은 리델 하트에게 말했다.[6]

이 외에도 소련군에 대한 독일의 오판, 클라이스트가 리델 하트에게 말했고 그해 여름에 서방의 다른 대다수 사람들도 피하지 못한 오판이 있었다.

클라이스트는 이렇게 말했다. "승리의 희망은 대체로 침공으로 인해 러시아에서 정치적 격변이 일어날 것이라는 전망에 근거했습니다. … 스탈린이 참패를 당하면 국민들이 그를 타도할 것이라는 믿음에 너무 큰 희망을 걸었던 것입니다. 총통의 정치 고문들이 그 믿음을 조장했습니다."[7]

실제로 히틀러는 요들에게 "우리가 문짝을 걷어차기만 해도 낡아 빠진 건물 전체가 허물어질 것이다"라고 말했다.

총통은 머지않아 7월 중순이면 문짝을 걷어찰 기회를 잡을 수 있을 것으로 보았다. 그때 독일군 최고사령부에서 전략을 둘러싸고 처음으로 격론이 벌어졌고, 총통이 최고위급 장군들 대다수의 반대를 무릅쓰고 결단을 내렸다. 할더가 "동부 작전에서 저지른 최악의 전략적 실수"로 판명날 것이라고 생각한 결정이었다. 쟁점은 간단하지만 중대했다. 독일의 세 주요 집단군 가운데 가장 강력하고 당시까지 가장 성공을 거둔 보크의 중부집단군이 7월 16일에 도달한 스몰렌스크에서 320킬로미터를 더 진격해 모스크바를 공격해야 하는가? 아니면 히틀러가 지난 12월의 지령 제18호에 명시한 원래 계획대로 북쪽 측면과 남쪽 측면에서 주공을 펴는 방안을 고수해야 하는가? 달리 말하면, 주요 표적을 모스크바로 정할 것인가, 레닌그라드와 우크라이나로 정할 것인가였다.

브라우히치와 할더가 이끌고 보크와 구데리안이 뒷받침하는 육군 최고사령부는 소련의 수도를 향해 총력으로 진격할 것을 주장했다. 당시 보크의 중부집단군이 주요 간선도로를 통해 모스크바로 진격하고 있었고, 구데리안의 기갑전력이 그 선봉을 맡고 있었다. 육군 최고사령부의 논거에는 적국의 수도를 점령한다는 심리적 효과 이상의 것이 들어 있었다. 그들이 히틀러에게 상기시켰듯이, 모스크바는 군비 생산의 핵심 거점일 뿐 아니라 더 중요하게는 러시아에서 운수교통 체계의 중심이기도 했다. 독일이 모스크바를 점령하면 소련은 군비의 주요 공급지를 잃을 뿐 아니라 멀리 떨어진 전선까지 병력과 보급물자를 수송하지도 못할 테고, 그렇게 되면 약해지고 움츠러들고 무너질 터였다.

그리고 장군들이 이제는 최고사령관인 왕년의 상병에게 개진한 결정적인 논거가 있었다. 그들의 모든 첩보 보고서는 당시 소련의 주력이 수도를 총력 방어하기 위해 모스크바 전면으로 집결하고 있음을 보여주었다. 보크의 양익 포위에서 벗어난 소련군 50만 명이 수도로 향하는 독일군을 저지하기 위해 스몰렌스크 바로 동쪽에서 참호를 파고 있었다.

[할더가 종전 직후 연합국에 제출하려고 준비한 보고서에 적음][8] 그런 이유로 러시아 전력의 무게 중심은 중부집단군 전선에 있었다. …

참모본부는 적의 군사력을 격파하는 것이 작전의 목표여야 한다는 생각을 주입당했고, 따라서 가장 긴급한 다음 과제는 가용한 모든 병력을 중부집단군에 집중해 티모셴코의 병력을 격파하고, 모스크바로 진격해 적군의 저항의 신경중추를 차지하고, 적군의 새로운 대형들을 파괴하는 것이라고 생각했다. 그 계절이 다가왔으므로 이 공격을 위한 병력 집결을 최대한 조속히 수행해야 했다. 그사이에 북부집단군은 애초의 임무를 완수하고 핀란드군과의 접촉을 꾀할 예정이었다. 남부집단군은 동쪽으로 더 진격해 가장 강력할지도 모르는 적군을 붙잡아둘 예정이었다.

… 참모본부와 최고사령부[OKW] 간의 구두 회의가 결렬된 뒤, 육군 총사령관[브라우히치]은 참모본부의 의견서를 히틀러에게 제출했다.

할더의 일기로 알 수 있듯이, 이 의견서를 제출한 날이 8월 18일이었다. "그 결과는 파탄이었다"라고 할더는 전한다. 히틀러는 우크라이나의 식량지대와 공업지대에, 그리고 캅카스 산맥 바로 너머에 있는 소련의 유전에 눈독을 들이고 있었다. 게다가 키이우를 가르는 드니프로 강의 동안에서 아직 버티고 있는 부돈니의 병력을 옭아맬 절호의 기회가 왔다고 생각했다. 또한 레닌그라드를 손에 넣고 북부에서 핀란드군과 합류하기를 원했다. 이런 이중 목표를 달성하려면 중부집단군에서 몇몇 보병사단과 기갑사단을 떼어내 북부와 특히 남부로 보내야 했다. 모스크바는 내버려두어도 괜찮았다.

8월 21일, 히틀러는 자신에게 반항하는 참모본부에 새 지령을 하달했다. 할더는 이튿날 일기에 그 지령을 글자 그대로 옮겨 적었다.

동부에서 작전을 지속하자는 육군의 제안은 나의 의도에 부합하지 않는다. 겨울이 오기 전에 달성해야 하는 가장 중요한 목표는 모스크바를 함락하는 것이 아니라 크름 반도, 도네츠 분지의 공업지대와 탄광지대를 차지하고 캅카스 지역에서 러시아의 석유 공급을 차단하는 것이다. 북부에서의 목표는 레닌그라드를 포위하고 핀란드군과 연합하는 것이다.

히틀러는 남부 드니프로 강변에서 완강히 저항하며 며칠간 자신을 짜증나게 한 소련 제5군을 철저히 분쇄해야 하고, 우크라이나와 크름 반도를 점령해야 하고, 레닌그라드를 포위하고 핀란드군과 합류해야 한다고 명시했다. "그런 후에야 티모셴코의 군을 격파할 수 있는 조건이 마련될 것이다."

[할더가 비통한 심정으로 논평함] 이렇듯 모스크바 전면에서 러시아군을 결정적으로 격파한다는 목표는 귀중한 공업지대를 획득하고 러시아의 유전지대를 향해 진격하고픈 욕구에 밀려났다. … 이제 히틀러는 레닌그라드, 스탈린그라드 둘 다 손에 넣는다는 생각에 사로잡혀 있는데, 이 '공산주의의 신성한 도시들'을 함락하고 나면 러시아가 붕괴할 것이라고 확신하기 때문이다.

엎친 데 덮친 격으로, 히틀러는 자신의 전략적 천재성을 알아보지 못하는 원수들이나 장군들에게 할더의 표현대로 (육군의 8월 18일 의견서에 대한) "반박 의견서"를 보냈다. 참모본부가 보기에 이 의견서는 육군 최고사령부가 "시대에 뒤처진 이론에 고착된 정신들"로 넘쳐난다는 등의 "모욕으로 가득"했다.

"참을 수 없다! 전대미문이다! 여기까지다!"라고 할더는 이튿날 일기에서 씩씩거렸다. 할더는 그날 오후와 저녁 내내 브라우히치 원수와 함께 육군 최고사령부와 참모본부의 소임에 참견하는 총통의 "용납할 수 없는" 행태에 관해 상의한 뒤 결국 둘 다 사임하자고 제안했다. "브라우히치는 사임이 현실적이지 않고 아무것도 바꾸지 못할 것이라는 이유로 거절했다"라고 할더는 적었다. 배짱이라곤 없는 원수는 다른 수많은 경우와 마찬가지로 이번에도 왕년의 상병에게 굴복했다.

이튿날인 8월 23일, 구데리안 장군이 총통 본부에 도착하자 할더는 그 재앙적인 결정을 단념하도록 히틀러를 설득해보라고 부추겼다. 구데리안도 그럴 작정이었으므로 이 고집 센 기갑부대 지휘관을 굳이 부추길 필요는 없었다. 그런데 브라우히치가 제동을 걸었다. 육군 총사령관은 구데리안에게 "귀관이 총통 앞에서 모스크바 문제를 거론하는 것을 금한다. 남부에서 작전을 펴라는 명령이 내려졌다. 지금 문제는 그저 작전을 어떻게 수행하느냐는 것이다. 토론은 무의미하다"라고 말했다.

그러나 구데리안은 히틀러 앞으로 안내받았을 때—브라우히치도 할더도 동행하지 않았다—지시를 어기고 당장 모스크바를 맹공격해야 한다고 최대한 강하게 주장했다.

[훗날 구데리안이 씀] 히틀러는 내가 끝까지 말하도록 놔두었다. 그런 다음 자신이 다른 결정을 내리기까지 고려한 것들을 상세히 설명했다. 그는 우크라이나의 원재료와 농업이 향후 전쟁 수행에 반드시 필요하다고 말했다. 크름 반도, "루마니아 유전을 공격할 소비에트 항공모함"을 무력화할 필요성에 대해 말했다. 그가 사용하는 "나의 장군들은 전쟁의 경제적 측면을 전혀 모른다"라는 표현을 처음으로 들었다. … 그는 키이우 공격을 긴급한

전략 목표로 정하고 이 목표를 염두에 두고서 모든 조치를 수행하라고 엄명을 내렸다. 그곳에서 나는 나중에 매우 익숙해질 광경을 처음으로 보았다. 참석자 모두—카이텔과 요들을 비롯한 사람들—가 히틀러가 내뱉는 모든 말에 동의하며 고개를 끄덕였고, 내 의견에는 누구 한 명 동조하지 않았다. …[9]

그러나 할더는 그때까지의 토론에서 동의하며 고개를 끄덕인 적이 한 번도 없었다. 이튿날 구데리안이 할더를 만나 히틀러의 마음을 바꾸지 못했다고 보고했을 때, 참모총장은 "놀랍게도 완전히 신경쇠약에 걸려 전혀 정당하지 않은 비난과 비방을 퍼부었다".*

이것은 전쟁을 시작한 이래 독일군 최고사령부가 봉착한 가장 큰 위기였다. 그 후로 더욱 심각한 위기와 역경이 뒤따를 터였다.

중부전선에서 구데리안의 기갑부대와 그 밖의 보병사단들을 빼내 병력을 증강함으로써 가능해진 룬트슈테트의 남부 공세 자체는 구데리안의 표현대로 엄청난 전술적 성공이었다. 9월 19일 키이우가 함락되었고—독일군 부대들은 이미 키이우를 지나 240킬로미터를 더 진격한 상태였다—26일에는 독일 측 주장에 따르면 결국 소련군 66만 5000명이 투항하는 것으로 키이우 전투가 끝났다. 히틀러가 보기에는 "세계 역사상 가장 위대한 전투"였다. 그러나 대단한 성취이긴 해도 장군들 중 일부는 이 전투의 전략적 의미에 관해 의구심을 품었다. 기갑부대를 잃은 보크

---

* 할더는 8월 24일 일기에서 전혀 다른 이야기를 한다. 할더는 구데리안이 히틀러를 만난 뒤 "무책임하게도" 마음을 바꿨다고 비난했고, 누군가의 성격을 바꾸려는 시도가 얼마나 소용없는 일인지에 관해 골똘히 생각했다고 적었다. 구데리안의 주장대로 할더가 "완전히 신경쇠약"에 걸렸다 해도, 그 날 할더의 현학적인 일기는 그가 금세 회복했다는 것을 알려준다.

의 중부집단군은 스몰렌스크를 조금 지난 데스나 강변에서 두 달 동안 대기할 수밖에 없었다. 소련의 도로를 진창으로 바꾸어놓을 가을 우기가 다가오고 있었다. 그다음은 겨울, 추위와 눈의 차례였다.

모스크바 대공세

히틀러는 브라우히치, 할더, 보크의 끈질긴 주장에 모스크바 진격을 재개한다는 데 마지못해 동의했다. 그러나 너무 늦어버렸다! 할더는 9월 5일 오후에 히틀러를 만났고, 이제 마음을 정한 총통은 크렘린을 서둘러 차지하려 했다. "중부전선에서 8일에서 10일 내에 시작하라"고 최고사령관은 명령했다("불가능하다!"라고 할더는 일기에서 소리를 질렀다). 히틀러는 "적을 포위해 타격하고 섬멸하라"라고 부언하면서 당시 우크라이나에서 아직 한창 싸우고 있던 구데리안의 기갑집단을 중부집단군에 돌려주고 레닌그라드 전선에 있는 라인하르트의 기갑군단까지 보태주겠다고 약속했다. 하지만 기갑전력이 복귀하고 재정비하고 준비를 마치려니 10월 초까지 시간이 걸렸다. 10월 2일, 마침내 대공세가 시작되었다. 작전의 암호명은 '태풍'이었다. 강력한 바람, 사이클론으로 소련군을 타격하고 모스크바 전면에서 그들의 마지막 전투부대를 섬멸하여 소련을 허물어뜨린다는 구상이었다.

그러나 그때 나치 독재자는 다시 한 번 과대망상에 사로잡혔다. 겨울이 오기 전에 러시아 수도를 차지하는 것으로는 충분하지가 않다. 그래서 북부의 레프 원수에게 모스크바 공세와 **동시에** 레닌그라드를 함락하고, 그 도시 너머에서 핀란드군과 만나 계속 진격해 무르만스크 철도를 차단하라고 명령했다. 아울러 룬트슈테트에게도 흑해 연안을 정리하고, 로스토프를 차지하고, 마이코프 유전을 장악하고, 볼가 강변의 스탈린그라드로 진격해 캅카스 지역과 스탈린의 마지막 연결고리를 끊어버리라고 명령했다. 룬트슈테트는 히틀러에게 이 명령은 부대의 좌측면을 위험하게 노출한 채 드니프로 강을 지나 600킬로미터 이상 진격한다는 것을 의미한다고 설명하려 했다. 그러자 최고사령관은 이제 남부의 소련군은 이렇다 할 저항에 나설 능력이 없다고 말했다. 그토록 터무니없는 명령에 "크게 웃었다"고 말하는 룬트슈테트는 곧 히틀러의 예상과 정반대되는 전황을 맞닥뜨렸다.

과거 나폴레옹이 택했던 도로를 따라 진군한 독일군은 처음에는 그야말로 휘몰아치는 태풍의 기세로 진군했다. 10월의 첫 2주 동안 독일군은 훗날 블루멘트리트의 표현처럼 "교과서 같은 전투"를 치른 끝에 뱌지마와 브랸스크 사이에서 소련 2개 군을 포위해, 그들의 주장대로라면, 포로 65만 명에 더해 포 5000문과 전차 1200대를 포획했다. 10월 20일경 독일군의 선봉 기갑부대는 모스크바까지 65킬로미터 지점에 도달했으며, 소련의 각 부처나 외국 대사관들은 황급히 볼가 강변의 쿠이비셰프로 대피했다. 말에서 떨어져 쇄골이 부러지는 바람에 잠시 병원 신세를 지고 있던 냉철한 할더까지도 이제 사령부에서 대담하게 지휘하고 순조로운 날씨가 이어질 경우, 소련의 혹독한 겨울이 오기 전에 모스크바를 점령할 수 있다고 생각했다.

그렇지만 가을비가 내리기 시작했다. 진창의 시기를 의미하는 라스푸티차Rasputitsa에 들어선 것이다. 차량으로 이동하는 대군은 속도가 느려졌고 자주 멈출 수밖에 없었다. 또 포나 탄약을 실은 트럭을 진창에서 끌어내기 위해 전차를 전장에서 불러들여야 했다. 그런데 이 작업에 필요한 체인이나 연결장치가 부족해서, 다른 군수품을 운반하는 데 절실히 필요한 공군 수송기를 동원해 밧줄 꾸러미를 공중에서 투하해야 했다. 가을비는 10월 중순에 시작되었고, 훗날 구데리안이 회상했듯이 "그다음 몇 주는 진흙에 좌우되었다". 클루게 원수 휘하 제4군의 참모장 블루멘트리트 장군은 모스크바 전투가 한창일 때의 곤경을 다음과 같이 생생하게 묘사했다.

보병은 진창에서 주르륵 미끄러지고 포 하나를 끄는 데에도 말이 여럿 필요하다. 모든 차륜차량이 차축까지 진흙 속에 처박힌다. 트랙터라 해도 아주 힘겹게 이동할 수 있을 뿐이다. 아군의 중포 태반은 금세 옴짝달싹 못하게 되었다. … 이 모든 일로 이미 기진맥진한 우리 장병이 얼마나 고생했을지 능히 상상할 수 있을 것이다.[10]

할더의 일기, 구데리안과 블루멘트리트를 비롯한 독일 장군들의 보고서에서 처음으로 의구심의 징후가 슬금슬금 나타나기 시작하더니 이윽고 절망의 징후로 바뀌었다. 그 징후는 야전의 하급장교들과 병사들에게로 퍼졌다—혹은 어쩌면 그들로부터 비롯되었을 것이다. 블루멘트리트는 이렇게 회고했다. "그리고 벌써 모스크바가 거의 시야에 들어온 때에 지휘관들과 병사들의 분위기가 변하기 시작했다. 적의 저항이 강경해졌고 전투가 더 치열해졌다. … 아군의 중대들 태반은 불과 60명이나 70명으로 줄어들었다." 쓸 만한 포와 전차가 부족했다. "겨울이 시작되기 직전이었지만 방한복은 감감무소식이었다. … 전선의 한참 후방에서 빨치산부대들이 광대한 숲과 습지에서 처음으로 존재감을 드러내기 시작했다. 보급부대들이 자주 매복 공격을 당했다."

그러자 블루멘트리트가 기억하듯이 지난날 모스크바를 향해 똑같은 길을 택했던 프랑스 대육군의 망령이, 나폴레옹의 운명에 관한 기억이 나치 정복자들의 꿈에 나오기 시작했다. 독일 장군들은 1812년 겨울에 러시아에서 프랑스 정복자가 겪은 재앙을 묘사한 콜랭쿠르[나폴레옹의 부관으로 1812년 러시아 원정을 겪었다] 후작의 암울한 회고록을 읽기 시작하거나 다시 읽었다.

기온은 조금 더 높았으나 비와 진흙은 똑같이 심각했던 한참 남쪽의 상황도 잘 풀리지 않고 있었다. 클라이스트의 전차부대는 11월 21일 괴벨스의 선전 악단이 "캅카스의 관문"이 열렸다고 팡파르를 울리는 가운데 돈 강 어귀의 로스토프에 진입했다. 그 관문은 그리 오랫동안 열려 있지 않았다. 클라이스트와 룬트슈테트 모두 로스토프를 고수할 수 없다는 것을 깨달았다. 닷새 후에 소련군은 로스토프를 탈환했고, 북쪽 측면과 남쪽 측면 양면에서 공격받은 독일군은 미우스 강까지 80킬로미터를 황급히 퇴각했다. 클라이스트와 룬트슈테트는 우선 그곳에서 동계 전선을 구축하려 했다.

로스토프에서의 퇴각은 제3제국의 역사에서 또 하나의 작은 전환점이다. 나치의 부대가 중대한 좌절을 겪은 것은 이번이 처음이었다. "우리의 불운은 로스토프에서 시작되었다"라고 훗날 구데리안은 말했다. "그것은 불길한 징조였다." 그 대가로 독일 육군의 고급장교 룬트슈테트 원수가 지휘권을 잃었다. 그가 미우스 강으로 퇴각하던 도중에

[룬트슈테트가 훗날 연합국 심문관들에게 말함] 갑자기 총통의 명령서가 제게 전달되었습니다. "귀관의 현 위치를 고수하고 더 이상 퇴각하지 마라." 저는 즉시 타전했습니다. "위치를 고수하는 것은 무모하다. 첫째로 아군으로서는 그것이 불가능하고, 둘째로 퇴각하지 않을 경우 전멸당할 것이다.

본관은 이 명령을 철회하거나 다른 누군가를 찾을 것을 거듭 요청한다.” 같은 날 저녁 총통의 회답이 도착했습니다. “귀관의 요청에 응한다. 귀관의 지휘권을 포기하라.”

“그런 다음 저는 귀국했습니다”라고 룬트슈테트는 말했다.*[11]

이렇듯 히틀러가 많은 장군들의 반론에도 불구하고 멀리 있는 부대들에 어떤 위기가 닥치든 현 위치를 완강히 사수하라고 명령한 집념 때문에 그나마 독일 육군이 그 후 몇 달 사이에 완전히 무너지지는 않았던 것일지도 모른다. 그러나 그 집념은 스탈린그라드를 비롯한 여러 재앙으로 귀결되었고 히틀러의 운명을 결정짓는 데 일조했다.

그해 겨울 소련에서는 폭설과 영하의 기온이 일찍 찾아왔다. 구데리안은 모스크바 진격을 막 재개한 10월 6일 밤부터 7일 아침에 걸쳐 첫눈이 내렸다고 기록했다. 그러자 구데리안은 본부에 방한복, 특히 두툼한 부츠와 두툼한 모직 양말을 보급해달라고 다시 요청했다. 10월 12일, 그는 눈이 여전히 내린다고 기록했다. 11월 3일에는 첫 한파가 닥쳐 온

---

* 할더는 11월 30일 일기에서 룬트슈테트의 미우스 강으로의 퇴각과 히틀러의 원수 해임을 묘사하며 “총통, 극도로 격앙(Grösste Aufregung)”이라고 썼다. “총통은 브라우히치를 불러 비난을 퍼붓고 질책했다.” 이날 할더는 일기 첫머리에 11월 26일까지의 독일군 사상자 수치를 기록했다. “동부군 총 손실(병자는 제외): 장병 74만 3112명 — 전체 병력 320만의 23퍼센트.”
12월 1일, 할더는 룬트슈테트가 라이헤나우로 교체되었다고 기록했다. 라이헤나우는 프랑스 전장에서 지휘했던 제6군을 여전히 지휘하고 있었으며, 그의 제6군은 클라이스트의 기갑부대 북쪽에서 고투한 뒤 당시 로스토프에서 퇴각하고 있었다. “라이헤나우가 총통에게 전화해 오늘 밤 미우스 선까지 후퇴하는 것을 허락해달라고 요청했다. 요컨대 아군의 상황은 어제와 정확히 같다. 그러나 시간과 병력을 낭비하고 룬트슈테트를 잃었다. 브라우히치의 건강은 지속적인 흥분의 결과로 또다시 불안해지고 있다.” 11월 10일, 할더는 육군 총사령관이 심각한 심근경색을 앓았다고 기록한 바 있었다.

도계의 기둥이 빙점 아래로 내려간 데 이어 계속 떨어졌다. 11월 7일 구데리안은 휘하 장병의 "심각한 동상 사례들"을 처음 보고했고, 13일에는 기온이 섭씨 영하 22도까지 떨어져 방한복 부족을 "점점 더 실감하고 있다"라고 적었다. 모진 추위는 인간뿐 아니라 포나 기계류의 성능에도 영향을 주었다.

[구데리안이 씀] 전차 궤도용 방활구防滑具가 아직 도착하기 전이어서 결빙이 여러 문제를 일으키고 있었다. 추위로 인해 망원 조준기가 무용지물이 되었다. 전차의 시동을 걸기 위해 전차 아래에서 불을 피워야 했다. 연료가 때때로 얼었고 석유가 점성액으로 변했다. … [제112보병사단의] 각 연대는 동상으로 이미 약 500명을 잃었다. 추위 탓에 기관총을 더 이상 발사할 수 없었고, 아군의 37밀리 대전차포는 [러시아군의] T-34 전차에 아무런 타격 효과도 없는 것으로 판명되었다.[12]

"그 결과로 멀리 후방의 노긴스크까지 공포감이 퍼졌다"라고 구데리안은 말한다. "러시아 작전 기간에 그런 일이 발생한 것은 이번이 처음이었으며, 그것은 아군 보병의 전투 능력이 한계에 다다랐다는 경고였다."

그런데 보병만이 아니었다. 11월 21일 할더가 일기에 갈겨쓴 대로, 구데리안이 전화를 걸어와 휘하 기갑부대가 "한계에 다다랐다"고 말했다. 이 강인하고 공격적인 전차 지휘관이 털어놓기를, 이날 중부집단군 사령관 보크를 찾아가 "명령을 수행할 방도가 없으니" 자신이 받은 명령을 변경해달라고 요청하기로 결심했다는 것이다. 구데리안은 그날 매우 침울한 심정으로 글을 썼다.

맹추위, 엄폐물 부족, 의복 부족, 인력과 장비의 큰 손실, 아군의 참담한 연료 보급 상태 ─ 이 모든 것이 사령관의 임무를 비극으로 만들고, 시간이 갈수록 내가 짊어져야 하는 엄청난 책임감에 더욱 짓눌리게 된다.[13]

훗날 과거를 돌아보며 구데리안은 이렇게 덧붙였다.

이 비참한 겨울 동안 러시아의 광활한 대지에 쏟아져 길 위의 만물을 뒤덮는 눈을 직접 보고 설원을 몰아쳐오는 얼음장 같은 바람을 느껴본 자, 그 무인지대를 몇 시간이고 진군한 끝에 너무도 얇은 엄폐물에 복장이 변변찮고 반쯤 굶주린 사람들밖에 발견하지 못한 자, 그리고 반대로 잘 먹고 따뜻하게 입고 동계 전투를 치르기에 충분한 장비를 갖춘 생기 있는 시베리아인들을 목격한 자만이 … 그때 일어난 사태를 진정으로 판단할 수 있다.[14]

그 사태를 이제 간략하게 이야기할 테지만, 그전에 한 가지를 강조해야 한다. 러시아의 겨울은 끔찍했고 당연히 독일군보다 소련군이 겨울에 더 잘 대비하긴 했지만, 이제부터 살펴볼 사태에서 주된 요인은 날씨가 아니라 붉은군대의 치열한 전투 자세와 포기하지 않겠다는 불굴의 의지였다. 그 증거로 할더의 일기나 독일 야전사령관들의 보고서는 소련군이 얼마나 격렬하게 공격하고 반격하는지에 대한 놀라움, 독일군이 얼마나 차질을 빚고 손실을 입는지에 대한 좌절감을 끊임없이 표현한다. 나치 장군들은 소련 체제의 압제적인 특성이나 독일군이 첫 타격으로 입힌 재앙적인 손실을 고려할 때, 소련군이 무너지지 않는 이유를 도무지 이해할 수가 없었다. 프랑스군을 비롯해 다른 많은 군대들이 변명거리가 더 적은데도 맥없이 무너졌던 것과는 딴판이었다.

"10월 말에서 11월 초에 걸쳐 우리는 그간 난타당한 러시아군이 하나의 군대로서는 거의 소멸했다는 것을 그들 스스로 전혀 모르는 듯하다는 사실에 경악하고 실망했다"라고 블루멘트리트는 썼다. 구데리안은 모스크바로 가던 도중 오룔에서 제정 러시아 시대의 퇴역 노장군을 만난 일화를 전한다.

[퇴역 장군이 구데리안에게 말함] 그대들이 20년 전에만 왔다면 우리는 쌍수 들고 환영했을 겁니다. 하지만 너무 늦었습니다. 우리는 막 자립하기 시작했는데 그대들은 지금 도착해서는 우리를 20년 전으로 돌려보내려 합니다. 그렇게 되면 우리는 처음부터 전부 다시 시작해야 합니다. 지금 우리는 러시아를 위해 싸우고 있고 그 대의로 모두 단결하고 있습니다.[15]

그렇다 해도 11월 말에 이르러 새로이 눈보라가 몰아치고 혹한이 이어지는 가운데 히틀러와 대다수 장군들은 머지않아 모스크바를 함락할 것이라고 보았다. 이 수도의 북쪽, 남쪽, 서쪽에서 독일군이 표적까지 30~50킬로미터 지점에 도달해 있었다. 저 멀리 동프로이센의 본부에서 지도를 들여다보던 히틀러에게는 이 마지막 거리가 전혀 멀어 보이지 않았다. 그의 부대들은 이미 800킬로미터를 진격했고 남은 거리는 50킬로미터뿐이었다. "마지막으로 한 번만 힘을 쓰면 승리할 걸세"라고 11월 중순에 히틀러는 요들에게 말했다. 11월 22일, 모스크바에 최후의 일격을 가하려는 중부집단군을 지휘하던 보크 원수는 할더에게 전화를 걸어 당시 상황과 "투입된 마지막 대대가 전투를 결판지은" 마른 전투를 비교했다. 적의 저항이 거세지고 있음에도 보크는 할더에게 "모든 것을 얻을 수 있을" 것으로 믿는다고 말했다. 11월 마지막 날에 보크는 문자 그대로 휘하의 마지막 대대를 투입하고 있었다. 이튿날인 1941년 12월 1일이 소련의 심장부를 마지막으로 총공격하는 날이었다.

총공격은 철통같은 저항에 부딪혔다. 역대 최대 규모의 기갑전력이 하나의 전선에 집결했다. 회프너 장군의 제4기갑집단과 헤르만 호트 장군의 제3기갑집단이 모스크바 바로 북쪽에서 남진했고, 구데리안의 제2기갑군이 모스크바 바로 남쪽의 툴라에서 북진했으며, 글루게의 강대한 제4군이 중앙에서 정동쪽으로 수도를 에워싼 숲을 헤치며 진격했다—이 막강한 대열에 히틀러는 큰 기대를 걸고 있었다. 12월 2일, 제258보병사단의 정찰대대가 모스크바 교외의 힘키까지, 크렘린의 첨탑이 보이는 곳까지 침투했지만, 이튿날 아침 소수의 전차와 도시의 공장에서 황급히 동원한 노동자들로 이루어진 혼성부대에 의해 격퇴되었다. 이때가 독일군 부대가 모스크바에 가장 가까이 다가간 경우였다. 크렘린을 언뜻 본 것은 이때가 처음이자 마지막이었다.

심한 위경련으로 고생하던 보크는 이미 12월 1일 저녁에 할더에게 전화해 약화된 병력을 더 이상 "운용"할 수 없다고 말했다. 참모총장은 보크의 기운을 북돋우려 애썼다. "마지막으로 힘을 내 적을 쓰러뜨리려 시도해야 한다. 그래도 역부족이라면 우리는 새로운 결론을 도출해야 할 것이다." 이튿날 할더는 일기에 간단히 적었다. "적의 저항이 최고조에 달했다." 다음날인 12월 3일 보크가 할더에게 다시 전화했고, 할더가 보크의 메시지를 일기에 기록했다.

제4군의 선봉은 양익이 전진하지 못하는 바람에 다시 격퇴당했다. … 아군의 전력이 한계에 다다르는 순간을 직시해야 한다.

보크가 수세로 전환하는 방안을 처음으로 거론하자 할더는 "최고의 방어는 공격을 고수하는 것"임을 일깨우려 했다.

소련군과 날씨를 고려하면, 말이 쉽지 행하기는 어려웠다. 이튿날인 12월 4일, 남쪽에서 제2기갑군으로 모스크바를 공략하려다 저지당한 구데리안은 온도계가 영하 31도까지 내려갔다고 보고했다. 이튿날에는 5도가 더 내려갔다. 그의 전차들은 "거의 이동 불가"였고 부대의 양익과 툴라 북쪽의 후미가 위협받고 있었다.

12월 5일은 결정적인 날이었다. 모스크바 주위로 반원을 그리는 320킬로미터의 전선 어디서나 독일군은 저지당했다. 저녁에 구데리안은 보크에게 자신이 저지당했을 뿐 아니라 후퇴하지 않을 수 없다고 통지했고, 보크는 할더에게 전화해 "이제 힘이 다했다"고 말했으며, 브라우히치도 절망에 빠져 할더에게 육군 총사령관직을 그만두겠다고 말했다. 독일 장군들에게는 암울하고 쓰라린 날이었다.

[훗날 구데리안이 씀] 이때 처음으로 이런 종류의 결정을 내려야 했다. 그보다 더 어려운 결정은 없었다. … 우리의 모스크바 공격은 허물어지고 말았다. 용맹한 아군의 모든 희생과 인내가 수포로 돌아갔다. 우리는 비통하게 패배했다.[16]

클루게의 제4군 본부에서 참모장 블루멘트리트는 전쟁이 전환점에 이르렀음을 깨달았다. 훗날 이때를 회고하며 그는 이렇게 썼다. "1941년에 전쟁에서 러시아를 때려눕힌다는 우리의 희망은 마지막 순간에 꺾이고 말았다."

이튿날인 12월 6일, 불과 6주 전에 소련군 중부전선 사령관 티모셴코

원수를 대체한 게오르기 주코프Georgi Zhukov 장군이 반격에 나섰다. 모스크바 전면 320킬로미터 전선에서 주코프는 7개 군과 2개 기병군단ー총 100개 사단ー을 출격시켰다. 이 병력은 혹독한 추위와 높이 쌓인 눈 속에서 싸우도록 훈련받은 신병이나 전투 경험이 풍부한 병사로 구성되었고 장비를 갖추고 있었다. 이 비교적 알려지지 않은 장군이 보병, 포, 전차, 기병, 항공기로 이루어진 막강한 전력, 히틀러로서는 꿈에도 생각하지 못한 전력으로 가한 일격이 얼마나 갑작스럽고 충격적이었던지, 독일 육군과 제3제국은 이때 입은 손실을 끝내 완전히 회복하지 못했다. 혹한이 이어지는 가운데 12월 후반에서 1월에 걸친 몇 주 동안 소련군에 난타당하고 전선이 계속 뚫리면서 퇴각한 독일군은 꼭 130년 전 나폴레옹의 대육군과 마찬가지로 소련의 눈 속에서 와해되어 사라질 수도 있을 것처럼 보였다. 몇몇 결정적인 순간에는 거의 그렇게 될 뻔했다. 제3제국의 군대를 완전한 붕괴로부터 구한 것은 히틀러의 굳건한 의지와 결단력, 그리고 분명 독일 군인들의 굽히지 않는 정신이었을 것이다.

그러나 실패의 대가는 엄청났다. 붉은군대를 휘청거리게 만들었으나 쓰러뜨리지는 못했다. 모스크바를 공략하지 못했고, 레닌그라드와 스탈린그라드, 캅카스 지역의 유전도 마찬가지였다. 영국이나 미국과 통하는 소련 북쪽과 남쪽의 생명선도 여전히 열려 있었다. 2년이 넘도록 연전연승하던 히틀러의 군대는 처음으로 우세한 적군에 밀려 퇴각하고 있었다.

이게 전부가 아니었다. 실패의 대가는 더 컸다. 할더는 적어도 훗날에 가서 그 대가를 깨달았다. "독일 육군의 불패 신화가 깨졌다"라고 그는 썼다. 독일군은 다음 여름이 왔을 때 소련에서 다시금 승리를 거두었지만, 끝내 불패 신화를 복원할 수 없었다. 따라서 1941년 12월 6일은 제3제국의 짧은 역사에서 또 하나의 전환점이자, 가장 치명적인 전환점 중 하나였다. 당시 히틀러의 권력은 최정점에 올라 있었다. 이제부터는 그가 침략하기로 선택했던 국가들이 반격이 나섬에 따라 그 정점에서 점차 내려올 터였다.

당시 독일군 최고사령부와 야전사령관들을 상대로 대대적인 개편이 이루어지고 있었다. 소련군의 역공에 독일군이 얼어붙은 도로와 눈으로 덮인 전장에서 후퇴하는 가운데, 독일군 수뇌부의 장군들이 잘려나가기 시작했다. 앞에서 언급했듯이 룬트슈테트가 로스토프에서 부득이 퇴각했다는 이유로 남부집단군 사령관직에서 해임되었다. 12월의 퇴각으로 보크의 위통이 더 심해졌고, 모스크바 인근에서 난타당하며 끝없이 밀려나던 제4군의 클루게 원수가 12월 18일 보크를 대신해 중부집단군 사령관이 되었다. 대규모 기갑전을 창시해 현대 전투에 혁신을 일으킨 늠름한 구데리안 장군마저도 상부의 허락 없이 퇴각을 명했다는 이유로―크리스마스 당일에―파면되었다. 구데리안 못지않게 탁월한 전차 사령관으로서 북부에서 제4기갑집단을 이끌어 모스크바가 보이는 지점까지 진격했다가 격퇴당한 회프너 장군도 같은 이유로 히틀러에 의해 돌연 파면된 데 더해 계급을 박탈당하고 군복 착용마저 금지당했다. 1년 전에 헤이그에서 공수작전을 이끌어 철십자장을 받았던 한스 폰 슈포네크Hans von Sponeck 장군은 소련군이 배후에서 상륙한 이후 12월 29일 크름 반도에서 휘하 군단 예하 1개 사단을 퇴각시켰다는 이유로 더욱 가혹한 응징을 당했다. 즉석에서 계급을 박탈당했을 뿐 아니라 수감된 뒤 군사재판을 받았고, 결국 히틀러의 요구에 따라 사형선고를 받았다.*

간도 쓸개도 없는 카이텔마저 최고사령관과 갈등을 빚었다. 12월 초

에는 재앙을 피하기 위해 모스크바 일대에서 전면 퇴각할 필요가 있다는
것 정도는 카이텔이라도 판단할 수 있었던 것이다. 그러나 카이텔이 용
기를 내 그렇게 진언하자 히틀러는 면전에서 호되게 질책하며 "돌대가
리"라고 소리쳤다. 요들이 잠시 후에 보니 불행한 OKW 총장은 책상에
서 곁에 권총을 올려둔 채 사직서를 쓰고 있었다. 요들은 권총을 말없이
치우고는 당장 물러나지 말고 총통의 모욕을 감내하도록 카이텔을 설득
했다―그리 어려운 설득은 아니었던 모양이다. 카이텔은 놀라운 인내심
으로 최후의 순간까지 요들의 말대로 했다.[17]

　항상 이길 것을 고집하는 최고사령관 밑에서 항상 이길 수는 없는 육
군을 이끌던 브라우히치 원수는 중압감에 심근경색이 재발했고, 주코프
가 역공에 나서자 총사령관직에서 물러나기로 결심했다. 12월 15일, 퇴
각하는 전선을 시찰하고 본부로 복귀한 브라우히치는 할더의 눈에 "매우
지쳐" 보였다. "브라우히치는 절망적인 형세에서 육군을 구해낼 방도를
더 이상 찾지 못한다"라고 할더는 일기에 적었다. 육군 총사령관은 백계
무책이었다. 브라우히치는 12월 7일 히틀러에게 해임해줄 것을 요청하
고 12월 17일에 다시 요청했다. 이틀 후에 사임이 정식으로 승인되었다.
총통은 본인이 직접 육군 수장으로 앉힌 사람을 정말로 어떻게 생각하는
지에 관해 석 달 후 괴벨스에게 말했다.

　[괴벨스가 1942년 3월 20일 일기에 씀] 총통은 그[브라우히치]에 관해 말했다.
　허명무실하고 겁이 많고 너절한 놈 … 바보 얼간이.[18]

---

* 슈포네크 처형은 그가 전혀 관여하지 않은 1944년 7월의 반히틀러 음모가 발각된 후에야 집행되
었다.

또 히틀러는 측근들에게 브라우히치에 대해 이렇게 말했다. "그는 군인이 아니다. 허수아비다. 브라우히치가 몇 주만 더 자리를 보전했다면 파국을 맞았을 것이다."[19]

군부에서 브라우히치의 후임을 예측하긴 했지만, 그 예측은 오래전 힌덴부르크의 후임에 대한 짐작과 마찬가지로 크게 빗나갔다. 12월 19일, 히틀러는 할더를 불러 자신이 육군 총사령관직을 맡겠다고 통보했다. 그리고 할더에게 원한다면 참모총장직을 유지해도 좋다고 말했다―할더는 원한다고 했다. 하지만 이제부터는 자신이 독일의 거의 모든 부문을 관장하듯이 육군도 직접 관장하겠다는 점을 히틀러는 분명히 했다.

[히틀러가 할더에게 말함] 작전 지휘라는 이 작은 일은 누구나 맡을 수 있다. 육군 총사령관의 임무는 육군을 국가사회주의 방식으로 훈련시키는 것이다. 그 임무를 내가 원하는 만큼 해낼 수 있는 장군을 나는 알지 못한다. 따라서 육군 지휘권을 직접 넘겨받기로 결정했다.[20]

이렇게 해서 프로이센 장교단에 대한 히틀러의 승리가 완료되었다. 과거 빈의 떠돌이, 왕년의 상병이 이제 국가수반, 전쟁장관, 독일군 최고사령관, 육군 총사령관이 되었다. 할더가 (일기에서) 불평했듯이, 이제 장군들은 히틀러의 특이한 전략관에 입각한 명령을 전달하는 우체부에 지나지 않았다.

실제로 이 과대망상증 독재자는 곧 역대 독일 제국들을 통틀어 어느 누구도―황제든 국왕이든 대통령이든―보유하지 못했던 권한을 합법화함으로써 자신의 존재감을 더욱 키웠다. 1942년 4월 26일, 총통의 발의라면 무턱대고 찬성하는 제국의회는 법률 하나를 통과시켰다. 그 내용인즉 히틀러에게 모든 독일인의 생사를 좌우할 절대적 권한을 부여하고 그 권한을 방해하는 다른 모든 법률의 효력을 정지한다는 것이었다. 조문을 살펴보지 않고는 믿을 수 없을 지경의 법률이었다.

… 독일 국민이 존속하느냐 절멸하느냐 하는 투쟁에 직면한 이번 전쟁에서 총통은 승리를 촉진하거나 쟁취하는 데 기여하는 모든 권리를 요구하고 보유할 수밖에 없다. 따라서 국가의 지도자, 군대의 최고사령관, 정부의 수반과 최고행정관, 최고법관, 당의 수장의 자격으로 총통은—기존의 법적 규제에 구애받는 일 없이—필요할 경우 일반 병사와 장교, 관료나 법관의 지위 고하, 당직자의 지위 고하, 노동자와 고용주를 막론하고 모든 독일인에게 의무를 다하도록 가용한 모든 수단으로 강제할 수 있는 위치에 있어야만 한다. 이런 의무를 위반하는 사례가 발생할 경우, 총통은 신중하게 심사한 뒤, 소위 마땅히 보유하는 권리와 상관없이, 규정된 절차를 안내할 필요 없이, 위반자에게 응당한 처벌을 내리고 위반자를 그의 직책, 계급, 지위에서 배제할 자격을 지닌다.[21]

실로 아돌프 히틀러는 독일의 지도자에 그치지 않고 '법' 자체가 된 것이다. 심지어 중세에도, 더 거슬러 올라가 야만적인 부족사회에서조차 명목상으로나 법률상으로나 실제상으로나 이 정도로 전제적인 권한을 행사한 독일인은 일찍이 없었다.

그러나 이 권한을 더하지 않더라도 히틀러는 이제 직접 지휘하게 된 육군의 절대적인 지배자였다. 그 혹독한 겨울에 히틀러는 무자비한 조치를 취했다. 바로 난타당한 독일군이 과거 나폴레옹의 군대처럼 얼어붙고 눈으로 막힌 행군로를 따라 모스크바로부터 후퇴하는 것을 저지하는 조치였다. 히틀러는 퇴각을 일체 금했다. 독일 장군들은 히틀러가 굽히지 않은 이 완강한 태도의 공과에 관해, 그 태도가 육군을 완전한 재앙으로부터 구했는지 아니면 불가피한 대규모 손실을 오히려 더 늘렸는지에 관해 오랫동안 논쟁해왔다. 대다수 사령관들은 각자의 위치를 유지할 수 없게 되었을 때 후퇴할 자유가 주어졌다면 많은 인력과 장비를 구하고, 더 나은 위치에서 재정비하고, 더 나아가 반격까지 할 수 있었을 것이라고 주장해왔다. 실제로 적시에 퇴각했다면 위기에서 벗어날 수 있었을 법한 사단들 전체가 자주 압도적인 공격을 받거나 포위당하여 분쇄되고 말았다.

그런데 훗날 일부 장군들은 독일군의 현지 사수와 전투를 고집한 히틀러의 강철 같은 의지가 아마도 육군이 눈밭에서 완전히 무너지는 결과를 막았을 것이라는 점에서 그의 전시 최대 업적이라는 것을 마지못해 인정했다. 이 견해는 블루멘트리트 장군이 가장 잘 요약했다.

어떤 위치에 있든 상관없이 도저히 견딜 수 없는 상황일지라도 각 부대는 현지를 사수하라는 히틀러의 광적인 명령은 틀림없이 옳았다. 히틀러는 눈과 얼음 속에서 퇴각하게 되면 며칠 내로 전선의 붕괴로 이어질 것이고 그렇게 되면 국방군이 프랑스 대육군과 같은 운명을 맞으리라는 것을 직관적으로 알고 있었다. … 도로와 철도가 눈으로 막혀 있었으므로 퇴각은 개활지에서만 실행할 수 있었다. 그런 식으로 퇴각하다 며칠 밤이 지나면 부대들은 더 견디지 못했을 것이고, 어디에서든 그냥 누워서 죽었을 것이다. 그들이 퇴각할 수 있도록 준비된 진지가 후방에 없었고, 그들이 고수할 수 있는 어떠한 선도 없었다.[22]

군단장 쿠르트 폰 티펠슈키르히Kurt von Tippelskirch도 같은 의견이었다.

그것은 히틀러의 대단한 업적이었습니다. 그 결정적인 순간에 군대는 나폴레옹의 모스크바 후퇴에 관해 들었던 말을 기억하고 있었고, 그 그림자 아래에서 목숨을 부지했습니다. 만약 군대가 후퇴하기 시작했다면 공황 상태의 지리멸렬한 도주로 바뀌었을 겁니다.[23]

독일 육군은 전선뿐 아니라 멀리 후방의 본부에서도 공황 상태에 빠져 있었으며, 할더가 그러한 상태를 일기에 생생하게 기록했다. 1941년 크리스마스 당일 할더의 일기는 "무척 힘겨운 날!"이라는 표현으로 시작했고, 새해에 들어선 뒤에도 소련군에 의한 추가 돌파나 여러 아군 부대의 심각한 상황을 묘사할 때면 일기 첫머리에 이 표현을 거듭 사용하곤 했다.

12월 29일 — 또다시 위태로운 날! … 총통과 클루게의 극적인 장거리 통화. 총통은 제4군의 북익이 더 이상 퇴각하는 것을 금한다. 지휘관들이 허둥대는 듯한 제9군은 매우 심각한 위기다. 정오에 클루게가 흥분해 전화했다. 제9군은 르제프 후방으로 퇴각하기를 바라고 있다. …
1942년 1월 2일 — 격전의 날! … 제4군과 제9군에 중대한 위기. … 러시아군이 말로야로슬라베츠 북부를 돌파해 전선에 큰 구멍을 냈고 현재로서는 어떻게 전선을 복구할 수 있을지 알기 어렵다. … 이 상황에서 클루게는 축 늘어진 전선을 뒤로 물릴 것을 요구한다. 총통과 매우 험악한 논쟁, 하지만 총통은 입장 고수. 결과와 상관없이 전선을 유지할 것이다. …
1월 3일 — 말로야로슬라베츠와 보롭스크 사이를 돌파당한 결과 전황이 더욱 위태로워졌다. 퀴블러*와 보크는 매우 흥분했고 허물어지는 북부 전선에서 퇴각할 것을 요구했다. 다시 한 번 총통이 극적인 장면을 연출했고, 장군들에게 힘든 결정을 내릴 용기가 있는지 의심했다. 그러나 영하 30도일 때에는 부대가 진지를 유지할 수 없는 법이다. 총통은 명령했다. 더 이상 퇴각이 필요한지 여부는 자신이 직접 결정하겠다고 …

이제 그런 문제는 총통이 아니라 러시아 육군이 결정하고 있었다. 히틀러는 독일군에 결연히 버티다가 죽으라고 명령할 수는 있었지만, 크누트 대왕이 밀려오는 파도를 막지 못했듯이 소련군의 진격을 막을 수는 없었다[11세기 잉글랜드 국왕 크누트는 바닷가에 의자를 놓고 앉아 자신을 향해 밀려오는 파도에 멈추라 명령했다고 한다]. 우왕좌왕하는 와중에 최고사령부의 일부 장교들이 독가스를 사용하면 국면을 타개할 수 있을지 모른다고 제안했다. "옥스너Ochsner 대령이 러시아군을 상대로 독가스전을 펼치자고 나를 설득하려 했다"라고 할더는 1월 7일 일기에 적었다. 그것은 너무도 가혹한 처사라고 느껴졌던 모양이다. 아무튼 이 제안은 헛수고였다.

1월 8일은 할더가 일기에 썼듯이 "매우 결정적인 날"이었다. "수히니치[모스크바 남서쪽]에서 돌파당해 클루게는 견디지 못할 듯하다. 그 결과 클루게는 제4군의 전선 후퇴를 역설하고 있다." 그날 클루게는 온종일 전화로 히틀러와 할더에게 퇴각을 역설했다. 결국 저녁에 총통이 마지못

---

* 클루게가 중부집단군 사령관직을 맡은 뒤, 12월 16일 루트비히 퀴블러(Ludwig Kübler) 장군이 클루게를 대신해 제4군 사령관이 되었다. 퀴블러는 강인한 군인이었는데도 그 직책상의 중압감을 3주밖에 견디지 못하고 고타르트 하인리치(Gotthard Heinrici) 장군에게 자리를 넘겨주었다.

해 동의했다. 클루게는 "통신수단을 보호하기 위해 한 단계씩" 퇴각하는 것을 허락받았다.

본래 모스크바에서 크리스마스를 축하할 계획이었던 독일군은 그 암울한 겨울 내내 소련군의 포위와 돌파에 한 단계씩, 때로는 더 급속히 밀려나거나 후퇴할 수밖에 없었다. 2월 말에 독일군은 모스크바에서 120~320킬로미터 떨어져 있었다. 혹한의 그 2월 말에 할더는 불발된 러시아 모험의 인적 대가를 일기에 기록했다. 2월 28일까지 총 손실은 100만 5636명, 전 병력의 31퍼센트였다. 그중 사망이 20만 2251명, 부상이 72만 5642명, 실종이 4만 6511명이었다. (동상으로 인한 사상자는 11만 2627명이었다.) 이것은 헝가리군, 루마니아군, 이탈리아군이 러시아에서 입은 큰 손실을 포함하지 않은 수치였다.

봄이 와서 얼음이 녹자 기나긴 전선이 소강상태에 접어들었고, 히틀러와 할더는 (적어도 전선의 일부에서) 공세를 재개하기 위해 신규 부대를 편성하고 전차와 포를 증강할 계획을 세우기 시작했다. 그들은 장대한 전선 전체를 공격할 만한 전력을 다시는 갖추지 못했다. 혹독한 겨울의 손실과 무엇보다 주코프의 역공이 그 희망을 앗아갔다.

그런데 이제는 밝혀졌듯이, 히틀러는 소련을 정복하려는 도박이 실패했다는 것—6개월 동안만이 아니라 영원히—을 한참 전부터 알고 있었다. 1941년 11월 19일 일기에 할더는 총통이 최고사령부의 장교 몇 명 앞에서 한 긴 "강연"을 기록했다. 독일군 부대들이 모스크바에서 불과 수십 킬로미터 거리에 있고 그곳을 함락하고자 여전히 고투하고 있었음에도, 히틀러는 그해 러시아를 쓰러뜨린다는 희망을 버리고 벌써 이듬해를 염두에 두고 있었다. 할더는 총통의 생각을 메모했다.

내년의 목표. 우선 캅카스. 목적: 러시아의 남부 국경. 시기: 3월부터 4월까지. 북부에서는 올해의 작전을 마무리한 뒤, 볼로그다 또는 고르키.* 그러나 일러야 5월 말.

총통의 내년 목표는 열어두어야 한다. 그 목표는 우리 철도의 수송 능력에 달려 있다. 나중에 '동부 장벽'을 건설하는 문제도 열려 있다.

소련을 분쇄해버리면 동부 장벽은 필요하지 않을 것이다. 최고사령관의 말을 들으면서 할더는 그 문제를 곰곰이 생각했던 듯하다.

[할더가 결론지음] 전반적으로 내가 받은 인상은 히틀러가 이제는 어느 쪽도 상대방을 분쇄할 수 없고 결국 강화 교섭으로 귀결되리라는 것을 인식하고 있다는 것이다.

6주 전만 해도 베를린 방송에서 "아무런 거리낌도 없이 동방의 적이 쓰러졌고 다시는 일어서지 못할 것"이라고 선언했던 나치 정복자는 불현듯 깨달았을 것이다. 자신의 계획이 좌절되고 희망이 사라졌다는 것을. 2주 후인 12월 6일, 독일군이 모스크바 교외에서 격퇴당하기 시작하면서 그 계획과 희망은 더더욱 어그러졌다.

이튿날인 1941년 12월 7일 일요일, 지구 반대편에서 한 사건이 일어나, 히틀러가 아주 가볍게 유발했던 유럽 전쟁을 세계 전쟁으로 바꾸어놓았다. 비록 히틀러는 알 수 없었으나 그것은 장차 그의 운명과 제3제

---

* 볼로그다는 모스크바에서 북동쪽으로 480킬로미터 떨어져 있고 아르칸젤스크로 이어지는 철도의 요충지였다. 고르키는 모스크바에서 정동쪽으로 480킬로미터 떨어져 있다.

국의 운명을 결정할 사태였다. 일본군 폭격기들이 진주만을 공격했던 것이다. 이튿날* 히틀러는 늑대굴 본부에서 열차편으로 급히 베를린으로 돌아갔다. 그는 일본 측에 엄숙히 비밀 약속을 해준 적이 있었고, 이제 그 약속을 지킬—또는 어길—때가 왔다.

---

* 히틀러의 동태와 행방은 압수된 문서에 포함된 그의 일지에 적혀 있다.

제25장

미국의 차례

아돌프 히틀러는 1941년 봄 독일이 소련을 공격하기 직전, 추축국에 친화적인 일본 외무대신 마쓰오카 요스케와 베를린에서 일련의 회담을 하던 중 일본 측에 경솔한 약속을 했다. 이 회의에 관한 독일 측 기록을 보면, 히틀러가 어떻게 또다시 기념비적인 오판을 지질렀는지 되짚어볼 수 있다. 이 회의록과 똑같은 시기의 다른 나치 문서들은 미국의 잠재적인 군사력을 이해하기에 총통은 너무 무지했고 괴링은 너무 오만했고 리벤트로프는 너무 우매했다는 것을 보여준다—1차대전 중에 독일의 빌헬름 2세, 힌덴부르크, 루덴도르프가 저지른 대실책과 마찬가지였다.

히틀러의 대미국 정책에는 처음부터 근본적인 모순이 있었다. 히틀러는 미국의 군사력을 경멸할 뿐이면서도 2차대전의 첫 2년 동안 미국의 참전을 막고자 노력했다. 앞에서 언급했듯이, 미국의 참전을 저지하는 것이 워싱턴 주재 독일 대사관의 주요 과제였다. 대사관은 연방의회 의원들을 매수하고, 저술가들에게 지원금을 건네려 시도하고, 미국 우선주의위원회를 보조하는 등 미국의 고립주의파를 지원했고, 그로써 미국이 독일의 적들 편에서 전쟁에 가담하는 것을 막고자 무척 애를 썼다.

히틀러가 여러 사적인 발언으로 분명하게 밝혔듯이, 나치 독재자는 루스벨트 대통령이 이끄는 한 미국이라는 존재가 세계를 정복하고 지구를 추국 삼국으로 분할한다는 자신의 원대한 계획을 방해하리라는 것을 충분히 알고 있었다. 히틀러는 아메리카 공화국을 결국에는 "혹독하게" 처리해야 한다고 보았다. 하지만 한 시기에 한 나라만 상대해야 한다고 생각했다. 그것이 당시까지 그의 전략 성공의 비결이었다. 언젠가 미국의 차례가 올 테지만, 어디까지나 영국과 소련을 쓰러뜨린 이후다. 그때가 되면 일본과 이탈리아의 지원을 받아 벼락부자 미국을 처리할 속셈이었다. 고립되어 혼자인 미국은 승승장구하는 추축국의 힘에 쉽게 굴복할 터였다.

독일이 미국과 맞붙을 태세를 갖출 때까지 미국의 참전을 막으려는 히틀러의 노력에서 관건은 일본이었다. 1940년 3월 11일 리벤트로프가 무솔리니에게 지적한 대로, 일본은 미국이 1차대전 때처럼 독일에 맞서 유럽에 개입하려는 시도를 저지할 만한 대항력을 보유하고 있었다.¹

히틀러와 리벤트로프는 전시에 일본과 교섭하면서, 처음에는 중립 입장을 견지하도록 미국을 도발하지 않는 것이 중요하다고 강조했다. 1941년 초에 두 사람은 일본을 전쟁에 끌어들이고자 열성을 다했다. 그것은 미국에 맞서는 전쟁도, 독일이 조만간 공격할 소련에 맞서는 전쟁도 아니었다. 양국의 상대는 이미 패한 것이 분명한데도 굴복하지 않고 있는 영국이었다. 1941년 초에 독일은 일본에 대한 압박의 강도를 높였다. 2월 23일, 리벤트로프는 잘츠부르크 인근 푸슐의 강탈한 저택에서 성미가 불같고 다혈질인 일본 대사 오시마 히로시大島浩 장군을 접견했다. 나에게 실제 나치보다도 더 나치 같다는 인상을 자주 풍겼던 인물이다. 리벤트로프는 손님에게 이미 전쟁을 이기긴 했지만 일본이 "가급적 일찍—자국의 이익을 위해" 참전하여 아시아에서 영국 제국령을 차지해야 한다고 말했다.

[리벤트로프가 이어서 말함] 일본이 기습적으로 개입한다면 미국은 계속 전쟁에 관여하지 않게 된다. 미국은 현재 무장하지 않았고 하와이 서부에서 해군을 어떠한 위험에도 노출시키기를 주저할 것이며, 일본이 개입할 경우 더더욱 주저할 것이다. 일본이 그 밖의 점에서 미국의 이해관계를 존중한다면, 루스벨트가 위신 실추를 이유로 미국인에게 참전을 설득할 수도 없을 것이다. 일본이 필리핀을 차지하는 것을 미국이 방관하게 될 경우, 미국이 전쟁을 선포할 가능성은 매우 낮다.

설령 미국이 개입한다 해도 "삼국조약 국가들의 최종 승리는 위태로워지지 않을 것"이라고 리벤트로프는 단언했다. 일본 함대가 미국 함대를 쉽게 무찌를 것이고, 영국과 미국 둘 다 몰락하는 결과로 전쟁이 신속히 종결될 것이다. 리벤트로프가 계속 떠들어댄 이 전망은 싸우기 좋아하는 일본 사절을 들뜨게 하는 이야기였다. 리벤트로프는 워싱턴에서 교섭 중인 일본 측에 단호하고 "명료한 언어를 사용"할 것을 권고했다.

미국 측은 그들이 단호한 결의에 직면하고 있음을 깨달을 경우에만 망설일 것이다. 미국 국민은 … 아들을 희생시킬 마음이 없고, 따라서 어떠한 전쟁에든 가담하는 데 반대한다. 미국 국민은 루스벨트와 배후의 유대인 때문에 아무런 이유도 없이 전쟁에 말려들 수 있다는 것을 본능적으로 느끼고 있다. 그러므로 미국을 상대하는 우리의 정책은 명료하고 단호해야 한다. …

나치 외무장관은 한 가지 경고, 일전에 프랑코를 상대로는 참담할 정도로 통하지 않았던 경고를 했다.

행여 독일이 약해진다면, 일본은 곧장 전 세계와 대결하게 될 것이다. 우리는 모두 한 배를 타고 있다. 향후 수백 년을 좌우할 두 나라의 운명이 지금 결정될 참이다. … 독일의 패배는 곧 일본 제국주의 이념의 종언을 뜻할 것이다.[2]

히틀러는 군 사령관들과 외무부 간부들에게 새로운 대일본 정책을 알리기 위해 1941년 3월 5일 "일본과의 협력에 관한 기본 명령 제24호"라는 극비 지령을 내렸다.[3]

일본으로 하여금 가능한 한 조속히 **극동에서 적극적인 조치를 취하도록** 유도하는 것이 삼국조약에 기반하는 협력의 **목표**여야 한다. 그렇게 되면 영국의 강군이 행동에 제약을 받을 것이고, 미합중국 이해관계의 무게중심이 태평양으로 옮겨갈 것이다. …
전쟁 수행의 **공동 목표**는 영국을 신속히 굴복시키고 그로써 미합중국의 참전을 막는 데 중점을 두어야 한다. 극동에서 영국의 핵심 거점인 **싱가포르를 장악하는 것**은 삼국의 전쟁 수행 전체에서 결정적인 성공을 의미할 것이다. [강조는 히틀러]

히틀러는 일본이 영국의 다른 해군 기지들뿐 아니라 "미합중국의 참전을 막을 수 없을 경우" 미국의 기지들까지 장악하는 방책을 주장했다. 지령을 마무리하며 히틀러는 "일본 측에 바르바로사 작전을 절대로 암시하지 말아야 한다"라고 명령했다. 총통은 동맹국 일본을 동맹국 이탈리아와 마찬가지로 독일의 야심을 달성하는 데 활용할 작정이었고, 소련을 공격하려는 의도를 양국 정부에 털어놓을 생각이 없었다.

2주 후인 3월 18일, 히틀러와 카이텔, 요들도 출석한 회의에서 레더 제독은 싱가포르를 공격하도록 일본을 압박할 것을 강하게 촉구했다. "잉글랜드 함대 전체가 견제당하고, 미국이 대일본 전쟁에 준비되어 있지 않고, 미국 함대가 일본 함대에 비해 열세인" 지금처럼 유리한 기회는 두 번 다시 오지 않을 것이라고 레더는 설명했다. 싱가포르를 탈취하면 "미국 및 잉글랜드와 관련된 아시아의 다른 모든 문제가 해결"될 것이고, 일본이 원한다면 당연히 미국과의 전쟁을 피할 수 있을 것이었다. 제독이 보기에 난점은 딱 하나였는데, 그것을 언급했을 때 히틀러는 틀림없이 눈살을 찌푸렸을 것이다. 레더가 알리기를 해군 첩보에 따르면 일본은 "독일이 잉글랜드 본토 상륙을 개시하는" 경우에만 동남아시아에서 영국에 대항할 생각이었다. 해군의 회의록에는 이 발언에 히틀러가 무어라 답변했는지 시사하는 기록이 없다. 레더는 최고사령관이 올해 잉글랜드에 상륙할 계획도 없고 상륙을 기대하지도 않는다는 것을 확실히 알고 있었다. 레더는 다른 무언가를 말했지만, 총통은 반응하지 않았다. 레더는 마쓰오카에게도 "러시아 관련 복안을 알릴" 것을 "진언"했던 것이다.[4]

당시 일본 외무대신은 시베리아와 모스크바를 경유해 베를린으로 가고 있었는데, 미국 국무장관 헐에 따르면 도중에 추축국을 두둔하는 호전적인 발언을 했다.* 마쓰오카가 독일 수도에 도착한 3월 26일은 히틀

---

* 헐은 3월 14일에 워싱턴에서 루스벨트가 동석한 가운데 신임 일본 대사 노무라 기치사부로(野村吉三郎) 제독에게 그 발언을 거론했다. 노무라는 마쓰오카가 "정치적으로 야심이 있어서 국내용으로 크게 떠든" 것이라고 말했다. (*The Memoirs of Cordell Hull*, Vol. II, pp. 900-901)

러에게 곤란한 시점이었는데, 그날 밤에 베오그라드에서 쿠데타가 일어나 친독일 유고슬라비아 정부가 전복되었기 때문이다. 총통은 이 사나운 발칸 국가를 짓밟을 계획을 급히 세우느라 바빠서 일본 손님과의 만남을 27일 오후로 미뤄야 했다.

리벤트로프는 오전에 마쓰오카를 만나 마치 이런 경우에 이런 손님을 위해 미리 준비해둔 낡은 레코드판을 재생하는 듯한 모습을 보였다. 다만 평소보다도 더 우둔하게 굴었고, 작고 말쑥한 마쓰오카의 말참견을 허용하지 않았다. 슈미트 박사가 작성한 장문의 기밀 회의록(압수된 외무부 문서에 포함)은 이 점에 의문을 남기지 않는다.[5] "전쟁은 벌써 추축국이 명백히 승리했고 잉글랜드가 패배를 인정하는 것은 시간문제일 뿐이다"라고 리벤트로프는 선언했다. 그러고는 곧이어 "싱가포르에 대한 조속한 공격"을 촉구하면서 싱가포르가 "잉글랜드를 신속히 타도하는 데 있어서 매우 결정적인 요인"이라는 이유를 들었다. 작달막한 일본 손님은 이렇게 모순되는 주장을 듣고도 눈 하나 깜박하지 않았다. "그는 이 흥미로운 발언에서 어떤 인상을 받았는지 알 수 없게 속내를 감추고 앉아 있었다"라고 훗날 슈미트는 술회했다.[6]

미국에 관해서는

[리벤트로프가 말함] 루스벨트가 처칠에게 매번 새로운 희망을 주지 않았다면 영국은 진즉에 전쟁을 포기했을 것이다. ··· 삼국조약은 무엇보다도 미국에 겁을 주고 ··· 미국의 참전을 막는 것을 목표로 한다. ··· 미국이 전쟁에서 적극적인 역할을 맡는 것과 잉글랜드를 매우 효과적으로 원조하는 것을 가용한 모든 수단으로 막아야 한다. ··· 싱가포르를 공략할 경우 미국은 십중팔구 참전하지 않을 텐데, 일본 해역에 함대를 파견하는 위험을 도저히 각

오하지 못할 것이기 때문이다. … 루스벨트는 매우 곤란한 입장에 처할 것이다. …

독일의 임박한 소련 공격에 대해 마쓰오카에게 귀띔해서는 안 된다고 히틀러가 당부했음에도―기밀 유출을 막기 위해 필요한 예방책이긴 했지만, 앞으로 살펴볼 것처럼 독일에 재앙적인 결과를 가져왔다―리벤트로프는 소련 공격을 몇 차례 노골적으로 암시했다. 손님에게 소련과의 관계가 적당하긴 해도 그리 우호적이지는 않다고 말했던 것이다. 게다가 소련이 독일을 위협한다면 "총통은 러시아를 분쇄할" 것이라고 말했다. 리벤트로프는 만약에 전쟁이 발발할 경우 "러시아에서 몇 개월 이상 보내지" 않을 것으로 총통은 확신하고 있다고 덧붙였다.

슈미트가 전하듯이, 이때 마쓰오카는 눈을 깜박이며 놀란 기색을 보였다. 그러자 리벤트로프는 "스탈린이 현명하지 않은 정책을 추구하지" 않을 것으로 믿는다며 외무대신을 서둘러 안심시켰다. 이 시점에 리벤트로프는 유고슬라비아 위기를 논의하기 위해 히틀러에게 불려갔다가 이 손님을 접대할 공식 오찬 때까지도 돌아오지 못했다.

또다른 나라(유고슬라비아)를 박살내기로 결심한 히틀러는 오후에 일본 외무대신에게 공을 들였다. "잉글랜드는 이미 전쟁에서 졌다"라고 히틀러는 말문을 열었다. "이제는 그것을 인정할 지능이 있느냐는 문제일 뿐이다." 그러나 영국은 두 가지 지푸라기를 붙잡고 있었다. 바로 소련과 미국이었다. 소련에 관해 히틀러는 리벤트로프보다 더 조심스럽게 말했다. 자신은 소련과 전쟁을 벌일 위험이 발생하지 않을 것으로 믿는다고 했다. 어쨌거나 독일은 "대러시아 방어를 위해" 약 160개 내지 170개 사단을 보유하고 있었다. 미국에 관해서는 미국은 세 가지 가능성에 직면해 있다. 스스로 무장하거나, 잉글랜드를 지원하거나, 다른 전선에서 전쟁을 일으킬 수 있다. 미국이 잉글랜드를 돕는다면 스스로 무장할 수 없다. 미국이 잉글랜드를 포기한다면 후자는 파괴될 것이고, 미국은 삼국조약의 국가들과 홀로 싸워야 할 것이다. 그렇지만 미국은 어떠한 경우에도 다른 전선에서 전쟁을 일으킬 수 없다.

그러므로 일본이 태평양에서 공세를 취하기에 지금보다 더 좋은 기회는 "인간이 상상할 수 있는 한에서 결코" 없을 것이라고 총통은 결론지었다. 그리고 한껏 과장해서 "그런 순간은 두 번 다시 오지 않을 것이다. 역사상 유일무이한 기회다"라고 말했다. 마쓰오카는 동의하면서 유감스럽게도 자신이 "일본을 통제하지 못한다"라는 점을 히틀러에게 일깨웠다. "그는 행동을 취하겠다는 것을 당시 일본 제국을 대표해 약속할 수 없었다."

그러나 절대적 독재자인 히틀러는 약속할 수 있었고, 마쓰오카가 무솔리니를 만나고 베를린으로 돌아온 뒤인 4월 4일에 실제로 일본 측에 약속했다—일본이 요청하지도 않았는데 별일 아니라는 듯이 약속했다.* 이 두 번째 회담은 나치가 무고한 두 나라 유고슬라비아와 그리스를 공격하기 전날에 열렸으며, 표적을 다시 한 번 손쉽게 정복하고 베오그라드에 복수하기를 갈망하던 총통은 호전적인 기분이었다. 총통은 미국과의 전쟁이 "바람직하지 않다"고 생각하면서도 "이미 그 전쟁을 계산에 넣고" 있었다. 그러나 미국의 군사력에 대해서는 별로 생각하고 있지 않았다.**

---

* 무솔리니는 마쓰오카에게 "미국이 제1의 적이고 소비에트 러시아는 기껏해야 두 번째다"라고 말했고, 이 사실을 히틀러에게 알렸다.

독일은 미군이 유럽에 상륙하지 못하도록 대비하고 있다. 독일은 U보트와 공군으로, 그리고 더 많은 경험의 힘으로 미국과 격렬한 전쟁을 치를 것이며 … 독일 군인이 명백히 미국 군인보다 훨씬 뛰어나다는 점을 논외로 하더라도, 미국보다 한 수 위일 것이다.

이렇게 호언장담한 데 이어 히틀러는 치명적인 약속을 했다. 슈미트는 회의록에 그 약속을 기록했다.

일본이 미국과 충돌할 경우 독일은 즉시 필요한 조치들을 취할 것이다.

슈미트의 기록을 보건대 마쓰오카는 총통의 약속이 얼마나 중요한지 제대로 파악하지 못했던 게 분명하다. 그래서 히틀러는 다시 말했다.

앞서 말했듯이 독일은 일본과 미국이 충돌할 경우 즉시 가담할 것이다.

[강조는 샤이러]

히틀러는 별 생각 없이 보증한 이 약속 때문만이 아니라 발칸 국가들을 점령하자마자 소련을 공격할 의도를 일본 측에 말하지 않은 기만술

** 또는 미국에 관해서는 다른 무엇도 생각하지 않고 있었다. 미국에 관한 히틀러의 기이한 견해─이 무렵 그 스스로 나치 선전을 믿기에 이르렀다─는 이후 1941년 8월 말에 소련 전선에서 무솔리니와 대화하던 중에 더 분명하게 드러났다. 히틀러의 발언을 간접 인용하는 이탈리아 측 기록에 따르면, "총통은 루스벨트를 에워싸고 미국 국민을 착취하는 유대인 파벌에 관해 자세히 설명했다. 총통이 말하기를 그는 세상의 그 무엇을 준다 해도 미국과 같은 나라에서는 살 수 없고, 미국의 인생관은 가장 탐욕스러운 상업주의에 물들어 있으며 음악과 같은 인간 정신의 가장 고결한 표현을 도무지 사랑하지 않는다." (*Ciano's Diplomatic Papers*, pp. 449-452)

때문에도 값비싼 대가를 치렀다. 3월 28일 회담에서 마쓰오카는 리벤트로프에게 다소 의뭉스럽게 "귀국길에 모스크바에 들러 러시아 측과 불가침 조약이나 중립 조약을 교섭해야 할지" 물어보았다. 우둔한 나치 외무장관은 우쭐해하며 마쓰오카에게 "그 문제는 현 상황의 틀에 전혀 들어맞지 않을 테니 가능하다면 모스크바에서 거론하지 말라"고 답변했다. 리벤트로프는 조약 문제의 중요성을 전혀 파악하지 못하고 있었다. 하지만 이튿날이 되자 그 미련한 머리로도 사안의 중요성을 알아차렸고, 그날 회담을 시작하면서 조약 문제부터 거론했다. 히틀러가 며칠 후인 4월 4일에 할 것처럼, 리벤트로프는 우선 소련이 일본을 공격할 경우 "독일이 즉시 타격할 것"이라는 보장을 별 생각 없이 해주었다. 그가 이 확약을 해주려는 것은 그 덕에 "일본이 러시아와의 분규를 우려하지 않고 남진할 수 있기" 때문이었다. 마침내 마쓰오카가 베를린으로 오는 길에 모스크바에 들러 자신이 소련과의 불가침 조약을 제안했다고 인정하고 소련 측이 그 제안에 호의적이었다고 암시했을 때, 리벤트로프의 머리는 다시 한 번 얼마간 백지상태가 되었다. 리벤트로프는 마쓰오카에게 그 문제를 "피상적인 방식으로" 다루라고 조언하는 데 그쳤다.

그러나 일본 외무대신은 귀국길에 모스크바에 다시 들르자마자 스탈린과 중립 조약을 체결했다. 슐렌부르크 대사가 이 조약의 결과를 예견하며 베를린에 타전했듯이, 양국 중 한 나라가 전쟁에 관여할 경우 다른 한 나라는 중립을 지킨다고 규정하는 내용이었다. 이 조약—4월 13일 체결되었다—은 일본이 마지막까지 지킨 유일한 조약이었다. 체결 이후 독일이 조약을 무시하라고 간곡히 요청했음에도 일본은 조약을 어기지 않았다. 독일은 1941년 여름이 채 끝나기도 전에 일본 측에 싱가포르나

마닐라가 아니라 블라디보스토크를 공격해달라고 애원할 터였다!

그렇지만 히틀러는 처음에 일본-소련 중립 조약의 중요성을 간파하지 못했다. 4월 20일, 히틀러는 이 조약에 관해 묻는 레더 제독에게 그것이 "독일의 묵인하에" 체결되었고 "이제 일본이 블라디보스토크에 대한 조지를 단념하고 그 대신 싱가포르 공격을 노릴 것이므로" 자신은 환영한다고 말했다.[7] 이 단계에서 히틀러는 여름 동안 독일이 소련을 무찌를 수 있다고 자신했다. 프랑스 정복의 공을 이탈리아와 거의 나누지 않았던 것과 마찬가지로, 소련 정복이라는 대단한 위업을 일본과 나눌 생각이 없었다. 그리고 일본의 도움이 필요하지 않을 것이라고 절대적으로 자신했다. 리벤트로프는 상관의 생각과 똑같이 3월 29일 마쓰오카에게 만약 소련 탓에 독일이 소련을 "타격"할 수밖에 없게 될 경우 자신은 "일본 육군이 러시아를 공격하지 못하더라도 그럴 만한 일로 치부할" 것이라고 말했다.

그러나 이 문제에 대한 히틀러와 리벤트로프의 견해는 채 석 달도 지나기 전에 매우 갑작스럽고 극적으로 바뀌었다. 나치 군대가 소련에 들이닥친 지 엿새 후인 1941년 6월 28일, 리벤트로프는 도쿄 주재 독일 대사 오이겐 오트 장군에게 전보를 쳐 일본군이 소비에트 러시아의 배후

---

* 모스크바에서 일본-소련 중립 조약이 체결되었다는 소식은 워싱턴에서 상당한 불안을 자아냈다. 루스벨트와 헐은 히틀러와 같은 견해—즉 이 조약으로 인해 혹시 모를 러시아와의 전쟁에 할당되었던 일본 병력이 훨씬 남쪽에서 영국령과 어쩌면 미국령을 공략하는 데 투입될 것이라는 견해—로 기울었다. 셔우드는 조약 체결 소식을 들은 4월 13일에 루스벨트가 대서양 서부에서 미국 해군 함정으로 독일 U보트에 대한 공세를 개시하려던 계획을 철회했다는 사실을 밝힌다. 새로운 명령의 요구사항은 미국 전함들이 아이슬란드 서부에서 독일 함정들의 동태를 **보고**하는 데 그치고 포격하지 말라는 것이었다. 미국 측은 새로운 일본-소련 중립 조약으로 태평양의 상황이 너무 위태로워져서 대서양에서 큰 위험을 무릅쓸 수 없다고 판단했다. (Robert E. Sherwood, *Roosevelt and Hopkins*, p. 291)

를 즉시 공격하도록 무슨 일이든 하라고 지시했다. 오트는 일본의 전리품 욕심에 호소하는 한편 이것이 미국의 중립을 유지시킬 수 있는 최선의 방도임을 주장하라는 훈령을 받았다.

[리벤트로프가 설명함] 소비에트 러시아의 급속한 패배는—특히 일본이 동방에서 조치를 취할 경우—완전히 고립된 채 세계 최강의 동맹과 대결하고 있는 영국의 편에 서서 참전하는 것이 공연한 헛수고임을 미국 측에 납득시키는 최선의 논거가 될 것이다.[8]

마쓰오카는 당장 총부리를 소련으로 돌리는 데 찬성했지만, 그의 견해는 도쿄 정부에서 받아들여지지 않았다. 일본 정부는 독일군이 그들의 주장대로 소련군을 신속히 무찌르고 있다면 일본군의 도움이 필요하지 않다는 입장인 것처럼 보였다. 그렇지만 도쿄 측은 나치의 전격적인 승리를 그리 확신하지 못했고, 이것이 그들 입장의 진짜 이유였다.

하지만 리벤트로프는 집요했다. 소련에서 독일의 공세에 탄력이 붙기 시작하고 앞에서 언급했듯이 할더마저 이미 승리를 거두었다고 생각하던 7월 10일, 나치 외무장관은 동부전선으로 가는 특별열차에서 도쿄 주재 대사에게 더 강경한 전보를 새로 보냈다.

모스크바 주재 일본 대사가 보고했듯이 러시아는 사실상 붕괴 직전이므로 … 일본이 군사적 준비를 완료하는 즉시 블라디보스토크와 시베리아 지역의 문제를 해결하려 나서게 될 것이다. …
귀관이 가용한 모든 수단으로 일본 측에 최대한 이른 시일에 대러시아 전쟁에 참전할 것을 더욱 역설하기 바란다. … 참전의 실행은 이를수록 좋다.

물론 목표는 여전히 겨울이 시작되기 전에 우리와 일본이 시베리아 횡단 철도에서 손을 잡는 데 있다.[9]

아찔하리만치 좋은 이 전망에는 군국주의적인 일본 정부라 해도 홀리지 않았다. 나흘 후 오트 대사는 일본 측이 가급적 조속히 러시아를 공격하도록 최선을 다해 설득하고 있고 마쓰오카도 크게 찬성하는 입장이지만 도쿄 정부 내의 "큰 장애물들"과 싸워야 한다고 답변했다.[10] 실제로 매우 호전적인 마쓰오카는 곧 내각에서 밀려나고 말았다. 마쓰오카의 실각으로 독일은 한동안 최고의 우군을 잃었으며, 앞으로 살펴볼 것처럼 나중에 베를린과 도쿄가 더 가까운 관계를 회복하기는 했으나 일본이 대소련 전쟁에서 독일을 돕는 것이 현명한 선택이라고 확신할 정도의 관계는 아니었다.*

---

* 리벤트로프는 그해 가을 내내, 그리고 그다음 2년간 몇 차례에 걸쳐 일본을 설득해 후방에서 러시아를 기습하도록 유도하려 했지만, 그럴 때마다 도쿄 정부는 정중히 "아무쪼록 양해바랍니다" 하는 정도로 답변하는 데 그쳤다.

히틀러 본인은 그해 여름 내내 희망을 버리지 않았다. 8월 26일, 히틀러는 레더에게 "일본이 부대 편성을 마치는 즉시 블라디보스토크에 대한 공격을 수행할 것으로 확신한다. 현재의 초연함도 부대 편성을 차질 없이 마쳐야 하고 공격을 기습으로 수행해야 한다는 사실로 설명할 수 있다"라고 말했다.[11]

일본 문서고는 도쿄 정부가 이 난감한 문제에서 독일 측을 얼마나 교묘하게 회피했는지를 알려준다. 예를 들어 8월 19일 오트 대사가 일본 외무차관에게 일본의 대소련 개입에 관해 물었을 때 차관은 "일본으로서는 러시아를 공격하는 것과 같은 일이 매우 심각한 사안이며 숙고할 필요가 있습니다"라고 답변했다. 8월 30일, 이제 매우 짜증이 난 오트가 외무대신 도요다 데이지로(豊田貞次郎) 제독에게 "대관절 일본이 러시아-독일 전쟁에 참전할 가능성이 있습니까?"라고 물었을 때 도요다는 "일본은 현재 준비 중이며 완료하기까지 시간이 더 걸릴 것입니다"라고 답변했다.[12]

"미국과의 분쟁을 피하라!"

────

일본이 히틀러를 위해 소련에서 위험을 무릅쓰기를 완강히 거부하는 가운데—일본은 나름대로의 복안이 있었다—독일로서는 소련을 정복할 때까지 미국의 참전을 막는 일이 더욱 중요해졌다. 1941년 여름에 총통은 겨울이 오기 전에 소련을 정복하리라 자신하고 있었다.

한참 전부터 독일 해군은 히틀러가 건 제약에 짜증을 내고 있었다. 독일 해군은 미국에서 영국으로 향하는 해상 운송을 방해하는 한편 대서양에서 독일 U보트나 수상함을 노리는 미국 군함의 증대하는 도발행위에 대처하려 했으나 히틀러가 제동을 걸었다. 육지에 정신이 팔린 히틀러보다 더 멀리까지 내다본 나치 제독들은 거의 처음부터 미국의 참전이 불가피하다고 생각했고 최고사령관에게 그에 대비하자고 촉구했다. 1940년 6월 프랑스 함락 직후, 레더 제독은 괴링의 지지를 받아 히틀러에게 프랑스령 서아프리카뿐 아니라 더욱 중요한 아이슬란드, 아조레스 제도, 카나리아 제도 등의 대서양 섬들도 미국이 손을 뻗기 전에 점령할 것을 권했다. 히틀러는 관심을 보이면서도 우선 잉글랜드를 침공하고 소련을 정복하기를 원했다. 그런 다음 가망 없는 벼락출세자 미국을 상대할 계획이었다. 참모본부 소속 팔켄슈타인Falkenstein 소령의 극비 문서는 1940년 늦여름 히틀러의 생각이 어떠했는지 알려준다.

현재 총통은 훗날 미국과의 전쟁 수행을 염두에 두고서 대서양의 섬들을 점령하는 문제에 집중하고 있다. 이 주제에 관한 숙고를 참모본부에서도 시작했다.[13]

이렇듯 문제는 히틀러에게 미국과 전쟁을 치를 의도가 있었는지 여부가 아니라 그 전쟁을 개시할 **시기**를 정하는 것이었다. 이듬해 봄에 총통의 마음속에서 그 시기가 떠오르기 시작했다. 1941년 5월 22일, 레더 제독은 최고사령관과 상의하면서 해군은 "아조레스 제도 점령 방책을 단념해야 한다"라고 비통하게 보고했다. 해군에는 그럴 만한 힘이 없었다. 하지만 이 무렵 히틀러는 점령 계획에 열의를 보였고, 레더의 *기밀 문서*[14]에 따르면 다음과 같이 답변했다.

총통은 미국을 상대로 장거리 폭격기를 운용하기 위해 아조레스 제도를 점령하는 데 여전히 찬성하고 있다. 그럴 기회가 가을에 생길지도 모른다.*

소련을 함락한 이후에 그런 기회가 생길 수 있었다. 소련 다음은 미국의 차례였다. 두 달 후, 소련에서 독일군의 공세가 한창이던 7월 25일에 레더가 히틀러를 만났을 때 총통은 다음번 상대가 미국이라고 확실하게 밝혔다. 레더가 적었듯이 히틀러는 "동부 작전 종료 시점까지 미국에 가혹한 조치를 취할 권리를 유보하고" 있었다.[15] 그러면서 해군 총사령관에게 그때까지는 "미국에 대한 전쟁 선포를 피하고 … 격전 중인 육군이 미국을 고려하지 않기를" 원한다고 강조했다.

레더는 이런 입장에 불만을 품었다. 사실 히틀러와의 회의 내용이 언급되어 있는 레더의 일기는 그가 독일 해군을 옭아매는 총통에게 갈수록

---

* 독일은 아조레스 제도에서 미국 해안까지 도달할 수 있는―돌아오는 것은 고사하고―장거리 폭격기를 보유하고 있지 않았으며, 히틀러가 존재하지도 않는 "장거리 폭격기"를 떠올렸다는 사실은 이 무렵 그의 정신에 이상이 생겼다는 징후다.

조바심을 내고 있었음을 보여준다. 레더는 회의 때마다 히틀러의 마음을 바꾸려 애썼다.

그해 초 2월 4일에 레더는 히틀러에게 의견서를 제출했다. 여기서 해군은 지금처럼 미국의 중립이 유지되는 것이 독일에 유익하다는 생각에 강한 의문을 표명했다. 사실 제독들은 미국의 참전으로 일본이 추축국의 편에 서는 교전국이 된다면 오히려 "독일의 전쟁 수행에 이로울" 수도 있다고 주장했다.[16] 그러나 나치 독재자는 이 주장에 동조하지 않았다.

레더는 몹시 낙담했다. 당시 대서양 전투가 한창이었고 독일은 승기를 잡지 못하고 있었다. 무기대여Lend-Lease 협정에 따라 미국의 군수물자가 영국으로 쏟아져 들어가고 있었다. 또한 범아메리카 중립 초계Pan-American Neutrality Patrol 때문에 U보트의 활약이 갈수록 어려워지고 있었다. 이 모든 문제를 레더는 히틀러에게 지적했으나 별 효과가 없었다. 3월 18일, 레더는 다시 히틀러를 만나 미국 군함들이 아이슬란드뿐 아니라 영국까지 가는 선단들을 호위하고 있다고 보고했다. 레더는 그런 선단을 경고 없이 공격할 권한을 요구했다. 그리고 미국이 프랑스령 서아프리카에서 발판을 마련하지 못하도록 무언가 조치를 취할 것을 요청했다. 그 가능성은 "가장 위험한" 것이었다. 히틀러는 경청한 뒤 (하고 많은 부처들 중에서!) 외무부와 논의하겠다고 말했다. 외무부는 제독들을 따돌리는 방편 중 하나였다.[17]

봄과 초여름에 히틀러는 제독들을 계속 따돌렸다. 4월 20일, 히틀러는 "노획 규정에 따라 미국 상선에 대한 전투행위"를 허락해달라는 레더의 말을 들으려 하지 않았다.[18] 미국 군함과 독일 군함 간의 첫 충돌로 기록된 사건은 미국 구축함 니블랙Niblack 호가 공격 기미를 보이는 독일 U보트에 폭뢰를 투하한 4월 10일에 발생했다. 5월 22일, 레더는 루스벨트 대통령의 비우호적인 행위에 대응할 것을 제안하는 장문의 의견서를 들고서 다시 베르크호프를 찾아갔으나 최고사령관의 마음을 움직일 수 없었다.

[레더가 기록함] 총통은 미국 대통령의 태도가 아직 정해지지 않았다고 생각한다. 총통은 어떠한 경우에도 미국의 참전으로 귀결될 만한 분쟁을 일으키는 것을 바라지 않는다.[19]

소련 전투를 시작하고 나면 그런 분쟁을 더더욱 피해야 했고, 공격 개시 전날인 6월 21일에 히틀러는 이 점을 레더에게 강조했다. 대제독은 총통에게 독일이 선포한 북대서양의 폐쇄 해역 내에서 미국 전함 텍사스Texas 호와 동행 구축함을 탐지한 U-253호가 어떻게 "그들을 추적하고 공격을 시도했는지" 열을 올리며 설명하고 "미국에 관한 한 언제나 단호한 조치가 외견상 양보보다 더 효과적"이라고 부언했다. 총통은 이 원칙에 동의하면서도 구체적인 행동에는 동의하지 않았고, 다시 한 번 해군을 질책했다.

총통은 바르바로사 작전이 순조롭게 진행될 때까지 미국과의 어떠한 분쟁도 피하고 싶다는 입장을 자세히 표명했다. 몇 주가 지나면 전황이 한층 분명해질 것이고, 미국과 일본에 더 유리한 영향을 끼칠 것으로 예상할 수 있다. 그럴 경우 일본의 위협이 증대할 것이므로 미국은 참전할 의향이 줄어들 것이다. 그러므로 가능하면 앞으로 몇 주 동안 폐쇄 해역에서 해군 함정에 대한 공격을 일체 중지해야 한다.

레더가 야간에는 적함과 중립국 함정을 구분하기 어렵다고 주장하려 하자 히틀러는 제독의 말을 자르고 미국과의 분쟁을 피하라는 새로운 명령을 내리라고 지시했다. 그리하여 그날 밤 해군 총사령관은 명확히 영국 함정으로 확인되지 않는 한 "폐쇄 해역 안에서든 밖에서든" **어떠한** 함정에 대한 공격도 금지하라는 명령을 내렸다. 이와 비슷한 명령이 공군에도 내려졌다.[20]

7월 9일, 루스벨트 대통령은 영국군이 점령한 아이슬란드를 미군이 넘겨받을 것이라고 발표했다. 베를린은 즉각 격렬한 반응을 보였다. 리벤트로프는 도쿄에 "우리가 전투 구역이라고 공식 선언한 영토에 미국 군대가 잉글랜드를 지원하며 침입하는 것은 그 자체로 독일과 유럽에 대한 침공이다"라고 타전했다.[21]

레더는 총통이 동부전선의 지휘를 맡고 있는 늑대굴로 부리나케 달려갔다. 레더는 "미국에 의한 아이슬란드 점령을 참전으로 여겨야 할지 아니면 무시해야 하는 도발 행위로 여겨야 할지" 결정하기를 원한다고 말했다. 독일 해군은 미군이 아이슬란드에 상륙한 것을 전쟁 행위로 여겼고, 두 장짜리 의견서에서 총통에게 독일에 대한 루스벨트 정부의 다른 모든 "침공" 행위를 상기시켰다. 더 나아가 해군은 필요할 경우 호송 해역에서 미국 화물선을 격침하고 미국 군함을 공격할 권리를 요구했다.* 히틀러는 거절했다.

[레더가 회의에 관한 보고서에서 단언함] 총통은 미국의 참전을 한두 달 더 지

---

* 이 대목에서 지적하자면, 레더 제독은 뉘른베르크 증인석에서 독일의 도발로 미국이 참전하는 사태를 피하기 위해 자신이 할 수 있는 일을 전부 했다고 역설했다.

연시키기 위해 무척 애쓰고 있다고 자세히 설명했다. 한편으로 동부 전투를 공군 전체를 투입해 계속 수행해야 하며 … 총통은 전력의 일부라도 다른 데로 돌리기를 바라지 않는다. 다른 한편으로 동부전선의 승리는 전체 상황과 아마도 미국의 태도에 막대한 영향을 줄 것이다. 그러므로 당분간 총통은 기존 방침의 변경을 바라지 않고 오히려 분쟁을 확실히 피하기를 원한다.

레더가 해군 지휘관이 미국 선박을 "실수로" 공격할 경우 책임을 물을 수 없다고 주장하자 히틀러는 적어도 군함에 관한 한 해군이 적함을 공격하기 전에 "명확히 확인"하는 편이 좋겠다고 쏘아붙였다. 제독들에게 자기 뜻을 제대로 이해시키기 위해 총통은 7월 19일에 구체적인 명령을 내렸다. "확대된 작전 해역에서 미국 상선은, 단독으로 항해하든 영국이나 미국 선단에 속해 항해하든, 무력을 행사하기 전에 미국 상선이라는 것을 인지할 경우, 공격하지 말아야 한다." 미국 측도 출입 금지임을 인정하는 폐쇄 해역 내에서는 미국 선박을 공격할 수 있었지만, 이 명령에서 히틀러는 이 교전 구역에 "미국-아이슬란드 해로는 포함되지 **않는다**"라고 구체적으로 명시했다(강조는 히틀러).²²

그러나 레더의 말대로 "실수"는 일어날 수밖에 없었다. 5월 21일, U보트가 남아프리카로 향하던 미국 화물선 로빈 무어Robin Moor 호를 독일 폐쇄 해역을 한참 벗어난 위치에서 격침했다. 또 여름이 끝나갈 무렵 다른 미국 상선 두 척이 어뢰 공격을 당했다. 9월 4일, 독일 잠수함이 미국 구축함 그리어Greer 호에 어뢰 두 발을 발사했으나 모두 빗나갔다. 1주일 후인 9월 11일, 루스벨트는 연설 도중 이 공격을 거론하며 자신이 해군에 적함을 "보는 즉시 포격"하라는 명령을 내렸다고 발표하고, 미국 방어

구역에 진입하는 추축국 군함은 "위험을 각오"해야 한다고 경고했다.

이 연설에 베를린은 격분했다. 루스벨트는 나치 언론에서 "으뜸가는 전쟁광"으로 공격받았다. 리벤트로프는 뉘른베르크에서 이때 히틀러가 "몹시 흥분했다"고 회고했다. 그렇지만 레더 제독이 9월 17일 오후 동부 전선의 늑대굴 본부에 도착해 "보는 즉시 포격" 명령에 철저히 보복할 것을 촉구했을 때, 총통은 흥분을 가라앉힌 상태였다. 독일 해군이 미국 선박을 공격할 때의 제약을 이제는 풀어달라는 제독의 호소에 최고사령관은 또다시 퇴짜를 놓았다.

[레더가 총통과의 대화를 기록함] 9월 말에 러시아 작전에서 일대 결판이 날 것으로 보인다면서 총통은 10월 중순까지는 상선을 둘러싸고 어떠한 분쟁도 일어나지 않도록 주의해달라고 당부했다.

"그런 이유로 해군 총사령관과 잠수함대 사령관[되니츠]은 자신들의 제언을 철회했다. 잠수함대에는 당분간 기존 명령을 따라야 하는 이유를 알리기로 했다."[23] 히틀러는 전황을 고려해 분명 평소답지 않게 자제하고 있었다. 그러나 젊은 U보트 지휘관들은 당연히 자제하기가 더 어려웠다. 풍랑이 거센 북대서양에서 작전을 수행하는 그들은 갈수록 효과를 높여가는, 때로는 미국 군함까지 가세하는 영국의 대잠수함 조치에 끊임없이 시달리고 있었다. 7월에 히틀러는 레더에게 잠수함 함장이 미국 함선을 "실수로" 격침하더라도 결코 책임을 묻지 않을 것이라고 말한 바 있었다. 11월 9일, 뮌헨의 익숙한 맥주홀에서 나치 역전의 용사들에게 하는 연례 연설에서 히틀러는 루스벨트의 연설을 받아쳤다.

루스벨트 대통령은 미국 함정에 독일 함정을 보는 즉시 발포하라고 명령했습니다. 나는 독일 함정에 미국 함정을 보더라도 발포하지 **말고** 공격을 당하면 스스로를 방어하라고 명령했습니다. 나는 스스로를 방어하지 못하는 어떠한 독일 장교든 군사재판에 회부할 것입니다.

그리고 11월 13일, 히틀러는 새로운 지령을 하달해 독일 잠수함은 미국 군함과의 교전을 가능한 한 피하되 공격에 맞서 스스로를 방어해야 한다고 했다.[24]

물론 독일 잠수함은 이미 그렇게 하고 있었다. 10월 16일에서 17일에 걸친 밤, 독일 잠수함들에 공격당하는 선단을 구하러 가던 미국 구축함 키이니Kearny 호가 잠수함 한 척에 폭뢰를 투하했다가 어뢰 보복을 당했다. 이 공격으로 승조원 11명이 사망했다. 선전포고 없는 독일과의 전쟁에서 처음으로 발생한 미국인 사상자였다.* 곧이어 더 많은 사상자들이 발생했다. 10월 31일, 미국 구축함 루벤 제임스Reuben James 호가 선단 호위 중 뇌격당해 침몰했고, 승조원 145명 중 장교 7명 전원을 포함해 100명이 목숨을 잃었다. 이렇듯 정식으로 전쟁을 선포하기 한참 전부터 양국은 실전을 치르고 있었다.

---

* 10월 27일 해군의 날 연설에서 루스벨트는 이 분쟁과 관련해 "역사는 누가 먼저 발포했는지 기록했습니다"라고 단언했다. 공평하게 말하자면, 폭뢰를 투하했다는 점에서 미국 측이 먼저 공격한 것으로 보인다. 독일 해군의 기밀 기록에 따르면 이런 사건은 이번이 처음이 아니었다. 미국 해군의 공식 역사가는 이미 4월 10일에 앞에서 언급한 니블랙 호가 U보트를 폭뢰로 공격했다는 사실을 확인해준다. (Samuel Eliot Morison, *History of the United States Naval Operations in World War II*, Vol. I, p. 57)

일본, 딴 속셈을 품다

———

앞에서 언급했듯이 히틀러가 일본에 맡긴 역할은 미국의 참전을 이끄는 것이 아니라 적어도 당분간은 막아내는 것이었다. 히틀러는 일본이 싱가포르를 차지하고 인도를 위협할 경우 영국에 심각한 타격이 될 뿐 아니라 미국의 주의—그리고 에너지의 일부—를 대서양에서 태평양으로 돌리게 될 것을 알고 있었다. 일본 측에 블라디보스토크를 공격해달라고 간청하기 시작한 후에도 히틀러는 이 공격이 소련을 쓰러뜨리는 데 도움이 될 뿐 아니라 미국으로 하여금 중립을 유지하도록 더욱 압박하는 수단이 된다고 보았다. 그런데 참으로 이상하게도 독일에서는 히틀러도 다른 누구도 일본 측에 다른 우선순위가 있다는 생각을 아주 늦게까지 떠올리지 않았던 것으로 보인다. 다시 말해 일본이 미국의 태평양 함대를 파괴하여 배후의 안전을 확보할 때까지 소련을 공격하는 방책은 말할 것도 없고 동남아시아에서 영국과 네덜란드를 상대로 대공세를 개시하는 방책까지 주저할지도 모른다는 생각을 독일에서는 아무도 하지 않았던 듯하다. 나치 정복자가 마쓰오카에게 일본이 미국과 전쟁하게 되면 독일도 동참할 것이라고 약속했던 것은 사실이지만, 마쓰오카는 더 이상 정부 각료가 아니었다. 게다가 히틀러는 일본 측에 미국과의 직접 충돌을 피하고 자신의 승리를 가로막고 있는 영국과 소련에 집중하라고 끊임없이 잔소리를 했다. 나치 통치자들은 일본이 미국과의 직접 대결을 가장 우선시할 수도 있음을 깨닫지 못했다.

일본과 미국이 양해에 이르기를 베를린이 원했던 것은 아니다. 그것은 미국을 겁박해 참전을 막는다는 삼국조약의 주요 목적에 어긋나는 일이었다. 리벤트로프는 뉘른베르크에서 심문관에게 아래처럼 답변했는데, 이번만은 양국 문제에 대한 총통의 생각을 정직하고 정확하게 평가했다고 볼 수 있을 것이다.

그[히틀러]는 미국과 일본이 협약을 맺을 경우 그것은 이를테면 미국의 배후가 안전해진다는 것을 의미할 테고, 미국의 예상치 못한 기습공격이나 잠전이 더 앞당겨질 것이라고 우려했습니다. … 그가 협정을 우려한 것은 일본 내에 미국과 합의에 이르기를 원하는 특정한 집단들이 있었기 때문입니다.[25]

그런 집단의 일원으로 노무라 기치사부로 제독이 있었다. 노무라는 1941년 2월에 신임 일본 대사로서 워싱턴에 도착했고, 3월에 양국의 불화를 평화적으로 해결할 목적으로 코델 헐과 일련의 비밀 대화를 시작해 교전으로 치닫기 직전까지 이어갔다. 이런 움직임을 베를린에서는 상당히 우려했다.*

사실 독일 측은 워싱턴 회담을 방해하고자 최선을 다했다. 이미 1941년 5월 15일에 바이츠제커는 리벤트로프에게 제출한 의견서에서 "현재 일본과 미국 간의 어떠한 정치적 조약도 바람직하지 않다"고 지적하고 그것을 막지 않으면 추축국에서 일본을 잃을 수도 있다고 주장했다.[26] 도쿄주재 나치 대사 오트 장군은 일본 외무성을 자주 찾아가 헐-노무라 교섭에 대해 경고했다. 그럼에도 교섭이 이어지자 독일은 책략을 바꾸어 일본을 설득해 미국의 영국 원조 포기와 대독일 적대 정책의 중단을 교섭

---

* 훗날 헐은 회고록에 이렇게 썼다. "나는 노무라가 그의 본국과 내 조국 간의 전쟁을 막고자 정직하고 진지하게 노력했다고 믿는다." (*The Memoirs of Cordell Hull*, Vol. II, p. 987)

지속의 조건으로 삼으려 했다.[27]

그때가 5월이었다. 여름에 변화가 있었다. 7월에 히틀러는 일본이 소련을 공격하도록 다그치는 데 주로 신경을 썼고, 같은 달에 헐 국무장관은 일본이 프랑스령 인도차이나를 침공했다는 이유로 노무라와의 회담을 중단했다. 8월 중순, 일본 정부가 평화적 합의에 이르는 것을 목적으로 고노에 후미마로近衛文麿 공작과 루스벨트 대통령의 직접 회담을 제안한 뒤, 헐과 노무라는 대화를 재개했다. 베를린은 전혀 기뻐하지 않았고, 포기할 줄 모르는 오트는 곧 도쿄 외무성에서 이 사태 전환에 대한 나치의 불만을 표출했다. 외무대신 도요다 제독과 외무차관 아모 에이지天羽英二 모두 오트에게 일본이 제안한 고노에-루스벨트 회담은 그저 삼국조약의 목표를 진척시키기 위함이라고 퉁명스럽게 말하고는 그 목표가 "미국의 참전을 막는 것"임을 상기시켰다.[28]

가을이 되어서도 헐-노무라 회담이 계속되자 빌헬름슈트라세는 지난 봄의 책략으로 되돌아갔다. 독일은 미국이 유럽의 추축국을 상대로 비우호적인 행동을 지속한다면 독일과 이탈리아가 전쟁을 선포해야 할 테고 그럴 경우 삼국조약의 조건에 따라 일본이 추축국 편에 가담해야 할 것이라고 경고하도록 노무라에게 지시할 것을 도쿄 측에 강력히 요구했다. 히틀러는 여전히 미국의 참전을 원하지 않았다. 사실 독일의 압박은 워싱턴의 참전을 막고자 엄포를 놓는 동시에 대서양에서 미국의 호전성을 얼마간 줄이기 위한 시도였다.

헐 국무장관은 이른바 '매직Magic' 덕분에 독일의 새로운 압박을 곧장 알아차렸다. 1940년 말부터 미국 정부는 이 '매직'을 사용해 도쿄에서 극비 암호로 작성한 일본의 유무선 메시지—워싱턴 대사관과 주고받은 메시지뿐 아니라 베를린을 비롯한 다른 수도들의 공관과 주고받은 메시지까지─를 방수해 해독할 수 있었다. 1941년 10월 16일, 도요다는 노무라에게 독일의 요구사항을 타전하면서 헐에게는 적당히 희석해서 전달하라고 지시했다.[29]

그날 고노에 정부가 실각하고 성마르고 호전적인 도조 히데키東條英機 장군이 이끄는 군부 내각으로 교체되었다. 베를린에서는 비슷한 기질의 전사 오시마 상군이 서둘러 빌헬름슈드라세를 찾아가 이 좋은 소식을 독일 정부에 설명했다. 도조가 총리직에 오른 것은 일본이 추축국 파트너들에 더 가까워지고 워싱턴 회담이 중단된다는 것을 의미한다고 오시마는 말했다. 고의든 아니든 간에 오시마는 나치 친구들에게 이 회담 중단의 결과가 무엇일지 말하지 않았고, 따라서 도조 임명이 독일 측이 생각하는 정도보다 훨씬 중요한 의미라는 것을 알리지 않았다. 일본의 새 정부는 루스벨트 대통령이 일본의 자유 재량권 조건─소련 공격이 아니라 동남아시아 정복을 위한 조건─을 수락하는 것으로 워싱턴 교섭이 조속히 타결되지 않는다면 미국과 전쟁을 벌일 각오였다. 리벤트로프와 히틀러는 일본의 이런 행보를 생각해본 적이 없었고, 일본이 시베리아와 싱가포르를 공격하고 워싱턴을 겁박해 미국으로 하여금 태평양을 걱정하고 전쟁에 관여하지 않도록 할 경우에만 독일의 이해관계에 유익하고 도움이 된다고 여전히 전망하고 있었다. 총통은, 그리고 당연히 얼빠진 외무장관은 노무라와 헐의 교섭이 결렬되기를 그토록 바라면서도, 그 결렬이 그간 때가 무르익을 시점까지 어떻게든 피하려고 애써온 결과로 이어지리라고는 결코 전망하지 못했다. 바로 미국이 세계대전에 돌입하는 결과였다.*

이제 남은 시간이 빠르게 줄어들고 있었다.

11월 15일, 구루스 사부로來栖三郎가 교섭에서 노무라를 보좌하기 위한 특명대사로 워싱턴에 도착했지만, 헐 국무장관은 일찍이 베를린에서 삼국조약에 서명했고 얼마간 친독파인 이 외교관이 새로운 제안을 가져오지 않았다는 것을 금세 알아차렸다. 헐이 보기에 구루스의 목표는 당장 일본의 조건을 수락하도록 워싱턴을 설득하고, 실패할 경우 일본이 미국을 기습으로 강타할 준비를 마칠 때까지 회담을 이어가며 미국 정부를 안심시키는 것이었다.[30] 11월 19일, 도쿄에서 보낸 불길한 '바람' 메시지가 노무라에게 전달되었고, 헐의 암호 전문가들이 즉시 이 메시지를 해독했다. 워싱턴 대사관에서 매일 듣는 도쿄의 단파방송에서 뉴스 진행자가 도중에 '동풍에 비'라고 말하면 일본 정부가 미국과 전쟁하기로 결정했음을 뜻한다는 메시지였다. 또한 노무라는 '바람' 경고를 수신하는 즉시 모든 암호와 기밀문서를 파쇄하라는 지시를 받았다.

이 무렵 베를린도 상황이 어떻게 돌아가는지 깨달았다. '바람' 메시지가 오가기 전날인 11월 18일, 리벤트로프는 도쿄로부터 독일과 일본이 공동의 적들과 단독 강화협정을 맺지 않는다는 내용의 조약을 체결하자는 요청을 받고서 다소 놀랐다. 일본이 말하는 적들이 어느 쪽인지 명확하지 않았지만, 나치 외무장관은 분명 그중 첫 번째가 소련이기를 바랐다. 리벤트로프는 이 제안에 "원칙적으로" 동의했는데, 일본이 시베리아에서 소련을 공격하겠다는 모호한 약속을 마침내 지키려 한다고 안일하게 생각했던 모양이다. 광범한 전선에서 붉은군대의 저항이 완강해지고 소련의 겨울이 예상보다 훨씬 일찍 다가오고 있었으므로, 일본의 공격은

---

* 고노에 공작은 전후 회고록에서 이미 8월 4일에 육군의 요구에 동의하도록 강요받았다는 사실을 밝힌다. 그 요구란 예정된 루스벨트와의 회담에서 대통령이 일본의 조건을 받아들이지 않는다면 "미국과 전쟁하겠다는 각오로" 회담장을 떠나라는 것이었다. (Hull, *Memoirs*, Vol. II, pp. 1025-1026)

시의적절하고 무척 반가운 일이었다. 일본이 블라디보스토크와 태평양 연안 지역들을 공격한다면 그 약간의 추가 압력으로 소련이 무너질 수도 있었다.

리벤트로프는 이 환상에서 순식간에 벗어났다. 11월 23일, 도쿄의 오트 대사가 모든 정황을 보건대 일본군이 태국과 네덜란드령 보르네오의 유전을 점령할 의도로 남진하고 있고, 일본 정부가 자국이 전쟁을 시작한다면 독일이 공동 전선을 펼 것인지 알고자 한다고 리벤트로프에게 타전했던 것이다. 명백히 이 정보는 일본이 소련을 타격하지 않고 남태평양에서 네덜란드와 영국을 상대로 "전쟁을 시작할" 의도라는 것을 의미했으며, 그럴 경우 미국과의 무력 충돌에 휘말릴 가능성이 높았다. 그러나 리벤트로프와 오트는 이 가능성을 파악하지 못했다. 그 무렵 두 사람이 주고받은 전보를 보면, 이제 일본이 소련을 공격하지 않는다는 실망스러운 현실을 깨닫긴 했지만, 일본군의 남진이 네덜란드령과 영국령을 겨냥하지 미국령을 겨냥하지 않는다고 믿었다는 것을 알 수 있다. 히틀러의 바람대로 미국 정부는 자기 차례가 올 때까지 방관할 것이라고 두 사람은 믿었다.[31]

나치의 착각은 대체로 이 국면에 일본 정부가 미국과 관련한 자국의 운명적인 결정을 독일 정부에 털어놓지 않은 데에 원인이 있었다. 헐 국무장관은 암호해독기 '매직' 덕분에 정보에 한결 밝았다. 이미 11월 5일에 헐은 신임 외무대신 도고 시게노리東鄕茂德가 노무라에게 보낸 전보에서 미국 정부와 협정을 체결—일본의 조건에 따라—할 기한을 11월 25일로 정한 사실을 알고 있었다. 일본의 최종 제안은 11월 20일에 워싱턴에 전달되었다. 헐과 루스벨트는 그것이 최종 제안임을 알았는데, 이틀 후에 '매직'이 도고가 노무라와 구루스에게 보낸 메시지를 해독했기 때문이다. 또한 그 메시지에는 기한을 11월 29일로 연기한다고 적혀 있었다.

> [도고가 두 대사에게 타전함] 우리가 일본-미국 관계의 조정을 25일까지 마치려는 데에는 귀관들로서는 짐작할 수 없는 이유가 있다. 그러나 협정 체결을 29일까지 완료할 수 있다면 … 우리는 그 날짜까지 기다리기로 결정했다. 이번 기한은 절대로 변경할 수 없다. 그 후의 사태는 자동적으로 굴러갈 것이다.[32]

1941년 11월 25일은 결정적인 날이었다.

그날 일본 항모기동부대가 진주만을 향해 출항했다. 워싱턴에서 헐은 백악관을 찾아가 군사회의에서 미국이 일본의 위협에 직면해 있다고 경고하고, 육군과 해군 총사령관들에게 일본의 기습 가능성을 강조했다. 그날 베를린에서는 추축국 삼국이 화려하게 격식을 차려가며 1936년의 반코민테른 조약을 갱신하는 다소 기이한 행사가 열렸다—독일 일각에서 지적했듯이 이 행사는 대소련 전쟁에 일본을 끌어들이는 것과는 아무런 관련도 없었고, 그저 젠체하는 리벤트로프에게 루스벨트를 "이번 전쟁의 최고 원흉"으로 매도하고 이렇게 무책임한 지도자에게 배신당한 "성실하고 신심 깊은 … 미국 국민"을 위해 악어의 눈물을 흘릴 기회를 주는 공허한 제스처에 지나지 않았다.

나치 외무장관은 자신의 발언에 도취된 듯했다. 리벤트로프는 11월 28일 히틀러가 주재하는 장시간의 군사회의에 참석한 뒤 저녁에 오시마를 불렀고, 일본 대사가 즉각 도쿄에 타전했듯이 미국을 대하는 독일의 태도가 "상당히 경직되었다"는 인상을 풍겼다. 미국을 상대할 준비가 될 때까지 미국의 참전을 막기 위해 가능한 모든 일을 한다는 히틀러의 방침이 곧 폐기될 것처럼 보였다. 리벤트로프는 갑자기 일본 측에 영국뿐 아니라 미국을 상대로도 전쟁할 것을 촉구하고 제3제국의 지원을 약속하기 시작했다. "일본이 주저한다면 … 영국과 미국의 모든 군사력이 일본에 집중될 것입니다"—유럽 전쟁이 지속되는 한 어처구니없는 논거였다—라고 오시마에게 경고한 뒤, 리벤트로프는 이렇게 부언했다.

오늘 히틀러가 말했듯이, 독일과 일본과 미국 사이에는 생존권 자체에 근본적 차이가 있습니다. 우리는 미국이 경직된 태도를 취하고 있어서 일본-미국 교섭이 성공적으로 타결될 희망이 사실상 없다는 취지의 통지를 받았습니다.

이것이 진실이라면, 그리고 일본이 영국 및 미국과 싸우기로 결정한다면, 나는 그것이 독일과 일본에 공히 이익이 될 뿐 아니라 일본 자체에도 유리한 결과를 가져올 것이라고 확신합니다.

긴장하고 있던 왜소한 일본 대사에게는 뜻밖의 희소식이었다. 하지만 대사는 자신이 제대로 알아들었는지 확인하려 했다.

"귀하의 말은 독일과 미국 사이에 실제 전쟁 상태를 성립시키겠다는 뜻입니까?"

리벤트로프는 주저했다. 너무 나갔다고 생각했을 것이다. 그래서 "루스벨트는 미치광이라서 무슨 짓을 할지 알 수 없습니다"라고 대꾸했다.

외무장관의 이 답변을 이상하고 불만족스럽게 생각한 오시마는 회담 막바지에 다시 요점으로 돌아갈 것을 고집했다. 실제로 전쟁이 "영국을 원조해온 나라들로" 확대될 경우 독일은 어떻게 할 것인가?

[리벤트로프가 답변함] 일본이 미국과 교전하게 된다면 독일은 당연히 즉각 그 전쟁에 동참할 것입니다. 그런 상황에서 독일이 단독으로 미국과 강화협정을 맺을 가능성은 결코 없습니다. 그 점에 관한 총통의 생각은 확고합니다.[33]

이것은 일본 정부가 기다리던 단호한 보장이었다. 히틀러가 봄에 마쓰오카에게 비슷한 보장을 해주었던 것은 사실이지만, 일본이 대소련 전쟁에 가담하기를 거부하며 그의 짜증을 돋우는 사이에 그 보장을 잊어버린 것처럼 보였다. 일본 측이 보기에 이제 남은 일은 독일로부터 서면 확약을 받아내는 것뿐이었다. 오시마 장군은 11월 29일 기쁜 마음으로 도쿄에 보고서를 보냈다. 이튿날 베를린의 오시마에게 새로운 훈령이 도착했다. 대사는 워싱턴 회담이 "이제 결렬되었다—깨졌다"고 통지받았다.

[그 훈령이 대사에게 지시함] 그러므로 귀관은 즉시 히틀러 총리와 리벤트로프 외무장관을 면담하고 회담 경과의 개요를 비밀리에 통지하라. 그들에게 최근에 잉글랜드와 미국 모두 도발적인 태도를 취했다고 말하라. 두 나라가 동아시아의 여러 위치로 군대를 이동시킬 계획을 세우고 있고 우리도 부득이 병력을 이동시켜 대응해야 할 것이라고 말하라. 일본과 앵글로색슨 국가들 사이에 모종의 무력 충돌로 인해 갑자기 전쟁이 발발할 극도의 위험이 있다고 매우 은밀하게 말하고, 그 전쟁의 발발 시기는 어느 누구의 상상보다도 이를 수 있다고 부언하라.*[34]

---

* 헐은 '매직'을 통해 이 메시지의 사본을 입수했다고 말한다. 따라서 11월 마지막 날에 베를린뿐 아니라 워싱턴도 일본이 "어느 누구의 상상보다도" 일찍 미국을 타격할지도 모른다는 것을 알고 있었다. (Hull, *Memoirs*, Vol. II, p. 1092)

당시 일본 항공모함 함대가 이미 진주만으로 향하고 있었다. 도쿄는 서둘러 독일의 서약을 받아내려 했다. 오시마가 새로운 훈령을 받은 11월 30일 당일, 일본 외무대신은 도쿄에서 독일 대사와 회견하면서 삼국조약을 포기하라는 미국의 요구를 일본이 받아들이지 않은 까닭에 워싱턴 회담이 결렬되었다고 강조했다. 일본은 공동의 대의를 위한 이 희생을 독일이 알아주기를 바랐다.

"중대한 결정이 걸려 있다"라고 도고 외무대신은 오트 대사에게 말했다. "미국은 진지하게 전쟁을 준비하고 있다. … 일본은 교섭의 결렬을 두려워하지 않으며 그럴 경우 독일과 이탈리아가 삼국조약에 따라 일본의 편에 서기를 희망한다."

[오트가 베를린에 타전함] 본관은 독일의 향후 입장에는 의문의 여지가 없다고 답변했다. 그러자 일본 외무장관은 본관의 말대로 그럴 경우 독일이 일본과의 관계를 운명 공동체의 관계로 여길 것으로 알겠다고 말했다. 본관은 본인 의견에 따라 이런 상황에서 독일은 분명 양국 간의 상호 협정을 맺을 용의가 있다고 답변했다.[35]

진주만 전야

오시마 장군은 독일과 오스트리아 고전음악의 애호가였고, 당시 정세의 중압감과 긴장감에도 불구하고 모차르트 축제를 즐기러 오스트리아로 떠났다. 하지만 이 위대한 오스트리아 작곡가의 아름다운 음악을 차분히 감상할 계제가 아니었다. 12월 1일, 긴급 호출을 받고 베를린 대사관으로 부리나케 돌아간 오시마는 조속히 독일과 협정을 체결하라는 새로운 훈령을 받았다. 한시가 급했다.

그런데 이제 궁지에 몰린 리벤트로프가 시간을 끌었다. 자신이 일본에 해준 성급한 약속의 결과를 비로소 충분히 깨달은 듯한 나치 외무장관은 유독 냉정하게 굴면서 확답을 피했다. 12월 1일 늦은 저녁에 리벤트로프는 오시마에게 명확한 언질을 주기 전에 먼저 총통과 상의해야 한다고 말했다. 일본 대사는 12월 3일 수요일에 다시 빌헬름슈트라세를 찾아가 확답을 재촉했지만, 리벤트로프는 이번에도 시간을 끌었다. 상황이 극히 엄중해졌다는 오시마의 호소에 외무장관은 자신이야 서면 합의에 찬성하지만 주 후반에 총통이 본부에서 돌아올 때까지 기다려야 한다고 대꾸했다. 치아노가 일기에 고소하다는 투로 적었듯이, 사실 히틀러는 "휘하 부대들이 예상치 못한 공세에 밀려 계속 후퇴하는" 클라이스트 장군을 만나러 소련의 남부전선으로 날아가 있었다.

이 무렵 일본 측은 어떤 전선에도 가 있지 않은 무솔리니에게도 접근했다. 12월 3일, 로마 주재 일본 대사는 두체를 찾아가 미국과의 충돌이 일어나는 즉시 이탈리아가 삼국조약에 따라 미국에 전쟁을 선포할 것을 정식으로 요청했다. 또 대사는 단독 강화를 맺지 않겠다고 명시하는 조약을 원했다. 치아노가 일기에 썼듯이 일본 통역관은 "사시나무처럼 떨고 있었다". 두체는 베를린과 상의한 후에 일본의 요청에 "기꺼이" 응하겠다고 말했다.

이튿날 치아노가 보기에 독일 수도는 극히 조심스러웠다.

[치아노가 12월 4일 일기의 첫머리에 씀] 아마도 독일 측은 다른 수가 없기 때문에 진행할 테지만, 미국이 개입하도록 도발하자는 생각을 점점 더 꺼리고 있다. 반면에 무솔리니는 그 생각에 기뻐하고 있다.

놀랍게도 히틀러가 여전히 어느 정도 관심을 보이던 리벤트로프의 의견과 상관없이, 독일이 일본에 정식 보장을 해줄지 여부는 나치 통수권자 본인만이 결정할 수 있었다. 외무장관은 12월 4일에서 5일에 걸친 밤에 총통의 승인을 받아낸 것으로 보이며, 5일 오전 3시에 오시마 대사에게 일본이 요청한 조약, 즉 독일이 일본의 대미국 전쟁에 동참하고 단독강화를 맺지 않는다는 조약의 초안을 건넸다. 이 치명적인 걸음을 내딛고 지도자의 뜻대로 지난 2년간 완강히 고수해온 정책을 뒤집은 리벤트로프는 동맹국 이탈리아도 당장 보조를 맞추기를 원했다.

[치아노가 12월 5일 일기의 첫머리에 씀] 리벤트로프의 설레발 때문에 잠에서 깼다. 이틀간 미적거리던 그는 이제 일본 측에 대한 회답을 단 1분도 지체하지 않으려 했고, 오전 3시에 마켄젠을 내 집으로 보내 일본의 개입과 단독강화를 맺지 않겠다는 약속에 대한 삼국조약의 초안을 건넨다. 그들은 내가 두체를 깨우기를 원했으나 나는 그렇게 하지 않았고, 두체는 매우 기뻐했다.

일본 측은 히틀러와 무솔리니 둘 다 승인한 조약의 초안을 얻었으나 아직 서명을 받지는 못했고, 그것이 걱정이었다. 그들은 총통이 시간을 끄는 이유가 실은 주는 만큼 받기를 원하기 때문이 아닌지 의심했다. 다시 말해 독일이 일본의 대미국 전쟁에 가담한다면 일본도 독일의 대소련 전쟁에 가담할 것을 요구할지도 모른다고 생각했다. 일본 외무대신은 11월 30일 오시마에게 보낸 전보 훈령에서 독일과 이탈리아가 이 까다로운 문제를 제기할 경우 어떻게 대처할지 조언했다.

귀관에게 소비에트에 대한 우리의 태도를 묻는다면, 지난 7월의 성명에서 러시아에 대한 우리의 태도를 이미 밝혔다고 말하라. 현재 우리의 남진은 소비에트에 대한 우리의 압박을 푸는 것이 아니며, 만약 러시아가 잉글랜드 및 미국과의 공조를 강화하고 적대 행위로 우리를 방해한다면 우리는 총력으로 러시아에 맞설 용의가 있다고 말하라. 그렇지만 지금 당장은 남부를 압박하는 것이 우리에게 이롭고, 당분간 우리는 북부에서의 직접적인 움직임을 일체 삼가는 편을 선호할 것이다.[36]

12월 6일이 왔다. 그날 주코프는 모스크바 전면에서 역공을 개시했고, 독일군은 눈과 혹한 속에서 뒤로 밀려났다. 히틀러로서는 일본에 주는 만큼 받아야 할 이유가 더 커졌다. 이 문제를 도쿄 외무성은 몹시 거북해했다. 당시 일본 해군 기동부대는 함재기가 진주만까지 비행할 수 있는 거리에 있었다. 그때까지 미국 함정에도 항공기에도—기적처럼—발각되지 않은 상태였다. 하지만 언제든 발각될 수 있었다. 도쿄 측은 워싱턴의 노무라와 구루스에게 장문의 메시지를 타전해 이튿날인 12월 7일 오후 1시 정각에 헐 국무장관을 방문해 미국의 최근 제안을 거절한다는 뜻을 전하고 교섭이 "사실상 결렬되었다"고 강조하도록 지시했다. 절박한 도쿄 정부는 독일의 지원에 대한 서면 보장을 받고자 베를린으로 주의를 돌렸다. 일본군 수뇌부는 바로 다음날 실행할 미국에 대한 일격을 알려줄 만큼 독일 측을 신뢰하고 있지 않았다. 그러나 일본이 미국과 영국뿐 아니라 소련과도 대결하는 데 동의하지 않는 한 히틀러가 보장을 해주지 않을 것을 과거 어느 때보다도 우려하고 있었다. 이 곤경에서 도고 외무대신은 베를린의 오시마 대사에게 장문의 메시지를 보내 소련 문제와 관련해 어떻게든 시간을 끌고 정말로 어쩔 수 없는 상황이 오지 않는 한 양보하지 말라고 지시했다. 일본 장군들과 제독들은 비록 미군과 영국군을 상대하는 자기네 능력을 과신하긴 했지만, 설령 독일의 지원을 받더라도 소련군까지 동시에 상대할 수는 없다는 것을 알 만한 분별력을 유지하고 있었다. 그 운명적인 12월 6일 토요일에 도고가 오시마에게 보낸 훈령, 헐 장관의 암호 해독 전문가들이 방수해 해독한 메시지들에 포함된 그 훈령은 일본이 막판에 제3제국을 상대로 펼친 외교에 관한 흥미로운 통찰을 제시한다.

우리는 전략적 상황이 괜찮아질 때까지 러시아와의 무력 충돌을 … 피하고자 한다. 그러므로 우리의 이런 입장을 독일 정부에 이해시키고, 적어도 당분간은 독일 측이 이 문제에 관한 외교 각서를 교환하자고 주장하지 않도록 그들과 교섭하라.

소비에트 러시아로 수송되고 있는 미국의 물자는 … 고품질도 아니고 대량도 아니라는 점과, 우리가 미국과 전쟁을 시작할 경우 소비에트 러시아로 향하는 미국 선박들을 모두 나포하겠다는 점을 독일 측에 상세히 설명하라. 이 노선으로 이해시키기 위해 노력해주기 바란다.

그렇지만 리벤트로프가 이 문제에 관한 우리의 보장을 고집한다면, 우리에게는 다른 방도가 없으므로 … 원칙상 군수물자가 미국에서 일본 해역을 경유해 소비에트 러시아로 수송되는 것을 저지하겠다는 취지로 말하고, 전략적인 이유로 소비에트 러시아를 일본과 싸우지 않도록 유지할 필요가 있는 한(우리가 소비에트 선박을 나포할 수 없다는 뜻이다) 우리가 이 원칙을 철저히 이행할 수 없다는 취지의 진술을 추가하는 절차에 독일 측이 동의하도록 하라.

독일 정부가 [위의 조건에] 동의하기를 거부하고, 우리가 전쟁에 참가한다는 조건과 단독 강화에 반대하는 조약을 체결한다는 조건으로만 이 문제를 승인하겠다고 주장할 경우, 우리는 그런 조약의 체결을 연기할 수밖에 없다.[37]

일본은 이렇게까지 걱정할 필요가 없었다. 도쿄의 군부에, 혹은 다른 누구에게도 알려지지 않은 이유, 논리도 없고 이해할 수도 없는 이유 때문에 히틀러는 일본이 미국과 영국에 더해 소련까지 떠맡아야 한다고 고집하지 않았다. 만약 히틀러가 계속 고집을 부렸다면, 아마도 전쟁의 추이가 달라졌을 것이다.

어쨌든 1941년 12월 6일 토요일 저녁, 일본은 태평양에서 미국에 강력한 일격을 가하기로 결의했다. 그럼에도 워싱턴과 베를린에서는 그 일격이 도대체 어디서, 심지어 정확히 언제 벌어질지를 아무도 알지 못했다. 6일 오전에 영국 해군부는 일본의 대규모 침공 함대가 태국 만을 가로질러 끄라 지협으로 향하는 것이 목격되었고 이것은 일본군이 우선 태국과 어쩌면 말라야를 타격할 징후라고 미국 정부에 귀띔했다. 오후 9시, 루스벨트 대통령은 일본 천황에게 메시지를 보내 함께 "먹구름을 걷어낼 방법"을 찾자고 청하는 동시에 일본군이 동남아시아에 침투할 경우 "상상도 할 수 없는" 상황이 조성될 것이라고 경고했다. 미국 해군부에서는 정보장교들이 일본 해군 주요 군함들의 위치에 대한 최신 보고서를 작성했다. 그 보고서에는 일본 해군 기동부대의 항공모함들 전체와 여타 군함들을 포함하는 주요 군함 대부분이 모항에 계류되어 있다고 적혀 있었지만, 그 순간 기동부대는 진주만에서 480킬로미터 이내의 거리까지 다가가 새벽에 출격할 폭격기들을 정비하고 있었다.

그 토요일 밤에 미국 해군부는 대통령과 헐 장관에게 일본 대사관이 암호표를 파기하고 있다고 알리기도 했다. 그에 앞서 해군부는 오후 내내 열네 부분으로 나뉘어 찔끔찔끔 들어오는 도고의 장문의 메시지를 해독해야 했다. 해군의 해독 담당자들은 각 부분을 입수하는 대로 즉각 해독했고, 오후 9시 30분에 한 해군 장교가 앞의 열세 부분의 번역문을 가지고 백악관에 도착했다. 해리 홉킨스Harry Hopkins와 함께 서재에 있던 루스벨트는 번역문을 읽고서 "이것은 전쟁을 의미한다"라고 말했다. 하지만 그 메시지는 정확한 시기와 장소를 알려주지 않았다. 미국 대통령은 알지 못했다. 노무라 제독마저 알지 못했다. 저 멀리 동유럽에 있던 아돌프 히틀러도 마찬가지였다. 히틀러는 루스벨트보다 적게 알고 있었다.

히틀러, 전쟁을 선포하다

1941년 12월 7일 일요일 오전 7시 30분(현지 시각)에 일본군이 진주만의 미국 태평양 함대를 강습했다는 천만뜻밖의 소식에 베를린은 워싱턴만큼이나 깜짝 놀랐다. 히틀러가 마쓰오카에게 일본의 대미국 전쟁에 독일이 동참할 것이라고 구두로 약속했고 리벤트로프가 오시마 대사에게 또다른 약속을 하긴 했지만, 아직 확약에 서명하기 전이었고 일본 측으로부터 진주만에 대해 한 마디도 들은 바가 없었다.* 게다가 이 시점에 히틀러는 소련에서 흔들리는 장군들과 퇴각하는 부대들을 재결집하는 데 전력을 기울이고 있었다.

외국 방송을 청취하는 당국이 진주만 기습 소식을 처음 들었을 때, 베

---

* 오랫동안 많은 이들이 히틀러가 진주만 공격의 정확한 시각을 사전에 알았을 것이라고 믿었지만, 나는 독일 기밀문서에서 그런 믿음을 입증할 사소한 증거조차 찾지 못했다.

를린은 어둠이 내린 뒤였다. 외무부 언론국의 한 관료가 리벤트로프에게 전화해 세계를 뒤흔든 소식을 알렸을 때, 외무장관은 처음에 믿지 않으려 했고 수면을 방해했다며 몹시 화를 냈다. 그 보고는 "아마도 적의 선전술"일 것이라며 아침까지 귀찮게 하지 말고 가만 놔두라고 했다.[38] 따라서 뉘른베르크 증인석에서 "이 공격은 우리에게 천만뜻밖이었습니다. 우리는 일본이 싱가포르나 어쩌면 홍콩을 공격할 가능성을 생각했지만, 미국에 대한 공격이 우리에게 이롭다고는 결코 생각하지 않았습니다" 하는 리벤트로프의 증언은 진실일 것이다.[39] 그렇지만 이 재판 증언과 반대로 그는 진주만 소식에 무척이나 기뻐했다. 적어도 치아노는 그렇게 느꼈다.

[치아노가 12월 8일 일기 첫머리에 씀] 밤중에 리벤트로프로부터 전화. 그는 일본의 미국 공격에 즐거워했다. 매우 기뻐하기에, 사실 나는 그것이 득인지 확신하지 못하면서도 그를 축하했다. … 무솔리니도 기뻐했다. 오랫동안 그는 미국과 추축국의 관계를 명확히 하기를 원해왔다.

12월 8일 월요일 오후 1시, 오시마 장군이 리벤트로프로부터 독일의 명확한 입장을 듣기 위해 빌헬름슈트라세를 찾았다. 오시마는 독일이 미국에 "즉시" 정식으로 선전포고할 것을 요구했다.

[오시마가 도쿄에 타전함] 리벤트로프는 지금 히틀러가 총사령부에서 어떤 형식으로 선전포고를 해야 독일 국민에게 좋은 인상을 줄 수 있을지에 관해 한창 협의 중이고, 자신이 본관의 바람을 히틀러에게 즉시 전달하고 그 바람이 즉시 실행되도록 최대한 노력하겠다고 답변했다.

오시마가 도쿄에 보낸 메시지에 따르면, 나치 외무장관은 대사에게 8일 당일 오전에 "히틀러가 독일 해군에 미국 함선을 언제 어디서 조우하든 공격하라는 명령을 내렸다"고 알려주기도 했다.[40] 하지만 히틀러는 선전 포고를 미적거렸다.* 총통의 일지에 적힌 메모에 따르면, 히틀러는 12월 8일 밤에 급거 베를린으로 출발해 이튿날 오전 11시 정각에 도착했다. 리벤트로프는 뉘른베르크 재판에서, 일본이 명백히 침공국이므로 삼국 조약의 조건에 의하면 독일이 꼭 미국에 전쟁을 선포할 필요는 없다는 점을 자신이 히틀러에게 상기시켰다고 주장했다.

삼국조약의 조문은 일본이 공격받을 경우에만 우리가 일본을 지원해야 한다는 것입니다. 저는 총통을 만나 당시 상황의 법적 측면을 설명하고, 비록 우리가 잉글랜드에 맞설 새로운 동맹을 환영하긴 해도 … 우리가 미국에 전쟁을 선포한다면 … 새로운 적도 얻게 된다고 말했습니다.

저는 일본이 공격받지 않았기 때문에 삼국조약의 조항에 따르면 우리가 공식적으로 선전포고할 필요는 없다고 총통에게 말했습니다. 총통은 이 문제에 관해 한참이나 생각하고는 매우 분명한 결정을 내렸습니다. "우리가 일본 편에 서지 않는다면 그 조약은 정치적으로 죽은 것이다. 하지만 그것이 주된 이유는 아니다. 주된 이유는 미국이 이미 우리 함선에 발포하고 있다는 것이다. 미국은 이번 전쟁에서 강력한 요인이고 그 행동을 통해 이미 전쟁 상황을 조성하고 있다"라고 총통은 말했습니다.

그 시점에 총통은 미국이 독일과 전쟁을 벌일 것이라고 아주 분명하게 인식

---

* 같은 시각, 도쿄에서 도고 외무대신은 오트 대사에게 "일본 정부는 이제 독일 역시 조속히 미국에 전쟁을 선포하기를 기대한다"라고 말하고 있었다.[41]

하고 있었습니다. 그래서 제게 미국 대표들에게 여권을 넘겨주라고 지시했습니다.[42]

이것은 워싱턴에서 루스벨트와 헐이 확신을 가지고 기다리던 결정이었다. 두 사람은 12월 8일 의회를 통해 일본에 전쟁을 선포할 때 독일과 이탈리아를 상대로도 선전포고를 하라는 압박을 받은 터였다. 하지만 그들은 기다리기로 결정했다. 진주만 공습으로 한 가지 불확실성에서 벗어난 그들은 수중의 특정한 정보에 근거해 고집불통 나치 독재자가 또다른 불확실성을 벗겨줄 것이라고 생각했다.* 이미 언급했듯이 루스벨트와 헐은 11월 29일 오시마 대사가 베를린에서 도쿄로 보낸 메시지를 방수해

---

* 당시 워싱턴에 머물던 내가 받은 인상은 루스벨트 대통령이 의회를 설득해 독일에 전쟁을 선포하기가 어려우리라는 것이었다. 육군과 해군뿐 아니라 양원에서도 일본을 무찌르는 데 집중해야지 한꺼번에 독일과도 싸우는 부담을 추가로 떠안아서는 안 된다는 생각이 강했던 듯하다.
다른 모든 재외 나치 사절들과 마찬가지로 평소에 히틀러와 리벤트로프가 무슨 일을 꾸미는지 알지 못하던 워싱턴의 독일 대사대리 한스 톰젠은 이런 분위기를 베를린에 보고했다. 12월 8일 오전 의회에서 루스벨트가 일본에 대한 선전포고를 요청하는 연설을 한 직후, 톰젠은 베를린에 이렇게 타전했다. "그[루스벨트]가 독일과 이탈리아를 전혀 언급하지 않았다는 사실은 우선 대서양의 정세가 첨예해지는 것을 피하려 한다는 것을 보여준다." 같은 날 저녁 톰젠은 이 주제에 관한 다른 전보를 보냈다. "루스벨트가 독일과 이탈리아에 대한 선전포고를 요구할지는 불확실하다. 미군 수뇌부의 관점에서는 양면 전쟁으로 이어질 수 있는 행동을 일체 피하는 것이 논리적일 것이다."
진주만 공습 직전에 보낸 몇 통의 전보에서 톰젠은 미국이 양면 전쟁을 치를 준비가 되어 있지 않다고 강조했다. 12월 4일, 그는 "독일과 그 동맹들을 무찌르기 위한 준비와 전망에 관한 미국 최고사령부의 전쟁계획"이라는 《시카고 트리뷴》의 폭로 기사를 타전했다. "그 기사는 미국의 전면적 참전을 1943년 7월 이전에는 기대할 수 없다고 확인해주었다. 일본에 대한 군사 조치는 방어적 성격의 것이다." 12월 8일 저녁 베를린에 보낸 메시지에서 톰젠은 진주만 침공 덕에 독일이 대서양에서 미국의 호전적인 활동으로부터 확실히 벗어날 것이라고 강조했다. "일본과의 전쟁은 미국이 **자국**을 재무장하는 데 모든 에너지를 쏟을 것이고 그에 따라 무기대여 원조가 줄어들고 미국의 모든 활동이 태평양으로 옮겨간다는 것을 의미한다."
이 시기 빌헬름슈트라세와 워싱턴 주재 독일 대사관이 주고받은 전보들을 나는 국무부의 호의로 열람할 수 있었다. 그 전보들은 나중에 《독일 외교 정책 문서집》 시리즈로 공개될 것이다.

그에 관해 곰곰이 생각했는데, 만약 일본이 미국과의 전쟁에 "관여"하게 되면 독일이 동참할 것이라고 리벤트로프가 확약했다는 내용이었다. 이 확약에는 독일의 원조 여부가 어느 쪽이 침공국인지에 달려 있다는 조건이 전혀 들어 있지 않았다. 그것은 백지수표였고, 미국 측은 지금 베를린에서 일본 측이 이 확약을 지키라고 아우성치고 있을 것을 의심하지 않았다.

그 약속은 결국 지켜졌지만, 그에 앞서 나치 통수권자는 또다시 머뭇거렸다. 히틀러는 베를린에 도착한 12월 9일에 당장 제국의회를 소집했다가 이틀 후인 11일로 미루었다. 훗날 리벤트로프가 말했듯이, 겉보기에 히틀러는 마음을 정한 듯했다. 히틀러는 자신과 나치즘에 대한 루스벨트의 공격에 신물을 냈고, 대서양에서 독일 U보트를 노리는 미국 해군의 호전적인 행동에 인내심이 바닥났다. 레더도 근 1년 전부터 끊임없이 불평을 늘어놓던 터였다. 히틀러는 미국과 미국인에 대한 증오심을 키워가고 있었다. 길게 볼 때 더 문제가 된 것은, 미국의 잠재력을 터무니없이 과소평가하는 성향도 함께 키워가고 있었다는 사실이다.*

그와 동시에 히틀러는 일본의 군사력을 턱없이 과대평가했다. 사실 그는 일본 해군을 세계 최강이라고 생각했고 일본 해군이 태평양에서 영국군과 미군을 해치우고 나면 소련으로 방향을 돌려 자신의 위대한 동방 정복을 도울 것이라고 믿었던 모양이다. 실제로 몇 달 후에 히틀러는 일

---

* "나는 미국인의 장래가 밝다고 보지 않네"라고 히틀러는 한 달 후인 1942년 1월 7일 본부에서 혼자 떠드는 와중에 측근들에게 말했다. "그곳은 타락한 나라야. 그리고 그들에겐 인종 문제, 그리고 사회 불평등 문제가 있지. … 미국주의에 대한 나의 감정은 증오와 깊은 반감의 감정일세. … 미국 사회의 행태와 관련한 모든 것은 그곳이 절반쯤은 유대인화되었고 절반쯤은 흑인화되었다는 것을 드러내지. 그런 국가, 모든 것이 달러 위에 건설된 나라가 어떻게 단결할 수 있겠나." (Hitler's Secret Conversations, p. 155)

부 추종자들에게 일본의 참전이 "그 시기만 보더라도 우리에게 특별한 가치"가 있다고 말했다.

사실상 그때는 불시에 찾아온 러시아의 겨울이 우리 국민의 사기를 가장 무겁게 억누르고 독일의 모든 사람이 머지않아 미국이 분쟁에 가담할 것이라는 확실성에 짓눌리던 순간이었네. 따라서 일본의 개입은 우리의 관점에서 볼 때 시의적절한 것이었어.[43]

일본이 진주만의 미국 함대를 불시에 강력하게 타격했다는 사실이 히틀러의 찬탄을 자아낸 것은 틀림없다―그도 그럴 것이 그 타격은 히틀러가 당시까지 몇 번이고 해냈다고 너무나 자랑스러워하던 종류의 '기습'이었다. 12월 14일, 오시마에게 독일독수리황금대십자훈장을 수여하면서 히틀러는 이런 찬탄의 감정을 표현했다.

여러분은 전쟁을 올바로 선포했습니다! 이 방법야말로 유일하게 적절한 방법입니다.

그것은 히틀러 "본인의 방식"에 부합하는 것이었다.

다시 말해 가급적 길게 교섭하는 것이다. 그러나 상대편이 시간을 끄는 일, 우리 편에 수치심과 굴욕감을 주는 일에만 관심이 있고 협정을 맺을 의향이 없다고 판단되면, 우리는 타격―최대한 강력하게―해야 하고 지체 없이 전쟁을 선포해야 한다. 총통은 일본의 첫 작전을 듣고서 흐뭇해했다. 총통 본인도 때로는 무한한 인내심으로, 이를테면 폴란드와, 아울러 러시아

와 교섭했다. 그런 다음 상대편이 협정 체결을 원하지 않는다는 것을 알아
채면, 격식을 차리지 않고 갑자기 타격했다. 앞으로도 이 방법을 계속 사용
할 것이다.[44]

히틀러가 막강한 적국 명단에 미국을 추가하는 결정을 그렇게 서둘러
내린 또 하나의 이유가 있었다. 그 한 주 동안 총리 관저와 외무부를 들
락거린 슈미트 박사는 훗날 그 이유를 콕 집어 말했다. "나는 위신을 바
라는 히틀러가 미국의 선전포고를 예상하고서 선수를 치기를 원한다는
인상을 자주 받았다."[45] 나치 통수권자는 12월 11일 제국의회 연설에서
슈미트의 인상이 옳았음을 확인해주었다.

"우리는 언제나 먼저 타격할 것입니다" 하고 히틀러는 환호하는 의원
들을 향해서 말했다. "우리는 언제나 먼저 강타할 것입니다!"

실제로 베를린은 12월 10일에 미국이 먼저 선전포고할지 모른다고 우
려한 나머지, 리벤트로프를 시켜 워싱턴의 독일 대사대리 톰젠에게 히틀
러가 이튿날 하려는 일을 미국 국무부가 눈치채게 할 만한 무분별한 행
동을 일체 삼가라고 엄중히 경고했다. 나치 외무장관은 10일 톰젠에게
보낸 장문의 무선 전보에 자신이 12월 11일 정확히 오후 2시 30분에 베
를린에서 미국 대사대리에게 전하려는 선전포고문을 담았다. 톰젠은 정
확히 한 시간 후인 3시 30분(베를린 시각)에 헐 국무장관을 찾아가 선전
포고문의 사본을 건네고, 본인의 여권을 요구하고, 독일의 외교 대표권
을 스위스에 위탁하라는 훈령을 받았다. 메시지 말미에서 리벤트로프
는 톰젠에게 포고문을 전달하기 전에는 국무부와 절대로 접촉하지 말
라고 경고했다. "우리는 어떠한 경우에도 그곳 정부가 선수를 치지 않기
를 바란다."

히틀러가 무슨 이유로 제국의회 소집을 이틀 미루었던 간에, 빌헬름 슈트라세와 워싱턴 독일 대사관이 주고받은 메시지와 독일 외무부의 여타 문서들을 보면, 총통이 실은 소련 전선의 본부에서 수도로 돌아온 12월 9일에 미국에 선전포고하겠다는 중대 결정을 내렸던 것이 분명하다. 나치 독재자는 더 숙고하기 위해서가 아니라 제국의회 연설을 신중하게 준비해서 독일 국민에게 적절한 인상을 주기 위해 이틀의 여유를 원했던 것으로 보인다. 독일 국민은 1차대전 시기 미국의 결정적인 역할을 기억하고 있었고, 히틀러는 그 사실을 잘 알고 있었다.

공식적으로는 여전히 워싱턴 주재 독일 대사였으나 1938년 가을 양국이 저마다 수석 외교 대표를 소환한 이래 빌헬름슈트라세에서 마냥 대기 중이던 한스 디코프는 12월 9일, 총통의 제국의회 연설을 위해 루스벨트의 반독일 활동을 긴 목록으로 작성하는 소임을 맡았다.*

12월 9일, 워싱턴의 톰젠은 기밀 암호표와 문서를 소각하라는 지시도 받았다. "지시대로 조치 완료"라고 당일 오전 11시 30분에 톰젠은 베를린에 재빨리 보고했다. 톰젠은 베를린에서 무슨 일이 벌어지는지를 처음으로 알게 되었고, 미국 정부도 그것을 알고 있는 것으로 보인다고 저녁에 빌헬름슈트라세에 전했다. "이곳에서는 24시간 내에 독일이 미국에

---

* 하셀이 "고분고분한 기질"의 인물이라고 여긴 디코프는 불과 1주일 전에 리벤트로프의 요청에 따라 "미국 여론에 영향을 주기 위한 원칙들"이라는 제목의 긴 의견서를 작성한 바 있었다. 11개의 원칙들 중에는 다음과 같은 것이 있었다. "미국의 실질적 위험은 루스벨트 본인에게 있다. … 루스벨트에 대한 유대인의 영향(프랑크푸르터, 바루크, 벤저민 코언, 새뮤얼 로젠먼, 헨리 모겐소 등) … 미국의 모든 어머니에 대한 표어는 "나는 영국을 위해 죽게 하려고 내 아들을 키운 게 아니다!"여야 한다." (미출간 외무부 문서에서 인용.) 국무부와 베를린 미국 대사관의 일부 사람들은 디코프를 꽤 높게 평가했고 그가 반나치라고 믿었다. 내가 느끼기에 디코프에게는 그럴 만한 배짱이 없었다. 디코프는 끝까지 히틀러를 섬겼다—1943년부터 1945년까지 프랑코의 스페인에서 나치 대사를 지냈다.

전쟁을 선포하거나 적어도 외교 관계를 단절할 것으로 믿고 있다."*

제국의회의 히틀러: 12월 11일

———

12월 11일, 히틀러는 제국의회의 꼭두각시 의원들 앞에서 미국에 대한 선선포고를 옹호하며 행한 연설에서 프랭클린 D. 루스벨트 개인에게 모욕을 퍼붓는 데 주력했다. 미국 대통령이 뉴딜 정책의 실패를 숨기기 위해 전쟁을 도발했다고 비난하고, 백만장자와 유대인의 지지를 받는 "오직 이 한 사람에게 2차대전의 책임"이 있다고 일갈했다. 히틀러는 처음부터 자신의 세계 정복을 방해한 사람, 자신을 줄곧 비웃어온 사람, 난타당한 영국이 쓰러질 것 같은 순간에 이 섬나라에 막대한 원조를 제공한 사람, 그리고 대서양에서 해군으로 자신을 좌절시킨 사람에게 그간 쌓아온 울분을 격렬하게 쏟아냈다.

우리 군인들이 눈과 얼음 속에서 싸우는 동안 약삭빠르게도 난롯가에서 떠들기를 좋아하는 사람, 이번 전쟁의 장본인인 사람을 대표로 둔 저 다른 세계에 대한 나의 태도를 우선 밝히겠습니다. …
이른바 대통령이라는 이 사람이 나에게 행한 모욕적인 공격은 그냥 넘어갈 것입니다. 그가 나를 갱스터라고 부르는 것에도 관심이 없습니다. 어쨌거나

———

* 톰젠은 미국에서 한줌의 독일 기자들이 체포된 일에 대한 보복으로 독일에서 미국 통신원들을 체포할 것을 촉구하기도 했다. 12월 10일에 에른스트 뵈르만 국장이 서명한 외무부 문서에는 독일 내 미국 통신원들 전원을 "보복" 조치로서 체포하라는 명령을 내렸다고 분명히 적혀 있다. 《뉴욕 타임스》의 베를린 주재 선임 통신원 귀도 엔데리스(Guido Enderis)는 예외였는데, "독일에 대한 우정을 입증했기 때문"이라고 뵈르만은 썼다. 이는 작고한 엔데리스에게 부당한 평가일 텐데, 당시 그는 건강이 좋지 않았고 아마도 그것이 체포되지 않은 주된 이유였을 것이다.

이 표현은 유럽이 아니라 미국에서, 틀림없이 이곳에 갱스터가 없기 때문에 만들어낸 것입니다. 이와 별개로 루스벨트는 나를 모욕할 수 없습니다. 왜 냐하면 나는 윌슨과 마찬가지로 그도 미치광이라고 생각하기 때문입니다. … 우선 그는 전쟁을 선동하고, 이어서 그 원인을 조작하고, 이어서 혐오스 럽게도 기독교적 위선이라는 외투를 두른 채 인류를 서서히, 그러나 확실하 게 전쟁으로 이끌며, 그 와중에 공격의 정당성을 들이밀기 위해 신을 증인 으로 세우는 일을 빼먹지 않습니다─늙은 프리메이슨 단원의 공인된 방식 으로 말이죠. …

루스벨트는 국제법에 반하는 일련의 극악한 범죄를 저질렀습니다. 독일과 이탈리아 선적의 선박과 그 밖의 재산을 불법으로 압수했을 뿐 아니라 억류 되어 자유를 빼앗긴 자들을 위협하고 약탈했습니다. 점점 심해지던 루스벨 트의 공격은 결국 미국 해군에 독일과 이탈리아의 깃발을 건 모든 함선을 공격하고 격침하라는 명령을 내리는 지경에 이르렀습니다─이것은 중대한 국제법 위반입니다. 미국 각료들은 이렇게 범죄적인 방식으로 독일 잠수함 을 파괴한 일을 자랑했습니다. 독일과 이탈리아의 상선들은 미국 순양함의 공격을 받아 나포되었고, 그 선원들은 투옥되었습니다.

이렇게 해서 루스벨트 대통령이 수년 동안 자행한 견딜 수 없는 도발에도 불구하고 전쟁의 확대를 막고 미국과의 관계를 유지하려던 독일과 이탈리 아의 진실한 노력은 좌절되었습니다. …

"반독일 감정을 고조시켜 전쟁으로까지 끌고 간" 루스벨트의 의도는 대체 무엇인가? 히틀러는 이렇게 물었다. 그리고 두 가지 설명을 내놓 았다.

나는 루스벨트의 생각과 나의 생각을 갈라놓는 아득한 거리를 너무나 잘 알고 있습니다. 루스벨트는 부유한 가정 출신이며 민주국가에서 탄탄대로를 걷는 계급에 속합니다. 나는 변변찮고 가난한 가정의 아이에 지나지 않았고 노동과 근면으로 스스로의 길을 헤쳐 나가야 했습니다. 대전이 발발하자 루스벨트는 즐거운 결과만을 알게 되는 지위를 차지했습니다. 그 지위를 차지한 사람들은 다른 이들이 피를 흘리는 동안 사업을 했습니다. 나는 일반 병사로서 명령을 수행한 사람들 중 한 명에 불과했고, 당연히 1914년 가을과 똑같이 가난한 채로 전장에서 돌아왔습니다. 나는 수백만 명과 운명을 공유했고, 루스벨트는 이른바 상위 1만 명하고만 운명을 공유했습니다. 전후에 루스벨트는 금융 투기를 시도했습니다. 내가 … 병원에 누워 있는 동안 … 그는 인플레이션으로, 다른 사람들의 고통으로 수익을 올렸습니다. …

이 독특한 비교를 한참 이어간 후에 히틀러는 두 번째 논점, 즉 루스벨트가 대통령으로서의 실패를 모면하기 위해 다시 전쟁으로 주의를 돌렸다는 논점에 이르렀다.

독일에서 국가사회주의가 집권한 해에 루스벨트가 대통령으로 선출되었습니다. … 그는 경제 상태가 매우 열악한 국가를 넘겨받았고, 나는 민주주의 탓에 완전히 파멸할 처지의 제국을 넘겨받았습니다. …
독일에서 국가사회주의의 지도 아래 경제생활, 문화, 예술이 전례 없이 되살아나는 동안 루스벨트 대통령은 자국의 상황을 조금이나마 개선하는 데에도 성공하지 못했습니다. … 그가 자신을 지원해달라며 부른 사람들, 혹은 그를 불러들인 사람들이 오로지 해체에만 관심이 있고 질서 수립에는 결코 관심이 없는 유대인 파벌에 속한다는 것을 고려하면, 이는 놀랍지 않은 일입니다. …

루스벨트의 뉴딜 입법은 전부 틀렸습니다. 이 대통령의 온갖 변증법적 재주에도 불구하고, 평시였다면 이 경제 정책을 지속하지 않았으리라는 데에는 의문의 여지가 없습니다. 유럽 국가에서였다면 그는 분명 국부를 고의로 낭비했다는 혐의로 결국 국가의 법정에 서야 했을 것이고, 불법적인 사업 방식의 혐의로 민사법정의 처분을 결코 면하지 못했을 것입니다.

히틀러는 뉴딜 정책에 대한 이런 평가를 적어도 미국 내 고립주의파 일부와 재계의 상당수가 공유한다는 것을 알고 있었고, 진주만의 날에 이 집단들이 미국의 다른 모든 집단과 마찬가지로 자국을 지지하는 쪽으로 결집했다는 사실을 모른 채 그들을 최대한 활용하려 했다.

[히틀러가 이 집단들을 암시하며 이어서 말함] 고위층 일부를 비롯해 미국인 다수가 이 사실을 깨닫고 충분히 이해했습니다. 이 남자의 머리 위에서 위협적인 반대파가 모여들고 있었습니다. 그는 자신이 살 길은 대중의 이목을 국내에서 외교 정책으로 돌리는 것밖에 없다고 생각했습니다. … 이 생각은 그를 둘러싼 유대인들에 의해 더욱 강화되었습니다. … 온통 악마 같고 비열한 유대인들이 이 남자 주위로 집결했고, 그는 손을 내밀었습니다.

이렇게 해서 분쟁을 만들어내려는 미국 대통령의 점증하는 노력이 시작되었습니다. … 수년간 이 남자는 한 가지 바람을 품었습니다. 바로 세계 어딘가에서 분쟁이 일어났으면 하는 바람입니다.

그런 다음 루스벨트가 1937년 시카고에서의 '격리' 연설(일본, 독일, 이탈리아처럼 호전적이고 국제법을 위반하는 국가들을 '격리'해야 한다는 연설로, 미국 내 고립주의자와 비개입주의자의 반발을 샀다)을 시작으로 이런 방향으로 쏟아온 노력에 대해 장광설을 늘어놓았다. "지금 그는 유럽에 평화가 찾아오면 무장에 수백만 달러를 낭비한 자신이 명백한 사기꾼으로 비칠 것이라는 두려움에 사로잡혀 있습니다. 평화가 찾아오면 아무도 미국을 공격히지 않을 것이고, 본인이 직접 자국에 대한 공격을 도발해야 하기 때문입니다"라고 히틀러는 목소리를 높였다.

평화가 아닌 분열이 찾아와 안도한 듯한 나치 독재자는 이 안도감을 독일 국민과 공유하려 했다.

여러분 모두 안도했을 것으로 생각합니다만, 마침내 한 국가가 먼저 나서서 진실과 권리를 모독하는 이 역사상 유일무이하고 파렴치한 행태에 항의했습니다. … 수년간 이 남자와 교섭해온 일본 정부가 마침내 그토록 무례한 방식으로 조롱당하는 데 진저리를 쳤다는 사실에 우리 독일 국민 모두와 세계의 다른 점잖은 국민들은 깊은 만족감을 느끼고 있습니다. … 미합중국의 대통령은 그의 싸움의 목표가 한 나라씩 차례로 파괴하는 것임을 우리가 안다는 사실을 결국에는 이해하게 될 것입니다 — 이렇게 말하는 까닭은 그저 그의 지력이 부족하기 때문입니다. …

독일 민족에 대해 말하자면, 이든 씨는 말할 것도 없고 처칠 씨와 루스벨트 씨의 자애심도 필요하지 않습니다. 독일 민족은 오로지 권리를 원합니다! 독일 민족은 설령 수천 명의 처칠과 루스벨트가 음모를 꾸미더라도 이 생존권을 확보할 것입니다. …

이런 이유로 나는 오늘 미국 대사대리에게 여권을 건네줄 준비를 하고 다음과 같은 …[46]

이때 제국의회 의원들이 벌떡 일어나 환호했고, 총통의 발언은 요란한 환성에 묻혀 들리지 않았다.

오후 2시 30분이 막 지나 리벤트로프는 최대한 쌀쌀맞은 자세로 베를린 주재 미국 대사대리 릴런드 모리스Leland Morris를 접견했고, 그를 세워둔 채 독일의 선전포고문을 낭독한 뒤 사본을 건네고 냉랭하게 쫓아버렸다.

[선전포고문에서 말함] … 독일로서는 이번 전쟁에서 항상 미합중국을 상대로 국제법의 규칙을 엄격히 준수했음에도 불구하고, 미합중국 정부는 결국 독일을 상대로 명백한 전쟁 행위를 저지르기에 이르렀다. 그리하여 사실상 전쟁 상태를 조성했다.

따라서 독일 정부는 미합중국과의 모든 외교 관계를 단절하고, 루스벨트 대통령이 초래한 이 상황에서 독일 역시 오늘부로 미합중국과 전쟁 상태에 있다고 생각한다는 것을 선언한다.[47]

이날 드라마의 최종 막으로 독일, 이탈리아, 일본 삼국은 "미합중국과 잉글랜드에 대한 공동의 전쟁이 성공적으로 종결될 때까지 무기를 내려놓지 않고" 단독 강화를 맺지 않기로 "확고부동하게 결의"하는 협정을 체결했다.

불과 여섯 달 전만 해도 적이라곤 포위당한 영국밖에 없었고 전쟁에서 이긴 것이나 마찬가지라고 생각했던 아돌프 히틀러는 자신의 의도적인 선택으로 인해 이제는 세계의 3대 공업국을 대적하고 있었다. 그 싸움에서 각국의 군사력은 길게 보면 경제력에 달려 있었다. 게다가 세 적국은 인력 면에서 추축국 세 나라보다 크게 우세했다. 히틀러도 독일 장군들도 제독들도 1941년이 저물어가는 12월의 그 다사다난한 날에 정신이 번쩍 나게 하는 이런 사실을 심사숙고하지 않았던 듯하다.

총명한 참모총장 할더 장군은 12월 11일 일기에 독일이 미국에 선전포고했다는 사실을 적지도 않았다. 저녁에 "일본-미국 해전의 배경"에 관한 어느 해군 대령의 강연에 참석했다고 언급했을 뿐이다. 그날 일기의 나머지는, 어쩌면 당연하게도, 힘겨운 소련 전선의 대다수 구역들에서 계속 들려오는 나쁜 소식으로 채워졌다. 할더는 이미 약해진 독일군이 신세계에서 오는 새로운 군대까지 상대해야 할지도 모르는 만일의 사태를 생각할 겨를이 없었다.

레더 제독은 실제로 히틀러의 행보를 환영했다. 이튿날인 12월 12일, 제독은 총통과 상의했다. "대서양의 전황은 일본의 성공적인 개입으로 진정될 것입니다"라고 레더는 히틀러를 안심시켰다. 그리고 대화의 주제에 열을 올리며 이렇게 덧붙였다.

[미국의] 일부 전함들이 대서양에서 태평양으로 이동한다는 보고를 벌써 받았습니다. 태평양에서 더 많은 수의 경함정, 특히 구축함이 필요할 것이 확실합니다. 수송선의 필요성이 대단히 클 것이고, 따라서 미국 상선이 대서양에서 철수할 것으로 예상할 수 있습니다. 영국의 상선 수송은 더욱 압박받을 것입니다.

무모한 허세로 선전포고를 단행한 히틀러는 별안간 의문에 사로잡혀 있었다. 대제독에게 물어볼 몇 가지 질문이 있었다. "적이 태평양에서 차질을 빚은 결과로 잃어버린 위신을 되찾기 위해 가까운 장래에 아조레스 제도, 카보베르데를 점령하고 어쩌면 다카르까지 공격하는 조치를 취할 것이라고 생각하는가?"라고 물었다. 레더는 그렇게 생각하지 않았다.

[레더가 답변함] 미국은 앞으로 몇 달 동안 태평양에 전력을 집중해야 할 것입니다. 영국은 대형 함정들이 심각한 손실을 입은 후라서 어떠한 위험도 무릅쓰지 않을 것입니다.* 그런 점령 임무를 실행하거나 보급품을 수송하는 데 필요한 톤수의 수송선을 구할 가능성은 거의 없습니다.

히틀러는 더 중요한 질문을 꺼냈다. "미국과 영국이 당분간 동아시아는 제쳐두고 독일과 이탈리아부터 먼저 타격할 가능성은 없는가?" 이번에도 대제독은 총통을 안심시켰다.

[레더가 답변함] 적이 일시적으로라도 동아시아를 포기할 것 같지 않습니다. 그럴 경우 영국은 인도를 매우 심각한 위험에 빠뜨려야 할 것이고, 미국은 일본 함대가 우위를 점하는 한 태평양에서 자국 함대를 철수시킬 수 없습니다.

더 나아가 레더는 여섯 척의 "대형" 잠수함이 미국 동해안으로 "최대한 신속히" 이동할 것이라는 정보로 총통의 기운을 북돋우려 했다.[48]

로멜이 퇴각 중이던 북아프리카의 전황은 말할 것도 없고 소련 전선

---

* 이틀 전인 12월 10일, 일본 항공기들이 말라야 앞바다에서 영국 전함 프린스 오브 웨일스(Prince of Wales) 호와 리펄스(Repulse) 호를 격침했다. 12월 7일 진주만에서 미국 전함들을 불구로 만든 공격과 더불어 이 타격으로 일본 함대는 태평양, 중국해, 인도양에서 제해권을 완전히 장악했다. 훗날 처칠은 두 전함을 상실한 일에 대해 "전쟁을 통틀어 그보다 더 직접적인 충격을 안긴 소식은 없었다"라고 썼다.

의 전황도 비세였던 만큼, 독일군 최고사령관과 수뇌부는 저 멀리 태평양에서 손발이 묶일 것이 확실한 새로운 적에게서 금세 관심을 거두었다. 그들은 이후 2차대전을 통틀어 가장 운명적인 1년, 대전환이 일어난 1년이 지난 후에야 다시 미국에 관심을 쏟을 터였다. 그 1년 동안 독일 측이 1941년 내내 거의 끝났다고, 거의 이겼다고 믿은 분쟁의 결과뿐 아니라, 초기의 놀라운 연전연승으로 아찔한 정점까지 너무나 빠르게 올라간 제3제국, 히틀러가 장차 천 년 동안 번성할 것이라고 진심으로 믿은—그리고 말한—제국의 운명까지도 돌이킬 수 없을 정도로 결정되었다.

할더가 일기에 휘갈겨 쓰는 글은 1942년 새해가 다가올수록 더욱 불길해졌다.

"또다시 암담한 날!"이라고 1941년 12월 30일 일기를 시작했고, 그해의 마지막 날도 마찬가지였다. 독일 육군 참모총장은 끔찍한 사태를 예감하고 있었다.

제26장

대전환점:
1942년 스탈린그라드와 엘 알라메인

되살아난 음모단

———

1941년에서 1942년에 걸친 겨울 동안 소련에서 히틀러의 군대가 심각한 좌절을 겪고 야전사령관과 최고위 장군 여럿이 파면되자 반나치 음모단의 희망에 다시 불이 붙었다.

주요 사령관들이 적을 손쉽게 격파하며 연전연승을 거두고 독일 군대와 제국의 영광이 하늘을 찌를 듯 치솟는 한, 음모단은 장군들의 관심을 끌 수 없었다. 그러나 의기양양하고 그전까지 불패였던 군인들이 이제는 눈과 혹한 속에서 호적수로 입증된 적군에 밀려 퇴각하고 있었다. 6개월간 사상자가 100만 명을 넘었다. 게다가 가장 명성 높은 일군의 장군들이 돌연 해임되고 있었고, 그중 회프너와 슈포네크 같은 장군은 공개적으로 망신을 당했으며, 나머지 대다수도 자존심에 상처를 입고 무자비한 독재자의 희생양이 되었다.*

"때가 거의 무르익었다"라고 하셀은 1941년 12월 21일의 일기를 희망차게 끝맺었다. 하셀과 동료 음모단은 프로이센 장교단이 부당한 대우에 반발할 뿐 아니라, 소련의 겨울에 그들과 휘하 부대들을 재앙 직전까지 몰아가는 최고사령관의 광기에도 반발할 것이라고 확신했다. 앞에서 언급했듯이, 오래전부터 음모단은 병력을 지휘하는 장군들만이 나치 폭군을 타도할 만한 물리력을 가지고 있다고 믿었다. 지금이야말로 너무 늦기 전에 결행할 기회였다. 무엇보다 시기가 중요했다. 그들이 보기에 소련에서 전세가 뒤집히고 미국이 분쟁에 개입한 이상 승전할 가망은 없었다. 그러나 아직 어느 쪽도 패한 것은 아니었다. 음모단은 베를린의 반나치 정부가 강화협정을 통해 독일을 강대국으로 유지하는 한편 히틀러가 획득한 지역들 중 적어도 일부, 이를테면 오스트리아, 주데텐란트, 서부 폴란드를 계속 보유할 수 있을 것이라고 생각했다.

아직 소련을 쓰러뜨릴 가능성이 높아 보였던 1941년 늦여름에도 음모단의 마음속에서는 이런 생각이 강했다. 그런 이유로 음모단은 8월 14일에 처칠과 루스벨트가 발표한 대서양 헌장에 큰 충격을 받았다. 특히 제8항에는 전후 전면적인 군축협정을 체결할 때까지 독일의 무장을 해제해야 한다고 명시되어 있었다. 하셀, 괴르델러, 베크를 비롯한 반대파에

---

* 기억하겠지만 물러난 장군들 가운데 육군 총사령관 브라우히치 원수, 각각 남부집단군과 중부집단군을 이끌었던 룬트슈테트 원수와 보크 원수, 그리고 기갑군단의 천재 구데리안 장군이 있었다. 북부집단군 사령관 레프 원수도 뒤이어 1942년 1월 18일에 해임되었다. 하루 전인 1월 17일에는 룬트슈테트의 사령관직을 넘겨받은 라이헤나우 원수가 뇌졸중으로 사망했다. 1941년 11월 17일에는 공군의 에른스트 우데트(Ernst Udet) 장군이 총으로 자살했다. 여기에 더해 겨울 퇴각 기간에 무려 35명의 군단 및 사단 지휘관이 교체되었다.
물론 이것은 시작에 불과했다. 뉘른베르크에서 만슈타인 원수는 장군들이 전투에서 지기 시작했을 때, 또는 마침내 히틀러에 맞설 용기를 냈을 때 무슨 일이 벌어졌는지를 요약했다. "원수 17명 중에서 10명이 전쟁 중에 해임되었고, 3명이 1944년 7월 20일[반히틀러 음모]의 결과로 목숨을 잃었습니다. 단 1명의 원수만이 가까스로 전쟁을 헤쳐 나가며 자리를 지켰습니다. 36명의 상급대장 중에서 18명이 파면되었고, 5명이 7월 20일의 결과로 사망하거나 불명예 퇴진했습니다. 오직 3명의 상급대장만이 제 자리를 유지하며 전쟁에서 살아남았습니다."[1]

게 이 헌장은 연합국이 나치 독일인과 반나치 독일인을 구별할 의사가 없다는 것을 의미했고, 하셀의 말대로 "잉글랜드와 미국이 히틀러에 대항해 싸우고 있을 뿐 아니라 독일을 분쇄하고 무방비 상태로 만들기를 원한다"는 "증거"였다. 당시 히틀러에 대한 반역에 깊이 관여하면서도 히틀러 없는 독일을 위해 최대한 많은 것을 얻어내겠다고 결심했던 이 귀족적인 전임 대사에게 헌장의 제8항은, 일기에 적었듯이, "합리적인 강화의 가능성을 모조리 앗아가는" 것이었다.[2]

음모단은 대서양 헌장으로 환상에서 깨어나긴 했으나 오히려 행동할 필요성을 더 느꼈던 것으로 보인다. 다만 그들이 히틀러를 제거해야 한다고 판단한 것은 어디까지나 독일이 아직 유럽의 대부분을 장악하고 있는 동안 반나치 정권을 통해 강화협정을 유리하게 흥정하기 위해서였다. 그들은 자국에 가장 유리한 조건을 얻어내기 위해 히틀러의 정복을 활용하는 데 반대하지 않았다. 8월의 마지막 며칠 동안 베를린에서 하셀, 포피츠, 오스터, 도호나니, 그리고 국내예비군 참모장 프리드리히 올브리히트Friedrich Olbricht 장군이 나눈 일련의 대화의 요지는, 그들 "독일애국자"는 연합국 측에 "매우 온건한 요구"를 할 테지만, 이번에도 하셀의 표현을 인용하자면 "그들로서는 단념할 수 없는 몇 가지 주장이 있다"는 것이었다. 그 요구와 주장이 무엇인지 하셀은 말하지 않는다. 하셀 일기의 다른 글들을 바탕으로 유추하자면, 결국 독일의 1914년 당시의 동부국경선에 더해 오스트리아와 주데텐란트까지 요구한다는 입장이었을 것이다.

그러나 시간이 촉박했다. 8월 말, 공모자들과 최종 회의를 가진 뒤 하셀은 일기에 이렇게 썼다. "그들은 머지않아 너무 늦어질 것이라고 하나같이 확신했다. 우리의 승리 가능성이 명백히 사라지거나 희박해지면 더

이상 아무것도 할 수 없을 것이다."³

소련에서의 하계 작전 기간에 동부전선의 핵심 장군들을 끌어들여 히틀러를 체포하려는 노력이 어느 정도 이루어졌다. 사령관들이 초기의 놀라운 승리에 푹 빠져서 자신들에게 승리할 기회를 준 인물을 타도한다는 생각을 전혀 해보지 않았기에 음모단의 노력은 아니나 다를까 효과가 없었지만, 그래도 군인들의 마음속에 언젠가는 싹을 틔울 씨앗을 심는 데에는 성공했다.

그해 여름 육군에서 음모의 중심은 모스크바를 향해 진격 중인 중부집단군 보크 원수의 사령부에 있었다. 보크의 참모로서 초기에 국가사회주의에 열광했으나 훗날 음모단에 가담할 정도로 싫어하게 된 헤닝 폰 트레스코브Henning von Tresckow 소장이 주모자였고, 그의 부관 파비안 폰 슐라브렌도르프와 음모단이 보크의 부관으로 심어놓은 한스 폰 하르덴베르크Hans von Hardenberg 백작, 하인리히 폰 렌도르프Heinrich von Lehndorff 백작—둘 다 유서 깊은 독일 명문가의 자제였다*—이 조력자였다. 이들이 자처한 임무 중 하나는 보크 원수에게 공을 들여 히틀러가 중부집단군 사령부를 방문할 때 체포하도록 설득하는 것이었다. 그러나 보크는 호락호락하지 않았다. 비록 나치즘을 혐오한다고 털어놓긴 했지만, 보크는 나치즘 체제에서 너무 높이까지 올라갔을 뿐 아니라 허영심과 야심이 강해 이 단계에서 위험을 무릅쓰려 하지 않았다. 언젠가 트레스코브가 보크에게 총통이 나라를 파멸로 이끈다고 지적하려 했을 때, 원수는 "나는 총통이 공격당하도록 놔두지 않을 걸세!" 하고 소리쳤다.⁴

트레스코브와 그의 젊은 부관은 실망했으나 기죽지 않았다. 두 사람

---

* 렌도르프는 1944년 9월 4일에 나치에 의해 처형되었다.

은 스스로 판단해 행동하기로 결심했다. 1941년 8월 4일 총통이 바리사우에 있는 중부집단군 사령부를 방문했을 때, 그들은 총통이 비행장에서 보크의 사령부까지 차로 이동하는 사이에 덮칠 계획을 세웠다. 그러나 이 시점에 음모단은 여전히 아마추어였고 총통의 경호 태세를 고려하지 않았다. 총통은 친위대 경호원들로 자신을 에워싸고 비행장에서 이동할 때—이를 위해 사전에 한 무리의 자동차를 비행장에 불러놓았다—집단군의 자동차에 오르기를 거부하는 등 두 장교에게 접근 기회를 전혀 주지 않았다. 이 낭패—이와 비슷하게 실패한 다른 사례들도 있었던 것으로 보인다—는 육군 내 음모단에게 몇 가지 교훈을 남겼다. 우선 히틀러에게 손을 대기가 결코 쉽지 않다는 것이었다. 항상 든든한 경호가 붙었다. 그리고 히틀러를 덮쳐 체포한다 해도 문제가 해결되지 않을 수도 있다는 것이었는데, 핵심 장군들이 너무 겁이 많거나 충성 맹세에 너무 구애되어 반대파의 거사를 돕지 않으려 했기 때문이다. 그 무렵인 1941년 가을에는 육군의 젊은 장교 중 일부, 대부분 슐라브렌도르프 같은 군복 입은 민간인에 가까운 자들이 부득이 가장 간단하고 어쩌면 유일한 해결책은 히틀러를 살해하는 것이라는 결론에 도달했다. 히틀러를 제거하고 나면 지도자 개인에 대한 맹세에서 풀려난 소심한 장군들이 새 정권에 동조하고 육군의 지지를 보내줄 수 있을 터였다.

그러나 베를린의 주모자들은 아직 그렇게까지 할 마음이 없었다. 그들은 "단독 행동"이라는 멍청한 계획을 꾸미고 있었는데, 어떤 이유에서인지 장군들이 그 계획을 듣고서 양심에 거리낌 없이 총통 개인에 대한 맹세를 깨는 동시에 히틀러의 제국을 제거할 수 있을 것이라고 생각했다. 심지어 오늘날에도 주모자들의 속셈을 되짚기는 어려운 일이지만, 어쨌든 동부에서도 서부에서도 최고위 사령관들이 사전에 협의한 신호에 따라 육군 총사령관 히틀러의 명령에 복종하기를 그냥 거부할 것이라고 생각했던 모양이다. 이것은 당연히 총통에게 복종하겠다는 맹세를 깨는 행동이었지만, 베를린의 소피스트들은 그 사실을 알면서도 모르는 척했다. 어쨌거나 그들의 설명에 따르면 계획의 진짜 목표는 혼란을 조성하고, 그 와중에 베크가 베를린에서 국내예비군 분견대들의 지원을 받아 권력을 장악하고 히틀러를 권좌에서 몰아내고 국가사회주의를 불법화하는 것이었다.

그렇지만 국내예비군은 도저히 군대라고 할 수 없었고, 보충 병력으로 전선까지 실려 가기 전에 약간의 기초 훈련을 받은 뒤죽박죽 신병 무리에 더 가까웠다. 음모단의 모험이 정말로 성공하려면, 소련이나 점령 지역에서 노련한 부대를 지휘하는 몇몇 고위 장군을 포섭해야 했다. 뮌헨 협정 시기에 히틀러를 체포하려는 할더의 음모에 가담했던 고위 장군이 자연스러운 후보로 보였다. 바로 당시 서부전선 총사령관 비츨레벤 원수였다. 비츨레벤과 벨기에 군정청장 알렉산더 폰 팔켄하우젠Alexander von Falkenhausen 장군을 새 계획에 끌어들이고자 음모단은 1942년 1월 중순 하셀을 보내 두 장군과 상의하도록 했다. 이미 게슈타포의 감시를 받고 있던 하셀은 독일 장교들과 점령지 관료들에게 "생존공간과 제국주의"라는 주제의 강연을 하기 위해 떠나는 양 "겉치레"를 했다. 강연 사이에 하셀은 브뤼셀에서 팔켄하우젠, 파리에서 비츨레벤과 은밀히 상의했고, 두 사람 모두로부터, 특히 후자로부터 호의적인 인상을 받았다.

동료 원수들이 소련에서 대전투를 치르는 동안 프랑스에 묶여 있던 비츨레벤은 행동에 목말라 있었다. 비츨레벤은 하셀에게 "단독 행동" 발상이 유토피아적이라고 말했다. 히틀러를 제거하는 직접 행동이 유일한 해결책이며 자신이 주역을 맡을 의향이 있다고 했다. 거사의 최적기는 소련에서 독일군이 공세를 재개하는 1942년 여름일 터였다. 비츨레벤은 결행일에 대비해 신체 상태를 최고조로 끌어올리고 건강을 유지하기 위해 작은 수술을 받을 생각이었다. 이 원수와 음모단에게는 불행하게도, 이 결정은 처참한 결과로 이어졌다. 프리드리히 대왕―그리고 다른 많은 이들―와 마찬가지로 비츨레벤은 치질로 고생했다.* 이 고통스럽고 짜증나는 질환을 고치는 수술은 분명 평범한 외과 수술이었지만, 비츨레벤이 봄에 수술을 받으러 짧게 병가를 냈을 때 히틀러가 그 기회를 활용해 원수를 현역에서 은퇴시키고 룬트슈테트로 교체해버렸다. 룬트슈테트는 불과 얼마 전에 그를 너무나 부당하게 대했던 지도자에 맞서 음모를 꾸밀 배짱이 없었다. 그리하여 음모단이 육군에서 가장 희망을 걸었던 원수는 휘하 병력이 전혀 없는 신세가 되었다. 병력 없이는 새 정권을 수립할 수 없었다.

음모단 지도부는 몹시 낙담했다. 비밀리에 회의를 이어가며 음모를 꾸미긴 했지만, 실망감을 극복하지 못했다. 수많은 회의 이후 1942년 2월 말에 하셀은 "현재 히틀러와 관련해 할 수 있는 일이 없어 보인다"라고 일기에 적었다.[5]

그렇지만 마침내 히틀러를 제거한 뒤 세우고 싶은 독일 정부에 관한 구상을 정리하기 위해, 그리고 호기가 왔을 때 정부를 떠맡을 수 있도록 이제까지 허둥지둥하고 무력했던 조직을 강화하기 위해 할 수 있는 일은 아주 많았다.

보수적이고 나이 지긋한 저항파 지도부 대다수는 우선 호엔촐레른

---

* 프리드리히 대제는 이 질환 탓에 신체 활동뿐 아니라 정신 기능까지 방해를 받는다고 자주 하소연했다.

군주정을 복원하기를 원했다. 하지만 호엔촐레른 가문의 어느 왕자가 왕위에 올라야 하는지를 놓고 오랫동안 의견을 모으지 못했다. 민간인 지도부의 일원인 포피츠는 빌헬름 왕세자를 원했으나 나머지 대다수가 질색했다. 샤흐트는 왕세자의 장남 빌헬름 공을 선호했고, 괴르델러는 빌헬름 2세의 생존 아들들 중 가장 어린 프로이센의 오스카어Oskar 공을 원했다. 카이저의 넷째 아들로 '아우비Auwi'라는 별명이 붙은 아우구스트 빌헬름은 광적인 나치이자 친위대 집단지도자였으므로 애당초 논외였다.

그렇지만 1941년 여름에 가장 적합한 왕위 후보자는 왕세자의 둘째 아들이자 생존 아들들 중 가장 연상인 루이스-페르디난트Louis-Ferdinand라고 얼추 의견을 모았다.* 그는 당시 나이가 서른셋이었고, 미국 디어본의 포드 사 공장에서 5년간 근무한 경력이 있고 루프트한자 항공사의 실무 직원이었다. 음모단과 연락하며 공감을 표하던 이 기품 있는 청년이 마침내 가장 바람직한 호엔촐레른 후보자로 떠올랐다. 그는 20세기를 이해했고 민주주의자였으며 총명했다. 더욱이 예전 러시아 대공녀인 매력적이고 분별 있고 용감한 키라 키릴로브나Kira Kirillovna를 아내로 두고 있었고, 루스벨트 대통령의 개인적 친구였다—이 단계에서 음모단에게 중요한 사실이었다. 루스벨트는 1938년 미국에서 신혼여행 중인 이 부부를 백악관으로 초대해 묵게 한 적이 있었다.

하셀과 그의 몇몇 친구들은 루이스-페르디난트가 이상적인 선택이라는 절대적인 확신이 서지 않았다. "그는 갖추지 않으면 헤쳐 나갈 수 없는 여러 자질이 부족하다"라고 하셀은 1941년 크리스마스 시기에 씁쓸

---

* 왕세자의 장남 빌헬름 공은 1940년 5월 26일에 프랑스에서 전투 중 부상을 입어 사망했다.

한 심정으로 일기에 썼다. 하지만 음모단의 다른 구성원들에게 동조하기로 했다.

하셀의 주된 관심사는 향후 독일 정부의 형태와 성격이었고, 1940년 초에 베크 장군, 괴르델러, 포피츠와 상의한 뒤 과도기 정부의 계획안을 작성했으며, 1941년 말에 이 초안을 더 구체화했다.[6] 거기서 하셀은 개인의 자유를 되살렸고, 항구적 헌법이 채택될 때까지 섭정에게 국가수반으로서 정부와 국무원을 임명할 대권을 부여했다. 이것은 퍽 권위주의적인 계획안이었으며, 음모단 가운데 괴르델러와 소수의 노동조합 대표들은 이를 좋아하지 않았고 그 대신 과도기 정권이 대중의 지지를 얻고 민주적 성격을 입증할 수 있도록 즉각 국민투표를 실시할 것을 제안했다. 그러나 더 나은 대안이 없었으므로 하셀의 계획안이 적어도 원칙을 담은 성명으로서 전반적으로 채택되었다가, 헬무트 야메스 폰 몰트케 백작이 이끄는 크라이자우 서클의 압력을 받아 1943년에 작성된 자유주의적이고 계몽적인 계획안으로 대체되었다.

마침내 1942년 봄에 음모단은 정식으로 지도자를 정했다. 모두가 베크 장군을 지도자로 인정했는데, 그의 지성과 인성만이 아니라 장군들 사이에서의 위신, 국내에서의 명성, 국외에서의 평판 때문이기도 했다. 그렇지만 음모단은 조직을 꾸리는 일에 너무도 안일했던 터라 실제로 베크에게 지도자의 책임을 지운 적이 없었다. 하셀 등 몇몇은 이 전직 참모총장을 충분히 흠모하고 존경하면서도 약간의 의구심을 품었다.

"베크의 주된 문제는 매우 이론적이라는 것이다. 포피츠의 말대로 전술가이지만 의지력이 약하다"라고 하셀은 1941년 크리스마스 직전에 일기에 썼다. 앞으로 밝혀질 것처럼 이 판단에는 근거가 없지 않았으며, 베크의 기질과 성격에 내재된 이 특이한 면모, 행동하려는 의지가 놀랍도록 부족한 면모는 결국 비극과 재앙으로 이어질 터였다.

그럼에도 여러 차례 비밀회의를 한 끝에 1942년 3월, 음모단은 하셀의 말마따나 "베크가 고삐를 쥐어야 한다"고 결정했고, 그달 말에 역시 하셀이 적었듯이 "베크가 우리 집단의 수장으로 정식으로 선정되었다".[7]

그러나 음모단은 여전히 막연했고, 이 단계에서 그들이 끝없이 상의하며 남긴 기록을 따라가려는 사람은 맨 처음부터 가장 적극적인 단원들까지도 풍기던 비현실적인 분위기를 느끼게 된다. 그들이 봄에 알고 있었듯이, 히틀러는 소련의 지면이 마르는 즉시 공세를 재개할 계획이었다. 그렇게 되면 독일은 구렁텅이로 더욱 깊이 빨려 들어갈 뿐이라고 그들은 생각했다. 그러나 그들은 말은 많이 하면서도 행동은 전혀 하지 않았다. 1942년 3월 28일, 하셀은 에벤하우젠에 있는 별장에서 책상에 앉아 일기를 쓰기 시작했다.

지난 며칠 동안 베를린에서 나는 예센,* 베크, 괴르델러와 상세히 논의했다. 아주 좋은 전망은 아니다.[8]

어떻게 전망이 아주 좋을 수 있었겠는가? 행동 계획조차 아예 없는데. 아직 시간이 있는데도 당장 계획이 없었다.

전쟁 3년째의 초봄에 계획―그리고 계획을 실행하겠다는 강렬한 의지―을 가진 쪽은 아돌프 히틀러였다.

---

* 베를린 대학 경제학 교수 옌스 페터 예센(Jens Peter Jessen)은 음모단의 두뇌 중 한 명이었다. 그는 1931년에서 1933년에 걸쳐 열렬한 나치가 되었고, 당에 속한 소수의 진짜 지식인 중 한 명이었다. 하지만 1933년 이후로 금세 환멸을 느끼고 곧 광적인 반나치가 되었다. 1944년 7월 20일의 반히틀러 음모에 가담한 혐의로 체포되어 그해 11월 베를린 플뢰첸제 감옥에서 처형되었다.

독일의 마지막 대공세

   소련 전선에서 독일군이 제때 퇴각하는 것을 불허한 총통의 어리석음 탓에 병력과 무기를 크게 잃고, 다수 지휘관의 사기가 떨어졌다. 그리하여 1942년 1월과 2월의 몇 주 사이에 완전히 파국으로 끝날 뻔했던 것은 사실이지만, 굳게 버티며 대항하겠다는 히틀러의 광적인 결의가 소련군의 움직임을 저지하는 데 도움이 되었다는 것은 거의 의심할 여지가 없다. 나머지는 독일 군인들의 전통적인 용기와 인내심의 몫이었다.

   2월 20일경 발트 해에서 흑해에 이르는 소련군의 공세가 시들해졌고, 3월 말에는 진흙탕 기간이 시작되면서 피투성이의 장대한 전선도 비교적 잠잠해졌다. 양측 모두 기진맥진했다. 1942년 3월 30일 독일 육군의 한 보고서는 동계 교전으로 끔찍한 대가를 치렀다는 사실을 알려준다. 동부전선의 총 162개 전투사단 가운데 단 8개 사단만이 공세 임무를 맡을 준비가 되어 있었다. 16개 기갑사단을 통틀어 기동할 만한 전차는 140대뿐이었다—1개 사단의 평균 전차 대수보다도 적었다.[9]

   부대들이 휴식하며 재정비하는 동안—실은 한참 전에 독일군이 한겨울의 눈밭에서 퇴각하던 때부터—이제 국방군 최고사령관에 더해 육군 총사령관이기도 한 히틀러는 다가오는 여름의 공세를 계획하느라 바빴다. 전년도의 계획만큼 야심찬 계획은 아니었다. 이제 단일 작전에서 붉은군대 전체를 분쇄할 수 없다는 것 정도는 알고 있었다. 이 여름에 그는 전력의 대부분을 남부에 집중 투입해 캅카스의 유전, 도네츠 분지의 공업지대, 쿠반의 밀 생산지를 정복하고 볼가 강변의 스탈린그라드를 차지할 작정이었다. 그럴 경우 몇 가지 주요 목표를 달성할 터였다. 다시 말해 소련에서 전쟁을 지속하는 데 절실하게 필요한 석유와 대부분의 식량 및 공업지대를 빼앗는 한편, 독일에 거의 똑같이 절박하게 필요한 석유와 식량 자원을 얻게 될 것이었다.

"만약 마이코프와 그로즈니의 석유를 손에 넣지 못하면 나는 이 전쟁을 끝내야만 하네"라고 히틀러는 하계 공세를 시작하기 직전에 불운한 제6군 사령관 파울루스 장군에게 말했다.[10]

스탈린도 거의 똑같이 말할 수 있었을 것이다. 스탈린 역시 전쟁을 이어가려면 캅카스의 석유가 필요했다. 그런 이유로 스탈린그라드가 중요했다. 독일이 스탈린그라드를 손에 넣을 경우, 소련 측이 유전을 보유한다 해도 카스피 해와 볼가 강을 통해 중부 러시아까지 석유를 운송하는 마지막 주요 수로가 틀어막힐 터였다.

항공기와 전차와 트럭을 움직일 석유 말고도 히틀러는 얇아진 전열을 보충할 인력이 필요했다. 동계 전투 막바지에 병자를 제외한 총 사상자는 116만 7835명이었는데, 이 정도 손실을 메울 만한 보충병을 구할 수는 없었다. 최고사령부는 추가 병력 확보를 위해 독일의 동맹국들—더 정확히 말하면 위성국들—로 눈을 돌렸다. 겨울 동안 카이텔 장군은 잰걸음으로 부다페스트와 부쿠레슈티로 가서 다가오는 여름에 대비해 헝가리와 루마니아의 군인들—전원 그들로만 편성된 사단들—을 그러모으려 애썼다. 괴링과 결국 히틀러 본인까지도 무솔리니에게 이탈리아군 부대를 파견해달라고 호소했다.

이탈리아 증원군을 소련으로 보낼 채비를 하고자 1942년 1월 말 로마에 도착한 괴링은 무솔리니에게 1942년에 소련이 패할 것이고 1943년에 영국이 무기를 내려놓을 것이라고 장담했다. 치아노는 훈장을 단 뚱뚱한 독일 원수를 참아내기 어려웠다. 2월 2일 일기에 괴링을 가리켜 "늘 그렇듯이 그는 거만하고 고압적이다"라고 쓴 그는 이틀 후에 이렇게 썼다.

괴링은 로마를 떠난다. 우리는 엑셀시오르 호텔에서 저녁을 함께했다. 식사 중에 괴링은 줄곧 자신이 지닌 보석 이야기만 했다. 실제로 손가락에 멋진 반지를 몇 개 끼고 있었다. … 역으로 가는 길에 보니 그는 커다란 흑담비 코트를 걸쳤는데, 1906년에 자동차 운전사들이 입던 코트와 고급 매춘부가 오페라를 보러 갈 때 입는 코트의 중간쯤 되는 옷이었다.[11]

제3제국의 2인자는 타락과 부패의 길을 꾸준히 걷고 있었다.

무솔리니는 괴링에게 독일이 포를 보내주면 3월에 이탈리아군 2개 사단을 소련으로 파견하겠다고 약속했다. 그러나 히틀러가 다시 두체를 만나 독일이 여전히 얼마나 강한지 설명하기로 결정했을 정도로, 무솔리니는 동부전선에서 동맹국이 패할지도 모른다고 크게 걱정했던 모양이다.

그 만남은 4월 29일과 30일에 잘츠부르크에서 이루어졌다. 두체와 치아노 일행은 바로크 양식의 클레스하임 궁에 묵었는데, 지난날 영주 겸 주교의 저택이었던 이곳은 이제 프랑스에서 들여온 벽걸이 장식품과 가구, 카펫으로 새롭게 꾸며져 있었다. 치아노는 독일 측이 "비용을 너무 많이 들인 게 아닐까" 하고 생각했다. 이탈리아 외무장관의 눈에 총통은 지쳐 보였다. "러시아의 겨울 수개월이 총통에게는 무거운 짐이었다"라고 일기에 적었다. "흰머리가 많은 총통의 모습을 처음으로 보았다."*

여느 때처럼 독일 측은 전반적인 전황을 평가했다. 리벤트로프와 히틀

---

* 한 달 전에 본부에서 히틀러를 만났던 괴벨스도 쇠약해진 총통의 모습에 충격을 받았다고 일기에 썼다. "내가 보니 총통은 벌써 흰머리가 꽤 많다. … 총통은 심각한 현기증과 싸워야 했다고 말했다. … 이번에는 총통이 정말로 걱정된다." 괴벨스가 부언하기를 총통은 "서리와 눈에 육체적 혐오감"을 느꼈다. "총통을 걱정시키고 괴롭히는 것은 그 나라가 아직도 눈으로 덮여 있다는 사실이다." (*The Goebbels Diaries*, pp. 131-137)

러는 이탈리아 손님들에게 모든 것이 순조롭다고 힘주어 말했다―소련에서도, 북아프리카에서도, 서부에서도, 대양에서도 만사형통이었다. 그리고 추후의 동부 공세는 캅카스의 유전을 겨냥할 것이라고 털어놓았다.

> [리벤트로프가 말함] 러시아는 석유 자원이 고갈되고 나면 무릎을 꿇을 것이다. 그렇게 되면 영국이 … 상처 입은 제국의 남은 부분이라도 지키기 위해 고개를 숙일 것이다. …
>
> 미국은 순전히 허풍이다. …

그렇지만 독일 외무장관의 설명을 그럭저럭 참을성 있게 들은 치아노는 미국이 종국에 어떻게 나올지를 두고 허풍을 치는 쪽은 독일이며 실은 미국을 의식할 때면 "그들의 등골이 오싹해진다"는 인상을 받았다.

언제나처럼 총통이 발언을 독점하다시피 했다.

> [치아노가 일기에 씀] 히틀러가 말하고 말하고 또 말했다. 무솔리니는 괴로웠다―혼잣말을 하는 버릇이 있지만 그러기는커녕 사실상 침묵을 지켜야 했다. 둘째 날 오찬 후, 할 말은 다 했는데 히틀러가 쉼 없이 1시간 40분 동안 떠들어댔다. 전쟁과 평화, 종교와 철학, 예술과 역사 등 어떠한 주제도 절대로 빼먹지 않았다. 무솔리니는 자동적으로 손목시계를 쳐다봤다. … 독일 측―딱한 사람들―은 그런 일을 매일 당해야 하고, 확신하건대 그들이 외우지 못하는 몸짓, 단어, 구절은 하나도 없을 것이다. 요들 장군은 장렬한 싸움 끝에 결국 장의자에서 잠이 들었다. 카이텔은 비틀거리긴 했으나 고개를 들고 있는 데 성공했다. 긴장의 끈을 놓기에는 히틀러와 너무 붙어 있었다. …[12]

숱한 대화에도 불구하고, 혹은 어쩌면 숱한 대화 덕분에, 히틀러는 이탈리아 측으로부터 소련 전선에 총알받이 병력을 더 보내겠다는 약속을 받아냈다. 독일군 최고사령부가 하계 임무에 투입할 수 있는 '연합' 사단을 52개—루마니아 27개, 헝가리 13개, 이탈리아 9개, 슬로바키아 2개, 에스파냐 1개—로 추산했을 정도로 히틀러와 카이텔은 위성국 전체와의 교섭에서 큰 성과를 거두었다. 이는 동부선선에서의 추축국 총병력의 4분 1에 달했다. 독일군이 주공을 펼칠 남부전선을 증강하는 새로운 41개 사단 중에서 절반—21개 사단—은 헝가리군(10개), 이탈리아군(6개), 루마니아군(5개)이었다. 할더와 대다수 장군들은 부드럽게 말해도 전투력이 의문스러운 '외국' 사단을 그렇게 많이 투입하는 것을 반기지 않았다. 하지만 자체 인력이 부족했으므로 마지못해 외국의 조력을 받아들였다. 이 결정은 머지않아 재앙이 닥치는 데 일조할 터였다.

처음에는, 그러니까 1942년 여름에는 추축국의 운수가 좋았다. 캅카스와 스탈린그라드를 향해 공략을 개시하기도 전에 북아프리카에서 세상을 놀라게 하는 승리를 거두었다. 1942년 5월 27일, 로멜 장군은 사막에서 공세를 재개했다.* 유명한 아프리카 군단(2개 기갑사단, 1개 차량화보병사단)과 8개 이탈리아군 사단(1개 기갑사단 포함)으로 신속하게 타격한 로멜은 곧 영국 사막군을 이집트 국경 쪽으로 밀어냈다. 6월 21일, 로멜은 영국군 방어의 핵심 거점으로 지난 1941년에 포위에서 풀려날 때까지 9개월을 버텼던 토브루크를 함락했고, 이틀 후 이집트에 입성했다. 6월

---

* 1941년 11월과 12월에 영국군과 일련의 격전을 치른 로멜의 병력은 키레나이카 지역의 서쪽 경계인 엘 아게일라 선까지 쭉 밀려났다. 그러나 1942년 1월에는 늘 그렇듯이 기운을 되찾은 로멜은 빼앗긴 땅의 절반을 탈환했고, 17일간의 속공으로 엘 가잘라까지 도달한 뒤, 1942년 5월 말에 새로운 진격을 시작했다.

말에는 알렉산드리아와 나일 강 삼각주에서 100여 킬로미터 떨어진 엘 알라메인에 있었다. 화들짝 놀라 지도를 꼼꼼히 들여다본 연합국의 여러 정치인은 이제 로멜이 이집트를 정복해 영국군에 치명타를 가하는 것을 막을 방도가 없다고 보았다. 게다가 로멜이 증원군을 얻는다면, 북동쪽으로 쾌속 진군해 중동의 대규모 유전지대를 차지한 뒤, 이미 북쪽에서 캅카스를 향해 진격하기 시작한 독일군과 그 지역에서 만날지도 모를 일이었다.

이때가 2차대전에서 연합국 측에는 가장 암울한 순간 중 하나, 따라서 추축국 측에는 가장 빛나는 순간 중 하나였다. 그러나 앞에서 언급했듯이 히틀러는 전 지구적 전쟁을 결코 이해하지 못했다. 아프리카에서 거둔 로멜의 놀라운 승리를 활용하는 법을 히틀러는 알지 못했다. 아프리카 군단의 대담한 지휘관에게 원수장을 수여하기는 했지만, 보급품이나 증원군을 보내지는 않았다.* 레더 제독의 잔소리와 로멜의 성화에 총통은 일단 아프리카 군단과 소규모 공군 부대를 리비아로 파견하는 데 마지못해 동의했을 뿐이다. 하지만 이 조치를 취한 것은 그저 북아프리카에서 이탈리아군의 붕괴를 막기 위해서였지 이집트 정복의 중요성을 예견해서가 아니었다.

---

* 히틀러가 토브루크 함락 다음날 로멜을 원수로 임명하자 무솔리니는 "큰 아픔"을 느꼈는데, 치아노가 적었듯이 그 임명으로 "전투의 독일적 성격"이 강조되었기 때문이다. 두체는 약간의 영광을 직접 차지하고자 즉각 리비아로 떠났고, 치아노의 말로 "15일 내에" 알렉산드리아에 입성할 수 있을 것으로 믿었다. 7월 2일, 무솔리니는 "이집트의 향후 정권 문제"를 놓고 히틀러에게 전보를 보내 로멜을 군 사령관으로, 어느 이탈리아인을 "민정 대표"로 정하자고 제안했다. 히틀러는 그 문제가 "시급"하다고 생각하지 않는다고 답변했다. (*Ciano Diaries*, pp. 502-504)
로멜의 참모장 프리츠 바이얼라인(Fritz Bayerlein) 장군은 훗날 이렇게 술회했다. "무솔리니는 피라미드의 그늘에서 추축국 전차 행렬의 경례를 받을 날을 [전선 배후의] 데르나에서 초조하게 기다리고 있었다." (*The Fatal Decisions*, ed. Freidin and Richardson, p. 103)

사실 이집트 정복의 관건은 시칠리아 섬과 리비아의 추축국 측 기지 사이 지중해에 떠 있는 작은 섬 몰타였다. 바로 이 영국의 보루에서 출격하는 폭격기, 잠수함, 수상함이 북아프리카로 물자와 인력을 실어나르는 독일과 이탈리아의 함선에 막대한 피해를 입히고 있었다. 1941년 8월에는 로멜을 위한 보급품과 증원 병력의 약 35퍼센트가, 10월에는 63퍼센트가 격침당했다. 11월 9일, 치아노는 비통한 심정으로 일기를 썼다.

9월 19일 이래 우리는 리비아에 호송선단을 보내는 것을 단념했다. 시도할 때마다 비싼 대가를 치렀다. ⋯ 오늘 밤 우리는 다시 시도했다. 7척의 선단이 출항했고 1만 톤급 순양함 2척과 구축함 10척이 동행했다. ⋯ 우리 함선 전체 ─ 정말로 **전체** ─ 가 격침당했다. ⋯ 영국군은 우리를 살육한 뒤 [몰타 섬의] 모항으로 돌아갔다.[13]

독일 측은 뒤늦게 대서양 전장의 U보트 몇 척을 지중해로 파견하고 케셀링에게 시칠리아의 기지들에서 운용할 비행대대들을 추가로 내주었다. 그리고 몰타 섬을 무력화하고 가능하다면 동지중해에서 영국 함대를 파괴하기로 결정했다. 이 조치는 곧장 성공을 거두었다. 1941년 말에 영국군은 전함 3척, 항공모함 1척, 순양함 2척, 구축함과 잠수함 몇 척을 잃었고, 남은 함대는 이집트의 기지로 쫓겨났다. 몰타는 몇 주 동안 밤이고 낮이고 독일 폭격기들에 난타당했다. 그 결과 추축국은 보급품을 보낼 수 있었고 ─ 1월에는 단 1톤도 잃지 않았다 ─ 로멜은 이집트를 대대적으로 공격할 병력을 증강할 수 있었다.

3월에 레더 제독은 히틀러를 설득해 로멜의 나일 강 공세 작전(아이다 작전)뿐 아니라 낙하산부대로 몰타를 함락하는 작전(헤라클레스 작전)에 대한 승인까지 받아냈다. 리비아에서의 진격은 5월 말에, 몰타 강습은 7월 중순에 시작할 계획이었다. 그러나 6월 15일 로멜이 한창 초기 성공을 거두고 있을 때, 히틀러는 몰타 공격을 연기했다. 소련 전선에서 부대도 항공기도 빼낼 여력이 없다고 레더에게 설명했다. 몇 주 후에 히틀러는 헤라클레스 작전을 다시 연기하면서 동부전선의 하계 공세가 완료되고 로멜이 이집트를 정복할 때까지 기다려도 해당 작전에 지장이 없을 것이라고 말했다.[14] 그동안 계속 폭격하는 방법으로 몰타를 조용히 묶어둘 수 있다고 했다.

그러나 몰타는 잠자코 있지 않았으며, 얼마 지나지 않아 독일 측은 몰타를 무력화하지도 함락하지도 못한 탓에 비싼 대가를 지불했다. 6월 16일, 영국의 대규모 호송선단이 포위망을 뚫고 이 섬에 도착했고, 비록 전함과 화물선 몇 척을 잃긴 했지만 몰타를 다시 가동시켰다. 미국 항공모함 와스프Wasp 호에서 몰타를 향해 날아간 스핏파이어 전투기들은 곧 공중에서 독일 공군의 폭격기들을 쫓아버렸다. 로멜은 그 영향을 감지했다. 그 이후 그에게로 가던 보급선들 중 4분의 3이 격침되었다.

로멜이 엘 알라메인에 당도했을 때 가동 전차는 불과 13대였다.* "우리의 전력은 사라졌다"라고 로멜은 7월 3일 일기에 썼다. 하필이면 피라미드와 그 너머—이집트와 수에즈라는 엄청난 보상!—가 거의 시야에 들어오는 순간이었다. 이것은 잃어버린 또다른 기회이자, 히틀러가 섭리와 무운으로 얻은 마지막 기회 중 하나였다.

---

* 바이얼라인 장군의 전후 증언에 따른 수치다. 아마도 이 장군은 손실을 과장했을 것이다. 연합군 첩보에 의하면 로멜의 전차는 125대였다.

독일의 하계 소련 공세: 1942년

──

1942년 여름이 끝나갈 무렵 아돌프 히틀러는 다시 한 번 세계의 정상에 서 있는 듯했다. 대서양에서 독일 U보트가 영국과 미국의 선박 70만 톤 상당을 한 달 내에 격침하고 있었다─호황을 맞은 미국, 캐나다, 스코틀랜드 조선소들의 건조 능력을 넘어서는 양이었다. 총통이 소련을 결판내기 위해 서부전선으로부터 부대와 전차, 항공기를 대부분 빼내갔지만, 그 여름에 영국군과 미군이 영불 해협을 건너 소규모 상륙이라도 시도할 만한 전력을 갖추고 있다는 낌새는 전혀 없었다. 양국은 프랑스군이 장악하고 있는 아프리카 북서부를 점령하려는 시도조차 하지 않았다. 당시 이 지역의 프랑스군은 약해진 데다 충성심이 양분되어 설령 영국과 미국이 점령을 시도하더라도 저지할 방도가 별로 없었으며, 독일군으로서도 소수의 잠수함과 이탈리아와 트리폴리에 배치된 항공기 몇 대를 제외하면 아무것도 없었다.

영국 해군과 공군은 백주 대낮에 브레스트에서 출항한 독일의 순양전함 샤른호르스트 호와 그나이제나우 호, 중순양함 프린츠 오이겐 호가 영불 해협을 돌파해 단숨에 북진했다가 안전하게 귀항하는 것을 막을 수 없었다.* 히틀러는 영국군과 미군이 틀림없이 노르웨이 북부를 점령하려 시도할 것이라고 우려했다─이것이 노르웨이 해역 방어에 투입할 수 있도록 대형함 3척을 브레스트로부터 급히 불러내라고 고집한 이유였다.

──────

* 이 사건은 1942년 2월 11~12일에 일어나 영국 측을 기겁하게 했다. 영국 해군과 공군의 부실한 병력만이 제때 집결해 독일 함대를 공격했으나 거의 피해를 주지 못했다. 런던의 《타임스》는 이렇게 논평했다. "[무적함대의] 메디나 시도니아 공작이 실패했던 곳에서 [북진을 이끈] 칠리악스 중장은 성공했다. … 17세기 이래 근해에서 해군의 자긍심에 이보다 더 굴욕을 안긴 일은 없었다."

1942년 1월 말, 히틀러는 레더에게 "노르웨이는 운명의 구역이다"라고 말했다. 어떤 희생을 치르더라도 노르웨이를 지켜내야 했다. 나중에 밝혀졌듯이, 그럴 필요는 없었다. 영국군과 미군은 서부의 제한된 병력을 다른 계획에 투입할 생각이었다.

히틀러가 1942년 9월까지 정복한 지역들을 지도에서 보면 입이 떡 벌어진다. 지중해는 사실상 추축국의 호수가 되어 있었다. 독일과 이탈리아가 에스파냐부터 터키까지의 북쪽 연안과, 튀니지부터 나일 강에서 100킬로미터 떨어진 지점까지 남쪽 연안의 대부분을 장악하고 있었다. 실제로 당시 독일군 부대들은 북극해의 노르 곶부터 이집트까지, 대서양의 브레스트부터 중앙아시아의 경계인 볼가 강 남부까지 광대한 영역을 지키고 있었다.

독일 제6군의 병력은 8월 23일 스탈린그라드 바로 북쪽의 볼가 강에 도달했다. 이틀 전에는 캅카스 산맥의 최고봉(5633미터)인 엘브루스 산에 스와스티카 깃발이 걸렸다. 독일군은 연간 250만 톤의 석유를 생산하는 마이코프 유전들을 8월 8일에 함락했고(대부분 거의 완전히 파괴된 상태였다), 25일 클라이스트의 전차부대가 그로즈니 인근 소련의 석유 중심지에서 겨우 80킬로미터 거리이고 카스피 해에서 불과 160킬로미터 거리인 모즈도크에 도착했다. 31일에 히틀러는 캅카스 방면 집단군의 사령관 리스트 원수에게 "유전을 손에 넣을 수 있도록" 가용 병력을 모조리 그러모아서 그로즈니에 최후의 일격을 가하라고 재촉했다. 또한 8월의 마지막 날 로멜은 나일 강까지 돌파하기를 한껏 희망하며 엘 알라메인에서 공세를 개시했다.

히틀러는 비록 장군들의 성과에 결코 만족하지 않았지만—7월 13일 남부 공세 전반을 지휘하는 보크 원수를 해임했는가 하면, 할더의 일기로 알 수 있듯이 더 신속히 진격하지 않는다는 이유로 참모본부뿐 아니라 다른 대다수 사령관들에게도 끊임없이 잔소리와 악담을 퍼부었다—이제 결정적인 승리를 거두기 직전이라고 믿었다. 그는 제6군과 제4기갑군에 스탈린그라드를 차지한 뒤 방향을 돌려 볼가 강을 따라 북진하여 거대한 포위망을 구축하라고 명령했다. 그리하여 결국 중부 러시아와 모스크바를 향해 서쪽뿐 아니라 동쪽에서도 진격할 계획이었다. 히틀러는 그때 소련군이 끝났다고 믿었으며, 할더는 그 순간에 히틀러가 일부 병력으로 이란을 통과해 페르시아 만까지 진군하는 방책을 거론했다고 전한다.[15] 그렇게 되면 머지않아 인도양에서 일본군과 조우할 터였다. 히틀러는 소련군이 전체 전선에서 예비 병력을 모두 투입했다는 독일군의 9월 9일 전황보고의 정확성을 의심하지 않았다. 8월 말 레더 제독과 상의할 때 히틀러는 이제 "봉쇄가 안 되는 생존공간"이라고 생각하는 소련으로부터 벌써 영국과 미국으로 관심을 돌리고 있었고, 두 나라가 조만간 "강화 조건을 논의하는 지경"에 내몰릴 것이라고 확신했다.[16]

그러나 훗날 쿠르트 차이츨러 장군이 회고했듯이, 당시에도 장밋빛 전망은 허상이었다. 참모본부뿐 아니라 전장에서도 거의 모든 장군들이 아름다운 그림에서 이런저런 결점을 발견했다. 그 결점을 요약하자면 히틀러가 고집하는 여러 목표를 달성할 만한 자원—병력이든 포든 전차든 항공기든 운송 수단이든—을 독일군이 가지고 있지 않다는 것이었다. 로멜이 이집트와 관련해 통수권자에게 이 문제를 말하려 하자 히틀러는 장군에게 제머링(오스트리아의 알프스 산록)의 산중으로 병가를 가라고 지시했다. 할더와 리스트 원수는 소련 전선과 관련해 같은 시도를 했다가 그 자리에서 파면당했다.

순전한 아마추어 전략가일지라도 캅카스와 스탈린그라드에서 소련군의 저항이 거세지고 가을 우기가 다가오는 가운데 소련 남부에서의 독일군의 위험이 커지고 있음을 알 수 있었다. 제6군의 기나긴 북쪽 측면은 스탈린그라드부터 보로네시까지 돈 강 상류 560킬로미터를 따라 위험하게 노출되어 있었다. 이곳에 히틀러는 3개 위성국 부대를 배치했다. 보로네시 남쪽에 헝가리의 제2군, 한참 남동쪽에 이탈리아의 제8군, 그리고 스탈린그라드 바로 서쪽의 돈 강 만곡부 오른편에 루마니아의 제3군이 자리잡았다. 루마니아군과 헝가리군 사이의 반목이 워낙 심해서 중간에 이탈리아군을 두어야 했다. 스탈린그라드 남쪽 스텝지대에는 네 번째 위성국 부대인 루마니아의 제4군이 배치되었다. 의심스러운 전투력은 차치하더라도, 이들 부대는 모두 장비가 불충분하고 기갑전력과 중포, 기동성이 없었다. 게다가 매우 얇게 펼쳐져 있었다. 루마니아 제3군은 170킬로미터의 전선을 겨우 69개 대대로 지탱하고 있었다. 그러나 히틀러에게는 이 '연합' 병력밖에 없었다. 공백을 메울 만한 독일군 부대들이 충분하지 않았다. 그리고 할더에게 말했듯이 소련군이 "끝났다"고 믿었기 때문에 돈 강을 따라 위험하게 노출된 기다란 측면을 별로 걱정하지 않았다.

그러나 그 측면이야말로 스탈린그라드의 제6군과 제4기갑군, 캅카스의 A집단군을 유지하는 데 관건이었다. 돈 강 측면이 붕괴하면 스탈린그라드의 독일군이 포위당할 위험뿐 아니라 캅카스의 독일군이 차단당할 위험까지 있었다. 나치 통수권자는 다시 한 번 도박을 했다. 그것은 이번 하계 작전에서 마지막 도박이 아니었다.

공세가 한창이던 7월 23일, 히틀러는 또다시 도박을 했다. 도네츠 지역과 돈 강 상류 사이에서 전면 퇴각하던 소련군은 동쪽의 스탈린그라드와 남쪽의 돈 강 하류 선까지 신속히 후퇴하고 있었다. 결정을 내려야 했다. 독일군은 스탈린그라드를 공략하고 볼가 강을 차단하는 데 집중해야 하는가, 아니면 소련의 석유를 차지하고자 캅카스에서 주공을 펴야 하는가? 7월 초에 히틀러는 이 중대한 문제를 숙고했으나 결정을 내리지 못했다. 처음에는 석유 냄새가 히틀러를 가장 유혹했고, 7월 13일 돈 강 만곡부와 바로 너머의 스탈린그라드를 향해 이 강을 따라 남진하던 B집단군의 제4기갑군을 떼어내, 클라이스트의 제1기갑군이 로스토프 인근의 돈 강 하류를 건너 유전지대를 향해 캅카스로 진입하는 작전을 지원하도록 남부로 보냈다. 그 시점에 제4기갑군이 스탈린그라드로 계속 진격했다면 당시 대체로 무방비였던 이 도시를 쉽게 함락할 수 있었을 것이다. 히틀러는 실책을 너무 늦게 깨달은 데다 문제를 더 키우기까지 했다. 2주 후에 제4기갑군이 스탈린그라드를 향해 다시 진격할 때, 소련군은 그것을 저지할 수 있을 만큼 전력을 회복한 상태였다. 그리고 제4기갑군이 캅카스 전선에서 떠나자 클라이스트는 휘하 전력이 너무 약해져서 그로즈니 유전까지 진격할 수가 없었다.*

이 강력한 기갑부대를 다시 스탈린그라드 공략에 투입한 것은 7월 23일 히틀러가 내린 돌이킬 수 없는 결정의 한 가지 결과였다. 스탈린그라드와 캅카스 **모두**를 동시에 차지하겠다는 히틀러의 광적인 결의, 그런 일은 불가능하다고 판단한 할더와 야전사령관들의 조언을 무시한 결의

---

* 클라이스트는 이 사실을 리델 하트에게 확인해주었다. "제4기갑군은 … 7월 말에 싸우지 않고도 스탈린그라드를 차지할 수 있었지만, 나의 돈 강 도하를 돕기 위해 남부로 방향을 돌려야 했습니다. 나는 그런 지원이 필요하지 않았고, 제4기갑군은 내가 사용하던 도로를 혼잡하게만 했습니다. 2주 후에 제4기갑군이 다시 북부로 향할 때, 소련군은 그 부대를 충분히 저지할 만한 병력을 스탈린그라드에 집결시켜두고 있었습니다." 그 무렵 클라이스트는 추가 기갑전력이 필요했다. "스탈린그라드 공격을 지원하기 위해 … 나의 병력을 떼어내지 않았다면 우리는 목표[그로즈니 유전]에 도달할 수 있었습니다." (Liddell Hart, *The German Generals Talk*, pp. 169-171)

는 장차 독일 육군의 연보에서 유명해질 지령 제45호로 구체화되었다. 이것은 2차대전을 통틀어 히틀러의 가장 치명적인 행보 중 하나였다. 이로 인해 단시일 내에 두 가지 목표 모두 달성하지 못하게 되었고, 결국 독일군의 역사상 가장 치욕스러운 패배로 이어졌기 때문이다. 그리하여 히틀러가 결코 승전할 수 없다는 게 확실해졌고, 천 년간 번성할 거라던 제3제국도 앞날이 얼마 남지 않게 되었다.

할더 장군은 경악했고, 히틀러가 전선에 더 가까이 가고자 7월 16일 우크라이나 빈니차 인근으로 옮긴 '늑대인간' 본부에서 험악한 장면이 연출되었다. 할더 참모총장은 주력으로 스탈린그라드 공략에 집중할 것을 촉구했고, 두 방면에서 각각 강력한 공세를 수행할 만한 전력이 독일 육군에 없다는 것을 설명하려 했다. 히틀러가 소련군은 "끝났다"라고 대꾸하자 할더는 육군 자체의 정보에 따르면 사정이 전혀 다르다는 점을 납득시키려 했다.

[할더가 저녁에 일기에 애처롭게 씀] 적군의 능력을 줄곧 과소평가하는 자세가 기이한 형태를 띠며 위험해지고 있다. 이곳에서는 진지한 직무가 불가능해졌다. 그때그때의 인상에 의한 병적인 반응, 전황과 그 가능성에 대한 평가 능력의 완전한 결여 탓에 이른바 '지도력'이 무척 기묘해졌다.

이제 참모총장직을 맡을 날이 얼마 남지 않은 할더는 훗날 이때를 회고하며 다음과 같이 썼다.

히틀러의 결정은 지난 수 세대 동안 인정받아온 전략 및 작전의 원칙과 아무런 공통점도 지니지 않게 되었다. 그 결정은 순간적인 충동을 따르는 난

폭한 본성의 산물로, 가능성의 한계를 인정하지 않았고 희망찬 꿈을 모태로 삼았다. …[17]

최고사령관의 "자신의 힘에 대한 병적인 과대평가와 적의 힘에 대한 터무니없는 과소평가"에 관해 할더는 훗날 다음과 같은 이야기를 들려주었다.

언젠가 매우 객관적인 보고서를 그에게 읽어주었다. 그 보고서는 1942년에 아직 스탈린이 캅카스 지역의 50만 명은 말할 것도 없고 스탈린그라드 북쪽과 볼가 강 서쪽 지역에서 100만에서 125만의 새로운 병력을 소집할 수 있고, 소련의 최전방 전차 생산량이 한 달에 적어도 1200대에 달한다는 증거를 제시했다. 그러자 히틀러는 주먹을 움켜쥐고 입가에 거품을 문 채로 보고서를 읽던 사람에게 달려들었고, 그런 멍청한 헛소리는 더 이상 듣고 싶지 않다고 말했다.[18]

할더는 말한다. "스탈린이 그 150만 병력을 스탈린그라드와 돈 강 측면에 투입할 때 무슨 일이 벌어질지는 예언자가 아니라도 내다볼 수 있었다.* 나는 이 점을 히틀러에게 아주 분명하게 지적했다. 결과는 육군 참모총장직 해임이었다."

---

* 할더는 그 무렵 우크라이나에서 "아주 우연히" 과거 러시아 내전 기간에 스탈린이 돈 강 만곡부와 스탈린그라드 사이에서 데니킨 장군을 무찌른 이야기를 담은 책을 발견했다고 한다. 할더에 따르면 당시 러시아 내전기의 상황과 1942년의 상황이 흡사했고, 스탈린은 돈 강 유역에서 데니킨의 허술한 방비를 "능수능란하게" 활용했다. "그리하여 그 도시의 이름이 '차리친'에서 '스탈린그라드'로 바뀌었다."

이때가 9월 24일이었다. 이미 9일에 카이텔로부터 캅카스 방면 집단군을 총지휘하던 리스트 원수의 해임 소식을 들었던 할더는 다음 차례가 누구일지 알고 있었다. 총통은 할더에 관해 "그 지위의 정신적 요구사항을 더 이상 감당하지 못한다"라고 확신하기에 이르렀다. 24일 송별회 자리에서 히틀러는 참모총장에게 이 확신을 더 자세히 설명했다.

"당신과 나는 신경쇠약에 시달렸지. 내 신경쇠약은 절반은 당신 때문일세. 계속 이럴 필요는 없어. 지금 우리에게 필요한 건 국가사회주의자의 열정이지 전문가의 능력이 아니네. 나는 당신과 같은 구식 장교에게는 그런 것을 기대할 수 없네."

"이렇게 말한 사람은 책임감 있는 통수권자가 아니라 정치적 광신자였다"라고 훗날 할더는 논평했다.[19]

이렇게 해서 프란츠 할더는 퇴진했다. 할더는 결점이 없지 않았다. 전임자 베크 장군과 비슷하게 곧잘 정신이 혼란해지고 행동 의지가 마비되었다. 그리고 별로 효과는 없을지언정 히틀러에 자주 맞서야 했지만, 2차대전 기간에 높은 직위에 오른 다른 모든 육군 장교와 마찬가지로 히틀러에 동조하고 오랫동안 그의 잔인무도한 침공과 정복을 부추기기도 했다. 그러나 할더는 더 문명적인 시대의 몇몇 덕목을 간직하고 있었다. 그는 제3제국의 육군 참모총장들 중 마지막 구식 장교였다.* 후임자는 서부에서 룬트슈테트의 참모장으로 복무하던 다른 유형의 더 젊은

---

* 할더의 해임은 독일 육군뿐 아니라 제3제국 역사가들에게도 손실이었는데, 그의 귀중한 일기가 1942년 9월 24일로 끝나기 때문이다. 그는 결국 체포되어 슈슈니크와 샤흐트 같은 저명한 수감자들과 함께 다하우 강제수용소에 수감되었다가 1945년 4월 28일 남부 티롤의 니더도르프에서 미군에 의해 해방되었다. 그때 이후로 이 책 집필의 순간까지 할더는 2차대전에 관한 여러 군사사 연구에서 미국 육군과 함께 협력해오고 있다. 나의 질문에 답해주고 전거를 알려준 할더의 아량에 관해서는 앞에서 언급했다.

장교 쿠르트 차이츨러였는데, 1944년 7월 독재자의 목숨을 노린 시도가 있을 때까지 과거—특히 1차대전 시기에—독일 육군에서 가장 높고 강력했던 그 지위에 있으면서 총통의 심부름꾼이나 다를 바 없는 처지를 견뎌냈다.*

참모총장을 교체한다고 해서 독일 육군의 상황이 바뀌지는 않았다. 스탈린그라드와 캅카스를 동시에 노린 독일군의 양방 공세는 소련군의 완강한 저항으로 저지되었다. 10월 내내 스탈린그라드에서 치열한 시가전이 벌어졌다. 독일군은 건물에서 건물로 조금씩 전진했으나 막대한 손실을 입어야 했다. 현대전을 경험한 모두가 알고 있듯이 대도시의 돌무더기가 장기간 완강하게 저항할 기회를 주어서 소련군이 건물 잔해 하나하나를 필사적으로 지키며 최대한 활용했기 때문이다. 할더와 그 후임자가 히틀러에게 스탈린그라드의 병력이 지쳐간다고 경고했음에도 최고사령관은 계속 밀어붙일 것을 고집했다. 새로 투입된 사단들은 곧 이 지옥에서 산산조각이 났다.

스탈린그라드는 목적을 위한 수단이 아니라—이 목적은 독일군 대형들이 볼가 강 서안에서 도시의 북쪽과 남쪽에 도달하여 강의 통행을 차단했을 때 이미 달성했다—그 자체로 목적이 되었다. 히틀러에게 스탈린그라드 함락은 이제 자신의 위신이 걸린 문제였다. 차이츨러마저 용기를 내 총통에게 돈 강 유역의 기다란 북쪽 측면이 위험하니 제6군을 스

---

* 성실하고 광적일 정도로 충성스러운 OKW 작전참모장 요들 장군도 이 무렵 히틀러에게 찬밥 신세였다. 요들은 리스트 원수와 할더 장군을 해임하는 데 반대했다. 히틀러는 두 장군을 변호하는 요들에게 얼마나 격노했던지 몇 달 동안 악수도 나누지 않았고, 요들을 포함해 다른 어떤 참모와도 식사를 함께하지 않았다. 히틀러는 1943년 1월 말 요들을 해임하고 파울루스 장군으로 교체하려 했으나 너무 늦은 결정이었다. 조만간 살펴볼 것처럼 이제 파울루스를 기용할 수가 없었다.

탈린그라드에서 돈 강의 만곡부까지 물릴 것을 진언하자, 히틀러는 불같이 화를 냈다. "독일 군인은 발을 들여놓은 자리에 머물러야 한다!"라고 일갈하면서.

난항과 심각한 손실에도 불구하고 제6군 사령관 파울루스 장군은 10월 25일, 히틀러에게 스탈린그라드 함락을 늦어도 11월 10일까지 완료할 것으로 예상한다고 무전으로 알렸다. 이 확언에 기운을 차린 히틀러는 이튿날 도시 남쪽에서 싸우던 제6군과 제4기갑군에 스탈린그라드를 함락하는 즉시 볼가 강을 따라 북과 남으로 진격할 준비를 하라고 지시했다.

히틀러가 돈 강 측면의 위험을 몰랐던 것은 아니다. OKW 일지를 보면 이 위험을 상당히 우려했던 것이 분명하다. 중요한 점은 그 위험을 충분히 심각하게 받아들이지 않았고 그 결과로 아무런 대책도 강구하지 않았다는 것이다. 실은 전황을 잘 파악하고 있다고 얼마나 자신했던지, 10월의 마지막 날 히틀러와 OKW 참모진, 육군 참모본부는 우크라이나 빈니차의 본부를 버리고 라슈텐부르크의 늑대굴로 돌아갔다. 총통은 설령 소련군이 동계 공세에 나서더라도 그 무대는 중부전선과 북부전선일 것이라고 사실상 확신하고 있었다. 그런 공세는 동프로이센의 본부에서 더 잘 대처할 수 있었다.

히틀러가 늑대굴로 돌아가기 무섭게 더 멀리 떨어진 다른 전선에서 비보가 날아들었다. 로멜 원수의 아프리카 군단이 곤경에 처했다는 소식이었다.

첫 일격: 엘 알라메인과 영미군의 상륙

전선의 양 진영에서 '사막의 여우'라 불리던 로멜은 영국 제9군을 격퇴하고 알렉산드리아와 나일 강까지 진격하려는 의도로 8월 31일 엘 알라메인에서 공세를 재개했다. 로멜은 지중해 해안부터 카타라 저지低地까지 65킬로미터의 사막전선에서 타는 듯한 열기를 무릅쓰고 격전을 치렀으나 뜻대로 풀리지 않았고, 9월 3일 전투를 중단하면서 수세로 바뀌었다. 오랜 기다림 끝에 이집트의 영국군은 마침내 병사, 포, 전차, 항공기 등 강력한 증강 전력을 제공받았다(전차와 항공기는 대부분 미국에서). 8월 15일에는 두 명의 새로운 사령관이 도착하기도 했다. 괴짜이지만 재능 있는 버나드 로 몽고메리Bernard Law Montgomery 경이 제8군을 맡았고, 노련한 전략가이자 탁월한 행정가로 밝혀질 해럴드 알렉산더Harold Alexander 경이 중동 지역 총사령관을 맡았다.

후퇴한 직후 로멜은 감염된 코와 부은 간을 치료하기 위해 빈 남쪽 제머링 산중으로 병가를 떠났고, 그곳에서 10월 24일 오후에 히틀러의 전화를 받았다. "로멜, 아프리카발 소식이 좋지 않네. 상황이 다소 불투명해 보여. 슈투메 장군에게 무슨 일이 생겼는지 아무도 모르는 모양이야.* 아프리카로 돌아가 다시 지휘할 수 있겠나?"[20] 환자임에도 로멜은 당장 돌아가기로 했다.

이튿날 저녁 로멜이 엘 알라메인 서쪽의 본부로 돌아갔을 무렵, 몽고메리가 10월 23일 오후 9시 40분에 개시한 전투는 이미 독일군의 패배

---

* 부재한 로멜을 대리하던 슈투메(Stumme) 장군은 영국군의 공세 첫날 밤에 영국 순찰대에 자칫 붙잡힐 뻔했다가 사막에서 도보로 도망가던 도중 심장마비로 사망했다.

로 끝난 뒤였다. 영국 제8군이 포와 전차, 항공기를 대거 보유하고 있는 상황에서 이탈리아-독일 군은 아직 버티고 있었고 로멜도 기진맥진한 사단들을 움직여 여러 공격을 막아내고 반격까지 하려고 필사적으로 애썼으나 도무지 가망이 없었다. 로멜에게는 예비 전력이 없었다. 병사도 전차도 연료도 없었다. 이번에는 영국 공군이 제공권을 완전히 장악하고서 로멜의 병력, 전차, 남아 있는 보급품 더미를 사정없이 맹타하는 중이었다.

11월 2일, 몽고메리의 보병부대와 기갑부대가 전선의 남쪽 구역을 돌파하고 그곳의 이탈리아군 사단들을 제압하기 시작했다. 그날 저녁 로멜은 3200킬로미터 떨어진 동프로이센의 히틀러 본부에 무전을 보내 더이상 버틸 수 없고 서쪽으로 65킬로미터 떨어진 푸카 진지까지 퇴각해 기회를 엿볼 참이라고 알렸다.

이튿날 최고사령관이 무전으로 장문의 메시지를 보내왔을 때 로멜은 이미 서진하고 있었다.

로멜 원수에게

나와 독일 국민은 귀관의 지도력과 휘하 독일-이탈리아 군의 용맹함을 십분 신뢰하는 마음으로 이집트에서 벌어진 영웅적인 방어전을 지켜보고 있다. 지금 귀관이 처한 상황에서는 굳게 버티고, 한 걸음도 물러나지 않고, 모든 포와 병사를 전투에 투입하는 것 말고는 다른 무엇도 고려할 수 없다. … 귀관은 승리 아니면 죽음으로 이어지는 길밖에 없음을 휘하 부대에 보여주기 바란다.

아돌프 히틀러[21]

이 멍청한 명령은, 만일 복종한다면, 이탈리아-독일 군이 금세 괴멸되리라는 것을 의미했다. 바이얼라인의 말마따나 로멜은 아프리카에서 처음으로 어떻게 대처해야 할지 알지 못했다. 잠시 양심과 싸운 끝에 로멜은 독일 아프리카 군단의 실제 사령관인 리터 폰 토마Ritter von Thoma 장군의 항의를 무릅쓰고* 최고사령관에게 복종하기로 결정했다. 로멜은 훗날 일기에 이렇게 썼다. "나는 결국 이 결정을 받아들이기로 했는데, 나 자신이 휘하 군인들에게 언제나 무조건 복종을 요구했고 따라서 나도 이 원칙을 받아들이고 싶었기 때문이다." 이후의 일기에서 명확히 밝히듯이, 나중에 로멜은 실상을 더 잘 알게 되었다.

로멜은 마지못해 퇴각을 멈추라고 명령하는 동시에 항공편으로 히틀러에게 급사를 보내 당장 후퇴를 허락해주지 않으면 전 병력을 잃을 것이라고 설명하려 했다. 그러나 당시 전황에서 급사 파견은 이미 불필요했다. 11월 4일 저녁, 로멜은 불복종 혐의로 군사재판에 회부될 각오로 남은 병력을 푸카까지 퇴각시키기로 결정했다. 잔존 기갑부대와 차량화부대만이 탈출할 수 있었다. 보병은 대부분 이탈리아군이었는데, 벌써 항복한 이탈리아군 주력과 마찬가지로, 뒤에 남았다가 항복했다.** 11월 5일, 총통에게서 퉁명스러운 메시지가 왔다. "귀관의 군이 푸카 진지까지 퇴각하는 데 동의한다." 그러나 몽고메리의 전차들이 이미 그 진지를 차지한 뒤였다. 로멜은 15일 내에 잔존 아프리카 군단―대략 이탈

---

* 이튿날인 11월 4일, 토마 장군은―바이얼라인에게 "히틀러의 명령은 전대미문의 미친 짓이다. 나는 더 이상 동조할 수 없다"라고 말한 뒤―계급장과 훈장이 붙은 깨끗한 제복을 입고는 불길에 휩싸인 전차 옆에 서 있다가 영국군 부대가 도착하자 항복했고, 저녁에 영국군 식당에서 몽고메리와 저녁식사를 함께했다.
** 엘 알라메인에서 로멜이 입은 손실은 총 병력 9만 6000명 가운데 사상자와 포로가 된 인원을 포함해 5만 9000명이었고, 그중 3만 4000명이 독일군이었다.

리아군 2만 5000명, 독일군 1만 명, 전차 60대—과 함께 벵가지 너머까지 1100킬로미터를 퇴각했고, 그 지점에서도 멈출 도리가 없었다.

이것은 아돌프 히틀러에게 종말의 시작, 그때까지 적들이 거둔 가장 결정적인 전투의 승리였다. 게다가 두 번째이자 더욱 결정적인 전투가 남부 러시아의 눈 덮인 스텝지대에서 막 시작되려던 참이었다. 하지만 그에 앞서 총통은 북아프리카에서 날아온 비보를 들었다. 그 지역에서 추축국의 파멸을 예고하는 소식이었다.

이미 11월 3일에 로멜의 참패에 관한 초기 보고를 받았을 때, 총통 본부는 연합국 함대가 지브롤터에 집결하고 있다는 소식을 들었다. 그러나 OKW의 어느 누구도 그 함대의 속셈을 알아채지 못했다. 히틀러는 또다시 몰타로 향하는 중무장 선단에 불과하다고 생각하고 싶어했다. 이것은 흥미로운 사실인데, 2주도 더 전인 10월 15일에 OKW 수뇌부가 서아프리카에서 "앵글로색슨족의 상륙"이 머지않았다는 내용의 몇몇 보고서에 관해 논의한 바 있었기 때문이다. 그 첩보는 로마에서 전해준 듯한데, 1주일 전인 10월 9일에 치아노가 군 정보기관 수장과 대화한 뒤 일기에 "앵글로색슨족이 대대적인 북아프리카 상륙을 준비하고 있다"라고 적었기 때문이다. 이 소식에 치아노는 우울해졌다. 이로써 연합국이 이탈리아를 직접 공격하는 사태가 불가피해질 것이라고 예견했기 때문이다—나중에 밝혀졌듯이 올바른 예측이었다.

당시 소련군의 멈추지 않는 지긋지긋한 저항에 정신이 팔려 있던 히틀러는 이 첫 번째 첩보를 그리 심각하게 받아들이지 않았다. 10월 15일 OKW 회의에서 요들은 영미군의 상륙을 격퇴할 수 있도록 비시 프랑스가 북아프리카에 증원군을 파견하는 것을 허락하자고 진언했다. OKW 일지에 따르면 총통은 프랑스가 강해질 만한 모든 행보를 시기하는 이탈리아 측의 심기를 건드릴 수 있다는 이유로 그 제안을 거부했다. 최고사령관 본부에서는 이 문제를 11월 3일까지 잊어버렸던 듯하다. 그날 지브롤터의 에스파냐 편에서 독일 요원들이 대규모 영국-미국 함대가 그곳에 집결 중이라고 보고했음에도, 히틀러는 엘 알라메인에서 싸우는 로멜의 기운을 북돋느라 바빠서 그저 몰타 섬으로 가는 또 하나의 선단에 불과한 듯한 함대에 구태여 신경쓰지 않았다.

11월 5일, OKW는 영국의 한 해군 부대가 지브롤터에서 출항해 동쪽으로 향했다는 첩보를 받았다. 그러나 미군과 영국군이 북아프리카에서 상륙을 개시하기 12시간 전인 11월 7일 오전까지 히틀러는 이 지브롤터발 최신 첩보에 대해 별로 생각해보지 않았다. 그날 오전 동프로이센의 총통 본부에서 받은 보고서들에 따르면, 지브롤터의 영국 해군 부대들이 대서양에서 온 수송선 및 전함의 대규모 함대와 합류해 지중해를 동진하고 있었다. 참모장교들과 총통은 장시간 상의했다. 이 모든 것은 무엇을 의미하는가? 그런 대규모 해군력의 목표는 무엇인가? 이제 히틀러는 본인의 말대로 서방 연합군이 로멜을 배후에서 치기 위해 트리폴리 또는 벵가지에 4개나 5개 사단의 상륙을 시도할지도 모른다고 생각했다. OKW의 해군 연락장교 테오도어 크란케Theodor Krancke 제독은 기껏해야 2개 사단일 것이라고 단언했다. 설령 그렇다 해도 무언가 조치를 취해야 했다. 히틀러는 지중해에서 공군을 즉시 증강하라고 지시했다가 "당분간"은 불가능하다는 답변을 들었다. OKW 일지로 판단하건대 그날 오전에 히틀러가 한 일이라곤 서부전선 총사령관 룬트슈테트에게 '안톤Anton' 작전을 실행할 준비를 하라고 통지한 것이 전부였다. 이것은 프랑스의 나머지 지역을 점령하는 작전의 암호명이었다.

그리하여 최고사령관은 이 불길한 소식에도, 영미군이 배후에서 상륙할 경우 크게 위태로워질 로멜의 곤경에도, 스탈린그라드의 제6군 배후에 있는 돈 강 유역에서 소련군의 반격이 임박했다는 최신 정보에도 개의치 않은 채, 11월 7일 점심식사 후에 뮌헨으로 가는 기차에 올랐다. 이틀날 저녁 뮌헨에서 맥주홀 폭동 기념일을 축하하러 모이는 고참 당원들 앞에서 연설할 예정이었다!*

할더가 적었듯이, 전쟁의 이 중대한 순간에 히틀러 내면의 정치인이 군인으로서의 그를 제쳤던 것이다. 동프로이센의 최고사령부는 트로이슈 폰 부틀라어-브란덴펠스Treusch von Buttlar-Brandenfels 남작이라는 대령에게 맡겼다. OKW의 최고위 장교 카이텔과 요들 장군은 맥주홀 축제에 참석하기 위해 총통과 동행했다. 당시 광범한 전선에서 사단과 연대, 심지어 대대 수준까지 지휘할 것을 고집하던 최고사령관이 하필이면 집이 막 무너지려는 순간에 전장에서 수천 킬로미터 떨어진 곳까지 중요하지 않은 정치적 볼일을 보러 갔다는 사실은 무언가 기묘하고 제정신이 아닌 듯한 인상을 준다. 괴링의 전철을 따라 사람이 곪아가고 퇴보하기 시작했던 것이다. 한때 막강했던 공군이 꾸준히 쇠퇴하고 있음에도 괴링은 자신의 보석과 장난감 기차에 점점 더 집착했고, 길어지고 갈수록 치열해지는 전쟁의 추악한 현실에는 거의 시간을 들이지 않았다.

드와이트 D. 아이젠하워Dwight D. Eisenhower 장군이 지휘하는 영미군은 1942년 11월 8일 오전 1시 30분, 모로코와 알제리의 해안을 타격했다.

---

* 나는 압수된 히틀러 일지를 보고서 연례 기념식 장소를 폭동이 일어난 뷔르거브로이켈러에서 뮌헨의 더 우아한 맥주홀인 뢰벤브로이켈러(Löwenbräukeller)로 옮긴 사실을 알았다. 기억할 테지만 뷔르거브로이켈러는 1939년 11월 8일 총통의 목숨을 앗아갈 뻔했던 시한폭탄의 폭발로 파손된 바 있었다.

5시 30분, 뮌헨의 리벤트로프는 로마의 치아노에게 전화해 소식을 알렸다.

[치아노가 일기에 씀] 그는 다소 초조한 듯했고 우리가 어떻게 대응할 생각인지 알고자 했다. 고백하자면, 뜻밖의 소식인 데다 너무 졸렸던 터라 썩 만족스러운 답변을 하지 못했다.

이탈리아 외무장관은 독일 주재 대사관을 통해 독일 관료들이 "문자 그대로 그 타격에 겁을 집어먹었다"고 전해 들었다.

동프로이센에서 출발한 히틀러의 특별열차는 오후 3시 40분에야 뮌헨에 도착했다. 북서아프리카의 연합군 상륙에 대해 히틀러가 처음 받은 보고는 낙관적이었다.[22] 프랑스군이 어디서나 완강히 저항하고 있고 알제와 오랑에서는 상륙하려는 적군을 격퇴했다고 했다. 알제리에서 친독일 성향의 다를랑 제독이 비시 정권의 승인을 받아 방어를 조직하고 있었다. 히틀러의 초기 대응은 혼란스러웠다. 새로운 전장에서 한참 떨어진 크레타 섬의 수비대를 즉시 강화하라고 지시하면서 그런 조치가 아프리카에 증원군을 파견하는 것만큼이나 중요하다고 역설했다. 또 게슈타포에 지시하여 베이강 장군과 지로 장군*을 비시로 데려가 계속 감시하라고 했다. 룬트슈테트 원수에게는 안톤 작전을 시작하되 추후 명령할 때까지 프랑스 내 경계선을 넘지 말라고 지시했다. 그리고 치아노**와

---

* 당시 지로 장군은 알제에 도착하려던 참이었다. 그는 독일 포로수용소를 탈출해 비밀리에 프랑스 남부에 은신하다가 11월 5일 영국 잠수함을 타고 지브롤터에 가서 상륙작전 개시 직전에 아이젠하워와 상의했다.

** 치아노는 11월 9일 일기에 다음과 같이 썼다. "밤중에 리벤트로프가 전화했다. 두체나 내가 최대한 서둘러 뮌헨으로 가야 한다고 했다. 라발도 참석할 예정이었다. 나는 두체를 깨웠다. 두체는 몸이 안 좋아서 별로 가고 싶어하지 않았다. 내가 가기로 했다."

당시 비시 프랑스의 총리 피에르 라발Pierre Laval에게 이튿날 뮌헨에서 자신과 만날 것을 요청했다.

그에 앞서 약 24시간 동안 히틀러는 프랑스와 동맹을 맺어 대영국·미국 전쟁에 끌어들이는 한편 북아프리카에서 연합군의 상륙을 저지하겠다는 페탱 정부의 결의를 북돋우면 어떨까 생각해보았다. 아마도 페탱이 11월 8일 일요일 오전에 미국과의 외교 관계를 단절하고 미국 대사대리에게 자신의 병력이 영미군의 침공에 저항할 것이라고 선언한 조치가 히틀러의 이런 생각을 부추겼을 것이다. 그 일요일의 OKW 일지는 히틀러가 "프랑스군과의 광범한 협력"을 구상하는 데 몰두했다고 강조한다. 그날 저녁 비시 프랑스의 독일 대표 크루크 폰 니다Krug von Nidda는 페탱에게 독일과 프랑스의 긴밀한 동맹에 관한 제안서를 건넸다.[23]

이튿날 고참 당원들에게 스탈린그라드가 "확실히 독일의 수중에 있다"는 내용의 연설을 한 뒤, 총통은 마음을 바꿔먹었다. 자신은 프랑스군의 전의에 관해 아무런 환상도 없으며 "프랑스 완전 점령, 코르시카 상륙, 튀니지에 교두보 구축"을 결정했다고 치아노에게 말했다. 독일 측은 11월 10일 자동차로 뮌헨에 도착한 라발에게 이 결정을 통지했다. 다만 실행 시기는 알려주지 않았다. 이 프랑스인 반역자는 페탱에게 총통의 바람을 받아들일 것을 촉구하겠다고 당장 약속하면서도, 독일 측이 노쇠한 페탱 원수의 승인을 기다리지 말고 계획을 추진할 것을 제안했다. 히틀러는 당연히 그럴 작정이었다. 치아노는 전후에 반역죄로 처형된 이 비시 총리에 관한 묘사를 남겼다.

흰색 넥타이를 매고 프랑스 중간계급 농민의 옷차림을 한 라발은 널찍한 응접실의 수많은 제복들 사이에서 영 어울리지 않아 보였다. 친근한 어조로 자신의 여정과 자동차 안에서 누린 단잠 등을 이야기해보려 했으나 들어주는 이가 없었다. 히틀러는 무뚝뚝하면서도 예의 바르게 그를 대했다. …

그 딱한 사람은 독일 측이 전하려는 기정사실을 상상하지도 못했다. 임박한 조치에 관해 라발은 단 한 마디도 듣지 못했다 — 그래서 프랑스를 점령하라는 명령이 내려지는 동안 그는 옆방에서 담배를 피우며 여러 사람과 이야기를 나누고 있었다. 폰 리벤트로프는 내게 밤중에 받은 정보 때문에 히틀러가 부득이 프랑스 전체를 점령하기로 했다는 사실을 이튿날 아침 8시 정각에야 라발에게 통지할 것이라고 말했다.[24]

비점령 프랑스를 장악하라는 명령, 휴전협정을 명백히 위반하는 이 명령은 히틀러가 11월 10일 오후 8시 30분에 하달했고, 이튿날 오전 페탱의 부질없는 항의를 제외하면 아무런 사건도 없이 실행되었다. 이탈리아군이 코르시카 섬을 점령했고, 독일 항공기들이 아이젠하워의 병력에 앞서 프랑스령 튀니지를 장악하기 위해 떼 지어 날아가기 시작했다.

히틀러식 기만술 행각은 한 차례 더 있었다 — 전형적인 수법이었다. 11월 13일, 총통은 페탱에게 휴전협정 이래 프랑스 함대를 묶어둔 툴롱의 해군 기지를 독일군도 이탈리아군도 점령하지 않을 것이라고 확언했다. 11월 25일의 OKW 일지에는 히틀러가 '릴라Lila' 작전을 가급적 일찍 실행하기로 결정했다고 기록되어 있다.* 이것은 툴롱을 점령하고 프랑스

---

* 공정을 기하기 위해 지적하자면, 히틀러는 프랑스 함대가 알제리로 출항해 연합군과 합류하려 시도할지도 모른다고 강하게 의심했고, 여기에는 그럴 만한 근거가 있었다. 다를랑 제독은 비록 독일 측과 반역적인 거래를 했고 영국 측을 맹렬히 증오하긴 했지만, 우연히 알제에 있는 병든 아들을 찾아갔다가 아이젠하워로부터 북아프리카에서 프랑스군 사령관을 맡아달라는 권유를 받았다. 다를랑이 영미군의 상륙에 저항하는 프랑스 육군과 해군을 제지할 수 있는 유일한 장교로 보였을

함대를 포획하는 작전의 암호명이었다. 27일 오전에 독일군이 툴롱 군항을 공격했지만, 프랑스 수병들은 드 라보르드 제독의 명령에 따라 승조원들이 함대를 스스로 가라앉힐 때까지 시간을 벌며 버텼다. 그리하여 지중해에서 군함이 절실히 필요했던 추축국은 프랑스 함대를 잃게 되었다. 하지만 프랑스 함대를 귀중한 추가 전력으로 활용했을 법한 연합국 측도 손에 넣지 못한 것은 마찬가지였다.

히틀러는 튀니지 장악 경쟁에서 아이젠하워를 이겼지만 그것은 의심스러운 승리였다. 히틀러의 고집으로 근 25만 명의 독일군과 이탈리아군이 이 교두보를 유지하는 데 투입되었다. 총통이 몇 달 전에 이 병력과 전차의 5분의 1이라도 로멜에게 보냈다면, 사막의 여우는 그 무렵 십중팔구 나일 강 너머까지 진격했을 것이고, 영미군은 북서아프리카에 상륙할 수 없었을 것이고, 연합국은 지중해를 돌이킬 수 없을 정도로 상실했을 것이며, 그리하여 추축국은 취약점을 극복할 수 있었을 것이다. 현실을 말하자면, 1943년 늦봄까지 독일은 아프리카 군단의 잔존 병력뿐 아니라 전년 겨울 히틀러가 급파한 모든 군인과 전차와 포까지도 상실했고, 이제부터 다시 살펴볼 스탈린그라드의 경우보다도 더 많은 독일 병력이 전쟁포로 수용소로 들어가야 했다.*

뿐 아니라, 튀니지에서 지휘를 맡을 제독이 독일군의 상륙을 저지하고 툴롱의 프랑스 함대로 하여금 북아프리카를 향해 돌진하도록 유도할 수 있을 것이라는 희망을 품었기 때문이다. 다를랑이 시도하긴 했으나 이 희망은 허사로 판명되었다. 툴롱에서 함대를 빼내라고 명령하는 다를랑의 메시지에 장 드 라보르드(Jean de Laborde) 제독은 무례할지언정 의미심장한 한 단어로 대꾸했다. "똥(Merde)." (*Procès du M. Pétain* 참조)

* 아이젠하워 장군에 따르면 추축국 포로 총 24만 명 가운데 약 12만 5000명이 독일군이었고 나머지가 이탈리아군이었다. 이 숫자에는 전투 마지막 주—1943년 5월 5일부터 12일까지—에 항복한 인원만 포함된다. (*Crusade in Europe*, p. 156)

스탈린그라드의 재앙

———

11월 19일 새벽에 돈 강 유역의 소련군이 눈보라 속에서 반격을 개시했다는 소식이 몇 시간 후 처음 전해졌을 때, 히틀러와 OKW의 주요 장군들은 베르히테스가덴에서 알프스 산맥의 풍광을 음미하고 있었다. 그 지역에 대한 소련군의 공격이 예상되었음에도, OKW는 총통이 11월 8일 저녁 뮌헨에서 오랜 당원 동지들에게 호소력 있는 맥주홀 연설을 한 뒤 최고위 군사 고문인 카이텔 및 요들과 함께 서둘러 동프로이센의 본부로 돌아가야 할 만한 사태가 일어나지는 않을 것으로 믿었다. 그래서 세 사람은 오버잘츠베르크에서 산공기를 들이쉬며 빈둥거리고 있었다.

그들의 평온함과 한가로움은 신임 육군 참모총장으로 라스텐부르크 본부에 머물고 있던 차이츨러 장군의 긴급 전화로 느닷없이 깨졌다. 참모총장은 OKW 일지에 "걱정스러운 소식"으로 기록된 전황을 전했다. 공격 초기 몇 시간 만에 압도적인 소련 기갑부대가 스탈린그라드 북서쪽 돈 강 유역의 세라피모비치와 클레츠카야 사이에서 루마니아 제3군을 거침없이 돌파했다. 포위된 스탈린그라드 시가지 남쪽에서는 별도의 강력한 소련 부대들이 독일 제4기갑군과 루마니아 제4군을 강타하며 전선을 돌파할 기세였다.

소련 측의 목표는 지도를 살펴본 누구에게나 명백해 보였고, 특히 차이츨러는 육군 정보를 통해 적이 그 목표를 달성하기 위해 스탈린그라드 남쪽에 13개 군과 수천 대의 전차를 집결시켰음을 알고 있었다. 분명 소련군은 스탈린그라드 내의 독일 제6군을 서쪽으로 급히 퇴각하게 만들거나 포위하기 위해 엄청난 전력으로 이 도시의 북쪽과 남쪽에서 진격하고 있었다. 훗날 차이츨러는 그때 상황을 파악하자마자 히틀러에게 제6군이 스탈린그라드에서 돈 강 만곡부로 퇴각하여 무너진 전선을 복구할 수 있도록 허락해줄 것을 진언했다고 주장했다. 이 제안만 듣고도 총통은 버럭 역정을 냈다.

"나는 볼가를 떠나지 않겠어! 볼가에서 돌아서지 않겠어!"라고 소리쳤고, 그게 다였다. 홧김에 욱해서 내린 이 결정은 즉각 재앙으로 이어졌다. 총통은 제6군에 스탈린그라드 일대를 사수하라고 직접 명령했다.[25]

히틀러와 참모들은 11월 22일에 본부로 돌아갔다. 공격 나흘째인 이 무렵 파국적인 소식이 전해졌다. 북쪽과 남쪽에서 진격하던 소련군 두 부대가 스탈린그라드에서 서쪽으로 65킬로미터 떨어진 돈 강 만곡부의 칼라치에서 조우했다는 소식이었다. 저녁에는 제6군 사령관 파울루스 장군이 휘하 병력이 포위당했음을 확인해주는 무선 메시지를 보내왔다. 히틀러는 즉각 파울루스에게 무전을 보내 사령부를 도시 안으로 옮기고 고슴도치형 방어진을 구축하라고 명령했다. 그리고 제6군이 포위에서 풀려날 때까지 공중으로 보급하겠다고 했다.

하지만 부질없는 소리였다. 스탈린그라드에 갇힌 병력은 독일군 20개 사단에 루마니아군 2개 사단이었다. 파울루스는 하루에 최소 750톤의 보급품을 공수해야 한다고 무전을 쳤다. 수송기를 필요한 수만큼 보유하지 못한 독일 공군으로서는 도저히 감당할 수 없는 보급량이었다. 설령 수송기 대수가 충분하다 해도, 이제 소련군 전투기가 우위를 점한 상공에서 모든 수송기가 눈보라를 뚫고 스탈린그라드까지 도달할 수는 없었다. 그럼에도 괴링은 히틀러에게 공군이 공수를 해낼 수 있다고 장담했다. 그러나 결국 시작도 하지 않았다.

제6군을 구출하는 쪽이 더 현실적이고 유망한 선택지였다. 11월 25일, 히틀러는 야전사령관들 중 가장 재능 있는 만슈타인 원수를 레닌그라드

전선에서 호출하여 새로 편성한 돈 강 집단군을 맡겼다. 그의 임무는 남서쪽에서 적진을 돌파해 스탈린그라드의 제6군을 구출하는 것이었다.

그런데 이때 총통은 신임 사령관에게 실행 불가능한 조건을 붙였다. 만슈타인은 총통에게 제4기갑군을 선두로 하는 자신의 집단군이 두 독일군 부대 사이에 자리한 소련군을 북동쪽으로 압박하는 동안 제6군이 스탈린그라드에서 서쪽으로 탈출하는 경우에만 작전이 성공할 수 있다고 설명하려 했다. 그러나 히틀러는 이번에도 볼가 강에서 물러나기를 거부했다. 제6군은 스탈린그라드에 머물러야 하고 만슈타인은 그곳까지 진격해야 한다고 했다.

만슈타인이 최고사령관에게 반박하려 했듯이, 이것은 해낼 수 없는 일이었다. 소련군이 너무 강했다. 그럼에도 만슈타인은 무거운 마음으로 12월 12일 공격을 개시했다. 이 공세는 적절하게도 '겨울폭풍 작전Unternehmen Wintergewitter'이라 불렸는데, 당시 소련의 위세등등한 동장군이 남부 스텝지대를 강타하여 눈보라와 함께 혹한을 몰고 왔기 때문이다. 처음에 공세는 순조롭게 진행되어 호트 장군의 제4기갑군이 코텔니콥스키에서 약 120킬로미터 떨어진 스탈린그라드를 향해 철도 선로 양측을 따라 북동쪽으로 진격했다. 제4기갑군은 12월 19일경 스탈린그라드 남쪽 65킬로미터 지점까지, 21일경에는 50킬로미터 지점까지 육박했다. 포위된 제6군은 밤중에 눈 덮인 스텝지대 너머로 구원군의 신호탄 빛을 볼 수 있었다.

독일 장군들의 훗날 증언에 따르면, 이 순간 스탈린그라드의 제6군이 제4기갑군의 진격선을 향해 탈출을 시도했다면 거의 확실히 성공했을 것이다. 그러나 히틀러는 이번에도 탈출을 불허했다. 12월 21일, 차이츨러는 파울루스의 부대가 스탈린그라드를 계속 고수한다는 **조건으로** 탈출하는 방책에 대한 지도자의 허락을 간신히 받아냈다. 이런 바보짓을 하느라 차이츨러는 미쳐버릴 지경이었다.

훗날 차이츨러는 이렇게 말했다. "이튿날 저녁 나는 히틀러에게 탈출을 재가해달라고 간청했다. 나는 파울루스 부대의 20만 명을 구할 정말 마지막 기회라고 말했다."

히틀러는 물러서지 않으려 했다. 나는 이른바 요새 내부의 진상—굶주리는 군인들의 절망, 최고사령부에 대한 신뢰 상실, 적절한 치료를 받지 못해 숨을 거두는 부상병들과 얼어 죽은 수천 명 등—을 설명했으나 헛수고였다. 그런 진언을 아무리 해본들, 이제까지와 마찬가지로 그는 꿈쩍도 하지 않았다.

전면과 양 측면에서 소련군의 저항이 격해지는 가운데 호트 장군은 스탈린그라드까지의 마지막 50킬로미터를 뚫고 나갈 전력이 없었다. 호트는 만약 제6군이 탈출에 성공하면 자신의 제4기갑군과 합류한 다음 두 부대가 함께 코텔니콥스키까지 퇴각할 수 있다고 믿었다. 그렇게 했다면 적어도 독일군 20만 명의 목숨을 구할 수 있었을 것이다.* 아마도 하루나 이틀 동안—12월 21일에서 23일 사이에—탈출이 가능했을 테지만, 그 후로는 불가능해졌다. 호트는 알지 못했으나 붉은군대가 더 북

---

* 전후 회고록에서 만슈타인 원수는 12월 19일에 자신이 실제로 히틀러의 명령을 어기고 제6군에 스탈린그라드에서 남서쪽으로 탈출하여 제4기갑군과 합류할 것을 명령했다고 말한다. 회고록에 해당 지령문이 수록되어 있다. 하지만 그 지령에는 몇 가지 유보사항이 들어 있었고, 여전히 탈출하지 말라는 히틀러의 명령에 묶여 있던 파울루스는 틀림없이 매우 혼란스러웠을 것이다. "이것이 제6군을 구할 우리의 유일무이한 기회였다"라고 만슈타인은 단언한다. (Manstein, *Lost Victories*, pp. 336-341, 562-563)

쪽을 타격한 뒤 이제 만슈타인의 돈 강 집단군 전체의 좌측면을 위협하고 있었기 때문이다. 22일 밤, 만슈타인은 호트에게 전화해 과감한 새 명령에 대비하라고 지시했다. 이튿날 그 명령이 전해졌다. 스탈린그라드 진격을 중지하고, 휘하 3개 기갑사단 중 하나를 북쪽의 돈 강 전선으로 급파하고, 남은 전력으로 현 위치를 최대한 지켜내라는 명령이었다.

스탈린그라드를 구출하려던 시도는 실패했다.

만슈타인의 과감한 새 명령은 12월 17일에 그에게 전해진 우려스러운 소식의 결과로 나온 것이었다. 그날 오전에 소련 1개 군이 돈 강 상류의 보구차르에서 이탈리아 제8군을 돌파했고, 저녁 무렵에는 43킬로미터 길이의 구멍이 생겼다. 그 구멍이 사흘 만에 145킬로미터로 넓어졌고, 이탈리아군은 공황 상태로 달아나고 있었으며, 소련군이 공세를 개시한 12월 19일부터 심하게 얻어맞은 남쪽의 루마니아 제3군도 와해되고 있었다. 만슈타인이 구멍을 틀어막고자 호트의 기갑부대 중 일부를 데려온 것은 놀랄 일이 아니었다. 그러자 연쇄반응이 일어났다.

돈 강 집단군뿐 아니라 스탈린그라드에 근접했던 호트의 부대도 물러났다. 이 퇴각으로 인해 이제는 캅카스의 독일군이 위험해졌는데, 소련군이 아조프 해의 로스토프에 당도할 경우 퇴로를 차단당할 처지였다. 크리스마스 하루나 이틀 후에 차이츨러는 히틀러에게 "지금 캅카스에서 철수하라고 명령하지 않으면 두 번째 스탈린그라드를 자초하게 될 겁니다"라고 지적했다. 12월 29일, 최고사령관은 마지못해 클라이스트의 A집단군에 필요한 지시를 내렸다. 제1기갑군과 제17군으로 이루어진 A집단군은 그로즈니의 매장량 풍부한 유전지대를 차지하는 임무에 실패했다. 그리고 이번에도 목표물을 눈앞에 두고서 기나긴 퇴각을 시작했다.

소련의 독일군과 북아프리카의 이탈리아-독일 군이 전세 역전을 당하자 무솔리니는 생각에 잠겼다. 히틀러는 12월 중순에 대화하자며 무솔리니를 잘츠부르크로 초대한 터였고, 당시 위장병 때문에 식이요법을 엄격히 지키던 두체는 초대를 수락하면서도 치아노에게 말했듯이 한 가지 조건을 붙이기로 했다. "자신이 쌀과 우유로 연명해야 한다는 사실을 게걸스럽게 먹어대는 여러 독일 인사들이 알아채지 못하도록" 식사는 혼자서 하겠다는 조건이었다.

약속한 12월 중순이 왔고, 무솔리니는 히틀러에게 동부전선에서 더 이상의 손실을 막고, 스탈린과 모종의 거래를 하고, 추축국 전력으로 북아프리카, 발칸, 서유럽의 나머지 부분을 방어하는 데 집중하자고 말하기로 결심했다. "1943년은 영-미가 분투하는 해가 될 것이다"라고 무솔리니는 치아노에게 말했다. 히틀러는 무솔리니를 만나고자 해도 동부의 본부를 비워둘 만한 상황이 아니었으므로, 치아노가 무솔리니를 대신해 라스텐부르크까지 먼 거리를 여행해 12월 18일에 나치 지도자에게 두체의 제안을 그대로 전했다. 히틀러는 그 제안을 비웃고는 이탈리아 외무장관에게 소련 전선에서 손을 떼지 않으면서도 북아프리카로 추가 병력을 파견할 수 있고 그곳을 지켜낼 것이라고 말했다. 히틀러의 호언장담에도 불구하고 치아노가 보기에 독일군 본부의 사기는 떨어져 있었다.

분위기가 무거웠다. 아마도 나쁜 소식이 그 축축한 숲의 처량함과 병영 내 집단생활의 지루함을 더욱 키웠을 것이다. … 러시아 전선이 돌파된다는 소식으로 인한 비애감을 아무도 감추려 하지 않았다. 그 책임을 우리에게 덮어씌우려는 공공연한 시도가 있었다.

바로 그 순간, 돈 강 전선 이탈리아 제8군의 생존자들은 목숨을 부지하고자 허둥지둥 달아나고 있었다. 치아노 일행 중 한 사람이 어느 OKW 장교에게 이탈리아군이 큰 손실을 입었는지 물었을 때, 그 장교는 "아무런 손실도 없습니다. 그들은 돌진하고 있습니다"라고 답변했다.[26]

캅카스와 돈 강의 독일군은, 비록 돌진하고 있긴 않았지만, 퇴로를 차단당하지 않기 위해 최대한 신속하게 물러나고 있었다. 1943년에 들어서자 독일군은 스탈린그라드로부터 매일 조금씩 퇴각했다. 이제 소련군이 스탈린그라드의 독일군을 끝장낼 차례였다. 하지만 처음에 소련군은 이미 운명이 정해진 독일 제6군의 군인들에게 목숨을 구할 기회를 주었다.

1943년 1월 8일 오전, 붉은군대의 젊은 장교 세 사람이 백기를 들고서 스탈린그라드 독일군의 북쪽 방어선 안으로 들어가 파울루스 장군에게 돈 강 전선 소련군 사령관 콘스탄틴 로코숍스키Konstantin Rokossovsky 장군의 최후통첩을 전달했다. 그 통첩은 파울루스에게 그의 부대가 퇴로를 차단당했을 뿐 아니라 구조될 수도, 보급품을 공수받을 수도 없음을 지적한 뒤, 다음과 같이 말했다.

귀관의 부대의 상황은 절망적이다. 그대들은 굶주림과 질병, 추위로 고생하고 있다. 러시아의 지독한 겨울은 아직 시작되지도 않았다. 된서리, 한풍, 눈보라가 아직 남아 있다. 귀관의 병사들은 동복을 지급받지 못했고 끔찍한 위생 조건에서 생활하고 있다. … 그대들의 상황은 가망이 없고, 더 이상의 저항은 무의미하다.

현 상황을 고려하고 불필요한 유혈 사태를 피하기 위해 우리는 귀관에게 다음과 같은 항복 조건을 수락할 것을 제안한다. …

그것은 명예로운 조건이었다. 모든 포로는 "평균 배급량"을 지급받는다. 부상자와 병자, 동상자는 치료를 받는다. 모든 포로는 계급장, 훈장, 개인 소지품을 소지할 수 있다. 파울루스에게 주어진 회답 시한은 24시간이었다.

파울루스는 즉시 무전으로 히틀러에게 최후통첩문을 보고하고 행동의 자유를 요청했다. 이 요청을 통수권자는 단칼에 일축했다. 항복 요구의 시한인 24시간이 지난 1월 10일 오전, 소련군은 포 5000문의 포격으로 스탈린그라드 전투의 마지막 장을 열었다.

전투는 격렬하고 피로 얼룩졌다. 돌무더기 도시의 얼어붙은 황무지에서 양편 모두 믿기 어려울 정도로 용맹하고 무모하게 싸웠다. 그러나 오래가지 않았다. 6일 만에 독일군의 고립지대는 절반으로, 기껏해야 길이 24킬로미터에 너비 14.5킬로미터인 영역으로 줄어들었다. 1월 24일경 독일군은 양분되었고 최후의 작은 비상용 활주로마저 상실했다. 그동안 특히 병자와 부상자를 위한 의료품을 비롯해 약간의 보급품을 가져오고 환자 2만 9000명을 수송했던 항공기들이 더 이상 착륙할 수 없었다.

소련 측은 용감한 적에게 다시금 기회를 주었다. 1월 24일, 소련 특사들이 새로운 제안을 가지고서 독일군 방어선에 도착했다. 이번에도 미치광이 총통에게 복종해야 할 의무와 휘하의 생존 병력을 전멸로부터 구해야 할 의무 사이에서 갈피를 잡지 못한 파울루스는 히틀러에게 호소했다.

[파울루스가 24일 무전을 침] 부대에 탄약도 식량도 없다. … 효과적인 지휘가 더 이상 불가능하다. … 보급품도 붕대도 의약품도 없는 부상병이 1만 8000명이다. … 더 이상의 방어는 무의미하다. 붕괴할 수밖에 없다. 잔여 병력의 생명을 구하기 위한 항복을 즉시 허락해줄 것을 요청한다.

히틀러의 회답은 바뀌지 않았다.

항복을 금한다. 제6군은 최후의 일인과 최후의 일발에 이르기까지 현 위치를 사수하고, 영웅적인 인내를 통해 방어전선을 구축하고 서방 세계를 구원하는 데 잊지 못할 공헌을 하라.

서방 세계라니! 이것은 불과 얼마 전에 프랑스와 플랑드르에서 그 세계에 맞서 싸웠던 제6군의 장병에게는 쓰라린 표현이었다.

더 이상의 저항은 무의미하고 부질없을 뿐 아니라 불가능했으며, 1943년 1월이 끝나갈 즈음 이 서사시적인 전투도 이제 다 써서 바지직 소리를 내며 꺼지는 촛불처럼 잦아들었다. 1월 28일경 한때 대군이었던 제6군은 3개의 고립지대에 흩어져 있었고, 그중 남쪽 고립지대의 파울루스 장군은 지난날 번창했던 백화점Univermag 잔해의 지하실에 사령부를 두고 있었다. 어느 목격자에 따르면, 사령관은 곧 쓰러질 듯한 상태로 어두운 지하실 구석의 야전침대에 앉아 있었다.

파울루스도 휘하 장병도 당시 쏟아져 들어오기 시작한 무전 축전을 반가워할 기분이 결코 아니었다. 커다란 모피 코트를 걸치고 손가락에 보석을 낀 채로 겨울 대부분을 화창한 이탈리아에서 지낸 괴링은 1월 28일에 다음과 같은 메시지를 무전으로 보냈다.

제6군이 치른 전투는 역사에 기록될 것이고, 미래 세대들은 과감함의 랑에 마르크, 집요함의 알카사르, 대담함의 나르비크, 그리고 자기희생의 스탈린그라드에 대해 자랑스럽게 말할 것이다.

나치당 집권 10주년 기념일인 1943년 1월 30일 저녁에 비대한 괴링 원수의 허황된 방송을 듣고도 제6군은 기운이 나지 않았다.

지금으로부터 천 년 후에 독일 국민은 존경하고 경외하는 마음으로 이 전투[스탈린그라드]에 관해 말할 것이고, 뭐니 뭐니 해도 바로 그곳에서 독일의 궁극적인 승리가 결정되었다고 기억할 것이다. … 볼가 강의 영웅적인 전투는 두고두고 회자될 것이다. 독일을 찾는 사람들은 그대들이 우리의 명예와 지도부가 명하는 바에 따라 독일의 더 큰 영광을 위해 스탈린그라드에 누워 있는 모습을 보았노라고 말할 것이다.

제6군의 영광과 끔찍한 고통은 이제 끝이었다. 1월 30일, 파울루스는 히틀러에게 무전을 쳤다. "최종 붕괴를 24시간 이상 막을 수 없다."

이 메시지를 받은 최고사령관은 스탈린그라드의 불운한 장교들에게 일련의 진급 사령을 남발했는데, 그런 영예가 그 피로 물든 자리에서 영광스럽게 죽겠다는 그들의 결의를 다져주기를 바랐던 것으로 보인다. 히틀러는 요들에게 "독일의 군사사에서 원수가 포로로 잡힌 기록은 없다"라고 말하고는 무전으로 파울루스에게 모두가 선망하는 원수장을 수여했다. 무려 117명의 다른 장교들도 한 계급씩 진급시켰다. 소름 돋는 죽음의 의식이었다.

제6군의 결말 자체는 용두사미였다. 1월의 마지막 날 늦은 시간에 파울루스는 총통 본부에 최종 메시지를 보냈다.

맹세를 충실히 지키고 임무의 숭고한 중요성을 자각하는 제6군은 총통과 조국을 위해 최후의 일인과 일발에 이르기까지 끝끝내 진지를 사수했다.

오후 7시 45분, 제6군 사령부의 무전병은 본인의 마지막 메시지를 보냈다. "러시아군은 우리 벙커의 입구에 서 있다. 우리는 장비를 파괴하고 있다." 무전병은 말미에 "CL"을 덧붙였는데, "본 무선국은 이것으로 발신을 종료한다"라는 의미의 국제 무전 부호였다.

사령부에서 막판 전투는 없었다. 파울루스와 참모진은 최후의 일인까지 버티지 않았다. 하급 상교가 이끄는 소련군 1개 분대가 지하실의 어두컴컴한 사령관 숙소를 들여다보았다. 소련군은 항복을 요구했고, 제6군의 참모장 아르투어 슈미트Arthur Schmidt 장군은 받아들였다. 파울루스는 풀죽은 모습으로 야전침대에 앉아 있었다. 슈미트가 "더 하실 말씀이 있습니까?"라고 물었으나 파울루스는 너무 지쳐 답변조차 못했다.

더 북쪽의 작은 고립지대에서는 독일군 2개 기갑사단과 4개 보병사단의 잔여 병력이 트랙터 공장의 폐허에서 여전히 버티고 있었다. 2월 1일 밤, 그들은 히틀러 본부로부터 메시지를 받았다.

독일 국민은 남부 요새를 사수하는 부대와 마찬가지로 그대들도 의무를 다할 것으로 기대한다. 그대들이 전투를 이어가는 매일 매시간이 새로운 전선을 구축하는 데 이바지한다.

2월 2일 정오 직전, 이 집단은 최고사령관에게 마지막 메시지를 보낸 뒤 항복했다. "… 훨씬 우세한 적을 상대로 최후의 일인까지 싸웠다. 독일 만세!"

눈이 덮이고 피가 흩뿌려진 아수라장 같은 전장에 마침내 정적이 깃들었다. 2월 2일 오후 2시 46분, 독일 정찰기 한 대가 도시의 상공을 비행하며 무전으로 보고했다. "스탈린그라드에 전투 징후 없음."

그 무렵 장군 24명을 포함하는 독일 군인 9만 1000명은 영하 24도의 맹추위 속에서 피가 엉겨붙은 모포를 머리에 두르고 손에 움켜쥔 채로 시베리아의 음울하고 꽁꽁 언 전쟁포로 수용소를 향해 절뚝거리며 걸어가고 있었다. 굶주리고 동상을 입은 그들은 다수가 부상자였고 하나같이 넋이 나가고 기가 꺾인 모습이었다. 항공편으로 대피한 약 2만 명의 루마니아군과 2만 9000명의 부상자를 제외한 그들 전원은 두 달 전만 해도 28만 5000명에 달했던 정복군의 잔여 병력이었다. 나머지는 살육당했다. 그리고 그 겨울날에 기진맥진한 상태로 수용소를 향해 행진을 시작한 독일군 9만 1000명 가운데 장차 살아서 조국으로 돌아갈 인원은 겨우 5000명에 불과했다.*

한편, 난방이 잘 되어 훈훈한 동프로이센 본부에서는 본인의 옹고집과 어리석음으로 이 재앙을 초래한 나치 통수권자가 스탈린그라드의 장군들이 언제 어떻게 죽어야 하는지를 모른다며 그들을 질타하고 있었다. 2월 1일, 히틀러가 OKW에서 장군들과 진행한 회의의 기록이 남아 있는데, 인생의 이 괴로운 시기에 독일 독재자의 본성이 어떠했는지, 아울러 그의 군대와 나라의 특질이 무엇이었는지 잘 보여준다.

그들은 그곳에서 항복했다 ─ 정식으로 완전하게. 그렇지 않았다면 그들은 대오를 좁히고 고슴도치 방어진을 형성했다가 최후의 일발로 자결했을 것이다. … 대의를 잃었다고 판단했을 때 자신의 칼에 몸을 던졌던 과거의 사

---

* 1958년 본(Bonn) 정부가 제시한 수치다. 포로의 다수는 이듬해 봄에 발진티푸스 유행으로 사망했다.

령관들처럼 그자[파울루스]도 총으로 자결했어야 한다. … 바루스[로마제국 시대의 장군]마저도 노예에게 "이제 나를 죽여라!" 하고 명령하지 않았던가.

사는 길을 택했던 파울루스를 향한 히틀러의 악담은 호통을 칠수록 독살스러워졌다.

상상해보라. 그는 모스크바로 끌려갈 것이다 ─ 그리고 그곳의 쥐덫을 상상해보라. 그는 고백하고 성명을 발표할 것이다 ─ 두고 보라. 이제 그들은 정신적 파탄의 비탈길을 따라 나락의 바닥까지 떨어질 것이다. … 두고 보라 ─ 1주일도 지나지 않아 자이틀리츠나 슈미트, 심지어 파울루스까지도 라디오에 나와 이야기할 것이다.* … 그들은 루반카에 갇히고 그곳에서 쥐들에게 먹힐 것이다. 어떻게 그토록 비겁할 수 있는가? 나는 이해할 수가 없다. …
삶이란 무엇인가? 삶이란 곧 민족이다. 개인은 어차피 죽을 수밖에 없다. 개인의 삶 너머에 민족이 있다. 그런데 이 눈물의 골짜기에 매여 있을 의무가 없는 사람이 어떻게 이 비참함에서 벗어날 수 있는 죽음의 순간을 두려워한단 말인가!
… 너무나 많은 이들이 죽고 나면, 그런 자가 마지막 순간에 다른 수많은 이들의 영웅적인 행위에 먹칠을 한다. 그는 모든 슬픔에서 벗어나고 영원성과 민족의 불멸성으로 올라갈 수 있었건만 모스크바로 가는 길을 택했다! …

---

* 히틀러의 이 예측은 시기를 제외하면 정확했다. 이른바 자유독일국민위원회의 지도부가 된 파울루스와 자이틀리츠는 7월에 모스크바 라디오를 통해 독일 육군을 상대로 히틀러 제거를 촉구하는 방송을 했다.

나 개인에게 가장 쓰라린 사실은 내가 그럼에도 그를 원수로 진급시켰다는 것이다. 나는 그에게 이 최후의 만족을 선사하고 싶었다. 그 진급을 끝으로 나는 이번 전쟁에서 원수를 더 이상 임명하지 않을 것이다. 그대들은 미리 입맛부터 다시지 마라.[27]

이어서 히틀러과 차이츨러 장군은 항복 소식을 독일 국민에게 어떻게 알릴지 잠시 의논했다. 항복 사흘 후인 2월 3일, OKW는 특별성명을 발표했다.

스탈린그라드 전투가 끝났다. 파울루스 원수의 모범적인 지휘를 받으며 최후의 숨결에 이르기까지 싸우겠다는 맹세를 지킨 제6군은 적군의 우세와 아군이 직면한 불리한 전황으로 인해 패했다.

독일 라디오에서 이 성명을 낭독하기 전에는 소음을 죽인 북소리가 들렸고, 낭독한 후에는 베토벤 교향곡 5번의 제2악장이 흘러나왔다. 히틀러는 나흘의 국가 애도 기간을 선포했다. 그동안 모든 극장과 영화관, 연예장의 문을 닫기로 했다.

독일 역사가 발터 괴를리츠Walter Görlitz는 참모본부에 관한 저서에서 스탈린그라드 전투를 가리켜 "제2의 예나 전투였고 확실히 독일 육군이 당한 최대 패배였다"라고 말했다.[28]

하지만 그 이상이었다. 엘 알라메인 전투 및 영미군의 북아프리카 상륙과 함께 스탈린그라드 전투는 2차대전의 대전환점이었다. 아시아와의 경계인 볼가 강까지 유럽의 대부분과, 거의 나일 강까지 북아프리카를

휩쓸었던 나치 정복의 힘찬 물결은 이제 퇴조하기 시작했고 다시는 되살아나지 못할 터였다. 나치군이 전차와 항공기 수천 대로 적군의 대열을 공포에 빠트리고 분쇄했던 대규모 전격전의 시기는 막을 내렸다. 분명 필사적인 국지적 공격이 있었지만—1943년 봄 하르키우와 1944년 크리스마스 시기 아르덴에서—그것은 독일군이 전쟁의 마지막 2년간 엄청난 끈기와 무용으로 수행해야 했던 방어전의 일부였다. 히틀러는 빼앗긴 주도권을 끝내 되찾지 못했다. 그 후로 주도권은 줄곧 적에게 있었다. 지상뿐 아니라 공중에서도 마찬가지였다. 이미 1942년 5월 30일 야간에 영국은 비로소 천 대의 항공기로 쾰른을 폭격했고, 그 다사다난했던 여름 동안 다른 독일 도시들도 폭격했다. 스탈린그라드와 엘 알라메인의 독일 군인들처럼 독일 민간인들도 그때까지 자신들의 군대가 타국민에게 가했던 참화를 처음으로 겪게 되었다.

그리고 스탈린그라드의 눈밭과 북아프리카의 작열하는 사막에서 마침내 나치의 원대하고 끔찍한 꿈이 박살났다. 파울루스와 로멜의 재앙으로 제3제국의 명운이 다했을 뿐 아니라, 히틀러와 친위대 폭력배들이 정복지에서 분주히 수립해온 섬뜩하고 그로테스크한 이른바 신질서도 파멸할 운명이었다. 마지막 제6부 '제3제국의 몰락'으로 넘어가기 전에 그 신질서가—이론과 야만적인 실제에 있어서—어떠했고, 유서 깊고 문명화된 유럽 대륙이 가까스로 벗어나기 전까지 잠시 경험한 초기의 악몽 같은 참상이 어떠했는지 살펴보는 편이 좋겠다. 그 참상을 겪고서 살아남거나 그것이 끝나기 전에 학살당한 선량한 유럽인들에게도 마찬가지겠지만, 신질서의 시기는 이 책에서도 제3제국의 역사를 통틀어 가장 어두운 장일 수밖에 없다.